PAPRIKA

ERICH VON STROHEIM

PAPRIKA

roman

Pygmalion
Gérard Watelet

Paris

Sur simple demande aux
Éditions Pygmalion/Gérard Watelet, 70, avenue de Breteuil, 75007 Paris
vous recevrez gratuitement notre catalogue
qui vous tiendra au courant de nos dernières publications.

© 1991 Éditions Pygmalion / Gérard Watelet, Paris
ISBN 2-85704-337-6

Traduit de l'anglais par Jacqueline Odile Verly.

A Denise Vernac

I

LES Magyars, comme tous les bons chrétiens, croient à la
Sainte Trinité. Mais, pas d'histoires, Dieu le Père leur
appartient. Il est *Magyar-Isten*... le Dieu hongrois. Et le hongrois est le langage courant au Paradis.

Magyar-Isten avait été, cette année-là, particulièrement prodigue. Jamais, depuis le début du siècle qui, maintenant, touchait à sa fin, il n'avait été si généreux envers ses enfants de
prédilection — ces descendants des Huns qui, conduits par
Attila, dévalèrent en trombe dans la vallée du Danube — et
des sauvages tribus *magyares* qui leur succédèrent.

Durant tout l'hiver, précoce et exceptionnellement long, le
dieu de la Hongrie avait recouvert les terres d'une immense
couverture blanche, scintillante et de jour en jour plus
épaisse. La neige était tombée si dru que les passes des montagnes de Tatra, Matra et Fatra étaient devenues impratica-
bles. Même les grandes routes de la plaine, les plus fréquentées, furent hors de service pendant longtemps.

Le Danube, la Tisza, la Drava et aussi la turbulente Szava
gelèrent ferme. On aurait pu les croire glacés pour l'éternité.

Puis le printemps vint brusquement, du jour au lendemain.

9

PAPRIKA

Isten envoya les rayons de son soleil le plus éblouissant et ramena les vents du Sud. Il fit fondre la neige avec des soins tels que les vignobles, à flanc de coteau, et les champs furent abreuvés, saturés, puis abreuvés une fois encore. Le sol devint noir, gras, odorant, prêt pour la charrue. Et le dévorant vagin de la terre redevint fertile, impatient de concevoir.

Quand le dernier grain eut été enfoui au creux des sillons, que les entrailles de la terre furent enfin repues, les paysans se défirent de leurs *gubas*★ et de leurs grossiers lainages qui sentaient fort l'odeur de l'homme, car ils les avaient portés l'hiver durant.

Hommes et femmes, accroupis dans de grands baquets ronds, se débarrassaient aussi de l'épaisse crasse de l'hiver et du labeur, à grand renfort d'éclaboussements et d'éclats de rire.

Ils sortirent leurs vêtements d'été, frais à la peau, qui sentaient bon l'armoire. Les femmes mirent leurs sept jupons de lin, les hommes leurs *gatyas* blancs, aussi larges que des jupes, leurs blouses rouges, des mouchoirs de soie bariolés de couleurs gaies et vives, leurs coiffures fleuries et enrubannées, tous dans leurs plus beaux atours, tous dans le costume national que leurs ancêtres portaient déjà, dix siècles auparavant.

Puis ils s'en furent, à nouveau, aux champs.

Ils marchaient avec recueillement, en procession derrière la Croix dorée, portant, les uns des cierges ornés de faveurs ; d'autres, les bannières des Confréries du Cœur de Jésus et des Enfants de Marie ; d'autres — les notabilités du village —, la statue en bois, grandeur nature, de saint Istvan qu'entouraient plus de cent bougies clignotantes.

Ils s'agenouillèrent en bordure de la route et prièrent *Magyar Isten* de les bénir, eux et leurs champs, et de leur prodiguer abondance de biens, tandis que le *pap* du village, en dalmatique et chasuble d'or et d'argent, balançait l'encensoir fumant au-dessus de la terre moite.

★ Lourds manteaux en peau de mouton.

mises, la courbe des hanches ou les cuisses dures au travers des pantalons si tendus qu'ils soulignaient la virilité du porteur en rotondités révélatrices. Embarrassés, ils se sourirent, détournèrent leurs yeux, pour se regarder à nouveau en éclatant de rire.

La gêne était passée.

Maintenant, ils s'en allaient, deux par deux, vers le fossé de la grande route qui sépare les champs. Là, dans l'herbe, ils s'installèrent, les uns assis, les autres à plat ventre, pour manger lentement leur frugal repas : du pain noir, des oignons juteux, du lard cru bien assaisonné de paprika, qu'accompagnaient de larges rasades d'un vin rouge, plein de feu.

Tout autour d'eux régnait le silence alangui qui enveloppe le milieu du jour à la fin de l'été. C'était le moment où la nature se repose, où l'air, imprégné des parfums des champs mûrissants, est moelleux, pesant et chaud.

Tandis que les travailleurs faisaient la sieste dans le creux du fossé, des voix graves, gutturales, étranges, mêlées à des bruits de chariots en marche, s'élevèrent de la route. La complainte se rapprochait, une mystérieuse mélopée elle aussi, mais cependant étonnamment différente de l'air simple que les paysans venaient de chanter.

C'était la *saga* des voyageurs sans repos, des gitans hongrois, des Tziganes, le peuple le plus gai, le plus heureux, et aussi le plus triste du monde.

Elle disait l'épopée des *Roms*, l'histoire à jamais tragique et joyeuse de leur vie errante. Un voyage qui commença, il y a des siècles et des siècles, au delta ensoleillé du Gange et qui, depuis, les fait cheminer à travers le monde, franchir les montagnes neigeuses, les plaines arides, les déserts brûlants, les rivières débordantes, monter jusqu'aux steppes glacées du Nord et descendre jusqu'aux jungles marécageuses où s'étire l'équateur. Apatrides, parias dans tous les pays, ces turbulents et lointains descendants de notre mère à tous, l'Inde, apprirent à aimer profondément, sans s'y attacher, tous les pays qu'ils parcoururent.

13

PAPRIKA

L'esprit gitan refuse la contrainte du temps.

Calo, le langage gitan qui ressemble étrangement au sanscrit, n'a pas de mots pour exprimer le devoir et la propriété — traditions, qui, telles des racines, tiennent les peuples civilisés rivés au sol.

Le chant des gitans était un hymne d'amour à la liberté sans limites, celle des oiseaux, celle de l'espace. Une cantate passionnée à la suprême joie de vivre, aux plaisirs brûlants des passions charnelles, à l'amour pour l'amour de l'Amour.

Il s'amplifiait en une rhapsodie de jalousie, de haine et de vengeance.

Puis il tombait dans une lamentation douloureuse sur le sort des frères qui pourrissent en prison, chargés de chaînes. Enfin, il devint une marche funèbre à la mémoire de ceux d'entre eux qui, jadis, avaient été roués, pendus ou brûlés vifs par les *gorgios*, leurs oppresseurs civilisés prétendument disciples du Christ.

Les paysans se levèrent pour écouter.

Les filles se poussaient du coude, se chuchotaient à l'oreille, toutes réjouies à l'avance des plaisirs qu'elles espéraient de cette arrivée inattendue qui allait briser la monotonie de leur labeur.

Elles se promettaient, dans leur for intérieur, de se faire dire la bonne aventure par les cartes et dans les lignes de la main, et aussi de profiter de l'aubaine pour découvrir vraiment les secrets de leurs amours : Allaient-elles prendre un époux ? Devenir filles mères ? Existait-il un philtre magique qui fasse « passer » les enfants ? Et quel était le numéro gagnant à la loterie ?

La caravane approchait.

On entendait le claquement des fouets qu'accompagnaient les grincements des roulottes, le tintamarre des casseroles et des chaudrons qui s'entrechoquaient.

Aux chants des hommes se mêlaient les aboiements des chiens, le trépignement des bêtes de trait, le hennissement d'un cheval en rut, tout le brouhaha de tout un bétail en marche et les cris perçants des enfants et leurs rires.

Bientôt, ils arrivèrent au sommet de la route, au lieu dit des Saules, et, maintenant, on pouvait voir toute la caravane bigarrée.

Dix roulottes et trois carrioles couvertes de bâches, tirées par des chevaux étiques, à demi morts de faim, apparurent.

Chaque voiture portait, peinte sur les flancs, une énorme croix romaine pour assurer aux populations assemblées sur son passage que son propriétaire était bien un bon chrétien.

Jadis, elles avaient dû être rouges ou vertes, mais il y avait longtemps de cela. Maintenant, il ne restait plus que quelques taches de ces couleurs délavées, vestiges d'une splendeur révolue. Tout le reste était sale, crotté, souillé, détérioré par les intempéries, passé, tanné et gondolé, plein de fentes et de trous : des morceaux de planches vermoulues, de fer-blanc rouillé, montraient cependant un certain effort d'entretien. Les fenêtres étaient tendues de papier jauni en guise de vitres ; quelques-unes avaient des rideaux de mousseline qui, autrefois, avaient dû être pimpants, mais qui, aujourd'hui, étaient défraîchis et déchirés en guenilles.

D'autres n'avaient ni vitres, ni rideaux, mais s'adornaient d'un tuyau de poêle noir de suie.

Deux ou trois de ces taudis sur roues avaient des persiennes démantelées qui, en grinçant, se balançaient sur leurs gonds rouillés. Les portes, à l'arrière ou sur les côtés, étaient toutes grandes ouvertes, retenues par des ficelles ou des bouts de fil de fer. A côté pendaient des seaux à eau, des bassines, des brocs, des ustensiles bosselés, cabossés, dont le ferraillement venait s'ajouter au tintamarre de la marche.

Un poulain, né depuis peu, à peine plus haut qu'un chien, était attaché à l'arrière d'une de ces demeures bringuebalantes. Deux génisses têtues traînaient leurs sabots. Le bétail à cornes, les mules et les ânes étiques et pleins de vermine, au milieu d'un indescriptible mélange de moutons, de cochons et de biques, suivaient, harcelés par une meute de chiens à

demi sauvages qui leur mordillaient les jarrets et ne s'arrêtaient que pour se battre entre eux.

Au milieu des roulottes et des bêtes, les gitans avançaient
en ondulant de leur démarche féline. Leurs yeux étaient du
noir des merises, leurs cheveux, bien lissés avec du beurre
rance à l'odeur âcre, avaient le reflet de l'aile du corbeau.
Contrastant dans leurs faces hâlées, leur sourire paraissait
d'une blancheur plus éclatante encore sous leurs lèvres écarlates et sensuelles.

Bien que les femmes fussent vêtues de loques, leur cou,
leurs oreilles et leurs doigts étaient chargés d'une profusion
de pampilles, d'anneaux d'or et d'argent. Des bracelets
d'argent martelé encerclaient leurs fines attaches brunes et
tintaient, à chaque geste, à chaque pas, comme des clochettes,
scandant le rythme du chant.

Aux fenêtres ou accroupies devant leur porte, de vieilles
ivrognesses, dont les trognes auraient suffi à les faire
convaincre d'emblée de sorcellerie, agitaient, en caquetant,
leurs membres décharnés.

Des adolescents, beaux pour la plupart, et que leur complète nudité n'avait pas l'air de gêner, se pourchassaient,
jouant à cache-cache parmi le bétail.

Les filles plus âgées et les jeunes épouses, presque toutes
belles, d'une beauté désordonnée et sauvage, ne portaient
rien d'autre que des jupes effilochées qui révélaient jusqu'au
genou des jambes d'ambre clair, et que des châles de soie,
jaunes, verts ou écarlates, glissant mollement de leurs épaules.
Leurs poitrines étaient nues. Leurs seins se dressaient comme
des fruits durs, se balançaient doucement, pointaient au travers des franges.

Un grand nombre d'entre elles étaient *cambori* — alourdies
par la grossesse. Certaines, qui portaient dans leur dos de petits
diablotins aux yeux de braise, allaitaient d'avides poupons.

Elles marchaient en jouant des hanches et, tout en chantant
et riant, faisaient, effrontées, aguichantes, des signes de la
main aux paysans badauds qui répondaient à leurs saluts.

PAPRIKA

Certains hommes étaient vêtus de vieux costumes campagnards qu'ils avaient mendiés ou volés, — des *gatyas, szurs* ou *gubas* vétustes, assemblés au hasard. D'autres portaient des vestiges de costumes de citadins — des pantalons rayés trop étroits et trop courts, des vestes et des gilets à carreaux, — celui-ci un chapeau melon cabossé, celui-là un canotier défoncé. Un grand escogriffe dégingandé arborait même une paire de bottines vernies, à boutons et à tiges, qui avaient autrefois dû être blanches.

Dans l'ensemble, on aurait dit que les gitans avaient pillé la boutique d'un « décrochez-moi-ça » et qu'ils avaient revêtu le premier costume qui s'était présenté, sans considération de taille ou d'harmonie. Tous les hommes arboraient au lobe de l'oreille des boucles ou des boutons et, autour de la tête, du cou et de la taille, des mouchoirs de soie. Ces ornements barbares rehaussaient d'une dignité sauvage leur apparence un peu ridicule.

Un certain nombre d'entre eux portaient un *bashadi** qui dépassait de sous leurs oripeaux. Ces instruments, craquelés, ternis par les intempéries, dont les archets pleuraient leurs crins, semblaient pourtant faire l'objet d'une tendre sollicitude de la part de leur propriétaire. Les garces les plus délurées, parmi les paysannes aux seins prometteurs, souriaient de façon provocante aux gitans qui les appréciaient au passage d'un regard connaisseur.

Suivant la dernière roulotte, qui se distinguait par un certain aspect d'ordre et de propreté, se traînait une belle fille — *cambori* d'un enfant sur le point de naître. L'avancement de sa grossesse lui rendait la marche pénible, mais les rudes secousses de la route lui interdisaient de prendre place dans la carriole. Deux robustes matrones la soutenaient, le visage empreint de sympathie et surtout de respect. De temps à autre, elles s'arrêtaient pour lui permettre de reprendre

---

* Petit violon.

17

haleine. La malheureuse poursuivait son calvaire avec le stoï-cisme bien connu des gitans.

Elle avait la peau brune, mais ses traits avaient la pureté classique d'un camée. Les bouclettes de ses cheveux noirs lui collaient au front et dans le cou, là où perlaient des gouttes de sueur froide. Les lèvres blanches, pincées, les dents serrées, elle respirait avec peine et essayait, de toutes ses forces décli-nantes, de traîner un peu plus loin encore son corps ballonné.

Sa jupe, tendue à craquer sur le ventre, était usée et de mauvaise qualité, mais très propre, ainsi que son corsage entièrement dégrafé pour faciliter la respiration.

Autour de ses yeux sombres, le cerne se creusait et, de ses fragiles narines, deux lignes tendues s'étiraient vers les coins de sa bouche.

— *Nastis jalno durroder !* murmura-t-elle soudain en s'arrê-tant, incapable de faire un pas de plus.

Elle glissa des bras qui la soutenaient, et, avec une plainte étouffée, s'affaissa sur le sol.

Les deux femmes s'agenouillèrent précipitamment pour essayer de la ranimer, appelant le Bon Dieu et la Sainte Vierge à la rescousse.

— *Soro ruslo !*

— *Mi Develeskie guerue Mariska !*

Quelques paysans s'étaient approchés et contemplaient, ébahis, le petit groupe. Aucun des gitans, qui continuaient à chanter, n'avait entendu les appels.

— Tinka !... Cours chercher de l'aide ! cria l'une des femmes à sa compagne, demande que la caravane s'arrête !

Tinka s'élança, traversa le troupeau et rejoignit la horde qui entourait les roulottes les plus proches.

— Arrêtez !... arrêtez, mes frères !... s'écria-t-elle, la Reine est tombée malade !

Ceux qui avaient entendu se retournèrent, arrêtèrent leur carriole et coururent vers la femme qui demeurait inerte sur la route.

Tinka poursuivit sa course à travers la foule des chanteurs, agitant les bras pour attirer l'attention de tous et hurlant à s'égosiller .

— Arrêtez, vous autres !... Arrêtez tous !... La Reine va accoucher.

Un autre groupe d'hommes et de femmes, suivis de leurs enfants braillards, des chiens qui grognaient, se précipitèrent à l'arrière.

Se frayant un passage au travers de cette meute d'hommes et de bétail, Tinka atteignit enfin l'avant-garde du convoi où elle retrouva Csampas, « la Tordue », ainsi nommée pour ses jambes en cerceau, elle aussi engrossée, maussade et peinant pour se tenir à la hauteur de la roulotte de Gabor Zoltan. Lui était le cousin de la reine Lila et provisoirement *Sher-engro**, tant que la Reine serait incapable de commander. A bout de souffle, Tinka s'agrippa à la femme de Zoltan.

— Où est « le Borgne » ?

La jalousie alluma la trogne de l'épouse de Zoltan.

— Et où crois-tu qu'il soit ? Le cochon !... Il fait l'amour avec Pivcza !

Elle renifla et cracha dans la direction de la roulotte. Puis, à la pensée des outrages qu'elle devait continuellement subir, elle éclata :

— Voilà pourquoi je dois aller à pied dans l'état où je me trouve... Ce salaud veut tout le lit pour lui et sa putain ! Que les foudres du Ciel les transpercent lorsqu'ils sont l'un sur l'autre, et que leurs charognes puantes pourrissent dans la fange !

Sans attendre la fin de cette malédiction, Tinka se précipita vers la roulotte. Elle dut se frayer un passage entre un étalon noir fougueux, lié à l'arrière, et une ourse noire des Carpates, la tête emprisonnée dans une lourde muselière de cuir.

Tinka grimpa les marches vermoulues, tira le rideau qui fermait l'entrée. Sur un grabat, un homme trapu, à l'aspect brutal, était étendu. Son œil unique était noir et perçant, et

* Chef de la tribu.

une cicatrice livide lui labourait le visage, du front obstiné au menton protubérant.

Gabor Zoltan se souleva sur un coude, tenant enlacée de son autre bras une fille à peine pubère qui demeurait près de lui, sur le dos. Même dans cette posture intime, Zoltan conservait, posée de travers sur son crâne rasé, une vieille toque d'astrakan râpée et mangée aux mites. Sa poitrine était nue et velue. Ses jambes puissantes disparaissaient dans le désordre de ses *gatyas* jadis blanches, et dont le bas recouvrait en partie de hautes bottes noires ornées de lourds éperons d'argent.

Le couple se redressa, de mauvaise humeur.

— *So Si ?* gronda le *Sher-engro*.

— Arrête le convoi, Gabor Zoltan ! Lila est en train d'accoucher !

Zoltan eut un sourire.

— Et après ? Ce n'est pas la première femelle qui met bas pendant qu'on chemine. Je ne vois pas pourquoi on ferait une exception pour elle !

— Mais elle est très malade ! insista Tinka, son cœur s'est affaibli, ces derniers temps, et son esprit n'a pas de repos. J'ai peur pour elle et pour l'enfant.

— Tu ferais mieux d'avoir peur pour toi et pour tous les autres ! Si Lila meurt, qui sera le chef ? Hein, Tinka ! Qui ? Moi ! Gabor Zoltan !

Le cyclope articula, avec orgueil, les syllabes de son nom et éclata d'un rire bruyant.

Il but à une bonbonne caparaçonnée d'osier qui se trouvait près de sa couche, s'essuya les lèvres du revers de sa main velue, envoya une claque sonore sur la croupe de sa concubine, lança les jambes hors du lit et, lentement, se dressa en s'étirant et bâilla en boutonnant son pantalon.

Pivcza, qui se pelotonnait au fond du lit, telle une chatte, lui tendit les bras. Son jeune corps voluptueux portait les traces noires et bleues des ardeurs de son amant et était couvert d'une crasse que les baisers avaient effacée par endroits.

20

Cette crasse faisait une croûte dure aux poignets et aux chevilles.

— Viens ici, murmura-t-elle, embrasse-moi mon gros !

Zoltan la regarda avec un sourire grimaçant et se pencha vers la bouche entrouverte et goulue qui s'offrait à lui. Leurs lèvres se collèrent, et le corps de Pivcza se gonfla de désir.

— *Dove si !* balbutia-t-elle. Reviens vite avant que je ne sois lasse d'attendre.

Il s'esclaffa :

— *Ava !* Je serai de retour dans une minute !

Il prit sa musette qu'il plaça sur son côté, à la ceinture, jeta sur ses épaules une peau de mouton, en attacha les cordons de façon à ce qu'elle pendît assez bas derrière, décrocha son *karikas** et suivit Tinka.

La fille, demeurée sur le lit, écarta les jambes paresseusement et soupira.

« Le Borgne » allait enfourcher son étalon Mikosz lorsqu'il remarqua, traînant dans la poussière de la route, un clou de fer à cheval. Il le ramassa et le rangea dans sa musette.

Piskos, l'ourse, se dressa et s'approcha en se dandinant. Zoltan assena en plein sur le museau de l'animal un coup avec le manche de son fouet. Le plantigrade grogna, menaçant, et leva ses énormes pattes, mais Zoltan lui décocha un tel coup de pied dans le ventre que l'animal perdit l'équilibre et tomba, comiquement, à la renverse.

Redressée, folle de rage, Piskos essaya d'atteindre son maître, mais en vain.

— *Adje ! Atch !* rugit Zoltan d'une voix de stentor en enfourchant sa monture.

A son commandement, les gitans tirèrent sur les guides, serrèrent les freins, hurlèrent des « Hô ! Hô ! » aux attelages qui obéirent. Les roues grincèrent, les roulottes gémirent et s'arrêtèrent.

Le chef de la caravane fit tourner sur place sa monture dont

* Fouet à manche court et longue lanière.

21

il labourait les flancs de ses éperons et galopa au milieu du bétail affolé.

La Reine avait été portée dans sa roulotte par plusieurs de ses sujets. Ils l'avaient déposée sur un lit propre et confiée aux soins de la *Mormusti*. La sage-femme avait déshabillé Lila en un tournemain et avait remis à la malade, qui s'en saisit nerveusement, l'extrémité d'un drap qui avait été attaché aux montants de sa couche pour faciliter le labeur.

Au-dehors, les gitans s'étaient rassemblés sur le seuil, tandis que quelques paysans curieux cherchaient à se glisser parmi eux. Brusquement, la foule turbulente s'écarta avec respect pour laisser passer la silhouette déjetée de la *baba*, la voyante centenaire que les campagnards regardaient avec une craintive admiration. La vieille s'avançait en boitant, ses mains parcheminées crispées comme des serres d'oiseau de proie sur le pommeau de son énorme gourdin. Zsuzsa, dont les prédictions étaient écoutées par tous, gravit péniblement les marches et disparut derrière le rideau.

Quelques secondes plus tard, on entendit le bruit des sabots d'un cheval. C'était Zoltan qui, au galop, arrivait droit sur la foule. Le *Sher-engro* daigna jeter un regard condescendant sur les badauds, puis fixa le rideau baissé de la roulotte. Un sourire ironique se dessina sur ses lèvres. Il ricana :

— Alors, l'heure de la portée est venue ? Peut-être que son mal aux boyaux va lui délier la langue. On va enfin savoir quel est l'enfant de cochon qui l'a baisée. Si le bâtard ressemble à son salopard de père, on saura bien qui c'est.

Certains, dans l'assistance, qui appréciaient l'esprit de Zoltan ou qui croyaient bon de laisser croire qu'ils comprenaient, se mirent à rire bruyamment.

— Il n'aura peut-être qu'un seul œil, hein, le Borgne ? ironisa Fozsto, « le Chapardeur », à l'œil torve et à l'ensemble peu rassurant lui aussi.

— Ce ne serait pas le premier bâtard du Borgne ! ricana Dona, une véritable virago.

— Et ce ne sera pas le dernier, pas vrai, Zoltan ? interrogea Vasgyuro, « le Manchot », en se grattant la cuisse avec son crochet de fer.

Le *Sher-engro* éclata de rire, décidé à prendre ces sarcasmes comme des compliments, puis il fit cabrer son cheval pour obliger les gens à se garer.

— Oh ! je me suis souvent demandé si j'étais tout seul à en être le père, dit-il, fanfaron ; mais ce coup-ci, je suis certain d'une chose : je n'y suis pour rien, dans la fabrication de ce marmot.

Csampas, sa femme, les mains croisées sur son ventre enflé pour le protéger, défia les sabots de l'étalon impétueux.

— Je suppose que tu n'as jamais essayé de coucher avec Lila, hein ! Tu t'en serais bien gardé, triple cochon ? Il n'y a pas de jour que tu n'aies essayé de la sauter, et pas qu'une fois, mais deux, mais trois !

Comme la foule s'esclaffait à ses propos, Csampas poursuivit :

— Je parie que tu vas dire que tu n'as jamais eu l'intention de l'épouser, que tu n'as jamais offert cinq cents ducats. Ah ! reine ou pas reine, c'était cinq cents fois plus que tu n'as payé pour moi ou pour cette salope de Pivcza. Non, sans blague ? Comme si tu n'avais jamais eu envie de te l'envoyer, cette Lila !

Les badauds se rapprochèrent pour mieux entendre : quelqu'un qui avait l'audace de tenir tête à Zoltan ! Fozsto se glissa derrière Csampas pour l'encourager :

— Vas-y ! Dis-lui son fait, au Borgne ! On est tous avec toi !

Le *Sher-engro* fronça les sourcils et scruta l'assistance. Il se rendait compte que ses hommes faisaient montre, depuis quelque temps, d'une certaine audace et qu'ils se rebellaient parfois contre ses ordres. Il jugea bon de n'attacher pour le moment aucune importance aux moqueries de Csampas et de remettre à plus tard la correction qu'il comptait administrer à son épouse. Lorsque la caravane, ayant repris sa route, couvrirait de son brouhaha habituel les cris de sa femme, Pivcza serait ravie d'assister à son triomphe et pourrait suggérer des tortures raffinées et nouvelles.

Zoltan, indiquant, d'un signe du menton, la roulotte toute proche, déclara avec un sourire satisfait :

— Bien sûr que je la désirais, cette femelle, mais c'était avant qu'elle se fasse dépuceler par un *gorgio*. Maintenant, je ne voudrais pas la toucher, même avec ta verge, Fozsto.

Éclatant d'un rire bruyant à sa propre plaisanterie, Zoltan envoya une dernière repartie à l'adresse de la femme qu'ils honoraient tous.

— Que les crampes lui nouent le nombril et qu'elle mette bas au moins trois rejetons !

Les hommes lancèrent à l'insulteur des regards mauvais, et leurs mains se crispèrent sur les poignées de leurs *shuris*, ces fameux couteaux sans qui les gitans ne seraient plus eux-mêmes.

Les jeunes femmes dont il avait meurtri la bouche et les seins, dont il avait ravi les corps au cours d'un moment d'inattention de leurs époux, se dissimulaient instinctive-ment derrière leurs hommes, en se demandant ce qu'il adviendrait s'ils venaient à apprendre leur faute.

A ce moment, le rideau se souleva, et la vieille Zsuzsa montra son visage.

— *Mek-Kior !* grogna-t-elle, que le diable te torde le cou, et que la peste noire te couvre la peau de pustules !

Zoltan, indifférent, haussa les épaules, lança sur le côté un jet de salive et serra sa ceinture d'un cran.

— Ta gueule ! Sale sorcière, vas-tu fermer ton clapet puant ! s'exclama-t-il, garde tes malédictions pour toi et pour ceux qui ont peur de toi !

Sans prévenir, il fit demi-tour et fonça à travers la foule qui s'empressa de s'écarter. La vieille Zsuzsa disparut à nouveau.

Un premier cri de douleur venant de la voiture retentit sou-dain, glaçant de crainte tous ceux qui l'entendirent, tant il contenait de souffrance. Comme pour ajouter à la tristesse de l'heure, de sombres nuages, précurseurs de l'orage, obscurcirent le soleil. En quelques instants, le ciel, jusqu'alors clair, devint noir et, bientôt, fut sillonné par les zigzags fulgurants des éclairs. Le tonnerre roula au-dessus des champs. Les grondements se succédaient sans discontinuer, de plus en plus proches. Comme si, pour célébrer la naissance qui avait lieu dans cette roulotte misérable, les coups de tonnerre éclataient, telles ces salves tirées par des milliers de canons, en l'honneur des rejetons royaux. Insouciants de l'orage imminent, les gitans se pressaient autour de la carriole, et tous se rapprochèrent en entonnant peu à peu une vieille mélopée rituelle. Ils employaient la première anesthésie connue de l'homme : le chant.

Des paysans qui s'étaient attardés se signèrent ; les gitans les imitèrent, faisant ce geste pieux dont ils comprenaient à peine la signification.

Un nouveau cri, plus terrifiant encore, retentit, et le chant reprit de plus belle, s'amplifiant sur un rythme qui grandissait de seconde en seconde.

Un vent puissant, venu d'on ne sait où, fit voler au-dessus de leur tête les jupes des femmes. Elles essayaient de les rabattre avec de petits rires étouffés.

Les premières gouttes tombèrent, et bientôt les nuages se déversèrent en torrent. Personne ne songea à quitter sa place et à aller chercher refuge. Quelqu'un ferma la porte de la roulotte de Lila. La pluie, diluvienne, la heurtait avec violence. On entendit, venant de l'intérieur, un autre cri, étouffé cette fois-ci.

Le chant continua, de plus en plus fort et rapide. Le vent faisait claquer les persiennes et grincer les portes. La pluie tombait sur le sol comme des milliers et des milliers de fléchettes, tandis que les éclairs illuminaient sans répit le ciel et que le tonnerre grondait.

Comme les cris de Lila devenaient des hurlements oppressés, se précipitaient, le chant monta en un sauvage *doppio movimento*.

Les Tziganes se balançaient au rythme de leurs cantiques,

laissant apparaître dans leurs accords déchirants tout le mysticisme de leur race. Tous les yeux fixaient la porte. Les hommes, comme toujours, espéraient un garçon ; les femmes, elles, demeuraient indifférentes dans leur espoir, mais tendres de compassion pour leur compagne.

Un autre cri déchirant retentit. Une adolescente, Toncsika, serra la main d'Arpad et enfonça ses ongles dans sa paume. Inquiète, elle interrogea son amoureux du regard, dégagea sa main et s'enfuit. Il courut après elle.

Les voix avaient accéléré leur cadence pour suivre le rythme grandissant des plaintes de la mère. Elles allèrent de *veloce* à *velocissimo*.

Un hurlement qui n'avait plus rien d'humain arrêta les gitans dans leur chant. Quelqu'un déclara :

— C'est fini !

Toutes les oreilles se tendirent pour surprendre le premier jour d'une vie nouvelle.

Il vint ; tout d'abord, ce fut un timide vagissement, puis un gémissement plus précis et enfin un cri plein de santé.

— Écoutez ! Il a de bons poumons, le petit !

— Je me demande comment va Lila. Elle n'était pas forte, la pauvre !

— Elle se faisait tant de tracas, tant de souci...

Théâtralement, la pluie s'était arrêtée aussi brusquement qu'elle s'était mise à tomber. La porte de la roulotte s'ouvrit et Zsuzsa apparut, tenant entre ses mains tremblantes un petit paquet gémissant encore humide des entrailles de sa mère.

— C'est une fille ! annonça la doyenne.

Tout en échangeant leurs impressions, les spectateurs se poussèrent pour mieux voir.

— Et Lila ? Comment est-elle ? Elle a pu tenir le coup ? interrogea anxieusement Nina.

— Elle est à bout de forces ! répondit Zsuzsa avec un hochement de tête qui ne laissait présager rien de bon. Les muscles sont déchirés !

— *Mi Dovvel's Kerrismus !* s'écria la pieuse Karoly.

La vieille opina du bonnet :

— Oui, c'est la volonté de Dieu !

Tous les regards émus étaient fixés sur le rideau entrouvert derrière lequel Lila geignait doucement.

— Si elle pouvait s'assoupir ! dit quelqu'un.

— Elle dormira ! assura Zsuzsa, je lui ai fait boire une bonne décoction de pavot.

Elle déposa le nouveau-né dans les mains impatientes qui se tendaient vers elle. De tous côtés, des exclamations jaillirent. Les gitans, selon leur tradition, se le passaient de l'un à l'autre :

— Comme sa peau est blanche !

— Regardez ces cheveux dorés !

— Les yeux sont verts !

Les regards, interrogateurs et perplexes, se croisaient.

— *Coin la dado ?* murmuraient tous les curieux.

Du haut des marches de la roulotte, Zsuzsa les contemplait avec la sereine philosophie de son grand âge.

— Qu'importe qui est son père ! dit-elle en haussant les épaules, puisque Lila l'a aimé. Cette petite est un enfant de l'Amour, et vous savez, ce sont toujours les plus beaux.

Ils approuvèrent les propos de la vieille. Entre leurs bras, le bébé se débattait.

— Voyez comme elle remue !

— Regardez, elle se cramponne à mon doigt !

— Elle a le diable au corps !

Au milieu de l'animation générale, un petit garçon crasseux et déluré s'approcha, bousculant tout le monde, se faufilant entre les jambes.

Il avait la peau bistrée, les cheveux noirs et les yeux sombres des gitans. Mais il y avait dans son regard une telle profondeur que ses compagnons disaient de lui qu'« il n'en était pas à son premier passage sur terre ». Car les gitans croient tous en la réincarnation. Il portait des boucles aux oreilles et, dans le dos, un petit violon maintenu par des ficelles. A part cela, il était aussi nu que le Bon Dieu l'avait fait.

Rogi Jancsi était orphelin. Sa mère était morte en couches, et son père avait été tué lors d'une rixe avec les gendarmes.

S'accrochant à tout le monde, il tendit ses petits bras sales :

— Donnez-la-moi ! dit-il, donnez-la-moi ! Je veux la tenir aussi ! Je suis assez grand ! dit-il avec orgueil.

— C'est vrai ! acquiesça Vasgyuro. Tu as déjà six ans, et tu sais jouer du violon et voler aussi bien qu'un homme. Prends la petite, mais attention, ne la laisse pas tomber !

Ils lui passèrent le nouveau-né qu'il prit avec empressement et qu'il berça dans ses bras en murmurant :

— *Pirenie !* chérie !... O mon amour !

Puis, tout à coup, il leva la tête vers ses compagnons et leur demanda :

— Quel nom va-t-on lui donner ?

— Pourquoi pas Lila, comme sa mère ?

C'est Istvan qui parlait. Sa pomme d'Adam montait et descendait dans son cou décharné, comme s'il allait l'avaler à chaque fois.

— Non, pas Lila ! protesta Hentès, le boucher — dont le bandeau qui sentait le clou de girofle cachait une fluxion —, il faut, au contraire, lui donner un nom bien à elle !

— Pourquoi pas Czinka, en souvenir de Czinka Panna ? suggéra Custor Ignac. Elle saura peut-être un jour jouer du violon aussi bien qu'elle.

Ignac était lui-même un grand artiste. Il tirait de son archet des accents humains, allant du rire aux sanglots. Il avait été autrefois second violoniste chez Czermack, l'illustre compositeur et chef d'orchestre gitan. Et c'était lui qui avait inculqué au jeune Jancsi les premières notions de son art. Mais Mariska Nagyneni, une douce créature qui n'aurait pu esquisser le moindre pas de danse, car elle boitait, proposa :

— On devrait l'appeler Gita. Souvenez-vous de Bograes Gita, la célèbre ballerine gitane, qui dansa même devant le roi. Cette petite peut aussi devenir un jour une danseuse célèbre !

Mais Jancsi, absorbé dans ses pensées, les sourcils froncés, secoua sa tête bouclée. Tous ces noms ne lui convenaient pas. Tout à coup, quelque chose lui frôla l'oreille. Il fit un geste pour repousser la caresse importune, mais cela revint le chatouiller. C'était une gousse de paprika qui se balançait au bout de sa tige frêle.

— Regardez ! s'écria le garçonnet joyeux, elle est née dans un champ de paprika. Il faut l'appeler Paprika !

Surpris, les gitans se regardèrent, mais le nom étrange et nouveau flattait leur goût de la fantaisie. Ils se mirent à rire de bon cœur et répétèrent, amusés :

— Paprika ! Paprika !

— Cela ne sonne pas mal !

— Cela me plaît, à moi aussi !

Jancsi cueillit la petite gousse de paprika et la plaça dans la main du bébé. A la grande joie de tous, la petite menotte se referma et s'agita comme pour donner son approbation à leur choix. Jancsi souleva le poupon à bout de bras et cria, exubérant :

— Paprika ! Paprika !

Tinka, souriant à l'enthousiasme du garçonnet, interrogea la doyenne, toujours immobile devant la porte.

— Qu'en penses-tu, la Sage ?

— Je vais lire dans sa main ! répondit la vieille en descendant les marches tandis que, déférente et déjà attentive, la foule s'écartait pour la laisser passer.

Elle se pencha sur le bébé et tenta d'ouvrir le petit poing qui enserrait la branche de paprika, mais le nouveau-né se mit à hurler. Zsuzsa, non sans peine, parvint à ses fins.

Jancsi remit prestement dans l'autre menotte le jouet précieux. Les pleurs s'arrêtèrent.

Zsuzsa se pencha sur la petite paume aux lignes si fines. Tout le monde attendit l'oracle en silence.

— Paprika est bien le nom qui lui convient ! dit la *baba* sur un ton prophétique. Le feu et la passion sont sa dot. L'orage qui éclata au moment de sa naissance durera toute sa vie. Cette ligne-ci indique les passions qui, tel un cyclone, l'agite-

29

ront. Sa colère sera vive comme la flamme et, si on la provoque, elle deviendra une véritable furie. Rien ne l'arrêtera. Cette ligne-là prédit l'orgueil qui, sans cesse, la dominera et qui lui refusera toutes les joies de la vie. Cette autre indique, aussi, la jalousie qui rongera son cœur !

Une quinte de toux interrompit la prophétesse. Avec peine elle reprit haleine, essuya la larme qui mouillait sa paupière rougie et, à nouveau, se pencha sur l'enfant.

— Cette ligne-là montre qu'elle saura enchaîner le cœur de bien des hommes, mais elle n'en aimera qu'un. Son amour sera profond et sincère, infini comme la course des étoiles. Mais elle le cachera toujours au plus profond de son âme et, malgré toute sa douleur, elle saura refouler les mots tendres qui lui brûleront les lèvres. car elle épousera un autre homme, qui ne sera pas de notre sang... Un *gorgio* d'un rang élevé, si je vois bien. Le Roi de Hongrie, Ferenc Jozsi lui-même, assistera à son mariage et la conduira à l'autel !

La pythonisse s'arrêta, leva les yeux et fixa l'horizon avec une expression de crainte. Les gitans se regardèrent. Pour la première fois, ils se mettaient à douter d'elle. Vraiment, cette dernière prophétie était par trop fantastique. Le Roi, assister au mariage d'une gitane ! C'était ridicule ! Même pour eux, qui avaient le goût du merveilleux poussé à l'extrême, elle dépassait les bornes.

Cependant, comme à regret, Zsuzsa reprit la main de l'enfant.

— Je vois un sabre... une dague... un fusil.. et du sang... !

Son vieux corps se mit à trembler. Elle couvrit ses yeux de ses mains décharnées, et ses dernières paroles tombèrent, à peine perceptibles, dans le silence général...

— ... du sang ! ... beaucoup de sang ... et la mort !

Un frisson parcourut l'assistance. Tous regardaient le fragile enfant sur qui pesait cette terrible prophétie reposer innocemment dans les bras de Jancsi.

Zsuzsa leva les yeux vers le ciel :

— Paprika sera son nom, prononça-t-elle solennellement.

PAPRIKA

Elle est née dans un champ de paprika., dans un champ de paprika elle mourra ! De même que son âme a été apportée par la foudre, de même elle s'en retournera purifiée dans l'au-delà parmi les éclairs et le tonnerre. Voilà ce que je lis dans sa main ! Dieu l'a voulu ainsi !

La voyante fit une courte pause et ajouta :

— Ou bien le diable, peut-être, je ne sais !

L'air s'engouffrait dans sa grande bouche édentée. Elle cueillit quelques fruits de paprika et, levant ses mains sèches, commença à marmonner une mystérieuse incantation en émiettant le paprika sur le front de l'enfant que Jancsi tenait toujours dans ses bras.

— Mon Dieu tout-puissant, protégez-la !

— Et que Dieu puisse nous secourir tous jusque dans l'éternité ! ajoutèrent les gitans avec ferveur.

Dans un silence impressionnant, ils regardaient, en hochant la tête, Zsuzsa qui, les yeux fermés, ne bougeait plus.

Le petit Jancsi serra le poupon contre lui et continua à le bercer.

— Ne pleure pas... mon amour ! murmura-t-il avec de grosses larmes dans les yeux.

Enfin, Zsuzsa sortit de sa transe. Elle gémit en s'appuyant sur son gourdin, puis fut prise d'un tremblement convulsif comme si un esprit diabolique essayait de s'échapper de son corps décharné. Quelques instants plus tard, elle rouvrit les yeux.

— Préparez-vous ! ordonna-t-elle, nous allons baptiser l'enfant selon l'usage des *Roms* !

Le soleil perçait enfin les nuages et séchait les vêtements humides et les peaux bistrées où courait la chair de poule.

En hâte, ils s'affairèrent aux préparatifs du rite mystique du baptême avec *Powni*, l'Eau, et *Povvo*, la Terre.

Janos, le forgeron, qui était beau comme un dieu, courut vers la roulotte qui lui servait d'atelier et revint, porteur d'une pelle et d'une pioche, près de Vasgyuro qui, à l'aide de son crochet de fer, avait déjà déblayé un coin en bordure de la route et commençait à creuser la terre humide.

PAPRIKA

Quand le trou fut suffisamment profond, ils y versèrent deux seaux d'eau. Zsuzsa prit l'attitude d'une prêtresse de l'Antiquité. Les gitans s'assirent à croupetons autour d'elle, et les paysans curieux tendirent le cou pour ne rien perdre de l'étrange cérémonie.

Sur un signe de la vieille, Sargarena, une femme jeune et belle, un bébé accroché dans le dos et un autre poussant dans son ventre arrondi, s'approcha. Mais Jancsi ne voulait pas rendre la petite Paprika. Il la serrait davantage dans ses bras, tout en implorant :

— Je t'en prie, *Baba* ! laisse-moi la baigner, je ferai très attention.

Les enfants font la loi chez les Tziganes. D'un sourire las, Zsuzsa acquiesça, et des larmes de joie emplirent les yeux de Jancsi. Il semblait qu'un lien mystérieux unissait déjà la petite fille nue et l'orphelin délaissé.

Maintenant, un chœur grave s'élevait : c'était le chant rituel du baptême.

Les voix s'amplifièrent, accompagnées par les violons et les notes pincées des *cobzas*...

— *Gura fada M. haireadh tu !* psalmodia la prêtresse.

— Puisses-tu vivre longtemps ! répéta le chœur.

Jancsi s'agenouilla et, tendrement, plongea l'enfant dans l'eau bourbeuse. Paprika geignit et se débattit, mais Jancsi recommença plusieurs fois l'opération, ainsi que l'exigeait la tradition. La voix éraillée de Zsuzsa s'éleva dans une incantation plaintive reprise en chœur par toute l'assistance.

« Ne crains pas l'eau, enfant de gitans...,
parce qu'elle est ton amie ! »

Sur un signe de Zsuzsa, Jancsi déposa le petit être ruisselant à ses pieds, sur la terre humide, tandis que les chants continuaient :

« Aime la terre, enfant de gitans...,
parce qu'elle est ta mère ! »

32

PAPRIKA

Zsuzsa leva alors les bras en signe de bénédiction :

« Va avec Dieu...
Demeure avec Dieu...
Pour l'éternité ! »

Tinka étendit à terre un vieux châle dans les plis duquel Jancsi enveloppa le bébé avec d'infinies précautions. La nouvelle chrétienne, épuisée d'avoir déjà tant crié, se calma et sombra dans son premier sommeil terrestre.

Une demi-bonbonne de vin fut apportée. On emplit un gobelet pour Zsuzsa qui le leva en disant : « *Piavta !* »

La jarre passa de main en main, et le vin commençait à échauffer les esprits quand on entendit de nouveau le galop d'un cheval. C'était Zoltan avec Pivcza en croupe.

Il sauta à bas de sa monture et, faisant tinter ses éperons, s'approcha de l'endroit où reposait le petit enfant. Il rejeta brutalement le châle et, avec ironie, regarda le bébé de Lila. Celui-ci, réveillé, se remit à pleurer.

— Alors, le voilà ce fameux bâtard ! ricana le *Sher-engro*. Aussi, c'est une fille, et la fille d'un *gorgio* par-dessus le marché. A-t-on jamais vu un rejeton de gitan avec des cheveux blonds et la peau blanche ?

Il jeta un coup d'œil sarcastique du côté de la roulotte où dormait Lila et ajouta :

— On tue nos femmes lorsqu'elles font l'amour avec un *gorgio* sans se faire payer. Et c'est ça, notre Reine ? Une fichue Reine, en vérité ! La reine des putains, oui !

Zsuzsa se retourna furibonde vers les romanichels :

— Alors, vous autres, allez-vous le laisser parler ainsi de Lila qui est, en ce moment, entre la vie et la mort ? Etes-vous donc tous des femmelettes ?

Les hommes s'interrogèrent du regard, leurs doigts se crispaient sur la poignée de la dague dont ils se servaient à la moindre occasion. Zoltan les regarda, les défiant avec un large éclat de rire :

— Femmelettes ? Pas même... Des loques !

Pour accentuer son mépris, il renifla et cracha sur le nouveau-né, ce qui fit se pâmer de rire Pivcza, sa concubine.

Plus prompt qu'un serpent, Jancsi arracha le couteau planté dans la ceinture de Hentès, se rua sur Zoltan et lui enfonça l'arme, de toutes les forces de son petit poing, au milieu de son énorme épaule. Le sang jaillit, une lueur de rage passa dans l'œil du Borgne.

Il se retourna et, saisissant son petit assaillant, le souleva de terre. Un murmure de révolte s'éleva de la foule. Avant que quelqu'un eût pu prévenir son geste, Zoltan brandit le garçonnet au-dessus de sa tête et l'envoya dans les rangs des hommes furieux. Jancsi s'écroula en poussant un cri douloureux et perdit connaissance.

— Étripez-le ! Il a tué Jancsi ! hurla Hentès.

Au paroxysme de la fureur, les romanichels, telle une horde de loups, se ruèrent sur leur tyran et tentèrent de le terrasser.

Tinka ramassa précipitamment la petite Paprika et s'enfuit vers la roulotte de Lila. Les paysans s'écartèrent pour éviter les coups.

Fozsto fut le premier à atteindre Zoltan. Il levait son couteau sur lui quand un coup de pied lancé en traître l'atteignit dans les parties. Il poussa un hurlement de douleur, tomba à la renverse en se tenant le bas-ventre.

Une autre lame brilla.

— Attention, mon gros ! avertit Pivcza.

Zoltan se baissa, et le couteau manqua de justesse son dernier œil. Il se redressa, brandissant un poignard à double tranchant, mais les romanichels, exaspérés, revenaient à la charge, avides du sang de l'homme qu'ils haïssaient.

Le *Sher-engro* les frappa de son *karikas* dont les lanières de cuir écorchaient les visages qui se contractaient, défigurés par la douleur.

Son fouet d'une main, son couteau de l'autre, Zoltan se battait comme un démon.

Les femmes, déchaînées — Csampas tout particulièrement —, suivies des enfants et des chiens, vinrent grossir le nombre des assaillants.

Une lame atteignit Zoltan au bras, une autre lui érafla le dos, une troisième lui troua la joue.

Il grimaçait de douleur mais, puisant dans l'odeur de son propre sang une nouvelle énergie, se battait plus sauvagement que jamais. Son poignard et le manche de son fouet, dont il se servait comme d'une massue, avaient déjà fait bien des victimes. Hentès, Janos et Vasgyuro, dont le redoutable crochet avait été arraché du moignon, étaient hors de combat et gisaient dans la boue. Mais les blessés continuaient à encourager les autres de la voix :

— Égorge-le donc !

— Crève-lui son sale œil !

— Sors-lui les tripes !

— Tape ! Tape plus fort ! Plus bas, imbécile !

— Arrache-lui son *voshnes* !

Mais seul Zoltan paraissait suivre les bons conseils. D'un coup dans le bas-ventre, il repoussa Pasztor, et la lame de son couteau atteignit Istvan à la nuque. La meute commençait à faiblir. Le *Sher-engro* s'en aperçut et en profita pour reprendre le commandement.

En titubant, il se redressa, couvert de sang, mais encore assez vigoureux pour cingler en plein visage les derniers rebelles.

— Et maintenant, bande de salopards, s'écria-t-il d'un ton dominateur, foutez-moi le camp dans vos roulottes. Nous partons !

Les hommes obéirent en gémissant. Ils se relevèrent avec peine, aidés de leurs femmes. Zoltan, livide, fit, une fois encore, claquer son fouet.

— Debout, sales porcs ! Et plus vite que ça !

Les éclopés s'exécutèrent tandis que Pivcza s'approchait de son homme.

— Tu t'es bien battu, mon gros ! dit-elle onctueusement. Comme tu es fort !

PAPRIKA

Trop affaibli pour crâner, quelque désir qu'il en eût, le matamore, en guise de réponse, lui arracha le cotillon qu'elle portait pour tout vêtement et, le déchirant en lambeaux, commença à essuyer le sang qui ruisselait de ses blessures.

— Laisse-moi faire, mon gros ! supplia-t-elle, les yeux brillants de luxure, laisse-moi faire !

Et elle se mit à lécher ses plaies.

Les autres gitanes, rentrées chez elles, soignaient leurs hommes et leur donnaient à boire. Custor Ignac et Gizzi, sa femme, ramassèrent Jancsi et le portèrent dans la roulotte de Lila.

Le Borgne, en titubant, rejoignit son étalon qui hennissait en piaffant d'impatience. Avec peine, il se hissa en selle et souleva Pivcza qu'il installa, toujours nue, à califourchon devant lui.

Triomphalement, il caracola de long en large, injuriant les retardataires en leur enjoignant de se dépêcher.

Comme il passait à nouveau près de la carriole de Lila, la vieille Zsuzsa apparut sur le seuil. Ivre de victoire, Zoltan la cingla de son *karikas*. La lanière frappa la doyenne au visage.

Zsuzsa grinça de douleur, mais ses yeux mélancoliques fixèrent Zoltan, et en *Calo*, le langage prophétique, elle lui dit, solennelle :

— Un jour viendra, Gabor Zoltan, où une bête plus sauvage et plus forte que toi te déchirera membre par membre. Tu la verras dévorer ta propre chair et tu l'entendras broyer tes os. Et tu souffriras jusqu'au dernier battement de ton cœur, qu'elle déchirera en lambeaux. Souviens-toi de mes paroles, vil chacal !

Malgré lui, le Borgne blêmit. Les mots terribles gâchaient son triomphe. Car bien qu'il s'en défendît, il croyait aux prophéties de Zsuzsa. Il les avait vues trop souvent se réaliser.

Il serra un autre cran à sa ceinture, et repartit au galop le long de la caravane qui s'ébranlait.

Dans sa roulotte, Zoltan, sur l'invitation de Pivcza, s'allongea sur le lit.

Elle le pansa et lui apporta à boire. Haletante, elle s'inclina vers lui et pressa ses lèvres de louve contre les siennes. Le Borgne, plein d'ardeur, l'enlaça. Mais Pivcza se dégagea, une idée subite lui traversant l'esprit.

Elle grimpa sur le lit, une expression sournoise sur son visage de renarde. Elle arracha quelques capsules de paprika des branches qui séchaient au plafond, et entreprit de les écosser.

— Appelle donc ta femme, mon gros. N'as-tu pas des comptes à régler ? insinua-t-elle.

Zoltan comprenant que sa concubine avait inventé, pour ajouter aux plaisirs de la couche, quelque torture moins ordinaire que les châtiments quotidiens, se leva et, de son pas lourd, se dirigea vers la porte.

— Rapplique, la Tordue ! cria-t-il.

Pâlissant d'avance, la malheureuse Csampas obéit. Elle escalada lourdement les marches, et à l'entrée, le poing de son époux l'envoya à la renverse s'étaler de tout son long dans un coin, où son crâne retentit contre la cloison.

Avant qu'elle n'ait eu le temps de se redresser, Pivcza, qui écrasait nonchalamment des grains de paprika entre ses doigts, commanda :

— Maintiens-la comme ça, mon gros ! Empêche-la de se relever !

Le cerveau plutôt obtus de Zoltan avait mis un certain temps à réaliser l'idée diabolique qui avait germé si rapidement dans l'esprit de sa vicieuse maîtresse.

Sur les ordres précis de la jeune vipère, le Borgne mit ses genoux sur les bras en croix de sa femme légitime et, de ses deux énormes poignes, ouvrit les cuisses de la malheureuse.

Décidément, cette Pivcza, elle en avait, de ces inventions.

Puis, soudain, il relâcha leur victime, qui se plia en deux comme un canif et se mit à rouler sur le sol avec les hurlements de douleur que lui arrachaient ses brûlures internes.

Pivcza et Zoltan s'esclaffèrent en voyant les convulsions de la vieille.

PAPRIKA

— Ça t'apprendra, pourriture, à me tenir tête en public !

Et, sur ces bonnes paroles, il s'abandonna aux caresses de Pivcza que l'entracte avait mise en appétit.

Il se laissa tomber sur la couche. La roulotte gémit sous le choc.

Csampas continuait à se tordre de douleur dans son coin, se moquant bien, pour une fois, de ce qui se passait sur le lit.

Pendant ce temps, dans la roulotte de Lila, Paprika, chaudement enveloppée dans des châles, reposait sur un grand plat creux en bois qui avait déjà servi de berceau à bien des bébés tziganes.

Près d'elle, Jancsi, le corps tuméfié et oint des baumes spéciaux de Zsuzsa, était accroupi. Sur le lit, derrière eux, Lila, blême et silencieuse, dormait.

Jancsi, au rythme berceur de la roulotte, sentit une douce émotion monter en lui. C'était une sensation qu'il connaissait bien, ce désir impulsif de traduire ses pensées en musique.

Le jeune garçon prit son *bashadi* et s'en fut s'asseoir sur le seuil de la roulotte, laissant pendre ses pieds dans le vide. Il plaça son violon contre sa poitrine et l'effleura de son vieil archet effrangé. Quelques notes légères, séraphiques, s'égrenèrent sous ses doigts. Elles disaient sa souffrance, sa peine pour Lila. Et comme le chaud soleil lui calmait sa douleur, elles devinrent une mélodie caressante, d'une harmonie telle qu'on avait peine à croire qu'elle sortît d'aussi petites mains.

Peu à peu, imperceptiblement, la musique se transforma en une *Sutter-Gillie,* une berceuse gitane qui semblait être le murmure d'une mère endormant son enfant. La petite se réveilla, agita sa main qui tenait toujours la branche de paprika et sembla tendre ses bras vers Jancsi qui lui sourit et continua à jouer pour elle.

Le soleil, maintenant, riait de tous ses rayons, léchant les gouttelettes qui pendaient, telles des perles, aux petites capsules de paprika. Une légère nuée émanait de la terre. Un arc-en-ciel enjambait l'horizon. L'espace avala la caravane.

PAPRIKA

Remis de leur émotion, les paysans s'en retournèrent à leur cueillette, reprenant leur chanson. Une alouette voleta dans l'air ; les abeilles bourdonnèrent.

De son timbre fêlé, la cloche de l'église tinta deux heures. La dernière note vibra longtemps dans l'atmosphère sereine.

II

DEPUIS la naissance de Paprika, *Magyar Isten*, le Bon Dieu des Hongrois, avait recouvert huit fois le pays de neige et de glace et, huit fois, avait gracieusement renouvelé son miracle du printemps.

Les paysans avaient semé, comme les années précédentes, et demandé les bénédictions d'*Isten* sur leurs récoltes. Il les fit bonnes ou mauvaises, selon l'ardeur ou la tiédeur de leurs prières.

Ils avaient bu du vin, ils avaient aimé, ils s'étaient mariés, ils avaient eu des enfants... pas toujours légitimes, et, à l'époque où le vent du nord emporte les dernières feuilles, quelques-uns des vieux s'étaient éteints avec les années qui mouraient.

Et maintenant, c'était à nouveau le printemps.

Une brise balsamique, venant du sud de la terre magyare, comme une caresse, commença à parsemer les vallées de violettes, de primevères, de pâles anémones et de coquelicots luxuriants. Les pétales des fleurs de pruniers dansèrent une nouvelle fois dans le vent, comme des flocons de neige, et les hirondelles, les cigognes et les hérons revinrent du Sud.

PAPRIKA

Les paysans entendirent à nouveau l'obsédante mélopée des gitans. Elle venait de la forêt touffue, près de Mohacs, dans le Sud, cette mélodie que les Tziganes chantaient depuis des siècles, toujours aussi belle, jamais deux fois la même.

C'était l'heure du crépuscule.

La terre se taisait pour mieux entendre la chanson accompagnée par le clapotis d'un moulin sur la rivière.

La caravane cahotante des roulottes marquées de la croix romaine débouchait maintenant de la forêt, découpant ses silhouettes chétives sur l'or du soleil couchant.

C'étaient toujours les mêmes misérables véhicules, grinçants et bringuebalants, tirés par les mêmes haridelles à demi mortes de faim, seulement plus vieilles, plus sales et plus faméliques que jamais, et apparemment accompagnées par le même troupeau de bœufs étiques, de vaches maigres, de boucs puants. Ces bêtes étaient toujours harcelées par les mêmes chiens hargneux, qui semblaient avoir triplé de nombre comme l'avaient fait les *purdes*, les adolescents nus, qui continuaient leur sarabande, se pourchassant les uns les autres entre les roues des véhicules.

Mikosz, l'étalon, était toujours attaché à l'arrière de la roulotte de Zoltan, avec Piskos, l'ourse des Carpates, flanquée maintenant d'un petit ourson qui se dandinait comiquement. Non loin d'eux, deux femmes avançaient, résignées. L'une était Csampas, la Tordue, la femme de *Sher-engro*, plus usée, plus ridée que jamais ; l'autre, l'ancienne favorite, Pivcza, un enfant à califourchon sur son dos, un autre à venir dans son ventre. Pivcza ne s'amusait plus, maintenant, à inventer de nouvelles tortures pour Csampas. Elles étaient devenues bonnes amies dans l'adversité, unies dans leur haine pour Chika, la dernière flamme de Zoltan, qui, maintenant, profitait du lit dans la roulotte.

Dans le reste du cortège, on pouvait reconnaître Tinka et Fozsto, et Istvan, l'homme à la pomme d'Adam, et Hentès-les-mains-rouges, le boucher à l'aspect bestial, et Custor Ignac, lui qui faisait pleurer ou rire le violon, et la douce

41

Mariska, claudiquant parmi les autres, et même la vieille Zsuzsa, maintenant plus que centenaire, toujours là, assise sur le seuil de sa porte, fumant sa courte pipe, ses yeux fatigués fixant l'horizon.

Puis venait la roulotte de Lila, se distinguant toujours des autres par son aspect propre, ses rideaux bien tendus, ses pots de géraniums et de fuchsias accrochés aux fenêtres. A l'arrière, Rogi Jancsi, maintenant un jouvenceau de quatorze ans, était assis à l'orientale sur ses jambes crasseuses. Entièrement nu, le violon contre la poitrine, il jouait tout contre l'oreille de Paprika qui, allongée à ses côtés en travers sur le plancher de la roulotte, était aussi nue que Dieu l'avait faite.

Son petit corps blanc montrait déjà des signes de puberté. Ses jambes écartées étaient fines et sveltes. Sa tête harmonieusement modelée, encadrée de boucles blondes, s'appuyait sur son étroite main aux doigts fuselés.

Sous ses sourcils arqués, de lourdes paupières frangées de longs cils noirs voilaient à demi d'étranges yeux verts. Les lèvres pleines, écarlates, s'entrouvraient pour découvrir des dents aussi blanches que des amandes douces. Paprika écoutait la rhapsodie où Jancsi versait toute son âme, jouant les yeux mi-clos. Son jeu préludait, doux et triste, puis s'amplifiait, fier et passionné, pour monter jusqu'aux accents impétueux de la jalousie...

Quand le dernier accord eut vibré, il posa son *bashadi* et se pencha sur Paprika.

Son visage se rapprocha du sien comme s'il voulait lire dans ses yeux et espérait entendre, venant d'elle, un mot affectueux.

Mais Paprika, languissamment, se détourna et bâilla. Elle passa une main sur son front comme si elle avait mal à la tête.

— Pourquoi joues-tu continuellement cette rengaine ? Si c'est tout ce que tu es capable de jouer, tu ferais mieux de rétamer les chaudrons.

Elle éclata de rire et ajouta :

— C'est cela, jette ton violon au feu et va battre le fer !

Elle s'étira et bâilla à nouveau. Les yeux tristes de Jancsi s'embuèrent de larmes — elles montent si facilement aux yeux des Tziganes —, sa gorge se serra, et il dit d'une voix étranglée :

— Paprika ! Cet air-là dit tout ce que je ressens pour toi. C'est pour cela que je te le joue.

Montrant sa poitrine, il confia :

— C'est tout ce que j'éprouve pour toi, là, dans mon cœur.

— Bah ! Et qui veut savoir ce que tu ressens ? Pas moi, en tout cas !

Avec un petit rire brusque et sec, Paprika se leva et, d'une pirouette, dégringola de la roulotte en marche sur la route. Jancsi la suivit des yeux, les poings crispés, les dents serrées, le cœur plein d'amertume.

Du lit où elle gisait, paralysée depuis la naissance de Paprika, Lila l'appela :

— Viens ici, Jancsi !

Il se précipita vers la couche, tomba à genoux et enfouit sa tête secouée de sanglots convulsifs près du visage pâle auréolé de cheveux blancs étalés sur l'oreiller. La main émaciée de la Reine caressa les boucles brunes et rebelles :

— *Ma Rove mi sha !* murmura-t-elle en le pressant doucement contre elle pour le consoler.

— C'est plus fort que moi, maman Lila, je ne peux pas m'empêcher de pleurer. A ses yeux, je ne fais rien de bien. Elle n'arrête pas de se moquer de moi !

— Voyons, Jancsi, elle n'a encore que huit ans ! Elle ne comprend pas.

— Elle ne comprend pas ? Tu devrais la voir avec les *gorgios*. Elle sait bien leur faire de l'œil pour faire enrager leurs femmes. Tiens, elle se laisse même tripoter par les sales pattes de Zoltan. Quand elle sait que je les regarde, elle lui fait des agaceries et, à moi, des pieds de nez !

Jancsi tremblait de rage. Brusquement, il se redressa, un éclair dans les yeux :

— Elle comprend bien comment il faut s'y prendre pour

me torturer. Mais je n'en peux plus, je ne peux plus supporter tout cela. Paprika est à moi. Elle m'appartient et je vais l'épouser !

— Tu l'aimes donc tant que ça ? soupira Lila.

— Plus que ma vie ! Plus que mon violon même !

Et son regard, soudain calmé, implorait une réponse. Elle acquiesça de la tête.

— Je ne veux pas que Paprika se marie avant d'avoir dix ou douze ans. D'ici là, elle aura le temps de changer à ton égard. Mais, rappelle-toi, elle est libre de son cœur.

Jancsi éclata à nouveau :

— D'ici là, le Borgne l'aura eue comme il a eu toutes les autres. Je le tuerai plutôt !

Et, furieux, il esquissa dans l'air le geste d'étrangler quelqu'un.

A ce moment, au-dehors, le chant des gitans s'arrêta ; on entendit claquer un fouet et une voix bien connue tonitrua :

— *Atche !*

C'était Zoltan qui intimait l'ordre à la caravane de s'arrêter. Les discussions fusèrent de tous côtés, accompagnées de hurlements d'enfants et d'aboiements de chiens.

— Va travailler, Jancsi ! murmura Lila dans le mélodieux langage *Calo*.

Jancsi essuya ses larmes, se moucha énergiquement, embrassa tendrement sa mère adoptive. Il courut vers la porte et, d'un bond, sauta sur la route poussiéreuse.

Les nomades avaient fait halte dans un endroit frais, ombragé, près du moulin. Maintenant, ils se dispersaient, suivant les ordres de Zoltan. Les uns disposèrent les voitures en croix, selon la coutume. D'autres dételèrent les chevaux et les mules. Et tous, leur tâche terminée, s'allongèrent paresseusement sur l'herbe pour leur sieste, non sans toutefois avoir, au préalable, avalé une bonne lampée de vin. Les enfants emmenèrent les bêtes s'abreuver à la rivière. Les jeunes femmes sortirent quelques marmites et déblayèrent un coin pour préparer le repas, tandis que les vieilles s'en allaient ramasser du bois mort pour allumer le feu. On fabriqua des trépieds avec de jeunes arbres et on y pendit les marmites. Puis on s'en fut quérir de l'eau fraîche.

Bientôt, les feux ronflèrent.

Un groupe de gitans traversa la crique et se dirigea vers le village dont on apercevait les toits de chaume au travers des arbres.

Le rôle des femmes consistait à dire la bonne aventure, à interpréter les rêves ou à vendre des charmes, des baumes qu'elles administraient au hasard pour mille différentes causes : une décoction de racines et d'herbes comme élixir d'amour, le même breuvage redonnant du poil de la bête à un cheval fourbu.

La mission des hommes était de ramasser des casseroles ou des chaudrons pour les rétamer et des harnais pour les raccommoder. Mais tout ce qui avait le malheur de tomber sous leurs doigts bronzés et habiles disparaissait prestement, soit dans la poche des hommes, soit dans les sacs béants que les femmes dissimulaient sous leurs multiples jupons ondoyants.

Jancsi avait détaché les deux chevaux poussifs de la roulotte de Lila. Il accomplissait toujours tous les menus travaux que Paprika était censée faire, car la désinvolte petite créature avait vite compris qu'elle n'avait pas besoin de s'embarrasser de contingences si terre à terre : Jancsi n'était-il pas là pour cela ?

Le garçonnet conduisit les chevaux à la crique où ils burent à longs traits. Il plongea lui-même dans l'eau fraîche où s'ébattait déjà toute une ribambelle de gosses, jouant à s'immerger les uns les autres, à grand renfort de cris et d'égosillements. Jancsi, lui, n'avait pas de temps à perdre à de pareils enfantillages. Seul homme de la famille de Lila, il en avait pris toutes les responsabilités et, pour l'instant, le problème du souper se posait. Il n'eut pas à chercher longtemps. En aval de la route que battait l'eau, des canards barbotaient, en file, le long de la rive boueuse. Devant l'intrus, ils lâchèrent quelques « coin-coin » inquiets.

45

PAPRIKA

Furtivement, Jancsi disparut derrière un buisson et s'assura que la berge était déserte. A plat ventre et à l'aide d'une petite branche, il entreprit de creuser la terre humide. Un ver de terre bien gras récompensa ses efforts. Il l'extirpa de la fange et, tirant une ligne du sac de chanvre qui pendait à son épaule, en amorça l'hameçon rouillé et la lança dans la crique. L'appât frétillant attira l'attention du plus gros canard. La vorace bestiole avala d'un trait et le ver et l'hameçon. Jancsi tira doucement sur la ligne, puis partant à la nage vers l'autre rive, remorqua derrière lui le canard effrayé, tandis que le clapotis du moulin couvrait les cris outragés du volatile. Les petits doigts nerveux, si habiles à tirer du violon des accents vibrants, se resserrèrent autour du cou de la bête. Un preste tour de poignet, un vilain craquement d'os, et l'oiseau rendit l'âme. Jancsi enfouit son larcin au fond de son sac et, fredonnant une mélodie gitane, il s'en fut en quête de quelques poignées de terre glaise.

De retour à la roulotte, sans le plumer ni le vider, il enroba le corps encore chaud de la volaille d'une couche d'argile molle. Il l'embrocha et la fit tourner lentement au-dessus d'un feu doux.

Les autres aussi vaquaient au soin de leur repas, les uns préparant le *gulyas* — le plat national hongrois —, les autres se contentant de pain noir, d'oignons et de lard cru assaisonné de paprika.

Hentès, le boucher, était ce soir-là plus favorisé que les autres. Il se faisait mijoter un succulent ragoût, fait d'un malheureux chien jaune, qu'il avait trouvé, crevé, sur le bord de la route.

Csampas et Pivcza, elles aussi, étaient en veine. Elles étaient en train de mitonner dans du lait de chèvre un hérisson qu'elles avaient attrapé. Tout en épluchant quelques pommes de terre chipées au hasard des champs, elles humaient l'odeur âcre qui se dégageait de la marmite, tout au plaisir du bon repas qu'elles allaient faire.

Tout à coup, Zoltan, le Borgne, et la langoureuse Chika descendirent de la roulotte.

— Qu'est-ce qui cuit là-dedans ? demanda-t-il.

Csampas et Pivcza échangèrent un regard de désappointement. Elles savaient qu'il leur serait désormais impossible de goûter à la délicieuse ratatouille.

— Allez, ouste ! Montre-moi ça ! cria Zoltan impatient. Quoi ? Encore du chat ?

Pivcza, dont le bébé tétait la mamelle tombante, répondit timidement :

— C'est un *hatchi-witchu* ! J'ai eu du mal à l'attraper. Il m'a mordue, il m'a traversé ces deux doigts. Regarde, Zoltan !

Il y avait belle lurette qu'elle ne l'appelait plus « mon gros ».

— Dommage qu'il ne t'ait pas bouffé toute la main ! répondit-il en fait de consolation, jetant un regard dégoûté sur la main sale que Pivcza lui tendait.

Chika, la favorite du moment, tapa du pied, impérieuse :

— Dépêchez-vous, filles de chienne, nous avons faim !

Avec un soupir de résignation, Csampas sortit l'étrange gibier aux forts effluves, découpa l'animal et en partagea les morceaux dans deux écuelles. Profitant d'un moment d'inattention de Zoltan et de Chika, les deux femmes, de connivence, crachèrent dans les plats. Puis, un sourire innocent sur les lèvres, elles servirent leurs maîtres.

Tout à coup, des cris perçants venant de la crique interrompirent le geste lent de Jancsi qui tournait la broche. Il avait tout de suite reconnu la voix. Il se précipita au travers des buissons et dégringola à toute allure jusqu'au bord de l'eau.

Là, les poings serrés, montrant les dents, Paprika tenait tête à toute une troupe d'adolescents. Ses yeux verts fulminaient de rage. Les veines de son cou et de ses tempes se gonflaient à se rompre. Ses jeunes seins durs et pointus se soulevaient, haletants, au rythme accéléré de sa respiration.

Narilla, une vicieuse gamine de douze ans, sortit du groupe et lui fit face. Les poings sur les hanches, dans une attitude de bravade, elle laissa éclater sa fureur :

— Tu t'imagines que parce que tu es la fille de la Reine, tu peux tout te permettre avec les hommes de la tribu. Eh bien ! tu te trompes ! Pas avec Pofok en tout cas ! C'est mon *romani*. Compris ? Et si je te repince à lui faire des avances, je te les arracherai, tes damnés yeux de chat, et je te les ferai avaler. Espèce de *bostari* à sang noir et à peau blanche ! Eh ! va donc, bâtarde de *gorgio* !

Paprika, entre ses dents serrées, siffla :

— Répète voir un peu ? Je te défie !

Narilla lança à nouveau :

— Parfaitement ! Bâtarde de *gorgio* !

D'un bond aussi rapide et gracieux, mais aussi meurtrier que celui d'un puma, Paprika s'élança sur son adversaire. D'une main, elle la saisit à la gorge et, de l'autre, lui agrippa un sein et le lui tordit.

Narilla, hurlant de douleur, se débattait, ruait.

Bientôt, elles roulèrent toutes deux au creux du gué, s'égratignant sur les cailloux tranchants. Paprika dominait la lutte, mordant, pinçant, griffant, ne lâchant pas prise. C'était une lutte qui valait la peine d'être vue, et bientôt les autres chenapans s'attroupèrent, avides de sang. Ils se mirent à encourager de leurs cris et hurlements les deux ennemies aux corps enchevêtrés et ruisselants.

Les cris partaient de tous les côtés :

— Mords-lui les *pikkis* !

— Étripe-la !

— Glisse ton doigt, et déchire-lui le bas-ventre !

— *Dovo se li !*

Jancsi regardait, immobile, atterré.

Paprika avait nettement le dessus. Un genou sur l'estomac de Narilla, elle lui martelait les yeux de toute la force de ses petits poings durs comme la pierre.

L'amant de Narilla, un affreux laideron de quatorze ans, au

nez cassé et aux oreilles tuméfiées par des rixes précédentes, jugea venu le moment d'intervenir. Il sauta dans la bagarre, saisit Paprika par les cheveux et, la tirant en arrière, lui assena un coup formidable de son énorme poing.

Le sang jaillit du nez de Paprika.

Jancsi regardait, toujours paralysé. Le jeune musicien avait horreur qu'on se batte et qu'on verse le sang inutilement. Un instant, il pensa se porter au secours de Paprika, mais le souvenir des paroles de Narilla le figeait sur place.

Paprika, maintenant, s'en prenait à son nouvel assaillant. La rage lui donnait des forces insoupçonnées. Sous la brutalité de cette riposte imprévue, Pofok tomba à la renverse. Elle bondit sur lui, et pendant que les spectateurs trépignaient de joie, Paprika et Pofok s'entre-déchiraient. Cependant, ils réussirent à se redresser et, tout en se battant, ils arrivèrent au bord de l'endroit le plus profond du ruisseau.

Tel une flèche, le bras de Paprika se détendit. Le coup atteignit Pofok au bas-ventre. Il perdit l'équilibre et, avec un cri affreux, disparut dans l'eau glauque.

Paprika, debout sur le bord, attendait que son adversaire réapparût, prête à bondir à nouveau sur lui.

Pofok revint à la surface en suffoquant, le visage hébété de souffrance, hagard, plié en deux, il regagna la rive, se tenant à pleines mains les organes atteints. Il n'avait plus d'intention belliqueuse. Se tordant de douleur, il s'éloigna, tandis que la jeune amazone jetait autour d'elle un regard de défi. Personne ne broncha.

Paprika, sans faire plus attention, étancha nonchalamment le sang de ses joues et de son menton. Jancsi s'approcha d'elle et, sans un mot, lui prit la main. Il la mena au travers du cercle des curieux qui s'ouvrait pour leur livrer passage, et l'aida à escalader la berge. Puis il essuya la jolie figure de son amie.

Tout à coup, autour d'eux, venant d'en contrebas, des pierres se mirent à voler. Elles sifflaient dangereusement près, et soudain la voix rageuse de Narilla lança :

— Qui était ton père ? Va donc le demander à ta mère !
Elle n'en sait rien elle-même !

Paprika repoussa brusquement Jancsi, prête à foncer de
nouveau dans la bagarre. Mais le jeune garçon la retint, la
prit dans ses bras et, tendrement, la pressa contre sa poitrine,
embrassant les marques des coups sur le visage crispé.

L'éclair félin s'évanouit du beau regard noyé de larmes.
Avec un cri de déchirement qui semblait venir du plus profond de son être, elle s'arracha des bras de Jancsi et s'enfuit
vers la roulotte de Lila.

Maintenant, il faisait noir. Dans le camp, les feux montaient plus haut. Le ventre pansu des marmites ronronnait,
laissant échapper une riche odeur de viande.

Jancsi n'avait pas bougé de l'endroit où Paprika l'avait
planté. Il songeait aux accusations de Narilla. Elle l'avait
traitée de *bostari*, de bâtarde... Et le père de Paprika était un
gorgio ! Oui, cela devait être vrai... Ce teint blanc, ces cheveux clairs... Il s'était souvent demandé...

Tout à coup, l'idée de son canard sur le feu lui revint à
l'esprit, et il partit en courant.

Paprika fit irruption dans la roulotte. Lila leva la tête. Dans
la lumière clignotante qui venait des feux du dehors, elle vit
le visage bouleversé et le corps égratigné et tuméfié de sa fille,
qui vint se jeter près d'elle. Lila sortit de sous les couvertures
une main tremblante qu'elle posa sur le front brûlant. Puis
elle attira l'enfant contre elle.

— Qui est mon père ? implora Paprika en éclatant en sanglots.

— Quoi ? Que s'est-il passé ? balbutia Lila.

— Narilla a dit qu'il était un *gorgio* !

Tout vacilla devant l'infirme. Elle ferma les yeux. Incapable
de parler, elle crispait ses doigts nerveux sur la couverture.

— Ce n'est pas vrai, dis, maman ? demanda la petite voix
brisée.

Lila baissa lentement la tête. Paprika, la bouche ouverte, la
regardait, les yeux pleins d'horreur.

Lila se mit à parler.

— Jure-moi de ne pas répéter un mot de ce que je vais te confier !

Paprika promit solennellement.

— C'est une bien longue et bien triste histoire, mon enfant.

Le regard de Lila se perdit dans le lointain, et un profond soupir souleva son corps débile.

— J'étais très jeune quand mon père mourut et que je devins reine. J'avais seize ans, et chacun me disait que j'étais belle, que je chantais et dansais mieux qu'aucune autre des filles de la tribu. C'était peut-être vrai, car mon cœur était aussi léger que mes pieds, dans ce temps-là ! Beaucoup de mes propres sujets, et des *Ungars* — les Tziganes des autres tribus — voulaient m'épouser. Ils offraient de grosses sommes d'argent, plus d'argent même qu'on n'en avait jamais offert pour une femme auparavant. Mais je les refusais tous. Je n'en aimais aucun. Et pourtant, Zsuzsa m'avait prédit que je connaîtrais le grand amour, un amour qui m'emporterait comme un torrent...

Elle s'arrêta un instant et soupira à nouveau. Paprika maintenant était suspendue aux lèvres de sa mère.

— C'était un 18 août, reprit Lila. Je n'oublierai jamais cette date. Nous avions campé près de Pozsony. Dans la soirée, on vint me demander d'amener mes danseuses, mes violonistes et cymbalistes au cercle des officiers du 1er Hussards, le régiment dont Kirali Ferenc Jozsi, le Roi lui-même, et le colonel. Ils fêtaient justement l'anniversaire de Sa Majesté. Au cercle, on nous offrit à souper. Le vin de Tokay coulait à flots. Mais les officiers magyars brûlaient d'entendre de la musique tzigane, et ils me supplièrent de donner aux musiciens, sans plus attendre, le signal de jouer. Les accents tour à tour tristes et joyeux des violons ne tardèrent pas à émouvoir le cœur de ces rudes soldats. Qui peut résister à la musique tzigane ? Bientôt, ils voulurent danser. C'est alors qu'*il* m'apparut pour la première fois. Il s'approcha et m'invita à valser. Ses camarades l'appelaient Geza. Ce n'est que plus tard que j'appris son nom de famille. Mais je devinai tout de suite qu'il était noble. Mon cœur battait si fort... que j'avais peur qu'il l'entendît. Oh ! Paprika ! Il était magnifique ! Grand, mince comme un peuplier, et cependant son étreinte laissait deviner des muscles de fer. Il était tellement bronzé qu'il avait bien un peu l'air d'un gitan lui-même, n'eussent été la bande claire en travers du front, là où la visière du shako l'avait protégé du soleil, et ses cheveux blonds. Ses yeux reflétaient la bonté et, sous sa petite moustache pâle, ses dents brillaient d'un éclat plus vif que celles d'aucun *romani*. Comme il avait belle prestance dans son attila — une tunique noire, à brandebourgs d'or, qui lui moulait le corps —, et comme il dansait bien la csardas ! Le tintement de ses éperons quand il claquait ses talons..., son allure martiale..., son regard amoureux..., son sourire..., je perdis la tête complètement..., j'oubliai tout et tous... Je flottais, me laissant aller dans ses bras comme au fil des nuages...

Abîmée dans ses souvenirs, Lila ressentait à nouveau l'extase du temps de sa jeunesse. Fascinée, Paprika se serra plus fort près de sa mère.

— Tout en dansant, il m'entraîna sur la terrasse. Les lauriers-roses étaient en fleur. L'air embaumait du parfum exotique des plantes rares des serres. A travers les ifs du parc, la lune brillait. Jamais depuis je n'ai vu pareil clair de lune. Puis il y eut un feu d'artifice : les soleils tournoyaient, les gerbes, les girandoles, les bouquets fusaient de toutes parts. Les yeux levés vers le ciel, nous vîmes les jeux lumineux couvrir de myriades d'étoiles de feu les étoiles du ciel. Il me prit dans ses bras et m'embrassa... J'avais déjà reçu d'autres baisers, mais jamais je n'avais éprouvé pareille émotion. J'aurais voulu que le temps s'arrêtât et que cet instant durât éternellement... Puis Geza s'absenta une seconde. Il revint avec son grand manteau dont il me couvrit les épaules. Il m'enlaça par la taille et m'entraîna loin de la musique et du bruit de la fête. Il me fit monter dans sa voiture et m'emmena chez lui. Et là, je devins sienne devant Dieu...

Lila, les yeux clos, tâchait de retenir, un instant encore, derrière ses paupières baissées, les images enchanteresses qu'elle évoquait. Sa respiration s'était accélérée. Paprika, se pelotonnant contre elle, observait le visage de sa mère avec une compréhension bien au-dessus de son âge.

— Tout ce que j'ai souffert depuis, reprit Lila, je l'ai enduré joyeusement à cause de cette nuit unique. Au matin, il me demanda de l'épouser, légalement... devant les hommes. Pour cela, me dit-il, il lui faudrait quitter l'armée. Mais il était riche, sans attaches familiales, et il m'aimait assez pour me sacrifier sa carrière. Il était si heureux, ce matin-là. Il débordait d'enthousiasme. Moi, je buvais ses paroles. Il me racontait comment il allait faire de la reine des gitans une vraie grande dame. Je croyais vivre un rêve... Mais c'était trop beau. La vie sédentaire, sa sécurité, ses devoirs..., tout cela n'est pas pour les gitans. J'avais comme un pressentiment que quelque chose allait survenir. Je ne me trompais pas. Tout à coup, on frappa à la porte, et l'ordonnance annonça quelqu'un qui, je l'appris plus tard, était le meilleur ami de Geza. Bien que Geza eût fait répondre qu'il n'était là pour quiconque, l'homme passa outre la consigne et, à moitié ivre, fit irruption dans la pièce. En me voyant, il s'immobilisa, surpris, puis s'exclama en guise d'excuse :

« Pas étonnant, Geza, que tu aies prétendu n'être pas chez toi ! On n'y serait pour personne, pas même pour le Roi, quand on a une si belle fille dans sa chambre. Et une gitane par-dessus le marché !... »

Je te fais grâce des autres remarques peu flatteuses qu'il ajouta. Geza ne le laissa pas aller beaucoup plus avant. Il se leva et, formellement, lui annonça qu'il allait m'épouser. L'officier s'esclaffa :

« C'est bien la plaisanterie la plus énorme que j'aie jamais entendue ! Le comte Feyerhazy de Felsöerdek, Geza, Arpad, capitaine des Hussards du *Kirali*, Grand de Hongrie, Chambellan du roi et Chevalier de l'Ordre de Saint-Istvan, va épouser une petite garce de romanichelle ! »

Il n'alla pas plus loin. Geza, qui n'en aurait pas supporté la moitié, venant d'un autre, le frappa en plein visage. Une heure plus tard, deux officiers apportaient le cartel. Ils rencontrèrent les seconds de Geza, et les quatre hommes décidèrent ensemble des conditions. Elles n'auraient pu être plus strictes. J'ai retrouvé le protocole du duel plus tard. « Se battre au pistolet à six pas de distance... Trois échanges de balles... Au cas où personne ne serait blessé, continuer au sabre de cavalerie, sans bandes de protection... Jusqu'à la mise hors de combat de l'un des adversaires... » Geza accepta, évidemment.

Lila, à ce moment de son récit, baissa la tête, et quand elle la releva, ses yeux étaient pleins de larmes.

— Que pouvais-je faire, moi, pauvre gitane, contre cette coutume barbare des *gorgios* ? Je pleurai, je le suppliai à genoux de ne pas risquer sa vie à la veille de notre bonheur. Je lui dis que s'il m'aimait vraiment, il n'avait pas le droit de s'exposer. Il me prit dans ses bras et m'embrassa tendrement. Je compris qu'il était inutile de plaider plus avant. Selon lui, je ne comprenais pas qu'il y allait de son honneur, qu'une insulte m'avait été faite ! Moi, j'étais prête à tout oublier. Mais à son sens l'affront réclamait vengeance !

Il ne voulut pas me dire où et quand le duel aurait lieu, mais je l'entendis le confier à l'un de ses camarades officiers. Le lendemain matin — c'était un vendredi — je me réveillai brusquement. Il était déjà parti. Une lettre était posée sur ma poitrine. La demie de cinq heures tinta... Je savais que la rencontre était pour six heures... Je m'habillai en toute hâte et descendis dans la rue en courant. Un fiacre passa, je le hélai et me fis conduire à toute allure à l'endroit de la forêt de Rakoczy que les seconds avaient choisi pour la rencontre. Jamais je n'oublierai cette galopade à travers bois...

Lila s'arrêta à nouveau, un sanglot dans la voix, les larmes perlant au bord des cils. Ses mains labouraient la couverture, car elle revivait à nouveau l'angoisse de cette course effrénée contre le temps.

— Quand j'arrivai sur le terrain, le brouillard se levait. J'entendis une détonation, suivie d'un silence étrange et mortel. Quelques corbeaux s'envolèrent, effrayés. Puis je vis une silhouette s'écrouler. J'étais encore trop loin pour reconnaître qui avait été touché — car les deux adversaires étaient de même stature et portaient les mêmes chemises. Tous les officiers se précipitèrent vers l'homme qui venait de s'affaisser. Tous, sauf un seul. Je me mis à courir aussi, à travers un champ fraîchement labouré. Je trébuchai, tombai, me relevai, continuai en boitant. Le premier que je reconnus fut l'adversaire de Geza. Il était là, tout seul, planté sur ses jambes écartées, un pistolet à la main. Quand il m'aperçut, il eut un sourire de dédain. Alors je sus qui gisait sur le sol. Mon cœur s'arrêta de battre. Bousculant tout le monde, je réussis à m'approcher de lui. Sa chemise de soie blanche était déchirée et, sous le sein gauche, près du cœur, il y avait une petite blessure rouge. Deux chirurgiens du régiment lui venaient en aide, mais on devinait déjà la mort dans son regard qui se voilait. Il leva les yeux vers moi..., me vit..., essaya de sourire... Je m'écroulai à genoux et l'embrassai follement...

« *Camo Pireni !* »

Dans un souffle à peine perceptible, il murmura ces mots de *Calo* que je lui avais appris la veille : « Je t'aime, chérie ! » et, mon nom sur ses lèvres, expira...

Caressant la tête blonde de l'enfant accroupie près d'elle et qui la fixait, les prunelles agrandies, Lila ajouta :

— Il était ton père !

Sa voix se brisa. Se détournant vers le mur, elle enfouit son visage dans l'oreiller pour y étouffer ses sanglots. Tout ce que Paprika sut faire fut de caresser la joue où roulaient de grosses larmes et de passer doucement ses petits doigts dans les cheveux d'argent de sa mère.

Jancsi s'encadra dans la porte ouverte et, voyant Lila et sa fille pleurant dans les bras l'une de l'autre, il se retira sur la pointe des pieds.

Pendant longtemps, elles restèrent là, toutes deux immobiles, silencieuses. Paprika avait été profondément touchée par l'histoire de sa mère, et Lila se sentait bouleversée, comme jamais elle ne l'avait été, par l'immense tendresse qu'elle portait au fruit de son amour clandestin, ce petit être paradoxal, fait de douceur et de feu, et dont elle avait payé si chèrement la naissance.

Délicatement, elle rejeta les bouclettes blondes qui tombaient sur le front de l'enfant et scruta le visage de sa fille.

Bientôt, ses lèvres rouges allaient mûrir, la courbe douce de ses reins et de ses cuisses s'accentuer d'une beauté sensuelle. Les hommes la convoiteraient, essaieraient de la ravir et l'un d'entre eux réussirait. Tandis qu'elle, sa mère, serait peut-être partie à jamais...

Lila essuya les larmes de ses yeux sur la taie d'oreiller et murmura :

— Donne-moi ma cassette ! Elle contient quelque chose que je dois te montrer.

Paprika se pencha, glissa un bras sous le lit et attira à elle un coffret bardé de fer. Elle souffla la poussière sur le couvercle et, tendant la cassette à sa mère, regarda, brûlée de curiosité. Lila ouvrit sa boîte aux trésors avec une petite clef rouillée qu'elle avait extirpée du nœud d'un mouchoir sale et loqueteux qu'elle avait fini par trouver après avoir tâtonné sous son oreiller.

Du fond de la boîte, elle tira une enveloppe jaunie.

— Voici la lettre que j'ai trouvée sur ma poitrine ce vendredi-là. Cet anneau s'y trouvait.

Les yeux verts de Paprika scintillèrent de convoitise.

— Puis-je voir, maman ? demanda-t-elle.

Lila déposa la lourde bague d'or dans la petite paume crasseuse. Paprika, bouche bée d'admiration, examina l'écusson qui y était gravé. Elle passa la chevalière à tous ses doigts, mais celle-ci était trop grande, sauf pour son pouce.

— Puis-je la porter, maman ?

— Non ! non ! s'écria Lila, personne ne doit savoir ce que je viens de te révéler. Jusqu'au moment propice, elle restera dans cette boîte. Quand je ne serai plus, elle t'appartiendra avec tout ce que ton père a laissé. Mais tant que je vivrai, je veux l'avoir près de moi.

Paprika comprit. Elle enleva l'anneau et le rendit à sa mère. Tout à coup, une idée lui traversa l'esprit et, de but en blanc, elle demanda :

— Dis, maman, si mon père était comte... alors, moi, je suis comtesse ?

Elle courut vers le petit miroir dépoli accroché haut sur la cloison, puis, grimpant sur un tabouret, elle contempla son propre visage dans un coin de la glace où le tain n'avait pas trop souffert.

— Maintenant, je sais pourquoi je ne suis pas comme les autres... ! Pourquoi j'ai la peau blanche, les cheveux blonds et les yeux verts...

Puis elle jeta triomphalement :

— Je suis comtesse !

Lila sourit tristement :

— *Na ava chi !* Nous n'étions pas encore mariés quand ton père est mort.

— Mais, maman, rétorqua la fillette, tu m'as dit que tu étais sa femme devant Dieu et que je suis son enfant... ?

— Oui, Paprika, devant Dieu, tu es sa fille et tu es comtesse. Mais pas devant les hommes... Telle est la loi des *gorgios* !

— Et pourquoi cette loi est-elle contraire aux lois de Dieu ?

— Parce que Dieu, répondit Lila, n'a besoin que de la sincérité de ton cœur pour juger ton droit, tandis que les hommes ont besoin de bien d'autres preuves...

— Eh bien ! je n'aime pas cette loi des *gorgios* ! déclara Paprika. C'est ridicule ! Ce qui est suffisant pour Dieu devrait bien l'être pour les hommes !

Sa vanité se résignait mal à abandonner déjà un titre si brillant, si neuf pour elle et auquel, somme toute, elle estimait avoir un droit que Dieu même ne discutait pas.

— Comme j'aimerais être comtesse, continua-t-elle, pour que les hommes me baisent la main et me saluent très bas, au passage, ainsi que je les ai vus faire à Pecs, pour la comtesse Talfi !

Sautant du tabouret où elle était toujours perchée, elle entreprit de mimer la démarche coquette et minaudière d'une comtesse, passant devant ses admirateurs, mais d'une drôle de petite comtesse toute nue, barbouillée de crasse et de sang.

Au beau milieu de cette pantomime, Jancsi apparut sur le seuil pour annoncer que le souper était prêt. Il frotta une allumette et alluma la lampe suspendue au plafond, tandis que Lila faisait prestement disparaître sa boîte aux trésors. Une lueur jaune se répandit dans la roulotte, ainsi que l'odeur âcre du pétrole.

— *Tove !* ordonna Lila d'une voix ferme à sa fille.

En rechignant, Paprika versa un peu d'eau au creux d'une cuvette près du poêle et, sans grand enthousiasme, y trempa son museau frileux et le bout de ses doigts et s'essuya, laissant le plus gros de la saleté sur le chiffon qui lui tenait lieu de serviette.

Jancsi était retourné à sa popote et à son canard. Il brisa l'enveloppe de glaise dans laquelle s'étaient prises toutes les plumes, en éplucha soigneusement tous les morceaux, puis vida et découpa le volatile.

Alors il revint dans la roulotte, portant deux écuelles remplies à ras bord de canard fumant et de pommes reinettes cuites sous la cendre. Il tendit un des bols à l'infirme dans son lit. Lila parut surprise devant un tel festin :

— Mais, Jancsi, comment t'es-tu procuré ce canard ?

— Je l'ai attrapé ! répondit le garçon, comme si cela allait de soi.

— Et les pommes ?

— Cueillies !

Toute triste et malade qu'elle était, Lila ne put s'empêcher de sourire du laconisme de ces réponses.

— Et ta portion, où est-elle ?

— Mangée ! J'avais trop faim, je ne vous ai pas attendues !

Ce n'était pas tout à fait la vérité. En fait, Jancsi avait trouvé un côté du canard carbonisé et s'était octroyé ce morceau.

Paprika dévorait goulûment.

Puis Jancsi versa du petit vin aigre dans les gobelets, veillant à ce que rien ne manquât à leur repas. Lila, qui avait à peine grignoté une aile, lui proposa de partager sa portion. Il refusa, prétextant qu'il n'avait déjà que trop mangé.

Du village, quelques paysans curieux étaient venus faire un tour au camp des nomades. Ils furent immédiatement cernés par une troupe de gitanes volubiles qui offraient de leur dire la bonne aventure.

Tinka eut tôt fait d'attirer sous un chêne une villageoise desséchée et à l'œil bigle.

— Mets dans ta main la plus grosse pièce d'argent que tu possèdes.

Et en voyant le regard méfiant de la paysanne matoise, elle ajouta :

— Je te révélerai quelque chose qu'il te faut savoir.

Mise en confiance, puisque l'argent lui restait entre les mains, il serait toujours temps de discuter de prix plus tard, la paysanne s'exécuta. Elle défit un nœud de son mouchoir et en retira une pièce d'argent qu'elle mit dans sa paume ouverte.

Sur un ton qui n'admettait pas de réplique, Tinka déclara, en faisant disparaître la pièce :

— Dieu te le rendra, ma belle !

Puis elle enchaîna :

— Tu désespères d'avoir un enfant. Moi, j'ai des racines magiques, que tu peux acheter pour trois couronnes de plus. Tu en feras une tisane que tu boiras, et tu verras ta famille se multiplier comme les moineaux dans les champs.

La femme hésitait :

— Trois couronnes, c'est beaucoup d'argent !

— C'est donné pour avoir un fils ! rétorqua Tinka.

Finalement, la femme lui tendit les trois autres pièces.

— Le mois prochain, continua Tinka en extirpant quelques racines du sac fourre-tout attaché sous sa jupe, tu concevras. Ton mari sera grandement content, et votre vie s'écoulera douce comme le miel.

Nina la rusée avait entrepris une autre paysanne à l'air hagard et, avec l'habileté d'un vrai psychologue, avait décelé immédiatement les causes profondes de l'altération des traits de la malheureuse :

— Je te baise les pieds, ma petite dame, susurra-t-elle dans l'oreille de sa cliente, et je te plains, car tu te languis. Mets une pièce d'argent — la plus grosse que tu aies — dans ta main ! — Dieu te le rendra, ma belle !... — Ton mari est plus âgé que toi, n'est-ce pas, et les plaisirs habituels du lit conjugal te manquent... Mais j'ai là une herbe que tu peux acheter pour trois couronnes seulement ! Fais-en une infusion que tu donneras à ton mari, et bientôt il deviendra si viril qu'il sera après tes jupes jour et nuit !

Rézy, l'édentée, avait mis le grappin sur un homme d'aspect plutôt sinistre.

— Toi, tu brûles de me poser une question, mais je ne peux pas te répondre devant les autres. Viens à l'écart. Tu voudrais bien savoir comment te débarrasser de ta femme, lui dit-elle de but en blanc. Tu veux en épouser une autre.

Le gros homme en resta ébahi pendant quelques secondes, puis regardant furtivement autour de lui :

— Ne parle pas si fort ! chuchota-t-il.

— Cinq *korona*, s'il te plaît. Mets-les dans ta paume et je vais te dire ce que Dieu m'a soufflé tout bas, du royaume des ombres...

Prestement, il déposa l'argent dans sa main calleuse à laquelle manquaient deux doigts.

— Regarde ! dit-elle et, avec un sourire graveleux, elle

souleva sa jupe, puis fouilla dans le sac qui pendait entre ses jambes nues pour y chercher quelques herbes qu'elle lui tendit.

— Prends cette plante, coupe-la fin et mélange-la dans sa nourriture ou sa boisson. Avant la pleine lune, le tour sera joué. Personne n'en saura rien, car cette herbe n'a pas de goût et elle ne provoque aucune douleur. Ce sera cinq couronnes en plus !

Tandis qu'il lui tendait l'argent, elle l'injuria copieusement :

— *O beng to poggar o men !*

Et prenant cela pour une bénédiction, le gogo qu'elle venait d'envoyer à tous les diables la remercia chaleureusement.

Narilla, la vicieuse gamine, elle, essayait d'aguicher le sergent de la gendarmerie, venu inspecter le camp. D'une œillade provocante, elle lui fit signe de venir la rejoindre dans l'ombre propice des arbres. Le gendarme, embarrassé, jeta autour de lui des regards inquiets pour voir si l'on remarquait le manège, et comme personne ne prêtait attention, il finit par la suivre nonchalamment en tortillant sa moustache.

Narilla l'attendait dans l'obscurité, et quand elle vit briller les boutons et le sabre, courut vers lui :

— Laisse-moi embrasser tes lèvres, ronronna-t-elle en frottant son corps nu contre lui. Ta moustache me chatouille !

L'homme souriait bêtement de satisfaction. Les bras bronzés de Narilla se nouèrent sur sa nuque et elle l'attira à elle, sur la mousse.

— J'aime les soldats ! soupira-t-elle, ils sont toujours si grands, si forts...

Une petite main experte se glissa prestement dans son pantalon, et quand elle revint, plus tard, elle était refermée sur les pièces d'argent que Narilla avait entendues tinter.

Devant une marmaille alignée en tuyaux d'orgue et qui attendait qu'on lui jetât les os, Zoltan et Chika avaient avalé jusqu'à la dernière miette du hérisson. Csampas et Pivcza, tout comme les plus petits qui suçaient, affamés, leur poing crasseux, avaient dû se contenter de les regarder.

Le Borgne, de son couteau, tailla une brindille et se cura les dents. Sur un signe, Pivcza, déposant l'enfant qui s'agrippait à son téton, remplit à nouveau de vin les deux gobelets.

Tout en buvant, Zoltan attira sa favorite contre son poitrail velu et nonchalamment se mit à lui caresser les seins qu'elle avait fermes et ronds ; ce qui provoqua la malice de Pivcza qui chuchota tout bas, sous cape, à Csampas :

— Attends un peu qu'elle ait un marmot qui la tète, et tu verras s'il lui tripotera des mamelles tombantes !

Csampas approuva :

— Pourvu que les racines de mandragore que Zsuzsa m'a données fassent leur effet ! Ce matin, je les ai pulvérisées et j'en ai mis une bonne poignée dans sa soupe. Avec cela, elle devrait être pleine avant la prochaine lune. Mon Dieu, faites que cela réussisse ! ajouta-t-elle dévotement.

Un ordre brusque de Zoltan l'interrompit. Obéissant docilement, les deux femmes s'exécutèrent rapidement et allèrent décrocher de sous la roulotte un large plateau de fonte muni de pieds qu'elles mirent à chauffer sur le feu. Après une dernière lampée de vin, une dernière chiquenaude aux appas de Chika, Zoltan sortit et se dirigea paresseusement vers les ours Piskos et Tankos.

D'un coup de poing en plein poitrail, il fit taire la mère qui grognait à son approche et détacha Tankos qui rechigna.

Zoltan, de sa main calleuse, tâta la plaque sur le feu, et jugeant qu'elle était assez chaude, souleva Tankos par la peau du cou et l'y laissa retomber.

— Varos ! appela Zoltan.

Son fils aîné, une jeune brute de seize ans, apparut, un violon à la main.

— *Kil o bosh !*

Varos commença à jouer. L'ourson, dont la plante des pattes commençait à être meurtrie par la surface chauffée, se mit à sauter d'une patte sur l'autre, et ses soubresauts de douleur ressemblaient à une danse grotesque. Ce supplice devait se renouveler jusqu'à ce qu'il sût danser au son seul de la musique, sans plaque chaude.

— *Sietöder !* cria Zoltan.

Varos joua plus vite. Et Tankos, de ses bonds de plus en plus rapides pour éviter les brûlures de plus en plus cruelles, semblait suivre la mesure.

Tous les enfants s'étaient attroupés et se réjouissaient, avec de petits rires aigus, des contorsions du malheureux animal. La maman ourse, elle, tirait sur sa chaîne, renâclant férocement de rage impuissante.

Dans la roulotte de Lila, après avoir rangé les maigres reliefs du dîner, Jancsi lavait la vaisselle.

Paprika, sur son lit, oisive comme à l'habitude, les jambes repliées sous elle, était perdue dans ses rêves. Elle se voyait comtesse, dans une somptueuse robe bordée de fourrure, entourée d'officiers aux uniformes étincelants qui s'inclinaient pour lui baiser la main ou se penchaient sur ses lèvres, derrière les lauriers-roses en fleur...

Jancsi s'approcha d'elle, la contempla un instant puis finit par dire :

— Les *gorgios* sont arrivés du village. Il faut que tu ailles danser et faire tes tours d'adresse !

Fâchée d'avoir été dérangée dans sa rêverie, Paprika se redressa et rétorqua :

— Je n'en ai pas du tout envie. A la place, je pourrais peut-être voler une montre ou une chaîne en or. J'ai toujours brûlé d'en avoir une. Une avec une croix !

— Non ! non ! s'exclama Jancsi, alarmé. Si tu étais prise, on te mettrait en prison. Tu n'as pas encore assez d'expérience !

Jancsi n'aurait pu prononcer parole plus maladroite.

Paprika vint se poster devant lui, un éclair de défi dans les yeux :

— Ah ! tu crois que je suis incapable de faire les poches sans être pincée ? Eh bien, tu vas voir !

Et elle s'élança au-dehors.

— Arrête-la, Jancsi ! supplia nerveusement Lila.

D'un geste, il la rassura et bondit à la poursuite de la jeune folle. Il la rattrapa par les épaules :

— Que vas-tu encore faire ? dit-il anxieux.

— Ça ne te regarde pas ! Mais puisque tu tiens tant à le savoir, eh bien ! je vais te le dire : je veux barboter la montre et la chaîne de Zoltan, celles qu'il a volées au maire de Mohacs. Voilà ce que je m'en vais faire. Et regarde-moi bien, tu vas voir si je ne sais pas voler !

Là-dessus, violemment, elle se libéra des bras de Jancsi et s'enfuit vers le groupe où Zoltan continuait à faire danser le malheureux ourson sur la plaque de fonte chaude. Elle se faufila jusqu'au premier rang près du *Sher-engro*.

— Prends-moi sur tes épaules, Zoltan, demanda-t-elle d'une voix fondante. Je suis trop petite. Je ne peux pas voir !

Zoltan se retourna, dévorant des yeux le petit corps nu de la jeune *bostari* aux cheveux blonds.

— Alors, tu deviens un peu plus aimable avec ton oncle Zoltan ? ronchonna-t-il, esquissant une grimace qui voulait être un sourire.

Il la souleva, la pressant contre lui. Elle glissa son bras sous la nuque de taureau en minaudant. Il en profita pour lui palper, de ses gros doigts velus, la poitrine et les cuisses, tandis qu'elle riait, lui tirant les oreilles et lui couvrant son œil unique avec sa petite main.

— Maintenant, laisse-moi regarder danser Tankos ! commanda-t-elle, impérieuse.

Le regard de Zoltan dévoilait ses intentions. Plus tard, il arriverait peut-être à l'entraîner dans le bois et... qui sait ?... peut-être même dans sa roulotte... Elle finirait bien par se laisser trousser, cette petite bâtarde à peau blanche.

— Remets du bois sur le feu ! ordonna-t-il.

Janos, un de ses rejetons — Zoltan ne savait même plus laquelle de ses femmes en était la mère —, immédiatement tisonna les cendres et souffla jusqu'à ce que le feu repartît de plus belle. Varos se remit à gratter son violon. Zoltan aiguillonna la malheureuse bête torturée du bout de son fouet. La plaque redevint brûlante, et le rythme de la danse impitoyable s'accéléra.

Les paysans, qui s'étaient attroupés, se réjouissaient fort des cabrioles involontaires de l'ourson qui, maintenant, grognait plaintivement.

Paprika riait, elle aussi, continuant à se tortiller dans les bras du Borgne.

Jancsi, qui ne quittait pas des yeux les grosses pattes trop entreprenantes, pensa ne plus pouvoir rester maître de lui.

Paprika, aussi, jugea que les choses allaient trop loin.

— Lâche-moi, oncle Zoltan ! demanda-t-elle.

— Attends une seconde ! Je vais te montrer de nouveaux tours que tu n'as jamais vu faire par un ours.

— Non ! Lâche-moi tout de suite !

Elle se débattit, lui tira les oreilles, puis commença à frapper des pieds et des poings jusqu'à ce qu'il la reposât à terre, non sans lui avoir toutefois appliqué une bonne claque sur les fesses, en fait de dernière caresse.

— Reviens me voir plus tard, Paprika, j'ai une grosse surprise pour toi ! lui cria-t-il avec un rire égrillard, la regardant s'éloigner vers la roulotte de sa mère.

— Alors ? Tu vois, ce n'est pas aussi facile que tu le pensais ! remarqua Jancsi. D'ailleurs, tu n'avais aucune chance de réussir, avec tous ces gens qui te regardaient.

— Ah ! vraiment ? répliqua Paprika en brandissant un bras vainqueur. Voici la chaîne et voilà la montre ! Et encore, je n'avais pas de vêtements sur moi pour les cacher !

Jancsi resta stupéfait, ébahi.

— *Dad doro ruslo !* s'exclama-t-il. Je ne t'ai pas quittée une seconde des yeux, et je n'ai rien vu. Comment diable t'y es-tu prise ?

— Oh ! j'ai profité de ce qu'il avait l'esprit ailleurs ! expliqua-t-elle sans honte.

Jancsi ne put s'empêcher de rire, lui aussi.

Mais il se reprit bien vite.

— Comment vas-tu faire pour la lui rendre sans qu'il s'en aperçoive ?

— Lui rendre quoi ?

— La montre, évidemment !

— Tu ne t'imagines pas que je chaparde des choses pour les rendre ? Non ! Je les garde.

— *Mi dubbeleskey*. Tu ne peux faire cela ! Zoltan va s'apercevoir d'un moment à l'autre que sa montre lui manque, et s'il apprend que c'est toi qui l'as, il est capable de te battre comme plâtre !

— Et comment le saurait-il ? Est-ce que tu vas aller me moucharder ?

— Bien sûr que non ! Mais il va fouiller tout le monde jusqu'à ce qu'il l'ait retrouvée. Il faut que tu la lui rendes d'une manière ou d'une autre !

— Jamais de la vie !

— Écoute-moi, Paprika, c'est contre la *Leis Prala* ! Tu ne peux pas voler les gens de ta race !

— La loi de la Fraternité ! Je m'en moque. Ce que je vole, je le garde !

— Tu deviens folle ! Si tu ne rends pas cette montre de toi-même, moi, je vais t'y forcer !

— Essaie un peu, voir ! s'écria-t-elle. Essaie donc, espèce de sale violoneux de gitan !

Jancsi était suffoqué. Il resta là, figé, n'en croyant pas ses oreilles. Paprika parut particulièrement satisfaite de l'effet de ses paroles.

— Mais qu'est-ce que tu as, à rester planté là, comme un piquet, à me dévisager ? Parfaitement ! C'est tout ce que tu es : un sale violoneux de gitan !

Jancsi lui saisit le bras :

— De quoi m'as-tu traité ? demanda-t-il, serrant les mâchoires.

— Tu es sourd ?

— Que veux-tu dire par là ? Tu es une gitane toi-même !

— Non ! exulta-t-elle. Je suis à moitié blanche. Mon père était le comte Feyerhazy de Felsöerdek, capitaine des Kiraly Hussards et chambellan du roi Ferenc Jozsi !

Elle le défiait d'un regard arrogant qu'elle aurait voulu empreint d'une noble dignité.

— Maintenant, me laisseras-tu tranquille, sale romanichel ?

Jancsi lui lâcha les poignets. Un instant, il la contempla, atterré. Elle lui tira la langue, puis répétant d'une voix de bravade : « Ce que je vole, je le garde », elle s'éloigna en courant vers le cercle des curieux assemblés autour de l'ourson.

Revenu de sa stupeur, Jancsi s'élança vers elle. C'était son devoir de lui faire entendre raison. Il eut du mal à la rattraper, car elle se faufilait comme une anguille parmi la foule compacte. Il parvint à la saisir par le bras et essaya de lui parler, mais elle se dégagea, lui laissant cette fois-ci la marque de ses cinq doigts sur la joue : elle venait de le griffer.

Il la rejoignit finalement sous la roulotte de Zoltan, où elle s'était glissée. Lui maintenant les bras, pour éviter les coups, doucement, il lui intima l'ordre d'écouter ses conseils et de rendre la montre.

Pour toute réponse, Paprika se pencha et lui mordit cruellement la main. Le garçon hurla de douleur, mais ne la laissa pas échapper. Il lui tordit même légèrement le bras. Alors l'agile diablesse joua du genou et l'atteignit au bassin. Des larmes de douleur montèrent aux yeux de Jancsi, mais il serra les dents et ne lâcha pas prise.

Attirés par les bruits d'une lutte et par la voix suraiguë de Paprika, quelques gosses accoururent aussitôt. Voilà un spectacle qui valait la peine d'être vu : Jancsi et Paprika, qu'ils croyaient une paire d'amoureux, se battaient ! Et les rangs des curieux s'épaissirent. Tout à coup, l'ombre énorme du *Sherengro* obstrua l'intervalle entre les roues de la carriole. Le Borgne, depuis toujours, détestait Jancsi parce qu'il craignait que le jeune homme ne fût le premier à déflorer cette petite bâtarde blanche sur laquelle, lui, Zoltan, avait jeté son dévolu.

Il s'accroupit, arracha les deux enfants de leur cachette et, les tenant à bout de bras, les sépara.

— Qu'est-ce qu'il t'a fait ? demanda-t-il à Paprika.

— A moi ? Oh ! rien, oncle Zoltan ! minauda-t-elle dans un sourire, en venant se placer tout contre son protecteur.

Puis, lançant un regard plein de rancune vers Jancsi, elle ajouta :

— Mais il t'a volé ta montre, oncle Zoltan, et ta chaîne aussi, et il ne veut pas te les rendre !

— Quoi ?

Machinalement, le Borgne tâta sa ceinture : la montre n'y était pas.

Jancsi pâlit. Il ne pouvait croire que celle qu'il aimait fût capable de l'accuser ainsi d'un crime qu'elle avait commis, en lui plongeant, droit dans les yeux et sans sourciller, son étrange regard vert, froid, aux lueurs d'acier.

Il se sentit agrippé à la poitrine par une poigne brutale.

— Où est ma montre ? rugit le *Sher-engro*.

— Je ne l'ai pas, Gabor Zoltan !

— Il ment ! Il l'a volée ! glapit Paprika, vindicative.

Pitoyablement, il la suppliait du regard, incapable de comprendre comment elle pouvait mentir si cruellement. Le gros homme lui tordit le bras à le lui faire craquer. Des larmes coulaient maintenant sur ses joues, mais Jancsi serra les mâchoires pour s'empêcher de hurler de douleur.

— Je ne l'ai pas, *Prala* Zoltan ! Je te jure que je ne l'ai pas !

Véritable sorcière en miniature, Paprika ajouta avec un rire goguenard :

— Il ment ! Regarde dans son sac !

Zoltan relâcha son étreinte et plongea la main dans la besace qui pendait à l'épaule de Jancsi. Il en ressortit la montre et la chaîne.

— Sale voyou ! Et tu as juré que tu ne l'avais pas ! Menteur !

Il avait attrapé Jancsi par les oreilles et les tordait à les lui arracher. Paprika trépignait d'une joie sauvage autour du garçon, et lui faisait les cornes.

— Je ne sais pas comment ta montre a pu se trouver dans mon sac ! balbutia-t-il, abasourdi.

Des rires fusèrent.

— Je jure que je ne sais pas !

— Attends, gredin. Moi, je vais te rafraîchir la mémoire ! vociféra Zoltan. Qu'on l'attache à la roue ! commanda-t-il. Et vivement ! Et qu'on appelle tout le monde. Dites qu'on vienne tout de suite ! C'est un ordre !

Avec des gloussements de plaisir anticipés, ses rejetons de toutes les couches coururent chercher des courroies, tandis que d'autres galopins maintenaient Jancsi, écartelé, les membres en croix sur la roue.

Narilla, dont les ébats sous l'orme avaient maculé le dos nu, cracha les quatre pièces d'argent qu'elle avait dérobées et, tout en les faisant miroiter sous le nez de son amoureux, Pofok, s'élança de roulotte en roulotte, trop heureuse d'inviter les gitans à venir assister au châtiment de Jancsi qui avait osé voler un frère.

Indignés — car la seule loi qu'ils respectent est celle de la Fraternité —, les gitans s'attroupèrent rapidement et se groupèrent autour du supplicié.

Le malheureux fut lié à la roue par les poignets et les chevilles. Les marmots s'amusèrent à lui cracher au visage et à lui jeter des paquets de boue. Paprika contemplait le spectacle, une froide jouissance dans ses yeux insondables.

Les gitanes s'assirent à terre et allumèrent des cigarettes.

La lune s'était levée. Tels ceux des loups, leurs yeux et leurs dents scintillaient dans leur visage d'ombre.

Alors, Zoltan sortit de sa roulotte en brandissant son *karikas* dont il avait trempé la queue dans du vinaigre... Il alla se poster à trois pas de Jancsi et, de toute sa force, brandit le fouet. La lanière siffla dans l'air et vint frapper l'épaule nue avec un claquement sec. Elle cingla encore. Puis encore... Et encore... De longues boursouflures apparurent sur le dos, qui passèrent du rouge au bleu, puis au violet... Bientôt, sous les coups répétés, elles éclatèrent, et le sang coula.

Le visage de Paprika tressaillait à chaque coup. Elle aurait voulu supplier Zoltan de s'arrêter. Mais quelque chose la retenait. Quelque chose d'inexplicable... Elle se prenait à savourer avec délices les souffrances de Jancsi...

Maintenant, de profonds sillons sanguinolents zébraient le dos du torturé. Mais Jancsi, se mordant les lèvres au sang, n'avait encore laissé échapper aucune plainte. A chaque coup reçu, sa respiration se faisait plus haletante, spasmodique...

Les cris sadiques et exubérants de la marmaille ponctuaient chaque cinglement du fouet. Les femmes se serraient contre leurs hommes. Et des mains brunes s'étreignaient...

A bout de résistance, la tête de Jancsi tomba ballante sur ses épaules. Il avait perdu connaissance.

Comme Zoltan levait encore son *karikas*, le sergent de gendarmerie voulut s'avancer pour mettre fin à l'application de la loi gitane qu'il jugeait avoir assez duré. Mais, dans le noir, la main de Narilla trouva la sienne et l'entraîna. Elle lui enfonçait ses ongles dans la paume, sa passion charnelle réveillée par la vue du sang.

Elle l'attira à nouveau loin de la foule, dans l'ombre propice...

Soudain, au milieu du cercle, apparut la silhouette cassée de Zsuzsa, la sage. Elle s'avança péniblement en levant son bras maigre.

— *Atch !* C'est assez ! déclara-t-elle.

Zoltan la repoussa hors de la portée de son fouet et s'apprêtait à frapper de nouveau lorsque, soudain, une réflexion lui traversa l'esprit.

— Il ne serait pas très malin de tuer ce vaurien, c'est vrai, pendant que ce sacré gendarme rôde dans le camp !

Il fit signe à un des galopins :

— Jette-lui de l'eau. Il s'est évanoui, la femmelette !

Paprika se précipita sur un broc d'eau près de la roulotte et, pâle et tremblante, s'en saisit avant que les autres n'aient eu le temps de bouger. Elle versa le contenu sur la tête inerte de Jancsi.

Le supplicié tressaillit et, lentement, ouvrit les yeux.

La première chose qu'il vit fut Paprika debout près de Zoltan, se tordant les mains de nervosité, le fixant d'un regard étrange avec un ricanement insolite.

Voyant sa victime ranimée, Zoltan brandit à nouveau son fouet et lui assena un autre coup.

— Ça t'apprendra à voler un frère gitan ! gronda-t-il. La prochaine fois, je te déchire en lambeaux !

Son instinct sanguinaire le poussant, il allait continuer le châtiment jusqu'au bout, mais Chika, elle aussi excitée par ce spectacle, lui saisit le bras :

— Viens dans la roulotte, vite ! susurra-t-elle entre ses lèvres humides.

Zoltan abaissa le bras, appréciant l'idée de sa maîtresse, et se laissa entraîner, prêt à changer de distraction. En se retournant, il aperçut Paprika qui lui décochait un sourire.

Il se pencha vers elle pour lui murmurer à l'oreille :

— Attends-moi dans une heure, sous l'orme, derrière ma roulotte !

Dégoûtée, Paprika suivit le regard obscène du gros homme qui se posait avec insistance sur ses jeunes seins ; mais, s'étant assurée d'un coup d'œil que Jancsi les observait, elle acquiesça en souriant.

Chika, jalouse, entraîna son amant. Ils grimpèrent dans la roulotte, enjambant, assises sur les marches, Csampas et Pivcza qui n'avaient pas perdu une miette de la scène, et qui, dès qu'ils eurent disparu derrière le rideau élimé, crachèrent à l'unisson sur leurs pas.

— *Te beng te lilly a truppy !* jura Csampas.

— Mille fois oui ! approuva Pivcza. Puissent-ils rester collés comme des chiens qu'ils sont et souffrir les tortures de l'enfer !

La foule s'était égaillée... Quelques gitans s'attardèrent

pour discuter de l'incident. La plupart d'entre eux avaient pitié de Jancsi, mais puisqu'il avait volé un frère Rom, le châtiment était mérité.

Les paysans s'étaient éparpillés, se mêlant aux nouveaux arrivants sur lesquels les gitanes se précipitaient, les jaugeant d'un regard, leur offrant à nouveau des cures infaillibles pour tous les maux, des peines de cœur jusqu'aux cors aux pieds. Le tout pour trois couronnes seulement !

Personne ne s'était soucié de détacher le pauvre Jancsi. Il pendait toujours là, sur la roue, harcelé par des chiens hargneux et par de cruels galopins qui venaient le pincer. Pofok alla même plus loin.

Heureux de l'occasion qui se présentait de se venger sans avoir à craindre de riposte, il releva la tête de Jancsi et le frappa de toutes ses forces en pleine figure.

Mais Paprika vit le coup. Prise d'une soudaine fureur, elle se saisit d'une fourche qui traînait près de la roulotte et fonça sur Pofok. Le poltron, terrorisé, disparut avant qu'elle n'eût pu l'atteindre. Gesticulante, Paprika piqua dans le tas de gosses qui se dispersèrent avec des cris perçants.

Puis elle entreprit de délivrer Jancsi. Elle dénoua les courroies qui serraient ses poignets et ses chevilles, puis le frictionna et passa de l'eau fraîche sur ses blessures.

— Tu ne crains pas de te souiller les mains, à toucher un sale gitan ? railla-t-il amèrement.

Paprika fit semblant d'ignorer ce qu'il disait. Elle l'aida à se remettre sur pied.

— Oh ! Ne te donne donc pas tant de mal pour un sale violoneux ! murmura-t-il... Je n'ai pas besoin de toi !

Mais, ce disant, il chancelait.

Paprika courut à Csampas.

— Donne-moi un peu de vin ! Vite ! Le cœur lui manque !

Csampas lui en tendit un plein gobelet qu'elle rapporta en courant vers Jancsi. Elle voulut le faire boire, mais il la repoussa :

— Je ne veux plus rien de toi ! Tu m'en as assez fait comme ça aujourd'hui !

Rassemblant ses forces, il s'éloigna aussi vite qu'il put vers les taillis. Là, seul sous les arbres, il pourrait enfin trouver un peu de paix. Mais avant qu'il n'y parvînt, Paprika était derrière lui, son bras se glissait sous le sien.

— Dis-moi au moins que tu es fier de moi ! demanda-t-elle.

Ce trait le cloua sur place. Ahuri, il la regarda pour voir si elle se moquait.

— Ne l'es-tu pas ? insista-t-elle. Avoue que tu n'as rien remarqué quand j'ai glissé la montre dans ton sac !

Au clair de lune, il semblait voir mille petits lutins malicieux danser dans les beaux yeux verts. Néanmoins, l'ingénuité de l'enfance teintait la voix de Paprika.

Jancsi se demanda comment un être humain pouvait, avec une telle inconscience, changer aussi rapidement d'attitude.

— Non, je n'ai rien vu !

— Eh bien ! tu ne me trouves pas vraiment très adroite ?

— Peut-être !

— Alors !... Tu devrais être fier de moi ! Après tout, c'est *toi* qui m'as appris à voler !

— *Kekkomi !* s'écria-t-il, exaspéré. Je ne t'ai pas enseigné de cette façon. Et attends que ta mère apprenne ce que tu viens de me faire !

— Tu n'oserais pas le lui dire ? rétorqua-t-elle. Comment ? Un grand garçon comme toi... presque un homme... aller moucharder une petite fille comme moi ?

Elle le regarda avec un sourire désarmant. Mais Jancsi prit une expression encore plus renfrognée.

— C'est justement ce que j'ai l'intention de faire, et je vais lui raconter aussi ce qui se passe entre toi et — il s'étrangla de rage sur le nom — et ce Zoltan. Je l'ai entendu te donner rendez-vous derrière sa roulotte, et j'ai vu ton geste pour lui dire oui !

— Je ne m'y suis pas encore rendue ! lui fit remarquer

Paprika avec un sourire enjôleur, et si tu es très gentil avec moi...

— Gentil avec toi ? Après ce que tu as fait !

— Qu'ai-je fait ? demanda-t-elle en ouvrant de grands yeux limpides. Tu m'as dit que je n'étais pas capable de voler sans être vue. Eh bien ! je t'ai prouvé le contraire ! Ensuite, tu voulais que je rende sa montre à Zoltan ! Je ne pouvais vraiment pas faire cela ! Tu n'aurais pas voulu que j'aille lui dire que je la lui avais volée et que *je* subisse devant toute la tribu le châtiment que *tu* as reçu ? Tu n'aurais pas été si méchant !

Malgré son air de reproche, Jancsi sentait son cœur fondre devant l'exposé de cette logique féminine.

— Cela ne t'a donc pas fait mal, quand tu l'as vu me fouetter, sachant que je ne le méritais pas ?

Elle secoua la tête gravement :

— Pourquoi veux-tu que cela *me* fasse mal ? C'est *toi* que l'on frappait !

Elle se pencha sur lui, et avec un sourire ambigu :

— A vrai dire, cela m'était plutôt agréable... J'étais presque fière de toi, tu n'as pas bronché !

Lentement, les bras de Jancsi enlacèrent les frêles épaules.

— Comment peux-tu être si cruelle, Paprika ? soupira le garçon qui ne comprenait pas ces motifs profonds. Parfois, tu es si gentille. Pourquoi n'es-tu pas toujours ainsi ?

Paprika leva les yeux vers le grand disque jaune pâle de la lune sur lequel se découpait la silhouette noire d'un arbre.

— Je ne sais pas ! répondit-elle en haussant les épaules. Zsuzsa prétend que c'est la lune qui me fait faire d'aussi étranges choses...

La rancune de Jancsi s'effondra. Il regarda le beau visage qui se tendait vers lui. La nudité du petit corps, si blanc dans la clarté lunaire, le troublait. La passion tzigane gonflait ses veines. Soudain, Jancsi la prit dans ses bras, l'écrasa contre lui. Elle sentit les battements de son cœur. Leurs souffles se mêlèrent. Leurs regards plongèrent l'un dans l'autre...

— Je t'aime, je t'aimerai jusqu'à la mort ! jura-t-il avec l'ardeur solennelle des adolescents.

Puis il embrassa pour la première fois les lèvres écarlates, humides. Les deux petits gitans, tout ce qu'il y a de bon et de mauvais dans leur race bouillonnant dans leurs veines, restèrent là, longtemps, silencieusement enlacés. Et la lune, discrète, disparut derrière un nuage. Un rossignol chantait...

— Paprika ! *Avata Acoi !*

La voix rude les fit sursauter et interrompit leur trop brève idylle. Les yeux agrandis, Paprika écoutait la voix de Zoltan.

Un second appel vint du camp, plus fort cette fois. Paprika tenta de se dégager, mais Jancsi la retint jalousement.

— Tu ne vas pas y aller !

— Qui m'en empêchera ? dit-elle, railleuse, en se débattant pour se libérer.

— Moi ! Je t'aime, Paprika, et tu m'appartiens !

— Tu es fou ! s'écria-t-elle. Je n'appartiens à personne et je suis libre de faire de moi-même ce qu'il me plaît.

L'appel jaillit à nouveau, plus proche, derrière les arbres.

— Paprika, où es-tu ?

— Lâche-moi ! Lâche-moi, je te dis !

— Non ! Je ne veux pas !

— Non ? *Jal amande !*

D'un coup de dent sournois, elle lui mordit la main profondément et, réussissant à lui glisser des bras, s'enfuit en direction des roulottes.

Tout en léchant sa main meurtrie, Jancsi la suivit du regard.

Narquoise, la lune réapparut derrière les nuages.

Au milieu du camp, la foule s'était accrue. Les paysans du village, accompagnés de leurs femmes et de leurs bonnes amies, étaient venus voir danser les gitans et écouter leur musique.

Gita, en vedette, sortait de son corsage un serpent qu'elle enroulait à son cou. Elle lui faisait tirer d'un minuscule panier de petits papiers sur lesquels étaient inscrits des numéros porte-bonheur.

Les paysannes, gloussant de dégoût et de frayeur devant l'horrible reptile, se cachaient derrière leurs hommes.

Ceux-ci avaient sorti de leurs poches et de leurs bottes des bouteilles de *szilva-palinka** dont ils avalaient de copieuses rasades, obligeant leurs femmes à les imiter. Car ce soir était soir de réjouissance.

Zoltan avait détaché Piskos, l'ourse des Carpates.

Tandis que Varos grattait du violon, l'animal rétif, aiguillonné par le bout du fouet du *Sher-engro*, essayait, tant bien que mal, de garder l'équilibre sur un gros ballon qui roulait sous ses pattes.

Tout à coup, exaspérée, la bête se révolta et, se dressant avec un grognement de rage, chercha à agripper son maître d'une patte meurtrière... Zoltan assena sur le museau sensible un coup terrible avec le manche plombé de son fouet et dut rattacher l'animal récalcitrant à l'arrière de la roulotte, parmi les rires de l'assistance.

Beg Worman, nu jusqu'à la ceinture, se mit à marcher sur les mains sur des charbons ardents, ses jambes pendantes se balançant mollement au-dessus de sa tête.

Szabo jonglait, à une vitesse vertigineuse, avec quatre bouteilles vides, un vieux sabre et une pelote de laine à tricoter.

Toute la marmaille de la caravane courait entre les jambes des paysans, piaillant, se pourchassant, mendiant avec insistance de leurs voix de crécelle.

— Allez-vous-en ! Chacals ! Vauriens ! leur cria Zoltan en hongrois, pour le bénéfice des paysans. Laissez ces Messieurs et ces Dames tranquilles ! Ce n'est pas bien de les ennuyer de la sorte quand ils viennent si aimablement nous voir en toute amitié.

Puis il ajouta, en *Calo* cette fois, pour que les paysans ne comprennent pas :

---

* Eau-de-vie de prunelle.

76

PAPRIKA

— *Mang ! Pralor...* *Mang !* — Mendiez, mes frères ! Mendiez ! Continuez !

Puis, finalement, jouant l'exaspération, il se tourna vers les paysans :

— Messieurs et Dames ! Jetez donc à cette misérable vermine quelques petits fillers, afin de nous en débarrasser.

Une pluie de piécettes tomba parmi les gosses qui se mirent à se battre comme chiens et chats ; c'était à qui en ramasserait le plus.

Zoltan dut faire claquer son fouet au-dessus de leurs têtes pour leur rappeler que le jeu avait assez duré.

Sortant du bois, Paprika parut, ondulant sur ses hanches minces. Elle demanda avec son sourire de chatte :

— Tu m'as appelée, *Kokkodus* Zoltan ?

Il lui lança un regard soupçonneux.

— Je t'ai appelée à m'égosiller. Où étais-tu ?

— Je saignais du nez ! répondit-elle, un mensonge toujours prêt sur les lèvres. Je suis allée à la crique me baigner le dos dans l'eau fraîche.

— Bon. Et maintenant, au travail ! Il s'agit d'amuser ces imbéciles !

Avec un sourire de connivence, Paprika s'avança face à la foule. Consciente de l'attrait qu'elle exerçait sur les hommes, elle envoya aux paysans un long regard sous ses paupières mi-closes, leur sourit, provocante, cambrant le corps.

D'un geste étudié, câlin, elle fit signe au cercle de s'élargir. Quand, à son goût, ils eurent suffisamment reculé, avec une lenteur délibérée, elle décrivit une série de pirouettes le plus près possible des spectateurs, les frôlant au passage.

Les hommes la regardaient avidement et se poussaient du coude les uns les autres.

Le souffle court, ils sortaient à nouveau leurs bouteilles et buvaient sans rien perdre du spectacle.

Les paysannes, massives et sans grâce pour la plupart, regardaient jalousement ce jeune corps souple qui s'exhibait avec un abandon sensuel, les jambes s'ouvrant lentement dans de grands écarts suggestifs. Elles jacassaient et s'esclaffaient, essayant d'attirer de leur côté l'attention des hommes.

— Oh ! regardez ! Voilà les violoneux ! Tant mieux, on va pouvoir danser. Ça vaudra mieux que toutes ces singeries !

Mais les hommes restaient les yeux rivés sur Paprika qui, maintenant, bondissait dans une série de sauts périlleux et de rétablissements.

Leur imagination s'enflammait le long de ces cuisses élancées, de ces seins délicats à peine formés. Et, en pensée, ils se voyaient avec elle, l'enlaçant, à l'écart, dans l'ombre...

Entre chaque gorgée de *palinka*, ils échangeaient à l'oreille des remarques obscènes et des plaisanteries énormes, ponctuées de gros rires.

Tout en continuant ses acrobaties, Paprika écoutait leurs grivoiseries et les comprenait toutes. Hors d'haleine, elle s'arrêta brusquement et, souriant à la ronde, elle salua son public en envoyant des baisers.

Tandis que les hommes applaudissaient à tout rompre, les femmes les regardaient faire, maussades, les bras croisés.

Revenant au camp, Jancsi entendit les bravos et aussi quelques-unes des réflexions. Il s'approcha à pas furtifs derrière la roulotte, essayant d'apercevoir Paprika, mais la foule était trop dense. Alors, avec précaution, il grimpa sur le toit et resta là, couché sur le ventre pour ne pas être vu, épiant avec jalousie.

Les *bash-mengros* s'étaient assemblés.

Custor Ignac, Stanko, Bela et Gaya, la jeune aveugle, et les autres avec leurs *bashadis*, leurs *cymbaloms* et *cobzas*. Les musiciens s'avancèrent jusqu'au milieu du cercle des curieux et commencèrent à accorder leurs instruments.

Quelques vieilles gitanes jetèrent de nouvelles branches sèches sur le feu. Les flammes jaillirent plus haut, projetant des ombres fantastiques sur les visages enluminés par l'alcool.

— *Kal !* cria Zoltan.

Les violons, accompagnés des *cymbaloms*, commencèrent,

en sourdine d'abord, mélancoliques, caressants, puis s'élevèrent soudain... impétueux... passionnés...

Il n'existe pas de musique comparable à la musique tzigane.

Il n'y a pas de langage pour la décrire. Les mots sont impuissants. Seul, le cœur peut parler.

Pour l'instant, elle bouleversait l'âme fruste des rudes paysans.

Les accents joyeux et rieurs des violons leur firent oublier leurs soucis et, aux plus âgés, le nombre des ans. Et quand les longs sanglots s'échappèrent, en mineur, des violons, les larmes coulèrent sur le visage dur de ces hommes.

Telle est l'emprise ensorcelante, le pouvoir magique de la musique tzigane sur l'âme des Magyars.

Zoltan, jugeant l'assistance mûre pour la pièce de résistance de son programme, appela à mi-voix Paprika.

La fillette s'avança au centre du cercle, en plein dans la lueur du feu, et commença à danser la *tanyana*... Haut dans les airs elle bondissait, puis retombait, légère, s'accroupissant, dans les poses lascives de la plus passionnée et de la plus suggestive des danses tziganes.

— *Kil Koochi gillie !* cria le *Sher-engro*.

Les Tziganes obéirent et joignirent leurs voix mélodieuses à la musique endiablée.

Les cruches de vin passèrent de bouche en bouche. Les voix enflaient. Les violons riaient et pleuraient tour à tour. Paprika dansait avec de plus en plus d'abandon, son corps blanc tournant et ondulant dans des poses orgiaques.

Sur le toit de la roulotte, Jancsi, désespéré, la tête dans son bras, se mit à sangloter.

Les hommes, échauffés par le vin, serraient à la broyer la main de leurs femmes et leur écrasaient les seins.

Maintenant, de jeunes gitans se mêlaient à la danse avec Paprika.

Bientôt, il y eut une douzaine de garçons et de filles s'enlaçant follement.

Des bonbonnes de vin furent renversées.

Les corps nus s'élançaient, s'étreignaient en l'air et retombaient ensemble avec des rires et des cris pour se séparer à nouveau, provocants, et recommencer leurs simulacres d'étreinte amoureuse jusqu'à ce que la scène prît une allure de sabbat de sorcières.

La vie est courte !

Qui sait ce que demain réserve ?

Buvons ! Dansons ! Aimons !

Les autres gitans se joignirent à l'orgie, enlaçant leurs femelles, chantant, dansant, ivres de vin, ivres de vie.

Soudain, les musiciens, abandonnant la *tanyana*, entamèrent la *csardas*.

Les élans fougueux et impressionnants de cette danse nationale de la Hongrie balayèrent l'assemblée comme un vent d'orage.

Une grosse gitane saisit un des plus robustes gars dans la foule et l'entraîna dans un tourbillon endiablé.

Un romanichel enlaça une paysanne à la poitrine opulente, et dont les mains avides s'égarèrent audacieusement.

Bientôt, tout ce monde, paysans et gitans, mêlé sans discrimination, dansait la *csardas* dans une frénésie d'émotions.

De plus en plus rapides et sauvages, les violons menaient le train. Hommes et femmes s'agitaient, gesticulaient, sautaient comme s'ils avaient été aiguillonnés par des sorcières invisibles. Des lèvres se cherchaient, des mains se caressaient, des corps se frôlaient.

« La vie, c'est l'Amour... !

L'Amour, c'est la vie... ! »

Debout, son large dos appuyé contre un jeune arbre qui ployait sous son poids, Zoltan, sa grosse lèvre pendant sur son menton, sifflait, faux d'ailleurs, avec la musique.

Les mains dans les poches, le Borgne n'avait pas quitté Paprika de son œil plissé. Il la surveillait car il avait une idée derrière la tête.

Toujours prêt à tirer profit de l'attrait certain que Paprika exerçait sur les hommes, il n'entendait cependant permettre à aucun de pousser les choses trop avant et de prendre ce que, de longue date, il considérait comme son dû.

Depuis un moment, il observait le garde forestier qui avait jeté son dévolu sur Paprika. Il l'avait fait virevolter et pressait le petit corps nu contre le sien, murmurant quelque chose, d'une voix entrecoupée, la respiration oppressée.

Le visage de Zoltan grimaça un rictus, car il avait bonne idée de ce que l'ivrogne était en train de proposer à Paprika.

De son côté, Chika, qui s'était glissée sur le seuil de la roulotte du *Sher-engro* à la recherche de la silhouette massive de son seigneur et maître, avait remarqué le manège et voyait d'un mauvais œil l'attention qu'il prêtait aux ébats de Paprika.

La *csardas* battait son plein. Avec un grognement, Zoltan s'approcha. Le forestier essayait d'attirer de force Paprika vers les bois. Zoltan saisit l'homme par l'épaule et le fit pivoter violemment.

— *Nem Szabad !* lui commanda-t-il.

Et, pour accentuer son avertissement, il l'envoya d'une bourrade rouler parmi les danseurs.

Personne n'avait pris garde à l'incident, excepté Jancsi et Chika. De son observatoire, le jeune garçon n'avait rien perdu de la scène, prêt à intervenir le moment venu.

Les yeux embués de larmes, il vit Zoltan, ses mains de fer serrées autour des poignets de Paprika, la tirer de la foule des danseurs. Ils se dirigèrent vers la roulotte où Chika, immobile, observait.

Comme un chat, sans bruit, la favorite jalouse avait grimpé elle aussi sur le toit de la roulotte et épiait leurs gestes et leurs paroles.

— Merci de m'avoir débarrassée de cette brute, oncle Zoltan !

La voix de Paprika se faisait mielleuse. Elle lança un coup d'œil calculateur au *Sher-engro,* se demandant comment elle allait pouvoir échapper au piège qu'elle s'était elle-même tendu.

— Il voulait m'emmener promener dans les bois, mais j'ai peur, à cause des mauvais esprits !

Sournoise, elle leva un regard innocent de petite fille vers la silhouette trapue qui la dominait.

— Tu n'as pas besoin d'avoir peur avec ton oncle Zoltan !

Il s'esclaffa :

— Viens ! Allons un peu plus loin, je vais te montrer quelque chose.

Les yeux de la fillette se plissèrent.

— Je ne demanderais pas mieux, oncle Zoltan, mais je suis si fatiguée, ce soir !

Il passa outre et se fit plus pressant :

— Ce ne sera pas long ! C'est une grosse surprise que je t'ai réservée, petite !

— Oh ! Quand tu voudras, oncle Zoltan, mais pas maintenant. Ce soir, tout mon corps me fait mal après toutes les acrobaties que je viens de faire. Et puis, je me suis battue avec Narilla et avec Jancsi. Je n'en peux plus !

Zoltan ricana tandis qu'elle poursuivait, volubile :

— Il y a aussi que maman est toute seule. Elle n'est pas bien... Et puis...

Le gros homme arrêta le flot de ses paroles en la tirant brutalement :

— Viens ! ordonna-t-il.

La fillette résista. Une réelle frayeur se lisait sur ses traits. Et tandis qu'elle se débattait pour se dégager des griffes du *Sher-engro*, elle continua d'une voix prometteuse :

— Je t'en prie, oncle Zoltan, une autre fois... Je te promets !. Tiens ! Demain soir !

Le Borgne jeta un bref coup d'œil autour de lui, pour s'assurer que personne ne le remarquait. Puis, l'attirant brutalement à lui :

— Non, maintenant ! Petite sorcière ! Tu m'as assez fait marcher, et j'ai eu assez de patience !

Un corps dégringola du toit de la roulotte sur les épaules de Zoltan, le précipitant face au sol. Folle de rage, Chika s'était jetée sur lui, sans s'inquiéter des conséquences de son geste. Zoltan lâcha prise et Paprika, sans demander son reste, détala vers la roulotte de sa mère. Zoltan réussit à se remettre sur pied, malgré Chika qui, telle une furie, agrippée à son dos, lui labourait les reins de ses genoux, égratignait sa nuque bovine de toutes ses griffes.

Tandis qu'il se débattait, jurant, se secouant pour se débarrasser de la harpie, celle-ci feignit d'abandonner la lutte et, prétendant vouloir l'embrasser, lui enfonça profondément ses dents de louve dans la lèvre. Puis elle lui cracha au visage une gorgée de son propre sang. Zoltan porta la main à sa bouche et, avant qu'il ne fût revenu de sa surprise, Chika lui décocha à toute volée de grands coups de pied dans le bas-ventre.

— Maintenant, va donc montrer à cette chipie de Paprika la grosse surprise que tu lui réservais. Vas-y ! glapit-elle en s'enfuyant.

Zoltan geignait de douleur et, de sa bouche dégoulinante de sang, voua l'âme damnée de Chika aux pires malédictions.

Prudemment, Jancsi se laissa glisser de son perchoir d'où il avait tout observé et se dirigea, boitillant toujours, vers la roulotte de Lila.

Le cœur battant, il avait suivi la lutte que Paprika livrait à Zoltan et il aurait voulu se porter à son secours. Mais son pauvre corps tout tuméfié, plein de contusions, aurait été trop débile contre la force herculéenne du *Sher-engro*. L'attaque vengeresse de Chika était venue comme un coup de la Providence.

Faisant irruption dans la roulotte, Paprika s'élança vers sa mère et, la prenant dans ses bras, l'étreignit fougueusement.

— Que s'est-il passé ? s'enquit Lila. Ton cœur bat si fort que je peux l'entendre !

— Rien du tout ! haleta la fillette. J'ai dansé et puis j'ai couru jusqu'ici. C'est tout ! Je n'en peux plus ! Bonne nuit, maman !

Elle embrassa sa mère à nouveau. Lila mit sa main sur le front de Paprika et la bénit :

— *Ja Develeni !*

Paprika se faufila dans sa couchette et tira la couverture sur sa tête ébouriffée.

Quelques minutes plus tard, Jancsi entrait sur la pointe des pieds. Avec d'infinies précautions il tira un vieux matelas de sous la couche de Lila, le traîna jusqu'au seuil et, avec un profond soupir, s'étendit et se résolut à dormir.

Dans la roulotte du *Sher-engro*, Chika, couverte d'ecchymoses laissées par les poings vengeurs de Zoltan, gémissait sous la puissance des étreintes amoureuses de son maître.

Par terre, parmi une ribambelle de gosses, Csampas et Pivcza couchaient ensemble. Les mains de ces deux créatures négligées, délaissées, solitaires, étaient jointes dans une étreinte.

Autour des feux, la musique et les danses continuaient. Les gitans en étaient à appeler les paysans frères et à leur offrir leur vin :

— *Aukko tu pios adrey Romanes !*

« A ta santé en romani », et l'on s'embrassait mutuellement.

Quelques couples furtifs se glissèrent dans l'ombre propice des arbres derrière les buissons. La lune regardait par-dessus le bord de son nuage, avec un sourire cynique.

« La vie, c'est l'Amour... !

L'Amour, c'est la vie... ! »

La musique et les bruits du dehors filtraient jusqu'à l'intérieur des roulottes en un étrange mélange sonore.

Paprika, éveillée, épiait la respiration de Lila et de Jancsi.

Avec précaution, elle se leva et glissa vers le matelas où le jeune garçon reposait. Un bon moment, elle resta là, accroupie, contemplant le corps meurtri et encore maculé de sang, le visage crispé de cauchemars pénibles. Doucement, tendrement, de ses doigts légers, elle toucha une blessure qui barrait la poitrine juste à l'endroit du cœur. Une émotion qu'elle ne pouvait contrôler s'empara d'elle et, silencieusement, elle se mit à pleurer.

PAPRIKA

Quand ses larmes s'arrêtèrent de couler, elle regarda à nouveau Jancsi. Lentement, elle s'inclina vers le visage torturé et déposa un baiser sur les lèvres fiévreuses. L'adolescent se réveilla. Mais, déjà, telle une ombre, Paprika s'était esquivée et, dans son lit, feignait de dormir.

Mystifié, Jancsi se dressa et scruta l'ombre autour de lui...

Sans bruit, il s'approcha de la couche de Lila. Elle dormait paisiblement. Sur la pointe des pieds, il gagna le lit de Paprika et, de ses mains tremblantes, tâtonna jusqu'à effleurer son visage. Elle poussa un profond soupir, se tourna contre le mur et resta là, immobile, respirant régulièrement comme quelqu'un qui dort d'un profond sommeil.

Longtemps, Jancsi resta penché sur elle, son pouls battant à tout rompre, la tête lui bourdonnant sous l'afflux du sang. Puis, doucement, lentement, pour ne point l'éveiller, il se hissa dans le lit, s'allongea près d'elle et ne bougea plus.

Au bout d'un moment, elle se retourna à nouveau, et son bras s'étendit sur lui. Si le cœur de Jancsi n'avait pas battu si fort, il aurait pu entendre les battements de celui de Paprika. Ils restèrent là longtemps, immobiles, pleins d'un désir inavoué, chacun feignant de dormir afin de cacher son trouble...

A la fin, Jancsi n'y tint plus et perdit contrôle de lui-même. Sa bouche fiévreuse trouva les lèvres de Paprika. Elle s'étira voluptueusement sous la caresse.

— Je t'aime, Zoltan ! murmura-t-elle comme dans un songe.

Elle l'attira à elle, les lèvres entrouvertes, prêtes à rendre le baiser... Mais Jancsi eut un brusque recul. Il la secoua violemment. Paprika se redressa :

— Que fais-tu près de moi ?

Jancsi sauta à bas du lit :

— Je te regardais dormir ! dit-il dans un souffle de rage... Tu rêvais et tu m'as embrassé dans ton sommeil, pensant que j'étais Zoltan. Et tu as dit que tu l'aimais !

— De quel droit oses-tu venir dans mon lit ? dit-elle très fort avec malice. Tu as entendu, maman ?

Lila s'éveilla.

— *So Si ?*

— Je viens de trouver Jancsi dans mon lit !

Le garçon restait muet dans l'ombre.

— *Avata acoi mi chal !* appela doucement Lila.

Jancsi s'élança vers sa mère adoptive et se jeta dans ses bras. Lila, comme pour le calmer, tapotait doucement ses épaules tremblantes de fièvre.

— Je n'en peux plus ! lui dit la voix brisée. Oui, maman, je l'ai embrassée. Elle m'a rendu mon baiser. Mais elle a chuchoté : « Je t'aime, Zoltan ! »

— Ce n'est pas vrai ! jeta Paprika d'une voix aiguë. Et puis, si c'était vrai, j'ai bien le droit de rêver à qui bon me semble !

— Mais Jancsi t'aime ! Et cela lui fait du mal !

— Que veux-tu que j'y fasse ? Je ne lui ai pas demandé de m'aimer ! Dieu est mon juge que je ne l'aime pas, moi !

Un sanglot étouffé échappa à Jancsi.

Paprika sourit dans l'ombre, épiant avec satisfaction les manifestations du mal qu'elle savait faire à Jancsi.

Lila redressa la tête du malheureux contre sa poitrine et l'embrassa doucement.

— Ne fais pas attention, Jancsi ! dit-elle, essayant de le calmer comme elle l'avait toujours fait depuis qu'enfant il lui avait confié son premier chagrin ; retourne te coucher et tâche de dormir !

Jancsi regagna sa paillasse et sanglota en silence.

Paprika tira à nouveau la couverture sur sa tête, se pelotonna et, un sourire encore sur les lèvres, s'endormit satisfaite.

Au-dehors, l'aube entendit mourir les derniers accords des violons.

III

Six ans avaient passé...

La tribu de Lila, en cheminant, avait traversé la Hongrie dans tous les sens. Les voyageurs ne s'étaient arrêtés jamais plus de deux ou trois jours dans un endroit, sauf quand ils s'étaient trouvés bloqués deux mois par la neige dans les montagnes de Tatras.

Ils menaient, comme toujours, leur vie primitive et misérable, à la façon romanichelle : bricolant, forgeant, chaudronnant, disant la bonne aventure, vendant leurs talismans pour tuer ou guérir et, à chaque fois qu'ils en avaient l'occasion, exploitant la crédulité des paysans naïfs et roulant les maquignons les plus roublards.

Cependant les gitans étaient toujours bienvenus aux foires et aux marchés. Les *basch-mengros* faisaient de la musique dans les auberges paysannes, les jeunes chantaient et dansaient la *tanyana* et la *csardas*, et les filles prêtaient leur corps aux *gorgios* pour avoir l'occasion de leur fouiller les poches.

Janos, un des nombreux fils de Zoltan, avait tué un paysan dans une bagarre, près d'Orsova, et avait été pendu.

Quelques jeunes hommes de la tribu avaient été requis pour faire leur service militaire.

Mariska Nagyneni, la douce créature au pied bot, s'était enfoncé une aiguille souillée dans un doigt, en lavant, et était morte d'un empoisonnement du sang.

Narilla, l'ancienne ennemie de Paprika, était devenue la femme de Pofok, aux oreilles en feuille de chou. Celui-ci, pour l'instant, purgeait la peine qu'il avait écopée pour avoir poignardé un gendarme.

Zsuzsa vivait encore... Personne ne savait plus l'âge exact de la voyante, et bien qu'elle pût à peine se traîner, son pouvoir psychique était resté aussi fort qu'autrefois.

Gabor Zoltan était toujours le *Sher-engro*, car Lila n'avait jamais quitté son lit, et Paprika était encore trop jeune pour diriger la tribu. L'affreux borgne n'avait rien gagné à s'enrichir d'une cicatrice autour de la bouche que les dents aiguës de Chika y avaient laissée... Néanmoins, il continuait sa carrière amoureuse, et son harem s'était accru de deux numéros, des jumelles : Saski et Suri. Cela faisait cinq concubines, si l'on comptait Csampas, l'épouse légitime, et les deux anciennes favorites, Pivcza et Chika, elles aussi reléguées. Tout cela couchait ensemble dans la même roulotte, femmes et enfants, à même le sol, les jumelles au lit avec le chef de toutes ces diverses familles.

Le Borgne songeait sérieusement à acheter un vieux char à bancs pour y loger le surplus de son ménage. Car les plaintes, les hurlements, les ronflements de sa trop nombreuse progéniture, dans ce domicile bondé à craquer, l'agaçaient et dérangeaient les jumelles bien-aimées dans leurs ébats nocturnes.

Lila, elle, s'était amenuisée avec les ans. Maintenant ses cheveux étaient blancs comme neige.

Paprika avait quatorze ans et s'était complètement développée, comme toute fille de cette espèce errante, dont les femmes se marient à l'âge de dix et douze ans. Et comme Zsuzsa l'avait prédit, elle était belle, très belle...

PAPRIKA

Sa vieille jupe rouge exhibait une paire de jambes longues et galbées. Un fichu de soie jaune vif découvrait deux seins bien pleins, mais encore pointus. Ses pieds, qui n'avaient jamais été comprimés dans des chaussures, n'étaient pas très petits, mais minces avec des orteils qui ressemblaient aux doigts d'une main. Ses mains, finement modelées, avaient de longs doigts fuselés, dont les ongles en amande montraient de larges lunules. Mains, pieds, chevilles et poignets disaient l'aristocratie de ses origines paternelles...

A première vue, les traits frappants de son visage étaient les yeux et la bouche. Légèrement bridés, verts avec une pupille noire, ovale comme celle d'un chat, ses yeux, sous les paupières lourdes, avaient parfois un long regard sensuel, quasi fatigué, mais la seconde d'après s'ouvraient grands, fulgurants d'éclairs... Sa bouche était plutôt grande, ses lèvres un peu trop pleines et trop écarlates, comme fardées. Ses dents paraissaient encore plus blanches que celles des autres gitans. Les cheveux blond pâle qui encadraient son visage étaient soyeux et bouclés. Sa blanche apparition parmi ses frères bronzés attirait l'attention partout où elle allait. Tous les hommes, les *gorgios* aussi bien que ceux de sa tribu, la désiraient. Toutes les femmes la détestaient dès le premier abord.

Telle était Paprika à quatorze ans.

Jancsi avait vingt ans maintenant et continuait à partager la roulotte de Lila. Le jeune musicien était comme un bronze modelé par la main géniale de Cellini, et de ses beaux yeux noirs l'âme hantée d'un poète contemplait le monde. Jancsi se chargeait toujours de toutes les besognes pour entretenir la famille de Lila, et quand Paprika souriait dans sa direction, une fois par hasard, il se trouvait largement récompensé.

C'était midi.

Un vent froid balayait la pluie oblique sur la caravane en marche qui déambulait lentement, pataugeant dans la grand-rue bourbeuse de Marmoz Fûred.

Seuls les quelques paysans que leurs affaires obligeaient à sortir se pressaient, emmitouflés dans leurs manteaux de mouton, les pieds dans de grosses bottes qui s'engluaient dans le sol tout détrempé par les longues pluies de novembre.

Derrière les fenêtres bien closes, des nez venaient se coller aux vitres, au passage bruyant des roulottes. Voyant que l'eau dégringolait des toits en rigoles continues, les curieux frissonnaient, se félicitant d'être bien à l'abri dans leurs bonnes maisons chaudes. Personne n'envie la vie errante des gitans quand il pleut...

Le petit poêle de fonte était le centre d'un cercle grelottant dans la roulotte du *Sher-engro* où Csampas, Pivcza, Chika et leurs rejetons respectifs essayaient de se réchauffer. Zoltan, lui, était voluptueusement allongé dans le creux tiède du lit entre Suri et Saski qui le caressaient de leurs longs doigts experts. Mais le Borgne restait insensible à leurs agaceries. Il pensait à Paprika, cette provocante petite garce, cette blonde bâtarde qui savait toujours si bien rester hors d'atteinte de ses grosses pattes. Il faisait le compte dans sa tête du nombre de fois qu'il avait essayé de la plier à son désir, sans succès d'ailleurs, car Jancsi surgissait toujours on ne sait d'où pour déjouer ses plans. Ou bien Paprika criait et attirait l'attention de quelqu'un. Ou bien encore c'était une de ses concubines qui épiait dans un coin et qui faisait une scène. Mais rien au monde ne l'empêcherait, un jour ou l'autre, de posséder Paprika.

Et s'il n'y avait pas d'autre moyen d'avoir à lui cette diablesse, eh bien ! il l'épouserait. Il tournait et retournait cette idée dans sa tête. Elle lui plaisait assez ! Évidemment, il faudrait divorcer de Csampas. D'ailleurs, belle lurette qu'il eût dû le faire... Et puis il faudrait offrir beaucoup d'argent à Paprika pour son mariage. Cela irait chercher dans les mille ducats. C'était beaucoup. Plus qu'aucun Rom n'avait jamais payé pour aucune femme. Zoltan se moquait bien de savoir si Paprika le voulait ou non pour époux. Mais c'était l'opinion de sa mère qui l'inquiétait. Il n'ignorait pas que Lila n'avait aucune estime pour lui. N'avait-il pas essayé de l'épouser, elle aussi, quand elle était jeune et belle ? Et, ne parvenant pas à ses fins, n'avait-il pas tenté de soulever la tribu contre elle ? Oui ! Sans aucun doute, Lila soulèverait des objections.

Mais pour obtenir Paprika, qui serait reine après la mort de sa mère, cela valait la peine de se creuser l'esprit. Il y avait certainement un moyen... Sournoisement, il sifflotait entre ses dents de loup, tournant et retournant les plans dans sa tête.

Les jumelles, voyant leurs caresses sans résultat, s'interrogèrent du regard.

— *Pa mui ?* susurra Suri à son amant, tendant vers lui ses lèvres entrouvertes.

Agacé, Zoltan repoussa la tête goulue.

— *Ma Kair jaw ?* « Qu'y a-t-il, mon loup ? », gazouilla Saski.

— Ce n'est pas ton affaire ! cria la brute irritée, et ta gueule, si tu sais ce qui est bon pour toi !

La caravane avait dépassé la petite ville et s'acheminait vers la *puszta* et les vastes steppes de la Hongrie.

Enfouie sous de lourdes couvertures et des peaux de moutons pour être protégée du froid, Lila disparaissait dans son lit. Par contre, Paprika, aussi légèrement vêtue que d'habitude, étendue confortablement sur son lit, fredonnait une vieille et triste mélodie gitane, en s'accompagnant du *cobza*. La malade s'était soulevée péniblement sur le coude et marquait la mesure de la musique, d'un mélancolique hochement de tête. Elle soupira :

— Je n'oublierai jamais cet air, dit-elle. C'est celui qu'on jouait cette nuit-là, à l'anniversaire du Roi...

Paprika s'arrêta net. Elle jeta vers sa mère un coup d'œil plein de l'irritation que la jeunesse éprouve souvent devant les réminiscences éplorées.

— Pour l'amour de Dieu, maman ! Tu me l'as déjà dit mille fois ! Et puis après ?

Lila regarda tristement cette blanche fille, froide comme le métal.

— Rien, Paprika ! Rien ! Mais veux-tu me donner ma cassette ?

— Encore ?

— C'est tout ce qui me reste, Paprika !

Paprika bâilla, se dressa le plus lentement qu'elle put, puis s'accroupit sous le lit pour y chercher le coffret qui contenait les trésors de sa mère.

— Pourquoi ne la gardes-tu pas dans ton lit, une fois pour toutes ? demanda-t-elle, insolente. Cela m'éviterait ces allées et venues toutes les cinq minutes !

— Merci, ma chérie ! murmura la mère. Je ne te dérangerai plus !

Elle sortit la lettre jaunie pour lire à nouveau ce qu'elle avait déjà lu un million de fois.

— Continue ta chanson ! Elle me rappelle ma jeunesse !

— Oh ! J'en ai assez de cette rengaine !

Paprika lança son *cobza* dans un coin et se jeta sur son lit, horripilée par les éternels larmoiements sentimentaux de sa mère.

A ce moment précis, la petite porte de la roulotte, qui donnait derrière le siège du conducteur, glissa, et Jancsi, passant sa tête à l'intérieur, appela :

— Viens vite ici !

Heureuse de trouver un dérivatif à son ennui, Paprika s'empressa de le rejoindre.

Non loin de la route, en dépit de la pluie persistante, des chevaux paissaient tranquillement, gardés par un *csikos* emmitouflé dans sa *guba,* bien campé, immobile sur sa monture.

— Regarde ! dit Jancsi en désignant du fouet un jeune étalon qui, s'étant éloigné du lot, se tenait près du chemin.

Comme pour manifester son dédain pour cette caravane de saltimbanques, l'animal se mit soudain à ruer. Ses yeux noirs lançaient des feux, et ses sabots, piaffant sur la terre humide, faisaient un bruit sourd comme le tonnerre lointain.

Le regard de Paprika, amorphe d'ennui une seconde plus tôt, pétillait maintenant d'envie et d'admiration.

— *Dovvel opral !* s'écria-t-elle. Oh ! quel cheval ! As-tu

jamais vu son pareil ? Regarde cette fière encolure, et ces naseaux frémissants ! La finesse de ses jarrets ! Je suis sûre que c'est un pur-sang !

Dans son engouement, elle pétrissait la main de Jancsi.

— Imagine ! Monter une bête comme celle-là et galoper dans la *puszta*. Ou à travers forêts et rivières ! C'est ce que j'appellerais vivre !

— Oui, c'est un des plus beaux coursiers que j'aie jamais vus ! approuva Jancsi, plein d'enthousiasme.

— Je parie qu'il vaut une fortune ! s'exclama-t-elle.

Sa voix résonnait étrangement dans les oreilles du jeune homme. Il jeta un coup d'œil aigu vers Paprika dont les yeux brillaient de convoitise.

— Tiens, prends les rênes jusqu'à ce que je revienne !

Et avant qu'elle ait eu le temps de broncher, il lui avait mis les guides dans les mains et avait sauté à terre.

Elle se pencha et, au travers du rideau de pluie, le vit se cacher au creux du fossé qui bordait la route.

Alors, elle se souvint brusquement de Lukasz qui avait attrapé deux ans de prison pour avoir volé une mule l'été passé. Et si on allait arrêter Jancsi ? Mais non, on n'y arriverait jamais. Il était bien trop malin !

Elle s'appuya confortablement au dossier de la banquette et se mit à rêver.

Elle chevauchait le bel étalon dans une course folle à travers bois..., champs et collines... Elle pressait de ses cuisses chaudes les flancs moites de l'animal, se cramponnant des doigts à la crinière qui flottait dans le vent... Et puis, hors d'haleine, elle s'arrêtait loin du regard des humains... Elle arrachait sa jupe et son fichu et se jetait parmi les fleurs de la prairie, s'étirant de tous ses membres, le regard perdu dans le bleu profond du ciel, tandis que le soleil caressait et dorait son ventre... Elle fermait les yeux de longs instants, tandis que le noble animal montait la garde près d'elle, prêt à la défendre des dents et des sabots... Alors elle reprenait le galop jusqu'à ce que l'écume des naseaux du coursier les couvrît tous deux. Puis ils plongeaient dans le ruisseau frais et

profond qui les débarrassait de la mousse odorante... Et soudain,
tout changeait... Sans raison aucune, il y avait des hommes...,
des hommes grands, bronzés, qui l'enlaçaient, l'embrassaient...

Perdue dans son rêve, le dos appuyé contre la roulotte, elle imaginait des bras forts lui tordant le dos, des lèvres brûlantes lui coupant la respiration dans des baisers passionnés et, sans s'en rendre compte, elle pressait à se faire mal son propre bras sur sa poitrine haletante.

Dans sa carriole, Zoltan se leva de son lit, sans plus prêter d'attention aux jumelles qui échangèrent un regard empreint d'étonnement et de dépit. Il prit, sur le buffet, un œuf que Chika avait volé pour son enfant, fit un petit trou à chaque extrémité de la coque, et le goba avec de grands claquements de langue.

Chika, furieuse, le maudit silencieusement, souhaitant que le choléra emportât le cochon ! Puis le *Sher-engro*, renversant sur son épaule la demi-bonbonne, but à même le goulot une longue rasade. Après avoir mis ses bottes et sa *guba*, bousculant les jumelles, il fouilla sous le matelas, et extirpa une bouteille de vin fin qu'il avait volée la semaine précédente et sortit.

Dès qu'il eut fermé la porte, tous les malheureux groupés autour du poêle firent un bond unanime vers la bonbonne de vin. Les jumelles menacèrent de dénoncer le larcin mais, avec Zoltan, on n'en était plus à une raclée près, et pour l'instant l'important était de se réchauffer. Chika prit une longue gorgée et, entre les dents, laissa couler quelques gouttes de vin dans la bouche de son bébé qui vagissait.

En dépassant la roulotte de Lila, Zoltan salua Paprika aimablement, ravi de savoir Lila seule. Comme il se dirigeait vers l'arrière, il perçut un bout de ficelle dans la boue. Promptement et par habitude, il se pencha pour le ramasser. Il l'enroula sur son doigt sale et l'enfouit dans sa besace. On ne sait jamais ! On a souvent besoin d'avoir un bout de corde sous la main ! Puis il ouvrit la porte et entra dans la roulotte.

PAPRIKA

Lila releva la tête et eut un geste de frayeur en reconnaissant la silhouette massive de son cousin. Vivement, elle fit disparaître la lettre dans la cassette qu'elle referma précipitamment.

— Alors... Comment va-t-on, ma cousine ? lui demanda le *Sher-engro* d'un ton engageant.

— Mal, j'en ai bien peur !

— Ah ! j'en suis fâché. Eh bien ! je t'ai justement apporté une bouteille de bon vin trouvée dans ma poche après la visite que j'ai rendue au maire de Szappos !

Et avec un petit rire qu'il voulait débonnaire, il tendit la bouteille à Lila.

— Merci ! lui répondit-elle un peu sèchement. Mais il y a bien longtemps que je n'ai pas bu de vin !

— Bah ! Cela te fera du bien ! Justement ce qu'il te faut pour te fortifier. Tiens, je vais la déboucher !

Avant qu'elle n'eût pu faire d'objection, il fit sauter le bouchon et renifla, connaisseur, pour apprécier le bouquet :

— Voilà ce que j'appelle du vin ! Aucun rapport avec l'espèce de piquette qu'on boit d'ordinaire. Ça, c'est un breuvage digne de Jozsi Bacsi !

Là-dessus, le visiteur intéressé prit deux timbales sur une des planches du dressoir et les remplit. Il en tendit une à Lila.

— *Piavta !* dit-il en levant son verre.

— *Jawi si !* répondit Lila par pure politesse.

Ils burent, lui une grande lampée, elle à peine une petite gorgée, car elle se méfiait de la soudaine bienveillance de Zoltan. Il fit claquer sa langue :

— Hein ! Je ne me trompais pas ! Je t'avais bien dit qu'il était digne du Roi !

— Il est très bon, en effet !

— Alors, pourquoi ne vides-tu pas ton gobelet ?

— Excuse-moi, Zoltan, mais tu me connais ! Un petit peu me dure longtemps...

Le *Sher-engro* jeta un coup d'œil circulaire sur le petit intérieur net et propre :

— Où est Jancsi ? demanda-t-il de but en blanc.

— Est-ce qu'il ne conduit pas la roulotte ? s'inquiéta-t-elle.

— Non ! C'est Paprika qui tient les rênes !

— Oh ! il est sans doute parti chercher du bois pour le feu.

Zoltan s'installa confortablement sur une chaise.

— Eh bien, tant mieux, ma cousine, tant mieux ! dit-il. Je veux justement te parler seul à seule. C'est au sujet de Paprika.

— De Paprika ?

— Oui, ma cousine ! Tu connais mes sentiments pour cette enfant ! Exactement les mêmes que j'ai eus pour toi dans le temps jadis...

Lila se sentit mal à l'aise sous le regard insistant.

— Mais le passé, c'est le passé ! s'empressa-t-il d'assurer. Je suis désolé si je te fais de la peine. Je n'ai pas voulu te blesser ! Tiens ! Donne-moi la main ! Après tout, nous sommes du même sang, pas vrai ? Maintenant, Lila, reprit-il, pressant dans sa grande patte la main hésitante, dis-toi bien que tu n'es pas éternelle. Bien que je prie chaque jour pour que tu vives longtemps, il faut songer à l'avenir de ta fille. C'est elle qui sera notre reine un jour. Mais elle est bien trop jeune encore pour diriger la tribu. Tu sais combien nos frères roms sont durs à manier. Depuis que tu es tombée malade, c'est moi qui me suis chargé de les faire marcher. Tu pourrais donc lui simplifier la tâche, enfin, bref... je veux épouser Paprika !

La première surprise passée, la colère de Lila éclata devant l'impudente et saugrenue demande en mariage d'un homme qui lui avait déjà causé tant de préjudice.

— Comment oses-tu ? s'écria-t-elle. Crois-tu un instant que je donnerais mon enfant à un vieux débauché comme toi ?

— Demande donc à mes femmes si je suis vieux ! dit-il avec un clin d'œil obscène. Et, justement, ce qui me plaît en Paprika, c'est qu'elle n'est encore qu'une enfant ! ajouta-t-il, égrillard.

96

Il poussa Lila du coude :

— Tu ne crois pas que je serais un bon mari pour la petite ? Si tu as peur, parce qu'elle est si menue... et moi si gros... je te promets d'y aller doucement !

Et il se mit à rire aux éclats.

— D'autre part, reprit-il plus sérieusement, j'offre pour elle deux fois plus d'argent que je n'en avais proposé pour toi : mille ducats ! Plus qu'aucun Rom ait jamais offert pour une femme ! Mille ducats !

Il observa Lila d'un regard sournois, essayant de lire sur son visage l'impression produite, puis enchaîna vivement :

— Tes vieilles rosses n'en peuvent plus ! Cela ne te ferait pas plaisir d'avoir une paire de robustes chevaux pour ta roulotte ? Et une roulotte toute neuve, peut-être ? Puis tu n'aurais plus de soucis. Je m'occuperais de tout moi-même ! J'obligerais Csampas à faire ta lessive et ta cuisine ! Lila ! je ferai n'importe quoi, si tu me donnes la petite ! J'en suis fou ! Je l'aime vraiment, cette gosse. Je pense à elle jour et nuit. Je le jure par mes ancêtres ! J'en perds le boire et le manger. J'en dépéris... !

Sur ces mots, sans y faire attention, par la force de l'habitude, il se remplit un nouveau gobelet qu'il vida d'un trait.

— En ce qui concerne ma femme, Csampas, poursuivit-il, d'après la *Leis Prala*, j'ai le droit de la laisser, puisque je ne l'aime plus : c'est notre loi ! Et Dieu sait que personne ne pourrait aimer cette truie aux jambes arquées ! Quant aux autres, elles ne comptent pas ! Paprika serait mon seul amour !

Il se pencha sur Lila, au point qu'elle sentit l'odeur fétide de son haleine :

— D'ailleurs, je sais que je ne déplais pas à la petite ! Il y a des petites choses qui ne trompent pas !

Lila l'interrompit, la voix tremblante d'une rage impuissante.

— Elle te méprise comme tous les autres ! Mais même si elle t'aimait, jamais je ne donnerais mon consentement ! Dieu est mon juge ! J'aimerais mieux la voir morte !

— Sois tranquille, maman ! Ce ne sera pas nécessaire !

Tous deux se tournèrent vers la jeune voix fraîche, posée, qui venait de les interrompre. Ils virent le visage de Paprika, auréolé de ses boucles blondes, s'encadrer dans l'ouverture de la petite porte à glissière qui donnait accès à la place du conducteur.

Vivement, Paprika enroula les rênes autour du manche des freins et se faufila dans la pièce. Elle vint se planter devant Zoltan, le regarda bien en face et éclata de rire.

Il cligna son œil unique, méfiant :

— Qu'est-ce qu'il y a de si risible ?

— Toi, oncle Zoltan ! pouffa-t-elle. Il paraît que tu m'as choisie pour ta nouvelle épouse ?

Elle s'approcha de lui :

— Écoute-moi bien, vieux singe dégoûtant qui cours après tous les jupons ! Quand je me marierai, c'est *moi* qui choisirai mon homme *moi-même* ! Et j'en choisirai un jeune ! Un beau ! Un qui ait deux yeux ! Pas un vieux porc puant plein de balafres comme toi !

Le Borgne se dressa.

— Je suppose que c'est Jancsi que tu choisiras ? la nargua-t-il.

Paprika releva la tête comme sous le coup d'une injure :

— Jancsi ? Absolument pas ! Il ne m'est rien, ce Jancsi !

— Alors, pourquoi couche-t-il ici, dans ta roulotte ! ricana-t-il, goguenard.

— Parce qu'il n'a pas d'autre logis !

C'était la voix faible et tremblante de Lila qui intervenait.

— Et c'est Jancsi qui fait tous nos travaux, Dieu le bénisse !

Zoltan avait trouvé un point sensible et, secouant son gros corps par soubresauts, prétendait rire aux larmes.

Les yeux verts de Paprika lançaient des flammes.

— Hors d'ici, cochon que tu es ! hurla-t-elle.

Elle s'élança vers la porte et l'ouvrit toute grande :

— Tu m'entends ? Hors d'ici, ai-je dit.

Avec une fausse amabilité, le *Sher-engro* se dirigea vers la sortie en réprimant son rire.

— Très bien, ma petite... Je reviendrai une autre fois !

— Pas quand je serai là !

Zoltan, sur le seuil, mit la main sur la poignée de la porte, comme s'il allait partir. En fait, il rentra dans la pièce, fermant la porte sur lui, et tira le verrou.

Paprika le vit se retourner, une grimace vicieuse déformant ses traits, comme il s'approchait d'elle.

Le colosse l'arracha des bras tremblants de sa mère où elle s'était réfugiée.

Elle se débattit comme une furie, mais en vain, contre cette force brutale. Le sifflet d'un train qui passait couvrit ses cris. Lui maintenant les bras croisés dans le dos, le Borgne l'embrassa en plein sur la bouche et la renversa sur le lit.

— Paprika !

C'était la voix de Jancsi qui venait du dehors comme une délivrance.

— Paprika, ouvre-moi !

Il se mit à marteler les battants qui tremblèrent sous ses poings.

Zoltan, surpris, lâcha prise. Paprika cracha avec dégoût, s'essuyant la bouche, vomissant le baiser du Borgne. Elle se précipita sur la porte qu'elle déverrouilla. Jancsi entra, fit un pas puis s'arrêta net, ses yeux passant du visage bouleversé de la jeune fille à la trogne hilare du *Sher-engro*, pour se fixer sur les joues ruisselantes de larmes de Lila.

— Nous nous reverrons, ma belle ! ricana l'énorme brute.

Là-dessus, il s'élança au-dehors. Mais au bas de la roulotte, il stoppa net avec un sifflement d'admiration.

Attaché à l'arrière, le plus bel étalon que le *Sher-engro* eût jamais vu tirait sur sa longe.

— Que le diable m'emporte ! marmonna-t-il.

Puis, plus fort :

— Eh ! Jancsi ! Où as-tu ramassé ce cheval ?

Jancsi apparut à l'entrée, flanqué de Paprika intriguée.

— Il s'est éloigné du troupeau et m'a suivi ! répondit-il à contrecœur.

Suivant la voiture de son pas lourd, Zoltan, son regard clignotant sur Jancsi, éclata d'un rire homérique :

— Ah ! ça alors, en voilà une blague ! Il t'a suivi ? Par-dessus l'épaule de Jancsi, Paprika contemplait, fascinée, l'étalon de ses rêves.

La superbe bête rua vers Zoltan ; ses naseaux frémissaient, dilatés.

— Oh ! Jancsi ! demanda Paprika dans un souffle, il est à moi ?

Sur un signe affirmatif de Jancsi, elle sauta sur la route, délia la bride et, d'un bond, enfourcha le cheval. Furieux, l'animal se cabra, labourant l'air de ses sabots de devant. Mais Paprika, serrant de ses genoux les flancs de la bête, garda son aplomb. L'étalon renâcla, se dressa, bondit plusieurs fois, piaffa, hennit et rua haut, mais la blonde enfant riait, enfonçant ses doigts plus profondément dans la crinière noire, se maintenant de toutes ses forces.

Le visage de Zoltan reflétait une certaine admiration pour les qualités innées de cavalière de la fillette.

Celui de Jancsi, bien que légèrement inquiet, rayonnait d'un timide bonheur.

Paprika donna du talon. Sa monture piqua de l'avant, s'élança et fonça le long des roulottes. Sur son dos, la jeune amazone hurlait dans sa joie :

— Regardez ! Regardez tous ! Il est à moi !

Aux portes et aux fenêtres, des visages bistres apparurent, curieux.

Incrédules, les gitans se précipitèrent hors de leurs roulottes. Ils n'en croyaient pas leurs yeux :

— Un cheval !

— Paprika a un cheval !

— Il file comme l'éclair !

Jancsi suivait d'un regard brillant le beau coursier qui caracolait le long de la caravane, et partageait humblement le plaisir évident de la jeune écuyère. Zoltan décocha un coup d'œil meurtrier au jeune homme et s'éloigna.

Voyant passer Paprika au galop sur son étalon, Narilla verdit d'envie.

— Cette bâtarde d'un chat et d'une vipère obtiendra-t-elle donc toujours tout ce qu'elle veut ? dit-elle à Suri et Saski qui se trouvaient près d'elle. Je la déteste, cette catin !

Les sœurs jumelles, qui avaient vu Zoltan sortir de la roulotte de Lila, s'exclamèrent en chœur :

— Pas tant que nous !

La caravane s'était engagée dans une forêt que la route traversait et était arrivée à une clairière qui, de toute évidence, avait déjà servi de campement.

Au commandement de Zoltan, le train de roulottes s'immobilisa, et l'on commença à dresser le camp.

Paprika galopait toujours sur son fougueux étalon.

Les hommes observaient sa course d'un regard où brillait le désir.

Borro, tout nouvellement marié à Fénella, ne perdait pas un mouvement de la gracieuse cavalière.

Tenant un seau d'eau glacée qu'elle était allée quérir à la rivière, Fénella s'arrêta pour suivre le regard de son mari, le même regard qu'il avait eu pour elle avant leur mariage ! Soudain, sans crier gare, elle lui vida tout le contenu du récipient sur la tête.

— Ça te rafraîchira peut-être les idées, imbécile !

Borro, suffoqué, claquant des dents, arracha le vieux seau rouillé des mains de sa femme et, dans sa fureur, l'en coiffa si brutalement que la tête de la malheureuse défonça le seau rongé, passa au travers et ressortit écorchée par le fer.

Les hurlements de Fénella attirèrent l'attention générale, et il fallut que Varos, le rétameur, vînt la délivrer avec une pince à métaux.

Paprika sauta enfin à bas de sa monture, et attacha la bête fumante à l'arrière de sa roulotte. En se retournant, elle aperçut Jancsi qui revenait de la rivière où il avait mené boire leurs chevaux de trait.

— Eh bien ! demanda-t-il, il te plaît ?

— Tu le demandes ? gazouilla-t-elle, les yeux brillants de joie.

Mais il ne lui vint pas à l'idée de dire un mot de remerciement à Jancsi. Elle ne s'enquit même pas de la façon dont il s'était procuré le cheval. A quoi bon ? L'important n'était-il pas qu'il lui rapportât toujours ce qu'elle désirait ?

Le jeune homme s'approcha et lui enlaça la taille.

— Que te voulait le Borgne tout à l'heure ? demanda-t-il anxieusement.

Paprika lui jeta un regard oblique puis, avec un sourire ambigu, se détourna. Le bras de Jancsi glissa.

— Il m'a demandé de devenir sa femme ! répondit Paprika d'un ton détaché.

Jancsi sursauta et l'agrippa aux épaules :

— Que dis-tu ?

Paprika était ravie de le voir si troublé.

— Tu m'as bien entendue la première fois ! dit-elle pour l'aiguillonner, tout en se dégageant. Faut-il donc te répéter chaque chose ? Zoltan veut m'épouser ! Il m'a offert mille ducats ! Plus qu'aucun Rom n'a jamais donné pour une femme !

Jancsi serra les dents. Les pupilles de ses yeux noirs n'étaient plus qu'un point imperceptible.

— Et que lui as-tu répondu ?

— Oh ! que j'allais y réfléchir ! laissa-t-elle tomber nonchalamment.

Son sourire calme de femelle qui se sait convoitée était une torture pour l'adolescent.

— Y réfléchir ? s'exclama-t-il, c'est inutile ! Tu es à moi !

— A toi ?

Paprika lui fit face ; son regard lançait des étincelles :

— Écoute-moi bien, Rogi Jancsi ! Pas un de mes cheveux ne t'appartient, ni à toi, ni à personne ! Je suis libre et

102

j'entends disposer de moi-même comme il me plaira ! Mets ça dans ta tête de buse une fois pour toutes !

— Mais tu ne vas donc pas m'épouser ? balbutia-t-il, bouleversé.

— T'épouser, et pourquoi ? railla-t-elle, arrogante. Tu n'es pas le seul homme au monde ! Es-tu beau ? Es-tu fort ? Es-tu riche ?

Machinalement, Jancsi secouait la tête à toutes ces questions.

— Évidemment non ! Tu en conviens toi-même ! Alors pourquoi diable te prendrais-je pour époux ?

Jancsi sentit sa gorge se serrer. Il ne voyait plus la jeune fille qu'à travers une buée. Désarmé, les bras ballants, il finit par murmurer d'une voix brisée :

— Parce que je t'aime, Paprika ! Je t'aime depuis le jour où tu es née, depuis le moment où je t'ai tenue dans mes bras, à ton baptême. Je t'aime plus qu'aucun autre homme ne t'aimera jamais ! Et je t'aimerai toujours... jusqu'à la mort !

— Ah ! Peuh... ! Toujours la même rengaine ! Il n'y a pas un homme dans le camp, jeune ou vieux, qui ne me radote la même chose, et qui ne voudrait me prendre pour femme !

Et elle ajouta avec un regard de défi :

— Si tu ne me crois pas, je vais te le prouver !

Elle fit volte-face et, très haut, appela les hommes de la tribu.

— Écoutez, mes frères ! Paprika a quelque chose à vous dire !

Quelques-uns des romanis qui l'avaient entendue s'approchèrent. D'autres sortaient de leur roulotte. Les femmes s'arrêtèrent dans leurs travaux et regardèrent, soupçonneuses, dans sa direction.

— Écoutez, vous tous ! annonça-t-elle. Paprika veut se marier !

Les gitans s'interrogèrent du regard. Quelle était la nouvelle plaisanterie de cette jeune folle ? Allait-elle annoncer ses fiançailles avec Jancsi ? Sinon, alors, quoi ?

La voix claire continua :

— Je m'explique ! Je vais devenir la femme de l'un d'entre vous avant que la lune ne se lève ! Qui veut être mon Rom ?

Les hommes, ébahis, n'en pouvaient croire leurs oreilles. Les femmes se rapprochaient, unies dans la jalousie, flairant un drame imminent.

A nouveau, la voix de Paprika retentit, impatiente :

— Vous m'entendez ! Paprika veut un Rom ce soir ! Cela ne vous fait rien ? Où sont donc tous les hommes qui prétendaient me désirer ?

Quelques-uns des plus jeunes romanichels se consultaient, par clins d'œil, avec des sourires embarrassés. L'un d'entre eux, le plus hardi, vint se planter devant Paprika. D'autres le suivirent comme des moutons. Puis ceux qui étaient un peu plus âgés et ceux qui étaient mariés ; et même ceux d'un âge franchement mûr vinrent accroître la petite troupe des soupirants.

Ils se souciaient fort peu de ce que pensaient leurs femmes ! D'ailleurs, les femmes ne comptaient pas, ils pourraient divorcer. N'étaient-ils pas des gitans ? Avec toute la liberté de leur race dans leurs veines ? Au diable, les vieilles épouses ! C'était Paprika qu'ils voulaient !

— Tu vois ? dit-elle, provocante. Il y en a de riches ! Il y en a de forts ! Il y en de braves ! Il y en a même qui sont jeunes et beaux, et ils me veulent tous !

Jancsi devint blême. Ses dents mordaient sa lèvre inférieure.

Les hommes se pressaient maintenant autour d'eux, et les femmes accouraient de toutes les directions pour voir ce qui se passait.

Narilla, voyant que Paprika était le centre d'attraction de tous les hommes, glapit :

— Que se croit-elle donc, cette chienne ? Que prépare-t-elle maintenant pour se rendre intéressante ?

Fénella, la tête bandée du fait de ses récentes blessures, se faufila dans le troupeau des mâles, cherchant à atteindre son mari.

104

PAPRIKA

Zoltan, la trogne enluminée par le vin, s'approcha en titubant légèrement, écartant tout le monde sur son passage, Suri et Saski sur ses talons. Le troupeau des femmes répudiées de son harem, Csampas, Pivcza et Chika, fermait le cortège.

— Que se passe-t-il ? demanda-t-il de sa voix de stentor.

Avec une certaine satisfaction, Paprika lui répondit :

— Ils vont se battre pour moi, et j'épouserai le vainqueur !

La première surprise passée, Zoltan éclata de rire et, fanfaron, frotta ses mains velues :

— Alors, après tout, tu vas être mienne quand même, ma petite, parce que je vais les étriper tous !

Suri et Saski se cramponnaient à ses gros bras, essayant de l'entraîner :

— Ne l'écoute pas ! chuchotaient-elles. N'as-tu pas assez de nous deux, gros loup ?

Zoltan, pas très d'aplomb, se dégagea et les repoussa rudement.

— Eh ! Qui se permet de dire à Gabor Zoltan ce qu'il doit faire ?

Saski se raccrocha à lui, mais un violent coup de poing en plein visage l'envoya rouler à terre. En se relevant, elle cracha du sang et deux dents.

Zoltan ricana, caressant les phalanges qui venaient de défigurer la malheureuse, et jeta un regard circulaire sur la troupe des hommes.

— Quelqu'un d'autre a quelque chose à me dire ?

Un silence s'établit sur ces paroles.

— Oui ! moi ! cria quelqu'un.

C'était la voix de Rogi Jancsi, forte et claire, trahissant une violente émotion intérieure.

Et avant que Zoltan ait eu le temps de voir qui l'avait défié, le jeune homme avait surgi du cercle et décoché son poing dans l'œil unique de la brute, dont la tête, sous la violence du choc, se renversa, comme détachée du tronc.

La magistrale offensive de Jancsi laissa tout le monde bouche bée de stupéfaction, y compris Paprika.

Personne dans la tribu ne l'aurait soupçonné capable d'assener un tel coup. Lui, le mièvre petit violoniste à l'attitude si timide, si réservée, qui n'avait encore jamais pris part à une bagarre, les avait bien trompés sur ses forces réelles.

Jancsi, profitant de l'avantage que lui donnait l'effet de surprise de son attaque, continua à frapper avec acharnement son ennemi de toujours dont l'œil enflait. Le sang coula de l'arcade sourcilière, aveuglant complètement le Borgne.

La foule se resserrait autour d'eux. De ses bras puissants, Vasgyuro essayait, en vain, de la contenir.

— Allons ! Laissez-lui la place ! s'égosillait-il, sa voix couverte par les cris des femmes.

— Vas-y, Jancsi ! Étripe-le ! Il l'a bien mérité !

— *Chin lescro curlo !* hurla le forgeron.

— Oui ! Tranche-lui la gorge ! surenchérirent immédiatement une demi-douzaine de gitans échauffés.

Zoltan chancela et alla s'adosser contre une roulotte. Fouillant à tâtons dans sa ceinture, il finit par saisir son *churi* qu'il brandit, meurtrier. De sa main libre, il essayait d'essuyer le sang qui giclait de son œil et, de l'autre, avec la longue lame effilée, pourfendait l'air aveuglément pour maintenir son adversaire à une distance respectueuse.

Jancsi lui aussi avait tiré son couteau. Mais il attendait.

Soudain il bondit, attrapant le poignet armé de Zoltan qu'il ramena dans son élan contre la roulotte, puis plantant de toutes ses forces son poignard dans la chair au-dessous du coude, cloua le bras de Zoltan à la roulotte.

Le rugissement de douleur de Zoltan fit frissonner d'horreur tous les curieux, habitués cependant aux scènes de violence. Zoltan s'écroula au sol. La pesanteur de sa chute fit sortir le couteau de la plaie, déchirant les muscles.

Le *Sher-engro*, dont le grand corps puissant, si redouté de tous, gisait maintenant, inutile et sans force, à terre, geignait et blasphémait.

Suri et sa sœur Saski s'approchèrent :

— *Camelo banlo !*

Maintenant, elles pouvaient l'insulter tout à leur guise et ne s'en privaient pas, ajoutant à leurs injures des coups de pied au bas-ventre.

Tout à coup, Jancsi sentit une main osseuse se poser sur son épaule et, se retournant, il vit la vieille Zsuzsa qui hochait la tête, en signe d'approbation :

— Tu as bien fait, mon fils ! dit-elle, l'œil pétillant. Mais un châtiment plus terrible encore l'attend. Marque mes paroles ! ajouta la *baba* d'un ton prophétique.

— Cela ne fait jamais qu'un ! fit remarquer Balermengro qui s'était ressaisi le premier. Tu dois nous vaincre tous pour avoir Paprika !

Jancsi fit semblant de ne pas l'entendre. Il envoya à Paprika un regard qui en disait long puis s'éloigna vers la roulotte de Lila.

Janos, Varos et Pograsz le rappelèrent, l'incitant à rester au tournoi, mais il ne tourna même pas la tête.

Pâle de rage, Paprika fit face à la foule.

— Alors, mes frères ! Allez-vous vous battre pour moi ? lança-t-elle comme un défi. Ou bien êtes-vous des femme-lettes habillées en garçons, comme celui-là ?

Même cette dernière raillerie ne produisit aucun effet sur Jancsi.

Paprika le vit grimper les marches et disparaître à l'intérieur de la roulotte sans même lancer un coup d'œil dans sa direction.

Le cercle se reforma autour d'elle. Les hommes, mal à l'aise, s'envoyaient des regards en dessous, supputant la force de l'adversaire probable.

— Alors, qu'attendez-vous ? insista Paprika qui trouvait que les choses traînaient en longueur.

Soudain, Pograsz se décida sans raison aucune et décocha à toute volée un grand coup en plein visage à Wenzelo qui ne lui avait rien fait mais qui, de toute évidence, ne demandait que la bagarre. Et les coups se mirent à pleuvoir, drus comme grêle.

— Bravo, Pograsz ! cria Paprika en battant des mains.

Mais, du coin de l'œil, elle surveillait la porte de la roulotte de sa mère, se demandant ce que Jancsi avait l'intention de faire et jusqu'où il laisserait aller les choses.

Deszo se jeta sur Janos. Puis Varos se mit à taper à bras raccourcis sur Lazar, et tous deux roulèrent dans la boue, essayant de s'entr'égorger. Kis fit un croc-en-jambe à Mihaly. Enfin, en moins d'une minute, tous les hommes du cercle se battaient, cognaient comme des sauvages.

Deux yeux furent pochés, des oreilles et des lèvres déchirées, des nez écrasés, des bras foulés et brisés.

Et la lutte continua, assaisonnée de bordées d'injures, comme seuls les gitans peuvent en débiter en *Calo*.

Chacune des femmes et des fiancées essayait bien de retirer son homme de la mêlée, mais cela ne faisait qu'ajouter à la confusion générale.

Folle de rage, Tancosno, la danseuse, fut la première à récupérer son mari.

— Pour quoi crois-tu donc te battre ? Imbécile ! N'as-tu pas assez d'une femme comme ça ?

D'une retentissante bourrade dans le dos, elle le remit dans le droit chemin.

— Allons, vieil âne bâté ! cria Roszi à son époux. Que pourrais-tu faire avec elle ? C'est d'une paire de béquilles dont tu as besoin !

La capiteuse Agatko agrafa par son oreille déchirée Fekvo qui n'en pouvait plus.

— Vas-tu sortir de là ? Pauvre impuissant ! Enfant crétin d'une putain galeuse ! Tu ferais long feu avec une garce pareille !

— Ote-toi de là ! se rebiffa Fekvo, ou je te tue ! Dieu est mon juge ! Je te tue et je mangerai ta cervelle encore chaude !

Mais il n'eut pas gain de cause.

Il se remit à pleuvoir. L'ardeur des combattants ne s'en trouva aucunement rafraîchie. Au contraire, la bataille continuait de plus belle.

Cependant, Zoltan, péniblement, était parvenu à se remettre sur pied et, marmonnant les plus noires malédictions à l'adresse de Jancsi, se traînait à tâtons jusqu'à son gîte.

Aussi rude que d'habitude, il ordonna à Csampas de lui soigner ses plaies. Quand elle eut lavé le sang qui maculait sa face et s'était coagulé sur l'œil, la paupière apparut, enflée, tuméfiée, déchirée ; mais l'œil lui-même était intact, et il pouvait encore voir. Il contempla l'amas de chairs sanguinolentes de son bras.

— Rogi Jancsi va regretter d'ici peu ce qu'il vient de faire ! Il va s'en souvenir jusqu'au jour de sa mort ! dit-il sur un ton rempli de menaces.

Et il jura de prendre sa revanche.

Dès que Csampas eut fini le pansement, le *Sher-engro*, son bras en écharpe, sortit et sella Mikosz.

Piskos, l'ourse, se dressa derrière lui, les griffes en avant. Un grognement de fureur avertit le gros homme à temps. Heureux de l'occasion de donner libre cours à sa colère accumulée, il assena de son bras valide, avec le manche plombé de son fouet, un coup si brutal sur le museau de l'animal que celui-ci roula au sol, gémissant à faire pitié.

Zoltan enfourcha son étalon, donna de l'éperon et prit le galop, contournant l'attroupement qui regardait la lutte.

Dans la roulotte de la Reine, Jancsi rassemblait ses quelques hardes dans un sac.

— Que se passe-t-il ? demanda Lila. Veux-tu me dire ?

— Oh ! ce serait trop long, mère ! Et puis c'est toujours la même histoire ! Mais maintenant, je ne peux plus y tenir ! Alors, je m'en vais pour de bon...

— Mais où vas-tu aller, *mi chal* ? demanda Lila.

— Je ne sais pas, mère. N'importe où... Le plus loin possible, pour essayer de l'oublier !

— Que t'a-t-elle donc encore fait ? questionna Lila, pleine d'appréhension.

Soudain, Jancsi se laissa tomber à genoux près d'elle, embrassant les mains de l'invalide et les inondant de ses larmes.

— Je ne peux pas rester ici, mère, et la voir mariée à un autre. J'aimerais mieux mourir !

Lila, les yeux grands ouverts d'étonnement, se souleva avec peine sur ses coudes.

— Mais je ne comprends pas, Jancsi... Pourquoi en épouserait-elle un autre ? Elle sait bien que tu l'aimes !

— Oui, en effet ! Depuis le temps, elle devrait finir par le savoir. J'ai tout fait pour le lui faire comprendre. Mais elle s'en moque. Elle ne m'aime pas ! Jusque aujourd'hui, j'avais gardé l'espoir qu'un jour... Mais maintenant !

Un sanglot lui étrangla les mots dans la gorge.

Lila lui tapotait la tête doucement, essayant de le calmer. Quand il eut repris un peu de son sang-froid, il conta à Lila, en détail, ce qui s'était passé.

A la fin de son récit, il souleva le rideau sur la vitre ruisselante.

— Regarde ! C'est pour elle qu'ils se battent, là-bas !

Découragée, la malade retomba sur ses coussins et soupira. Les pleurs coulaient sur ses joues décharnées. Jancsi éclata à nouveau :

— Si c'est cela qu'elle veut pour mari : une brute, et seulement une brute, alors je ne veux plus d'elle... Même si je pouvais terrasser des hommes comme Sieto et Balermengro !

Du dehors parvenaient les cris des lutteurs, dominés quelquefois par les exclamations d'encouragement de la foule qui les regardait.

— J'aurais quitté cette terre d'un cœur plus tranquille si tu étais devenu son mari, murmura Lila. J'avais toujours eu l'espoir que tu saurais...

Sa voix se brisa dans un sanglot.

— Cela va être dur, sans toi, Jancsi ! reprit-elle. Tu as toujours été si bon... si fidèle... Mais je te comprends !

Jancsi leva vers elle un visage désespéré où se lisait cependant la détermination. Il embrassa tendrement sa mère adoptive.

— *Ja Develehi !* dit Lila, en levant sa main sur les boucles rebelles en signe de bénédiction.

PAPRIKA

Il s'arracha des bras où il avait si souvent cherché refuge. Puis il jeta sur son dos l'enveloppe de moleskine qui contenait son précieux violon, mit sur son épaule un gourdin au bout duquel il avait noué son balluchon, promena une dernière fois un regard embué de larmes sur ce décor familier et s'enfuit en courant.

La bataille avait repris de plus belle, et nul ne remarqua le départ du jeune homme qui s'éloignait en trébuchant vers la grand-route... nul... si ce n'est Paprika...

Elle comprit qu'il partait pour toujours et, pour la première fois de sa vie, se rendit compte de ce qu'il représentait pour elle. Son cœur lui fit mal. Qu'allait être la vie sans lui ? Non ! Impossible, il ne fallait pas qu'il parte !

Elle allait sans plus attendre courir après lui, le prendre dans ses bras, l'embrasser, le supplier à genoux de rester, implorer son pardon, confesser son amour pour lui. Elle serait si heureuse s'il voulait bien d'elle pour femme ! Il était le seul homme qu'elle aimât. Il n'en existait pas d'autre, et il n'existerait jamais que lui !

Sans même jeter un coup d'œil vers les brutes qui se battaient pour elle, elle se dirigea rapidement vers le carrefour que Jancsi était obligé de traverser.

Le jeune homme, de son côté, avait atteint la route boueuse et s'était mis à marcher aveuglément le long du fossé. Le vent lui apportait par bouffées les cris des lutteurs. Ils continuaient à se battre pour Paprika. Sa Paprika ! Et l'un d'entre eux serait vainqueur, posséderait sa Paprika ! Paprika dans les bras d'un autre cette nuit ! Toujours les mêmes idées bouillonnaient dans sa tête.

Comme il arrivait au croisement des routes, là où un orme solitaire, de ses bras morts et desséchés, semble implorer le ciel, Jancsi allait se retourner pour jeter un regard d'adieu vers le camp, quand, tout à coup, il aperçut Paprika, appuyée contre le tronc de l'arbre. Son cœur s'arrêta. Il l'avait imaginée au milieu de la bagarre, surveillant la compétition d'un œil arrogant, et elle était là qui l'attendait. Un peu d'espoir s'éleva en lui. Peut-être regrettait-elle ? Peut-être comprenait-elle finalement que c'était lui qu'elle aimait ? Timidement, il s'approcha.

— Paprika ? (sa voix tremblait), que fais-tu ici ? Regrette-rais-tu ce que tu as fait ?

« Oui, Jancsi, mon amour, de tout mon cœur ! Pardonne-moi ! Je t'en supplie, parce que je t'aime, je t'aime par-dessus tout ! »

Voilà ce que Paprika pensait et aurait voulu dire. Mais quelque chose en elle de fort, de mystérieux, d'irrésistible, l'obligea à regarder Jancsi comme si sa question l'étonnait et lui fit prononcer des mots qu'elle n'aurait pas voulu dire, des mots qui ne venaient pas d'elle.

— Regretter ? Et regretter quoi ? Je sais très bien ce que je fais et ce que je dis ! Tu veux que je répète ?

Elle était surprise de s'entendre parler ainsi ; c'était comme si elle entendait quelqu'un d'autre s'exprimer à sa place ! Même le timbre de sa voix ne lui était pas familier, et elle écoutait, avec curiosité, la mystérieuse inconnue qui parlait par sa bouche.

— Alors, pourquoi es-tu ici ? demanda-t-il.

— Et pourquoi n'y serais-je pas, si cela me plaît ? Depuis quand dois-je demander ton consentement pour aller où bon me semble ?

Toute lueur d'espoir s'évanouit dans l'âme de Jancsi. Elle n'avait aucun remords. Elle était seulement venue pour le narguer, une fois de plus.

— Mais je pars, Paprika !

« Je t'en prie, ne me laisse pas, je t'aime ! pensait-elle dire... »

— Tant pis ! répondit-elle froidement.

— Me diras-tu au moins adieu ?

— Adieu ! répliqua-t-elle, cassante.

— C'est tout ce que tu as à dire ?

« Non, non, ce n'est pas tout ! Mille choses me brûlent les lèvres, je déplore chaque mot et chaque geste qui t'ont fait du mal... Je voudrais les reprendre, les effacer... Je ne voulais pas

112

te blesser, je t'aime tant... ! Reste avec moi... J'ai besoin de toi... »

Mais au lieu de prononcer ces mots qui étaient vraiment dans son cœur, elle répondit d'un geste d'indifférence à la question du jeune homme et se mit à fredonner un petit air guilleret.

— Paprika ! essaya-t-il timidement, comme un dernier appel. Je m'en vais à jamais, tu ne me reverras plus !

— Tant mieux ! Ça fera un sale violoneux de moins dans la tribu !

Surprise, elle entendit les mots cruels jaillir de sa bouche et, tout à coup, elle comprit qui était l'être mystérieux qui commandait à ses lèvres... C'était le Diable lui-même qui la possédait ! Le Malin ! qui la forçait à agir de la sorte...

Jancsi l'agrippa par les épaules et la secoua violemment contre l'arbre.

— Ah ! voilà donc ce que tu penses de moi ?

— Oui, c'est bien ce que tu es, n'est-ce pas ? Un sale violoneux gitan ! répondit encore le Malin par ses lèvres.

Et bien que la soudaine brutalité du jeune homme l'eût fait frissonner de plaisir, elle ajouta :

— Lâche-moi ! Je te défends de me toucher !

Jancsi laissa retomber ses bras.

— Je fais le serment devant Dieu de te faire regretter un jour chacune de ces paroles ! jura-t-il solennellement.

Paprika s'esclaffa, provocante :

— Et tu crois donc encore que ce qui vient de toi m'intéresse ? Tiens ! Tu comptes autant pour moi que la boue que je foule du pied !

Il se détourna brusquement, inexorablement, et s'éloigna, tremblant, en proie à l'émotion.

Paprika partit d'un rire strident, de plus en plus haut, de plus en plus fort, essayant de poursuivre Jancsi de ses ricanements.

Le jeune homme s'enfuyait, le rire infernal lui résonnant aux oreilles. Mais il ne se retourna pas.

113

Et quand elle comprit qu'il ne pouvait plus l'entendre, son rire se brisa en sanglots. Ses bras se tendirent vainement vers la silhouette solitaire qui se rapetissait au bout de la route.

Impuissante, elle appuya sa tête contre l'arbre et fondit en larmes. Lentement, elle se laissa glisser jusqu'au sol. Ses doigts s'enfoncèrent fébrilement dans la terre humide. Des sanglots amers la secouèrent tout entière.

Et cette force intérieure, mystérieuse et perverse la faisait tour à tour savourer ses larmes et avoir honte de sa sensiblerie...

Un bruit de sabots lui fit relever la tête.

Deux gendarmes à cheval s'approchaient au trot. La boue rejaillissait jusqu'au ventre de leurs montures. Les lourds sabres tintaient contre les étriers. Les plumes de coq de leurs couvre-chefs volaient au vent.

Et comme ils s'avançaient, elle reconnut Gabor Zoltan chevauchant entre les deux uniformes, sa vieille toque d'astrakan sur l'œil, à un angle encore plus insolent que jamais.

Immédiatement, par intuition, elle devina que le Borgne était allé chercher les représentants de l'autorité pour se venger de Jancsi. Mais elle ne voyait pas très bien de quoi il pouvait l'accuser, sinon d'avoir joué du couteau contre lui, le *Sher-engro* de la tribu.

Tout à coup, elle se souvint de l'étalon que Jancsi lui avait amené dans l'après-midi. Voilà ! C'était ça ! Zoltan avait dénoncé le coupable afin qu'on l'incarcérât — comme Lukasz pour sa mule, l'année passée... Si seulement elle pouvait prévenir le garçon du danger imminent ! Si seulement elle pouvait le cacher !

Zoltan aperçut Paprika comme elle se relevait.

— Voilà la fille à qui il a donné le cheval ! C'est sa bonne amie ! l'entendit-elle dire au brigadier.

Il fit avancer sa monture près d'elle, à la toucher. Les gendarmes suivirent l'exemple et apprécièrent du regard cette belle créature qui les regardait, craintive.

— Où est Jancsi ? demanda le cyclope, faisant l'important

devant les hommes de la maréchaussée pour les impressionner de l'autorité que sa position lui conférait dans la tribu.

Toujours possédée du démon, comme si les doigts crochus de l'être infernal la forçaient malgré elle à tourner la tête, elle indiqua du menton la direction que Jancsi avait prise.

Zoltan et les gendarmes se dressèrent sur leurs étriers et regardèrent pour scruter l'horizon. Une expression mauvaise de satisfaction apparut sur le visage du Borgne.

En effet, dans le lointain, on pouvait encore distinguer une silhouette qui s'éloignait sur le ruban de la route. Zoltan jeta un nouveau coup d'œil vers Paprika et remarqua qu'elle avait pleuré. Ainsi donc, la petite bâtarde blanche était amoureuse de Jancsi. Il s'en était bien toujours un peu douté !

— C'est bien lui ! assura-t-il aux gendarmes avec un sourire vindicatif. On devrait le boucler pour la vie ! Ce voyou ! Je ne permettrai pas qu'il y ait des voleurs dans ma tribu. Je n'ai jamais eu d'ennuis avec la loi, et ce n'est pas avec ce vaurien que je vais commencer !

— Où est le cheval ? interrompit le brigadier.

— Attaché derrière sa roulotte !

— Et votre camp ?

Zoltan, par-dessus son épaule, indiqua, du pouce, la direction de la forêt.

Le vent apportait les échos de la bagarre.

— Que se passe-t-il ? demanda le brigadier.

— Oh ! Ils font un match de lutte ! répondit le *Sher-engro* avec une moue de mépris. Le vainqueur gagnera cette fille en mariage ce soir !

L'expression de son visage montrait qu'il ne s'en faisait guère quant au résultat éventuel de cette singulière compétition.

Le brigadier s'adressa à son camarade :

— Moi non plus, je ne demanderais pas mieux que de me battre pour elle ! Qu'en penses-tu ?

— C'est avec elle que j'aimerais mieux lutter ! rétorqua grivoisement le simple gendarme.

115

Zoltan éclata d'un rire tonitruant.

Paprika leur tira à tous trois la langue, ce qui augmenta l'hilarité générale. Alors, haussant les épaules et jouant des hanches, elle s'en fut de sa démarche ondulante.

Les gendarmes la suivirent d'un regard rêveur jusqu'à ce qu'elle eût disparu.

— Il faut d'abord s'emparer du voleur ! Puis, sur le chemin du retour, nous prendrons le cheval, annonça le brigadier, revenant à ses... moutons.

— Vous voulez bien nous accompagner en tant que témoin ? proposa le sous-officier à Zoltan.

Le visage du *Sher-engro* rayonna. Rien n'aurait pu lui faire plus de plaisir que d'être présent à l'arrestation de Jancsi, que d'être là quand on lui passerait les menottes aux poignets et de pouvoir se gausser à son aise quand on l'entraînerait vers la prison.

— A vos ordres, mon brigadier ! répondit-il.

Ils éperonnèrent leurs montures et, sautant le fossé, dévalèrent la chaussée au galop.

Au bas de la route, Jancsi se retourna en les entendant s'approcher.

Zoltan et les gendarmes eurent tôt fait de le cerner.

Le premier moment de surprise passé, Jancsi n'avait pas été long à se figurer que le Borgne avait amené les gendarmes pour l'arrêter sous l'inculpation d'attaque à main armée...

Résigné, il les regarda. Tout lui était égal maintenant. Le gendarme descendit de cheval pour le fouiller et trouva son *schuri*.

— C'est avec ce couteau-là qu'il a essayé de me tuer ! s'exclama Zoltan.

— Est-il vrai que tu as volé un cheval, près de Marmoz Furded ? demanda le brigadier, commençant son interrogatoire.

— Oui ! Elle le voulait ! répondit Jancsi simplement.

— Et ne savais-tu pas que ce vol te conduirait en prison ?

Jancsi baissa la tête affirmativement.

116

— Si. Mais elle le voulait ! répéta-t-il.

Le brigadier eut un sourire incrédule et se tourna vers Zoltan, l'interrogeant du regard.

Le *Sher-engro* étira ses jambes dans les étriers et ricana, sarcastique :

— Ah! Pardi ! Il lui donnait toujours tout ce qu'elle voulait ! Le cheval et autre chose ! Hein, Jancsi ?

Le gendarme posa sa main sur l'épaule de Jancsi :

— Au nom de la loi ! Je t'arrête !

Silencieusement, Jancsi lui tendit les mains et les menottes se refermèrent sur ses poignets.

Zoltan, satisfait, offrit des cigarettes aux représentants de l'autorité, et en alluma une lui-même.

— J'ai attendu quinze ans pour me débarrasser de toi, vermine ! railla-t-il. C'est mon jour de chance, aujourd'hui !

— Prenez-le devant vous ! commanda le sous-officier à Zoltan.

— A vos ordres, mon brigadier ! répliqua Zoltan en mettant pied à terre.

Malgré ses mains liées, Jancsi sauta légèrement sur le dos de Mikosz.

Derrière lui, Zoltan enfourcha à nouveau sa monture, ravi de l'avantage que lui donnait sa position. Ils s'en allèrent au petit trot. Soudain, traîtreusement, le Borgne donna un terrible coup de poing dans les reins de Jancsi. Le garçon s'affaissa en avant, étouffant un cri de douleur. Mais Zoltan, le visage radieux, le maintint en selle, le soutenant sous les aisselles.

Au camp, les combattants ne se trouvaient plus qu'au nombre de deux. Les autres, trop mal en point, avaient abandonné la lutte et se faisaient soigner par leurs femmes, trop heureuses de les voir sortir bons perdants de la folle compétition inspirée par cette diablesse de Paprika.

La paire qui restait était naturellement composée des deux brutes les plus colossales de la tribu : Sieto-le-Vif et Balermengro-le-Velu. Ils s'empoignaient sauvagement dans une lutte qui semblait sans issue, leurs forces étant égales.

Les prétendants évincés, leurs femmes et leurs enfants s'étaient confortablement assis à croupetons pour exciter de la voix ces gladiateurs d'un nouveau genre, et avaient presque oublié la raison initiale de leur combat. Ils se battaient maintenant pour le seul plaisir de se battre. Et Dieu sait s'ils aimaient se battre !

Paprika, passant près du cercle formé autour des combattants, entendit un horrible juron. Elle s'arrêta pour regarder. Balermengro, le visage tordu dans une grimace sinistre, s'était agenouillé sur les épaules de son adversaire. Sieto, à bout de forces, gisait pantelant sur le ventre. Balermengro, solidement arc-bouté, lui maintenait une jambe repliée en arrière.

— Abandonnes-tu, Sieto ?

— Non ! Face de gorille ! Je n'abandonnerai jamais !

Pour toute réponse, le Velu, s'arc-boutant de plus belle et se servant de la jambe de son adversaire comme d'un levier, tira avec une telle brutalité qu'elle fit entendre un craquement, audible par tous, à faire tourner le cœur. Sieto jeta un cri d'homme torturé, mais les acclamations des spectateurs au vainqueur couvrirent son hurlement. Balermengro lâcha prise, et la jambe déboîtée de Sieto retomba inerte, dans la boue.

La brute velue avait gagné. Fier de lui, il jeta un regard circulaire sur le groupe et, suivant la coutume romanichelle, mit un pied sur le cou du vaincu. Les applaudissements de la foule faisaient une musique séraphique à ses oreilles.

La femme de Sieto s'approcha et traîna son homme jusqu'à la roulotte de Varos, l'étameur, qui était rebouteux à ses moments perdus.

Les femmes et les filles se pressaient autour du vainqueur, se bousculant pour serrer ses mains poilues et lui donner de grandes tapes dans le dos :

— C'est Balermengro qui a gagné Paprika !

— Du vin !

— Qu'on apporte du vin !

— Il faut célébrer dignement ces noces-là !

— C'est bien l'homme qu'il lui faut ! ricana Narilla, joyeuse. Il va la mater, cette chatte enragée !

Les cris et les rires sauvages des gitans se répercutèrent dans les bois.

— Ah ! regarde-moi ce qu'elle s'est dégotté ! Balermengro n'est pas une beauté, mais au moins, avec lui, elle se tiendra tranquille !

— Il la mettra enceinte à tous les coups ! s'écria Suri.

— Ça lui fera du bien, à cette chienne de *gorgio* à peau blanche ! Et j'espère qu'elle en pondra trois à chaque fois ! renchérit Narilla.

Paprika, non loin d'eux, observait la scène. Tout à coup, elle se rendit compte du piège qu'elle s'était tendu, en voulant follement défier Jancsi.

— La voilà ! cria Suri.

— Allons, viens, Paprika ! Viens donner ton baiser de fiançailles au Velu !

— Prends-la dans tes bras, Balermengro ! lança Narilla, au comble de la joie. Fais-lui sentir comme tu es fort ! Donne-lui un avant-goût de ce qui l'attend ce soir !

Et avec des rires grivois, toutes les filles se mirent à pousser le champion vers Paprika. Hommes et femmes l'encourageaient de la voix à prendre de force sa fiancée.

— Vas-y, le Velu ! Emporte-la dans ta roulotte ! conseilla Narilla. J'ai hâte d'entendre ses cris perçants quand tu l'écraseras sous ton poids !

Paprika n'avait pas bougé. Un rictus figé sur les lèvres, elle s'apprêtait à dire son fait à la foule en général et à Narilla en particulier.

Mais elle aperçut Zoltan, maintenant le prisonnier à califourchon devant lui et conduisant les gendarmes vers le camp.

Brusquement, l'esprit du mal qui l'habitait lui suggéra de

faire croire à Jancsi qu'elle tenait son pari jusqu'au bout, comme elle l'avait promis.

Balermengro la souleva de terre dans ses gros bras et l'embrassa au milieu des encouragements de la foule et des hurlements de vengeance de Narilla. Il allait jeter la jeune fille sur son épaule et l'emporter dans sa roulotte, mais à ce moment un des petits *purdes*, lui aussi, remarqua les nouveaux arrivants.

— *Hock hornie mush !* hurla le gosse d'une voix suraiguë en pointant son doigt.

Leur terreur native des représentants de la loi arrêta net les ébats des gitans.

Zoltan, suivi des gendarmes, passa au beau milieu du groupe qui, silencieusement, s'écarta sur leur passage.

Quand les Tziganes virent Jancsi poings liés, ils se regardèrent, surpris. Tout de suite, ils réalisèrent que cette arrestation était l'œuvre de Zoltan, et toute leur sympathie alla immédiatement vers leur jeune frère en détresse.

Jancsi leva lentement la tête, et ses yeux tombèrent sur Paprika dans les bras de Balermengro. Le Velu avait laissé glisser la jeune fille à terre, mais il lui tenait la taille.

— Qu'est-ce que cela signifie ? demanda le *Sher-engro*.

Narilla, un œil plein de méfiance sur les gendarmes, se fit l'interprète de tous :

— Balermengro est le vainqueur ! Il a gagné Paprika comme épouse ! Il allait l'emmener à l'instant même dans sa roulotte pour qu'elle devienne sienne !

Les yeux de Jancsi rencontrèrent ceux de Paprika. Zoltan, semblant oublier le résultat du débat, se pencha pour lire sur le visage de Jancsi les effets de cette nouvelle humiliation et en jouir pleinement.

Paprika sentit à nouveau l'ange des ténèbres se réveiller en elle. Elle se prit tout à coup à faire un sourire involontaire et se retrouva pelotonnée, malgré elle, contre la poitrine velue de son indésirable promis. Elle se tourna vers Jancsi, cherchant avidement à apercevoir des larmes dans ses yeux. Mais le jeune homme regardait fixement le ciel d'un gris de plomb.

— Voilà le cheval qu'il a volé ! dit Zoltan en montrant du doigt l'étalon qui piaffait nerveusement derrière la roulotte de Lila.

— Attachez-le entre nos bêtes ! commanda le brigadier.

Zoltan intima l'ordre à Paprika de délier son cheval.

— Et pourquoi ? demanda-t-elle avec insolence.

— Les gendarmes vont le ramener à son propriétaire !

— Mais il est à moi ! rétorqua-t-elle indignée. Jancsi me l'a donné !

— Oui, mais il l'a volé ! Et c'est pour cela que ces Messieurs vont mettre ton ami sous les verrous ! dit Zoltan en ricanant...

« S'ils emprisonnent Jancsi, ils devraient bien te pendre d'abord ! Tu es coupable de bien plus de crimes qu'il ne pourrait en commettre dans sa vie entière ! »

Voilà ce qu'elle voulait crier au visage de Zoltan, mais, une fois de plus, elle obéit à l'esprit malfaisant.

— Tant mieux ! s'exclama-t-elle, avec un regard de défi vers Jancsi. Plus longtemps on le gardera, plus longtemps j'aurai la paix !

Zoltan jubilait.

Paprika se dégagea des bras de Balermengro et alla détacher le splendide animal. Le gendarme, qui avait mis pied à terre pour rentrer en possession de l'étalon, saisit la longe que lui tendait la jeune fille. Mal lui en prit car, à son approche, le cheval se cabra, rua et décocha des coups de sabots. La foule effrayée reculait devant la bête déchaînée, et le gendarme avait de plus en plus de mal à la maintenir.

Alors Paprika lui reprit la lanière des mains et caressa de ses doigts frêles le cou de l'étalon qui, comme par enchantement, se calma. Puis elle l'attacha entre les deux autres montures.

Cela fait, elle revint près de Balermengro qui, tout fier de la hardiesse déployée par sa fiancée à mater un animal aussi réfractaire, se baissa pour lui plaquer un gros baiser sur la bouche.

Paprika aurait voulu essuyer ses lèvres, que cette goule répugnante venait de presser. Mais l'esprit malin lui rappela que les yeux de Jancsi étaient fixés sur elle. En fait, elle appuya ses boucles blondes contre la poitrine massive du vainqueur de la course au mariage et lui fit un sourire qui simulait l'affection.

Le brigadier ordonna à Jancsi de monter le cheval volé.

Avant qu'il pût sauter à bas de Mikosz, Zoltan, sournoisement, lui décocha un autre coup de poing dans les reins en signe d'adieu.

— Pour te porter chance ! lui ricana le *Sher-engro* dans l'oreille.

Jancsi ne répondit pas. Il passa avec aisance la jambe par-dessus l'encolure, mit pied à terre et, d'un bond, enfourcha le bel étalon.

— Eh bien, Jancsi ! railla Zoltan, fais tes adieux à tout le monde, parce qu'on n'est pas près de te revoir ! Un vol de cheval, ça va chercher dans les deux à dix ans de prison ! C'est la loi ! N'est-ce pas, mon brigadier ?

— C'est exact ! répondit le protégé de la Sainte-Her-mandad.

Zoltan se mit à rire bruyamment.

— Mais, tu vois ! ajouta-t-il en montrant Balermengro du doigt, tu n'auras pas à t'inquiéter pour ta petite amie. Elle ne se languira pas de toi ! D'ailleurs, moi aussi, je ferai de mon mieux pour la distraire ! Et puisque notre tribu se débarrasse d'un vaurien, c'est une excellente occasion de boire à la santé de ces Messieurs qui nous en déchargent ! Paprika ! Va chercher une cruche de vin dans ma roulotte !

Pour bien montrer à Jancsi son empressement à obéir aux ordres du *Sher-engro*, elle courut vers la roulotte.

Elle en revint avec une demi-bonbonne et remplit deux timbales qu'elle tendit aux gendarmes avec un sourire agui-cheur.

PAPRIKA

Zoltan lui prit la cruche des mains et la leva vers les représentants de l'autorité :

— *Piavta !*

Après avoir bu une gorgée à même le goulot, le Borgne reprit :

— Votre prisonnier est l'ami intime de cette fille, qui doit convoler ce soir. Il ne pourra pas être présent à la fête des noces où chaque membre de la tribu trinque en l'honneur des nouveaux mariés. Alors, est-ce que mon brigadier veut bien lui permettre de boire à leur bonheur avant son départ ?

— Pas de raison de lui refuser un verre de vin ! D'ailleurs, ce sera son dernier d'ici longtemps ! répondit le brigadier, bon enfant.

— Paprika ! Verse à boire à Jancsi ! dit-il, rayonnant, pour qu'il puisse lever son verre à ta santé, à celle de ton époux et à celle de ta progéniture à venir !

Toujours poussée par le Malin, Paprika s'empressa de tendre un gobelet à Jancsi, avec un sourire provocant.

Jancsi ne savait que faire. Tous les yeux étaient braqués sur lui. Il fit un geste machinal vers Paprika et Balermengro et, silencieusement, vida son verre. Parler ? il ne le pouvait !

Poliment, les gendarmes trinquèrent en l'honneur des futurs époux, firent claquer leur langue et essuyèrent d'impressionnantes moustaches de leur main gantée de blanc. Tandis qu'ils remerciaient le *Sher-engro* de son hospitalité, la plupart des membres de la tribu, qui aimaient Jancsi et plaignaient son sort, vinrent sans un mot lui serrer la main ou lui donner des tapes amicales dans le dos.

La vieille Zsuzsa, aidée de ses deux béquilles, clopina jusqu'à lui :

— Tu ne languiras pas longtemps en prison, mon fils ! Laisse ton violon dire ta peine et ton chagrin, et tu accompliras de grandes choses ! Le Roi de la Hongrie lui-même t'honorera un jour ! *Ja Develehi !*

De sa main tremblante, elle fit un signe de bénédiction.

Jancsi baissa la tête respectueusement, bien que sceptique au sujet de la prophétie.

— En avant ! commanda le brigadier.

Et les deux gendarmes, encadrant Jancsi, partirent sur la route, au pas.

Le prisonnier se retourna pour embrasser du regard, une fois encore, les roulottes familières, ses frères de la tribu, et Paprika.

La jeune fille avait attendu ce moment. Ce devait être le signal pour se précipiter vers lui et, avec l'aide de tous ses frères roms qui l'aimaient aussi, le libérer de ses chaînes.

Mais la même mystérieuse force intérieure lui fit, au contraire, glisser son bras sous celui du Velu et lui tendre ses lèvres avides d'un baiser. Balermengro, fou de joie, la serra à l'étouffer et l'embrassa sauvagement. Jancsi pâlit et détourna les yeux.

Les cavaliers disparurent parmi les arbres.

Il recommença à pleuvoir. Les gitans, au comble de l'excitation, restaient indifférents à l'inclémence des éléments.

— Et maintenant, accompagnons les fiancés à leur roulotte ! cria Narilla. Je veux entendre les hurlements de cette femelle quand Balermengro va la saillir !

Paprika releva le menton. Ses yeux verts lancèrent des lueurs félines. Elle s'arracha du bras du Velu.

— Fous que vous êtes ! s'écria-t-elle en grimpant rapidement les marches de la roulotte de Lila. Imbéciles ! Anes bâtés ! Vous n'avez tout de même pas cru que j'allais réellement épouser ce fils de guenon, ou même n'importe lequel d'entre vous ?

Un grondement qui n'annonçait rien de bon s'éleva de la foule :

— Que compte faire cette garce ? Se moquer de toute la tribu ? Tourner ses frères en dérision ?

— Vous n'allez pas supporter cela de cette chienne ? hurla Narilla.

— Et pourquoi s'est-on cassé les os et entre-déchirés, si ce

124

n'est pour avoir la chance de posséder ce ventre blanc ? ajouta Hentès-le-Boucher.

— Il faut qu'elle l'épouse ! surenchérirent Suri et Saski fielleusement, persuadées d'écarter ainsi le danger imminent qui menaçait leur félicité domestique avec Zoltan.

Paprika, un rire satanique sur les lèvres, faisait face à tous ces visages grimaçants de mécontentement.

Enhardie par son silence, la foule se resserrait sur elle. Narilla, au premier rang, saisit Paprika par les cheveux et lui fit dégringoler les marches. Aussitôt, Balermengro l'enleva dans ses bras musclés. Lui maintenant les bras derrière le dos, pour l'empêcher de griffer, il la serra contre lui.

— Lâche-moi ! cria-t-elle. Zoltan, aide-moi ! Débarrasse-moi de ces pattes sales ! supplia-t-elle en s'adressant au *Sherengro*.

Le Borgne ne fut que trop heureux d'intervenir. Il n'avait nullement l'intention de laisser Balermengro profiter de ce qu'il s'était réservé depuis si longtemps.

— Bas les pattes ! commanda-t-il dans sa meilleure imitation d'un sergent instructeur, levant son fouet pour donner plus de poids à ses paroles.

En rechignant, Balermengro rendit sa liberté à Paprika.

Hésitante, la foule se replia. Paprika regrimpa les marches et, secouant ses boucles d'or, prit la parole sans crainte et d'un air décidé :

— Je suis une orpheline ! déclara-t-elle. La loi de la Fraternité dit qu'un orphelin ne peut pas être forcé à se marier. Ai-je tort ou raison ? Dis-moi, frère Biro ?

Elle s'adressait à un vieil homme dont les tresses blanches tombaient sur les épaules.

Biro, à cause de son âge vénérable et de sa sagesse, était toujours consulté quand il s'agissait d'arbitrer des problèmes d'importance. Le vieillard branla la tête en signe d'approbation :

— Elle est dans son droit, affirma-t-il. Selon la *Leis Prala*, et c'est notre loi à tous, un orphelin fait son choix lui-même !

Un chuchotement parcourut la foule. On se soumettait toujours aux décisions du vieillard. Seules, Narilla, Suri et Saski protestèrent avec véhémence. Elles lancèrent d'affreux jurons en *Calo* et crachèrent en direction de Paprika.

— *Meck !* trancha Zoltan.

— Non, je ne me tairai pas ! protesta Narilla de sa voix suraiguë. Cette catin n'avait pas le droit de pousser ainsi nos hommes à se battre pour elle, si elle n'avait pas l'intention de tenir parole !

Zoltan brandit son *karikas*.

Narilla mit ses mains en cornet sur la tête, imitant les oreilles d'un hibou, et lança un long hululement :

— Hooo ! Hoooo ! la plus mortelle des injures que puisse faire un gitan, dont le répertoire *Calo* est cependant prodigue en matière d'insultes...

Le fouet du *Sher-engro* cingla l'air mais n'atteignit pas son but car Narilla fit, à temps, un bond de côté.

Paprika éclata d'un rire moqueur et disparut dans la roulotte de sa mère. Zoltan la regarda s'échapper — des plans s'échafaudant déjà dans sa tête.

Désœuvrés, les gitans s'aperçurent enfin que la pluie les transperçait et que le vent redoublait de violence. Alors chacun regagna son logis.

*
* *

Une heure plus tard, Jancsi, escorté de ses deux gendarmes, arrivait, trempé jusqu'aux os, devant la prison de Marmoz Fûred.

Avant d'être admis, il dut passer à la brosse à chiendent, à la tondeuse qui rasa, sans merci, ses belles boucles noires, et aussi subir le supplice du pétrole pour le débarrasser d'une éventuelle vermine. Puis il lui fallut endosser la tenue réglementaire, de bure grise, avec un numéro sur le cœur et un

126

grand disque de tissu blanc, cousu entre les deux épaules, cible parfaite pour les gardes-chiourme en cas de tentative d'évasion.

Maintenant, il était seul, entre ces quatre murs de pierre où il allait rester jusqu'à son jugement. Tout ce qu'il possédait lui avait été confisqué, même son violon bien-aimé.

Et ce nomade, habitué à dormir la plupart du temps à la belle étoile, sous la voûte cloutée d'or du ciel, était à présent en cage, comme une bête sauvage.

La pluie battait sans répit contre les ardoises du toit.

En écoutant ce bruit familier et monotone qui venait du dehors, Jancsi finit par s'endormir.

Il rêva de Paprika.

Elle était nue, à califourchon sur l'étalon qu'il lui avait donné, et il chevauchait à ses côtés sur une jument d'un blanc pur, dont la crinière flottait dans le vent...

Soudain, les deux coursiers s'élevaient dans l'air, effleurant à peine le sol...

Paprika poussait un cri de frayeur, mais lui, Jancsi, entourant sa taille de son bras fort, la rassurait...

Leurs montures s'élançaient plus haut..., plus haut encore..., vers les nuages argentés...

Paprika se penchait vers lui et l'embrassait sur les lèvres...

Au même instant, ils atteignaient le soleil...

La pluie persistait toujours.

Zoltan, une lanterne à la main, s'arrêta à l'arrière de la roulotte de Lila et tendit l'oreille, épiant les moindres bruits. Rien ne bougeait à l'intérieur. Doucement, avec d'infinies précautions, il ouvrit la porte et jeta un coup d'œil dans la pièce. Un rayon falot de sa lanterne tomba sur Paprika qui reposait sur sa couche. Elle se dressa, alarmée.

— *So si ?* demanda-t-elle en chuchotant.

Zoltan grimaça un sourire mielleux.

— Rien ! dit-il en refermant rapidement la porte derrière

lui. Je venais seulement voir si tu avais besoin de quelque chose.

— Nous n'avons besoin de rien ! l'interrompit Paprika d'un ton catégorique.

— Avez-vous mangé ce soir ? s'enquit-il d'une voix empreinte de prévenance amicale.

— Je n'ai pas faim !

Zoltan braqua sa lanterne sur le lit de l'infirme :

— Mais peut-être, ta mère...

— Non ! s'exclama Lila se dressant sur son lit dans le faisceau de lumière. Nous n'avons besoin de rien !

Elle le fixait de ses grands yeux effrayés.

— Oh ! N'aie crainte ! lui dit-il, la rassurant du geste. Je voulais seulement venir t'aider, ma cousine !

Et avec un sourire qu'il voulait débonnaire, il se tourna vers la jeune fille agressive :

— Je suis fâché d'avoir dû appeler les gendarmes au sujet de ton cheval, mais je ne veux pas mêler la tribu à une histoire comme ça ! Tu peux prendre mon Mikosz quand il te plaira ! Du reste, c'est un bien meilleur coursier que celui que Jancsi avait volé pour toi !

Paprika sauta de son lit et, saisissant au passage un grand couteau sur le buffet, elle s'élança vers la porte et l'ouvrit à toute volée :

— Garde ta sale rosse galeuse et sors d'ici ! ordonna-t-elle. Sors d'ici ! Ou bien j'ameute toute la tribu !

Et elle souligna son avertissement d'un geste éloquent du poing qui brandissait la lame.

Zoltan se mit à rire. Mais il riait jaune.

— Tu n'as pas besoin d'avoir peur de ton oncle Zoltan ! reprit-il en reculant vers la porte. Je ne veux te faire aucun mal. Je voulais seulement voir si je pouvais vous aider d'une façon ou d'une autre, maintenant que Jancsi est parti. Ce doit être plutôt dur pour vous deux, sans lui.

Pour toute réponse, Paprika lui claqua la porte au nez et tira le verrou.

128

Puis elle se jeta sur son lit et enfouit sa tête dans l'oreiller.

Elle pensa à Jancsi, en prison à cause d'elle, à toutes les attentions, toutes les prévenances dont il les avait toujours entourées, elle et sa mère... Oh ! si seulement il était de retour, elle saurait bien, à force d'affection, lui faire oublier toutes les méchancetés et les cruautés qu'elle avait eues pour lui.

Et cependant, au fond d'elle-même, elle sentait bien qu'elle ne pourrait jamais vraiment changer envers lui. Les mots tendres s'étranglaient dans sa gorge. Une sorte de honte, de pudeur inexplicable, s'emparait d'elle, dès qu'elle voulait avoir un geste de bonté. Quelque chose en elle se figeait, durcissait ; elle finissait toujours par faire exactement le contraire de ses intentions premières, et elle avait l'intuition qu'il en serait toujours de même !

Bien des fois, elle avait été surprise elle-même de la cruauté délibérée de ses actions, dictées sans aucun doute par cette force irrésistible, cet « Autre », sur lequel sa volonté n'avait aucun contrôle.

Après avoir blessé Jancsi, quand elle sentait une envie impétueuse de lui jeter ses bras autour du cou et d'implorer son pardon par des baisers, cette force inconnue, cet « Esprit Maudit » dont ses conceptions primitives acceptaient et reconnaissaient l'existence, retenait toujours son élan, l'obligeait à se moquer du chagrin du jeune homme.

Ne pouvant trouver le sommeil, elle se leva dans l'ombre et se glissa en tâtonnant jusqu'au lit de la Reine. Elle se jeta dans les bras accueillants, s'y accrochant comme une naufragée, sanglotant sans retenue et couvrant de baisers les cheveux, les yeux, les joues de sa mère. Leurs larmes se mêlèrent et donnèrent un goût de sel à leurs baisers. Aucun mot ne fut prononcé, et cependant, Lila comprit tout ce qui se passait dans le cœur de son enfant.

Paprika, la source de ses pleurs tarie, finit par s'endormir, épuisée, sur l'épaule maternelle.

Elle eut un rêve.

Nue, elle avait enfourché le bel étalon noir que Jancsi lui avait donné. Lui, chevauchait à ses côtés sur une jument d'un blanc pur, dont la crinière flottait dans le vent...

Soudain, les deux coursiers s'élevaient dans l'air, effleurant à peine le sol...

Elle poussait un cri de frayeur... Mais Jancsi, entourant sa taille de son bras fort, la rassurait...

Leurs montures s'élançaient plus haut..., plus haut encore..., vers les nuages argentés...

Jancsi se penchait vers elle, et l'embrassait sur les lèvres...

Au même instant, ils atteignaient le soleil...

Le lendemain, il pleuvait plus que jamais.

Cependant, la tribu Uleman pliait le camp. La plupart des hommes avaient des gestes engourdis du fait de leurs membres luxés et courbatus. Leurs visages arboraient comme décorations les traces des horions de la veille.

Lever le camp se révéla pour Paprika une corvée sans pareille.

Elle dut s'occuper elle-même de la nourriture de leur bétail et de leurs chevaux et dut prendre soin de l'attelage de la roulotte.

Sur la route, elle eut à s'inquiéter non seulement de leur ravitaillement, mais encore à ramasser du bois pour faire cuire les victuailles.

Pour la première fois, elle se rendit compte du rôle inappréciable que Jancsi avait tenu jusqu'alors dans leur existence journalière.

Malgré la pluie qui persistait et les orages qui se succédaient, le train des roulottes tziganes continuait lentement son voyage de village en village.

Les jours passèrent, et la caravane s'acheminait à travers un océan de boue vers Bereszako où une foire devait avoir lieu trois jours durant.

Les routes n'étaient plus que des bourbiers où les roues s'enfonçaient jusqu'à l'essieu.

PAPRIKA

Le bétail s'empêtrait dans la fange et devait en être tiré à l'aide de cordes.

Les rivières débordaient, entraînant dans le tourbillon de leurs eaux jaunâtres les petits ponts de bois, inondant les terres basses.

Mais les gitans, infatigables, continuaient leur route.

Dès le second jour de leur pénible voyage, Zoltan avait renouvelé ses offres de service, mais Paprika, courroucée, refusa le repas et le vin qu'il apportait.

Lila, plus faible que jamais, minée par une fièvre qui s'était emparée d'elle, lui intima l'ordre formel de ne plus jamais franchir le seuil de sa roulotte. Elle alla même jusqu'à le menacer d'alerter les anciens de la tribu et de leur demander de choisir un autre chef si jamais il s'entêtait à les tourmenter et à importuner Paprika.

Un sourire servile aux lèvres, il fit mine de lui obéir, mais le regard qui luisait derrière sa paupière tuméfiée n'était pas de bon augure.

Il n'abandonnait pas l'idée de séduire Paprika.

Après le départ de Zoltan, la vieille Zsuzsa apporta à la malade un bouillon épais dans lequel avaient trempé quelques herbes médicinales pour faire tomber la fièvre. Tandis que Lila avalait à petites gorgées la bonne soupe, la voyante la mit en garde contre tout ce que Zoltan pourrait lui offrir. L'intention du *Sher-engro*, dit-elle, était d'empoisonner la Reine.

Lila hocha la tête et eut un sourire désabusé.

Mais les tisanes de Zsuzsa furent impuissantes à enrayer les progrès de la fièvre. De jour en jour, la Reine faiblissait.

Paprika, elle aussi, changeait. Elle était devenue casanière, taciturne, renfermée. Elle refusa de danser pour les visiteurs de la foire et bientôt n'adressa plus la parole à personne, pas même à sa mère.

Épuisée par les gros travaux dont elle n'avait pas l'habitude, chaque soir elle se laissait choir sur le siège du conducteur sans prêter attention à la pluie qui transperçait ses vêtements.

131

PAPRIKA

Elle tenait les rênes machinalement dans ses mains rougies ; une sorte d'engourdissement l'envahissait et, généralement, elle finissait par s'assoupir, laissant les deux haridelles abruties patauger dans la boue et suivre d'elles-mêmes l'attelage de tête.

Les grands froids descendirent sur l'aile des vents du Nord. Les lacs et les rivières gelèrent, et le sol, de même, récemment arrosé par les pluies, se couvrit d'une transparente carapace de glace.

IV

UNE nuit, la neige se mit à tomber.

Quand le disque à peine rougeoyant du soleil s'éleva au-dessus de l'horizon, tout reposait sous un épais tapis blanc. Les flocons continuèrent leur farandole tout le long du jour, dans un vent de tempête, et les carrioles avançaient péniblement contre la bise, comme des fantômes dans un suaire glacé.

Vers le soir, il devint impossible aux attelages de tirer plus avant les roulottes. Plusieurs chevaux s'enfoncèrent jusqu'au poitrail dans la neige, incapables de faire un pas de plus. Une vieille vache efflanquée s'effondra dans la couche épaisse, y trouvant son linceul. Alors, Zoltan commanda de faire halte.

C'était la veille de Noël, et la tribu était loin de tout village ou hameau, mais puisqu'elle professait le christianisme — bien que comprenant à peine les principes fondamentaux de la religion qu'elle avait dû adopter pour les besoins de sa cause —, elle se devait de célébrer cette fête comme elle l'avait toujours fait par le passé : toute occasion de se réjouir est du reste la bienvenue chez les gitans.

Peu après qu'ils eurent dressé le camp, la tempête se calma.

PAPRIKA

Ils creusèrent la neige au centre de la croix que formait la disposition des roulottes et y allumèrent un immense feu de joie avec le bois qu'ils avaient récolté dans la dernière forêt traversée.

Sur les ordres de Zoltan, Hentès-le-Boucher dépeça la carcasse de la vache qui, décidément, ne trouvait pas la paix éternelle dans son moelleux linceul. Et, bientôt, le malheureux bovin, coupé en quartiers, tourna à la broche. Les femmes assaisonnèrent la viande qui grésillait de sel, de poivre et de beaucoup de paprika, puis coururent chercher des récipients pour recueillir le jus succulent qui en suintait.

Emmitouflés dans leurs *gubas*, la tête entortillée de châles et de guenilles, les gitans se serraient frileusement autour du feu, se rôtissant les mains et les pieds, se réchauffant intérieurement aussi par de généreuses lampées de *szilva-palinka*.

L'odeur de la chair arrivait à leurs narines et leur faisait venir l'eau à la bouche.

Et quand la viande fut d'un beau brun croustillant, les mains bistrées et maigres se tendirent pour saisir la portion revenant à chacun. Les dents de loups affamés s'y enfoncèrent avidement, tandis que la sauce grasse dégouttait sur les *gubas*. Les chiens faméliques, dans un vacarme infernal, se disputaient les os.

Seules Lila et Paprika manquaient à la fête. Elles reposaient dans la pénombre de leur carriole, écoutant les échos du festin.

Elles n'avaient rien mangé depuis deux jours. Tout disparaissait sous la neige, et Paprika n'avait pu découvrir quoi que ce fût de comestible, pas même un chat ou un chien crevé. La jeune fille était trop imbue de faux orgueil pour demander l'aide de ses compagnons, dussent-elles, toutes deux, en mourir de faim. D'ailleurs, si dépourvue fût-elle, Lila non plus n'était pas femme à se plaindre.

Mais Zoltan, soupçonnant leur misère, vint rôder autour de leur abri. Aucune lumière ne filtrait sous la porte. Avec un sourire mauvais sur les lèvres, il s'en retourna vers le feu.

PAPRIKA

Csampas était accroupie, un énorme morceau de viande dans les mains, et sa bouche avide barbouillée de jus. Elle fut interrompue au beau milieu de ses agapes par le bout de la botte de son maître qui l'atteignit au bas du dos.

— Garde ce morceau et prépare-le en ragoût ! lui ordonna-t-il. Tu mangeras plus tard ! Tu t'empiffres trop, de toute façon ! Dépêche-toi ! Et écoute-moi bien ! ajouta-t-il tandis que Csampas, en rechignant, se mettait sur pied. Dès que le ragoût sera prêt, porte-le à Lila. Mais ne lui dis pas que c'est moi qui l'envoie, elle ne voudrait pas y toucher. Tu sais combien elle me déteste ! Paprika, elle, ne mangera rien, j'en suis sûr, elle est bien trop fière pour accepter quoi que ce soit de qui que ce soit. Elle est jeune, et ça la dressera. Mais Lila est vieille et malade, et je ne peux pas supporter l'idée de la savoir sans rien à manger un soir de Noël.

Avec un sourire rusé, Zoltan caressa les seins flasques de sa femme. Csampas, toute surprise, se sentit envahir par une vague de gratitude, par une bouffée d'un sentiment qu'elle croyait bien mort, et elle crut à un retour de relations conjugales depuis si longtemps négligées par son mari.

Avec un sourire de coquetterie grotesque sur son visage ridé, elle poussa Zoltan du coude.

— Oh ! gros méchant ! minauda-t-elle, tu m'émoustilles !

Zoltan, qui avait besoin de sa bonne volonté, lui rendit l'amicale bourrade et lui décocha une œillade suggestive :

— Je te glisserai peut-être une grosse surprise ce soir comme cadeau de Noël ! lui dit-il pour l'encourager. Si tu te dépêches et fais vite ce que je t'ai dit.

Du coup, Csampas courut avec empressement, oubliant totalement sa propre faim. Elle entreprit de découper le morceau de rôti à même les marches de la roulotte, avec tant de vélocité, toute à l'anticipation des plaisirs de la nuit, qu'elle se fit une profonde entaille au doigt. Puis elle mit la viande dans une marmite avec un peu de neige recueillie à pleines mains sur le sol, et disparut à l'intérieur pour chercher les condiments.

Zoltan qui, sans se faire remarquer, n'avait rien perdu de ses gestes, attendait ce moment précis pour sortir de l'ombre. Il jeta un coup d'œil furtif autour de lui et, voyant que nul ne l'observait, sortit de la poche de sa *guba* un petit sac de papier dont il vida prestement le contenu dans le chaudron, avant de recouvrir le tout d'une nouvelle poignée de neige. L'air sinistre, il s'éloigna sur la pointe des pieds et alla se mêler au groupe qui continuait à se goberger.

Csampas, quelques instants plus tard, réapparut. Elle ajouta un oignon haché et quelques pommes de terre puis, rentrant à nouveau, installa sa popote sur le petit poêle rond chauffé à blanc. La face éclairée par un sourire de satisfaction, elle remua le ragoût de son index sale qui reparut plus clair et lavé de sa crasse par la neige fondue qui étendait la sauce.

La roulotte, bondée d'habitude, était presque vide. Outre Csampas, il y avait seulement, couchée dans le lit de Zoltan, la petite fille de Chika. Sa mère était dehors avec les autres, se serrant contre le jeune Laszlo et lui lançant des regards amoureux quand Zoltan ne l'observait pas.

La petite fille avait des coliques et se débattait en pleurant, frottant rageusement ses petits talons l'un contre l'autre.

Csampas prit un bout de chiffon, y déposa des graines de pavot, fit une sorte de bouchon qu'elle trempa dans la bonne sauce de la ratatouille, et le tendit au nourrisson, en guise de tétière pour le calmer.

Bien avant que le ragoût ne fût à point, le bébé dormait déjà.

Les gitans, autour du feu, s'échauffaient rapidement, grâce à la viande copieuse et aux nombreuses rasades de vin. Violons, *cymbaloms*, *guzlas* et *cobzas* firent leur apparition. Des voix s'élevèrent. Une chanson prit son essor. La fête prenait tournure...

Csampas goûta son mironton et le trouva exquis. Elle se saisit d'un bon morceau de pain rassis, d'une gourde de vin pour compléter le repas et, emportant le tout, courut vers la roulotte de Lila.

PAPRIKA

Il y faisait très sombre, et son premier soin, une fois à l'intérieur, fut d'allumer la lampe..

— *So Si ?* demanda de son lit Paprika, maussade, se dressant sur le coude.

— J'apporte un peu de notre dîner ! expliqua Csampas.

Comme sous le coup d'une injure, Paprika rétorqua, furieuse :

— Je n'ai besoin de rien !

Sans l'écouter, Csampas prit deux cuillères du buffet et, son poêlon sur les genoux, vint s'asseoir sur le bord de la couche de Lila, avec le ferme espoir que cette pimbêche de Paprika tiendrait sa résolution. Puis elle remua bien la sauce pour que l'odeur riche et épicée s'en échappât, et elle passa le plat sous le nez de Lila.

— Cela sent bien bon ! murmura faiblement l'invalide. Je n'ai rien mangé du tout depuis avant-hier.

— Ma pauvre ! s'exclama Csampas, compatissante. Goûte-moi cela ! C'est tout à fait ce qu'il te faut !

Elle approcha une cuillerée des lèvres de Lila.

— Je l'ai fait moi-même et tu sais si je réussis les ragoûts !

L'eau lui venait à la bouche de voir la malade affamée avaler la savoureuse bouchée.

— Tu es bien sotte, Paprika, de ne pas vouloir manger ! lui lança-t-elle par-dessus l'épaule. Tiens, goûte, au moins !

Et elle tendit la cuiller à Paprika, comptant bien sur un refus.

— Je n'ai pas faim ! répéta celle-ci, entêtée. Prends ma part !

— Oui, Csampas, je t'en prie ! insista Lila. Il y en a bien trop pour moi seule. Et puis, je sais que tu ne manges jamais à ta faim non plus, avec tant de bouches dévorantes à nourrir autour de toi !

Sans se faire prier davantage, Csampas attaqua le plat avec la seconde cuiller. Pour chaque demi-bouchée qu'absorbait Lila, elle en engouffrait deux.

Paprika restait étendue, immobile, les yeux fixés au plafond où dansaient lueurs et ombres fantastiques projetées par le feu du camp.

Du dehors parvenaient les accents joyeux des *bashadis*, des *cobzas*, des *guzlas* et des *cymbaloms* des gitans qui continuaient à faire bombance.

Une voix entonna le *dal* gitan. Ce chant des temps immémoriaux racontant l'histoire de leurs joies et de leurs peines, de leurs amours et de leurs déceptions, de leurs passions et de leurs haines, s'éleva dans la nuit — un hymne païen en l'honneur du Christ dont on célébrait, ce soir-là, la Nativité.

Échauffés par l'alcool et la chaleur des brasiers, les romanichels entamèrent la *tanyana*. La cadence endiablée des violons les entraînait dans une danse échevelée autour des flammes. Hommes et femmes se trémoussaient, se pâmaient dans les bras les uns des autres, s'embrassaient à bouche que veux-tu, ne s'arrêtaient que pour boire à nouveau et repartaient dans un rythme encore plus délirant, plus frénétique.

Et puisque aucun *gorgio* n'était présent, les gitans se laissaient aller complètement au gré de leur tempérament, donnaient libre cours à leurs instincts les plus primitifs.

Quel que fût le désir de leurs sens, ils l'assouvissaient.

Un cri perçant interrompit la cacophonie de l'orgie.

La musique s'arrêta net.

La silhouette chancelante de Zsuzsa s'appuyant sur ses deux cannes apparut dans la lueur vacillante du feu de joie.

Tous les regards se braquèrent avec appréhension sur la voyante.

Ses pauvres yeux fatigués, écarquillés, brillaient d'un éclat mystique.

Un tressaillement d'anxiété, mêlé de terreur, passa dans l'assistance.

La doyenne leva son bras décharné :

— *Atch !* Arrêtez votre débauche ! commanda-t-elle. La mort est parmi nous !

Un frisson parcourut l'assemblée des gitans. Ils savaient

trop bien que les prophéties de Zsuzsa s'accomplissaient toujours. Ils se signèrent trois fois, en marmonnant une incantation plus ancienne que le christianisme.

Le corps de la sorcière ondulait sur un rythme étrange. Sa voix éraillée et chevrotante psalmodia une sorte de plainte :

— Oh ! vous ! N'entendez-vous pas ? Oh ! vous ! Ne voyez-vous pas ? Un souffle damné passe sur nos têtes ! Le Visiteur Noir est parmi nous ! Et, cette nuit, ses griffes emmèneront trois d'entre nous !

Un vent qui hululait dans la nuit sembla ramener l'écho de ses dernières paroles.

Les chevaux se prirent à hennir, à ruer.

Piskos et Tankos, les ours, grognèrent d'une façon insolite.

Les chiens se mirent à hurler à la mort.

Et, soudain, un autre cri plein d'épouvante transperça la nuit, venant de la roulotte de la Reine.

C'était la voix de Paprika :

— Au secours ! Au secours ! Ma mère et Csampas se meurent ! Au secours ! M'entendez-vous ?

Dans une cohue, tout le monde courut en direction de l'appel.

Zoltan, les lèvres encore au goulot d'une cruche, grimaça un sourire indéfinissable.

Les premiers qui atteignirent la porte bousculèrent Paprika dont le visage reflétait la terreur et pénétrèrent dans la pièce.

Lila reposait sur son lit, la tête penchée sur l'épaule, les yeux grands ouverts, fixes, vitreux déjà.

Le corps de Csampas gisait recroquevillé sur le plancher, les derniers soubresauts d'agonie secouant sa malheureuse carcasse.

Le poêlon vide gisait au sol, près de la main, encore crispée sur le manche de la cuiller.

Balermengro souleva la moribonde et la déposa sur la couche de Paprika. Tous se pressaient pour voir, poussant des exclamations atterrées, horrifiées, affligées :

— *Mi Dubbeleskey !... Mulo... Kekkomi !*

Zoltan se fraya un passage en jouant méchamment du coude.

— *Mi Dovels's Kerrismus !* s'exclama-t-il avec une déférence voulue en contemplant les deux formes étendues.

— *Jaw si !* chuchota en écho la timide Katalin. C'est la volonté du Seigneur !

Et tout le monde se découvrit, s'écartant pour laisser Paprika s'approcher lentement du lit où sa mère était allongée, immobile à jamais.

Avec un cri de désespoir, la jeune fille serra dans ses bras le corps sans vie, couvrant de baisers le visage de la morte.

La vieille Zsuzsa ramassa le plat que maculaient encore des traces de ragoût, gratta la sauce coagulée de son doigt osseux et en goûta un peu du bout des lèvres.

— *Wafodu !* s'écria-t-elle en crachant vivement.

Lentement, elle scruta les visages autour d'elle jusqu'au moment où elle aperçut Zoltan. Elle le fixa jusqu'au fond de l'âme.

Pour lui donner le change, le *Sher-engro* s'agenouilla et feignit de prier. Mais il sentait un regard inquisiteur s'appesantir sur lui.

Un silence impressionnant s'établit dans l'assistance.

La vieille Zsuzsa n'avait pas quitté des yeux l'énorme silhouette agenouillée, et Zoltan, gêné, portait son poids d'un genou sur l'autre.

— Le Diable est parmi nous ! annonça-t-elle. Que le Bon Dieu nous protège !

Derrière ses mains jointes, un rictus erra sur le visage pieusement penché de Zoltan.

Tous les autres gitans s'agenouillèrent aussi.

Puis Karoly, qui était devenu compétent en matière de religion, à la suite d'un séjour prolongé chez les *gorgios*, commença à réciter la prière du Seigneur, les mots *calo* de la supplique chrétienne prêtant une étrange solennité à la scène :

— *Miro gudlo Devel, savo hal ote ande Charos. Te avel swuntunos tiro nav, te avel catari toro tem !*

Au-dehors, près du feu de camp, Chika et Laszlo étaient restés seuls. Elle prit la main du bel éphèbe et l'entraîna vivement vers sa roulotte pour profiter de la chance qui leur était donnée par l'absence de Zoltan et de tous les autres familiers de leur taudis surpeuplé.

Quelle joie ç'allait être de subir l'étreinte de celui qu'elle désirait vraiment, et de jouir sous son poids et ses baisers — dans le lit même de Zoltan —, là où ce vil porc avait possédé sous ses yeux à elle, la favorite, les deux jumelles détestées !

Le cœur battant à se rompre et les mains tremblantes, elle attira le magnifique adolescent près d'elle. Elle l'embrassait sauvagement, lui mordant les lèvres, et sa langue experte l'initiait aux délices d'un vrai baiser.

Leurs corps unis, dans le vertige du désir, allaient s'effondrer sur le lit quand Chika aperçut son bébé, qu'elle avait totalement oublié.

Impatiente, elle le saisit pour le poser à terre. Elle sentit sous ses doigts de petits membres froids et raides.

Elle regarda son enfant... Il était mort...

— *Dad soro ruslo !* hurla-t-elle en sortant comme une folle, suivie de Laszlo bouleversé.

Chika courut vers le groupe autour de la roulotte de Lila, serrant contre elle le petit corps glacé.

— Elle est morte ! criait-elle. Regardez ! Ma petite fille est morte !

Les gitans échangèrent des regards pleins d'épouvante. Ils songèrent à la prédiction de la Sage.

La mort devait emporter trois d'entre eux cette nuit ! Elle l'avait bien dit...

Chika avait fait irruption dans la chambre mortuaire et tendait à chacun le petit cadavre rigide.

— Elle est morte ! geignait-elle pitoyablement. Tu vois ? Mon enfant est morte ! Ma petite fille, ma toute petite fille ! Regarde !

Un frisson d'horreur parcourut l'assistance. « La mort en prendrait trois... »

Zsuzsa dévisagea à nouveau Zoltan. Mais, cette fois, la surprise qu'elle lut sur son visage n'était pas affectée.

Chika tomba à genoux avec un gémissement qui faisait mal à entendre, pressant la petite dépouille pathétique contre sa poitrine.

Karoly reprit le « Pater Noster » là où il l'avait interrompu :

— ... Ne nous laisse pas succomber au désir mauvais, mais délivre-nous de l'esprit malin ! A Toi est le royaume des cieux ! A Toi la puissance ! A Toi la gloire, maintenant et pour l'éternité... Ainsi soit-il !

Les vents du Nord s'engouffrèrent par la porte et sifflèrent dans le tuyau du poêle. D'épais tourbillons de fumée rendaient l'atmosphère irrespirable, faisant tousser tous les occupants.

La prière prit fin. Zsuzsa donna l'ordre de ramener les dépouilles mortelles de Csampas et du bébé dans la demeure de Zoltan.

— Je m'occuperai moi-même de donner les derniers soins à notre Reine ! Laissez brûler les feux et lamentez-vous toute la nuit ! ordonna-t-elle. Notre Reine est morte ! *Jal te booty !*

Respectueusement, ses frères gitans sortirent en reculant vers la porte.

Zoltan, sentant l'œil soupçonneux de la voyante toujours braqué sur lui, dut soulever à contrecœur le corps de sa femme et l'emporter.

Au seuil de la porte, il hésita et se retourna vers Paprika.

Comme attirée par le magnétisme du regard, elle releva la tête, leurs yeux se croisèrent un instant, puis elle retomba dans sa prostration, et Zoltan sortit avec son macabre fardeau.

Chika suivait, hagarde, tenant blottie contre sa poitrine la tête de son bébé sans vie.

Silencieusement, le cortège se referma derrière eux, et la pièce se vida.

Zsuzsa, elle aussi, était partie à la recherche d'huiles et de linges pour les préparatifs de l'enterrement.

Paprika resta seule avec sa mère.

Pour la première fois de sa vie, elle se trouvait en présence de la mort, en comprenait l'horrible signification.

Jamais plus elle n'entendrait la voix maternelle.

Jamais plus elle ne sentirait ses mains douces la caresser avec tendresse.

Et, soudain, l'idée de Jancsi lui traversa l'esprit : « Où était-il, maintenant ? »

Elle se rappela l'adoration qu'il portait à Lila.

Sa gorge se serra, elle étouffait, puis son cœur s'ouvrit, elle éclata en sanglots...

Au-dehors s'élevaient les lamentations monotones d'un chant mortuaire :

— *Mi Dowel opral, dick tuley amende !*

« C'est Ta volonté ! O Tout-Puissant, et nous n'y pouvons rien ! »

La voix de Karoly psalmodiait seule :

— Doux Seigneur qui résides au Paradis, ton nom est auréolé !

Et la foule reprenait en chœur :

— C'est Ta volonté ! O Tout-Puissant, et nous n'y pouvons rien !

La cruche de *palinka* passait de main en main, et chacun avalait de longues rasades entre chaque réponse.

— C'est Ta volonté ! O Tout-Puissant, et nous n'y pouvons rien !

Quelques-uns des pleureurs, se découvrant un nouvel appétit, se découpèrent des tranches de viande et récitaient la bouche pleine :

— C'est Ta volonté ! O Tout-Puissant, et nous n'y pouvons rien !

Laszlo, le jeune et beau mâle qui avait été si désappointé dans la roulotte de Chika, regardait maintenant avec des yeux avides Narilla, dont l'époux était toujours en prison.

Elle se rapprocha de lui sans en avoir l'air. Ils burent

ensemble. Leurs mains s'étreignirent, et il faisait si froid ! elle glissa une main dans la poche de son pantalon...

— C'est Ta volonté ! O Tout-Puissant, et nous n'y pouvons rien !

Et tandis que les pleureurs continuaient leurs litanies monotones, Narilla et Laszlo, sans être remarqués, s'éloignèrent vers la roulotte de la jeune femme.

— C'est Ta volonté ! O Tout-Puissant, et nous n'y pouvons rien !

A l'aube, Hentès, Balermengro et Vertos — tous trois complètement ivres — achevaient de creuser les tombes.

Et quand un soleil d'hiver, blafard, lugubre, monta au-dessus du paysage enneigé, Zoltan, en titubant, ânonna l'ordre de commencer la cérémonie de l'enterrement.

Varos, le fils de Zoltan et de Csampas, rassembla les quelques guenilles que sa mère avait portées — ses seuls biens terrestres — et les plaça dans la tombe où elles serviraient de coussin à sa tête, pour son éternel repos.

Fénella apporta les couches souillées et les langes sales qui avaient servi au bébé de Chika, en fit un balluchon qu'elle déposa dans la plus petite des fosses.

Sur les ordres de Zoltan, Pivcza, Suri et Saski, toutes celles qui avaient succédé à Csampas dans les faveurs de son mari, avaient soulevé les restes de l'épouse légitime, enveloppés dans un *sevaharri* moisi, et l'emmenaient à sa dernière demeure.

Chika portait elle-même son enfant mort.

Elles descendirent les corps dans leurs tombes respectives. Zsuzsa fit le signe de la croix sur chacun d'eux avec du sel qu'elle saupoudrait dans le vent.

Hâtivement, Hentès et Balermengro se mirent à combler les trous, à grandes pelletées de terre glacée.

Pas encore dégrisés mais leur tâche accomplie, ils s'appuyèrent, chancelants, sur le manche de leurs outils. Dans le silence religieux qui régnait, Balermengro laissa échapper un rot d'ivrogne.

144

PAPRIKA

Vertos et Fozsto apparurent, portant le *patos*, le lit de bois sur lequel leur reine avait langui et souffert pendant quatorze ans. Ils le brisèrent à coups de hache, firent un tas des fragments au pied de la tombe de Lila et y mirent le feu.

Bientôt, les flammes s'élevèrent, crépitantes. Les plus vieux de la tribu approchèrent lentement, portant la dépouille raidie de leur reine ensevelie dans un drap blanc et propre.

Avec des gestes lents et solennels, ils firent glisser la défunte dans le grand trou béant.

Paprika, qui s'était couvert la tête de cendres en signe de deuil, vint s'agenouiller au bord de la tombe de sa mère.

Le visage encore plus pâle que d'habitude, ses yeux taris de leurs larmes, elle restait là, figée, tandis que tous les membres de son clan défilaient, les uns après les autres, jetant chacun dans la fosse une poignée de terre.

— Puisse la terre, ta bonne mère, être légère sur toi !

Paprika écoutait la plainte monotone du Requiem accompagnée du bruit sourd que faisait chaque motte d'humus glacé en tombant.

Ses yeux rougis et gonflés ne pouvaient se détacher de cette dernière vision. Elle fixait désespérément le corps de sa mère qui, graduellement, disparaissait sous l'amas de terre.

Zsuzsa renouvela le rite du sel. Ses aînés déclamaient en chœur :

— *Chova hano, soskey tu ta mande Kair'd ?*

« Pourquoi, toi et moi, avons-nous été créés ? »

Zsuzsa, le regard perdu dans le ciel de plomb, donna la réponse rituelle :

— Pour que les vers trouvent la vie en dévorant nos corps !

Les *bash-mengros* firent pleurer leurs violons, comme seuls les gitans savent le faire...

Hommes, femmes et enfants entonnèrent une complainte déchirante, le chant des morts.

Ils étaient tous à genoux, et leurs bustes se balançaient au rythme du chant liturgique.

PAPRIKA

A leurs voix et à la plainte des violons se joignirent les hurlements lugubres des chiens.

Au plafond bas du ciel, quatre larges vautours noirs tournoyaient sans impatience, assurés de leur sort.

Le regard trouble de Zoltan s'attardait, pervers, sur les courbes harmonieuses du jeune corps de Paprika agenouillée.

Une fois encore, comme sous le joug d'une force hypnotique, elle redressa la tête. Leurs yeux se croisèrent.

Une fois encore, une grimace immonde déforma la face bestiale du *Sher-engro* qui anticipait les jouissances à venir. Il passa une langue gourmande sur sa lippe pendante et eut un hoquet bruyant.

Les vautours planaient en un cercle de plus en plus bas.

La cérémonie terminée, les pleureurs placèrent à la tête de chaque tombe, outre une petite croix faite de rameaux desséchés, une petite écuelle de terre cuite contenant de la bouillie et une cruche de vin, nourriture destinée aux *bavol-engros* — les esprits revenants des trépassés.

Zoltan donna l'ordre de lever le camp. Les bêtes du troupeau furent rassemblées et les chevaux attelés.

Le *Sher-engro* jeta un dernier coup d'œil dans la direction de Paprika, toujours prostrée près du misérable monument funéraire. Puis il attela lui-même les chevaux de la jeune fille.

La caravane s'ébranla au milieu du tintamarre habituel, des grincements, des coups de fouet et des jurons. Les roues craquèrent sous l'effort des chevaux pour les sortir de la boue glacée dans laquelle elles s'étaient enfoncées jusqu'aux essieux.

Et la colonne ambulante reprit sa marche cahotique à travers la neigeuse *puszta*...

Suri et Saski entraînèrent au lit leur seigneur et maître qui continuait à se soûler.

Quand la dernière roulotte du convoi eut disparu sous la ligne de l'horizon, Paprika se détourna de la tombe et, lentement, s'achemina vers sa carriole.

Elle s'arrêta sur le seuil, le front contre le chambranle de la porte, contemplant l'espace vide que le lit de sa mère avait laissé. Puis elle s'arracha à ses réflexions et se hissa sur le siège à l'avant.

Toujours en proie à une sorte de torpeur, elle tira mollement sur les rênes. Ses yeux fixaient, sans même la voir, la désolante uniformité blanche qui s'étendait devant elle, à perte de vue.

Derrière elle, au-dessus des tombes, les rapaces volaient très bas.

Cette nuit-là, la tribu des Uleman stoppa à la lisière d'une forêt dont les arbres se dressaient comme des fantômes blancs.

Les romanichels s'accroupirent par famille autour de leurs brasiers, tandis que les gosses se livraient à une bataille rangée de boules de neige.

Parfois, un des projectiles ratait sa destination première et atteignait un des adultes en plein visage. La victime s'ébrouait en proférant d'effroyables jurons et, se levant d'un bond, courait après le coupable pour le rosser.

Le souvenir des tristes événements récents et le froid, encore plus intense, entretenaient une insolite mélancolie qui se manifestait par un certain manque de vitalité, dû aussi, peut-être, à l'abus de libations.

Paprika était assise solitaire sur les marches de sa roulotte. Les pensées bien loin ailleurs, elle avalait par petites gorgées un bol de soupe maigre qu'elle avait faite elle-même.

Zoltan l'observait depuis un moment. S'étant assuré que personne ne l'avait remarqué, il se dirigea vers elle, la neige crissant sous ses lourdes bottes, et vint s'asseoir à ses côtés.

— Maintenant que ta mère n'est plus — Dieu ait son âme ! — j'aimerais te parler, préluda-t-il d'une voix doucereuse.

Paprika recula :

— Je ne suis pas d'humeur à discuter ! répondit-elle d'un ton las.

Zoltan se fit plus ferme :

— Que tu sois d'humeur ou pas, il faut en venir à une décision ce soir ! lui dit-il. C'est dans ton propre intérêt que je reviens sur le sujet que tu sais, bien que tu m'aies toujours refusé par le passé. D'après la loi, te voilà reine de notre tribu. Mais tu es trop jeune et sans expérience. Et tu t'apercevras bientôt combien nombreux sont les soucis et les corvées qui t'incombent à ce titre. Par contre, moi, j'ai été le chef de la tribu durant tout le temps que ta mère est demeurée au lit, paralysée. Elle n'était reine que de nom. En réalité, c'est moi qui régnais !

Sa voix se faisait rauque, et Paprika sentit l'odeur fétide de son haleine quand il essaya de l'attirer à lui.

— Laisse-moi t'aider, Paprika, comme j'ai aidé ta mère. Mon cœur saigne de te savoir seule maintenant ! Je t'aime, petite... Et je prendrai soin de toi, mieux qu'aucun *Rom* ne pourrait le faire ! Et puis, qu'attends-tu ? demanda-t-il, impératif, passant de la tendresse à l'attaque directe, tu as quatorze ans déjà. A cet âge, les autres filles ont déjà deux et trois enfants ! Tu ne veux pas vivre toute seule toute ta vie ? Et ne jamais connaître les joies qu'un mari apporte à sa femme ? Songe aux enfants que nous pourrions avoir... ! Les fils, forts comme des taureaux — comme moi ! Les filles, plus belles que le péché — comme toi ! L'un d'entre eux régnera quand nous ne serons plus, tandis qu'autrement, la couronne ne restera pas dans ta famille !

Sa voix se faisait plus pressante et, avec une fausse compréhension pleine de sous-entendus suggestifs, il continua précipitamment :

— Oui, je sais, il y a aussi Jancsi ! Mais je comprends ! *Romano chalugo naes* ! Hein, petite ? J'ai eu quelques aventures comme cela moi-même... ! Eh bien ! N'y pensons plus ! Il est en prison quelque part et t'a déjà oubliée de son côté... Mais moi..., moi, je suis là, et je suis libre ! Ma femme est morte ! Que dirais-tu si nous nous mariions ce soir ? Il fait vraiment par trop froid pour qu'une petite fille comme toi dorme toute seule, par une nuit pareille !

Zoltan avait débité son discours si vite qu'il avait été impossible à Paprika de l'interrompre. Mais, maintenant, il reprenait son souffle et la regardait, attendant une réponse.

Sans un mot, elle se dressa, lui jeta à toute volée le contenu de son bol en plein visage et, rentrant vivement, verrouilla la porte derrière elle.

Stupéfait par cette riposte inattendue, Zoltan demeura figé sur place pendant quelques instants. Puis un éclair de rage passa dans son œil pers. Il ramassa sur le sol une grosse pierre à sa portée et la lança de toutes ses forces dans la fenêtre close. La vitre vola en éclats.

Alors, sa voix formidable explosa, appelant la tribu tout entière à se grouper pour une réunion extraordinaire.

Femmes et enfants s'empressèrent d'entasser du bois sec et, bientôt, un grand feu ronfla, illuminant le centre du camp. Les flammes faisaient danser des lumières et des ombres sur tout un cercle de visages basanés.

Les plus âgés s'assirent sur de vieux tapis râpés au premier rang. Derrière eux, tout le clan était assemblé. Même Narilla et son nouvel amant Laszlo avaient été arrachés du lit. Personne ne manquait à l'appel. Personne — si ce n'est Paprika.

Un murmure de curiosité courait dans l'assemblée.

Zoltan s'avança dans le cercle, d'un pas majestueux, et annonça d'une manière pompeuse qu'en sa qualité de *Sherengro* de la tribu des Uleman, il se devait d'aborder l'importante question de la succession de leur reine.

— Selon la *Leis Prala*, le gouvernement de notre tribu passe du roi ou de la reine à leur fils ou fille aînée, exactement comme dans la dynastie de Jozsi Bacsi qui règne sur la Hongrie ! commença-t-il. Lila, qui fut notre reine — Dieu ait son âme ! —, transgressa notre loi et eut une aventure amoureuse avec un *gorgio*. Bien qu'elle ne nous ait jamais donné la preuve que son amant d'une autre race l'eût payée avec de l'or en échange de son corps, comme notre loi l'exige, je n'ai pas fait d'objection, parce que nous aimions tous Lila. Elle garda donc la couronne. Mais Dieu lui-même se chargea de la punir !

Le *Sher-engro* fit un long silence dramatique, pour bien souligner ses dernières paroles. Sûr et satisfait de l'effet que le début de son exposé venait de produire sur son auditoire, il enchaîna :

— Maintenant, Lila est morte. Sa fille Paprika est sa seule héritière. Je m'oppose formellement à ce qu'elle prenne la succession. parce que Paprika est une bâtarde ! Une bâtarde si jamais il en fut et, de plus, un sang-mêlé... Son teint blanc et ses cheveux blonds sont des preuves éclatantes auxquelles je n'ai rien besoin d'ajouter pour vous convaincre, n'est-ce pas ?

Zoltan se mit à rire grivoisement, comptant bien être suivi dans cette voie par l'élément masculin de l'assistance. Voyant qu'il n'y avait qu'un faible écho, il reprit avec plus de dignité :

— Nous sommes des *Roms* et, en tant que tels, nous voulons qu'un gitan pur sang porte la couronne ! Nous ne voulons pas plus d'une *bostaris* pour reine que la Hongrie n'accepterait jamais pour souverain un rejeton d'un mariage de la main gauche de Jozsi Bacsi ou de Erzebet !

Et, de même qu'un cheval rassemble toutes ses forces avant de sauter un obstacle, Zoltan prit un temps pour battre le rappel de toute son audace et de ses facultés oratoires, puis fonça droit au but de son discours :

— Je vous ai dirigés pendant quinze ans, dans les bons comme dans les mauvais jours... Je suis devant vous ce soir pour vous présenter une requête : je viens vous demander, premièrement, d'exiger de Paprika qu'elle renonce définitivement à ses droits, deuxièmement, de m'élire pour votre nouveau roi !

Tout d'abord, la hardiesse de Zoltan laissa l'assistance muette d'ébahissement. Puis, à voix basse, une vive discussion s'engagea.

La plupart des femmes qui, d'instinct, détestaient Paprika, abondaient dans le sens de Zoltan.

PAPRIKA

Les hommes, qui aimaient Paprika et haïssaient Zoltan, penchaient en faveur de la jeune fille.

Un des anciens demanda au Borgne de quitter le cercle jusqu'à ce que l'ensemble se fût mis d'accord.

Zoltan s'éloigna tandis que les plus vieux, rapprochant leurs têtes chenues, commençaient à délibérer.

Puis ils consultèrent chacun, individuellement.

La discussion devint orageuse, s'envenima tellement qu'elle se mua en véritable querelle.

Balermengro, à la force de ses poings, entreprit de convaincre Vertos de se ranger à son opinion. Narilla employa le même système de conversion sur Karoly !

L'autorité des anciens mit bientôt fin à ces violences, et l'on procéda à un vote rapide.

Les hommes s'avérèrent être en majorité.

On envoya alors une députation chercher Paprika.

La couronne, le sceptre et les atours de la reine furent apportés avec une grande bonbonne de vin.

Paprika fut amenée au centre de la foule et invitée à tourner le dos au feu.

Biro, le doyen, dont les longues tresses blanches pendaient dans le dos, l'informa en quelques mots solennels de la décision de la tribu.

Paprika écoutait, immobile et silencieuse, tandis que Pupos, le bossu, jetait sur ses frêles épaules le lourd manteau d'apparat, en velours pourpre, tout dévoré aux mites.

Elle tint sa tête droite quand on la couronna du lourd diadème d'or finement ciselé surmonté de l'emblème mystique : deux triangles dans le cercle du Zodiaque.

Elle était plus pâle que jamais, et sa main tremblait visiblement quand elle prit le sceptre, en répétant le serment solennel que le patriarche lui soufflait :

— *Miro gudlo Devel, savo hal ote Cheros, te avel swuntuno tirv nav !*

— Gloire au royaume des Cieux ! Aide-moi, ô mon Dieu, à accomplir la tâche dont tu m'as chargée, pour Ton salut, ô

151

mon Dieu ! pour mon salut, et pour le salut de mon peuple...
Develeskey !

Toute la tribu s'agenouilla et courba la tête.

La nouvelle reine se retourna et, étendant les bras, donna la bénédiction royale.

Tout à coup, elle aperçut, un peu à l'écart, une silhouette massive, debout derrière son peuple prosterné. C'était Zoltan qui la dévisageait, la défiant de son œil torve.

Paprika, consciente de sa toute nouvelle autorité, comprit qu'elle ne pouvait laisser passer ce défi sans le relever. Délibérément, d'une voix ferme, elle lui demanda :

— *San tu Rom ?*

Tous les gitans relevèrent la tête et, voyant le *Sher-engro* debout, attendirent, anxieux de ce qu'allait répondre Zoltan.

— Si ! Moi je suis gitan, en effet ! lança-t-il très haut. C'est à toi qu'il faut poser la question. Qui était ton père ? Était-il *Romani ?*

Paprika tressaillit légèrement. Puis son petit corps se raidit et, le temps d'une seconde, on eût pu croire qu'elle allait se jeter sur Zoltan et le frapper de son sceptre. Mais Zsuzsa, Tinka et Dona, qui se tenaient à ses côtés, la retinrent respectueusement.

Le peuple s'était relevé. Et un murmure de colère le parcourait :

— *Changor !* A genoux, le Borgne !

Il y avait un ton de menace dans les voix qui réduisit Zoltan à l'obéissance. Avec une visible répugnance, il se décida à mettre un genou en terre.

Le voyant faire, les autres l'imitèrent, et la cérémonie du couronnement se termina sans plus d'incidents.

La cruche de vin passa de bouche en bouche. Tout le monde buvait hardiment, s'embrassait et se tapait dans le dos. Les femmes s'approchaient de Paprika avec des sourires mielleux sur les lèvres, cherchant à obtenir un mot d'elle et à entrer dans les bonnes grâces royales.

La jeune reine fut invitée à partager les libations de ses sujets.

152

PAPRIKA

Les musiciens, qui ont toujours le rôle le plus important dans toutes les cérémonies gitanes, commencèrent à gratter leurs *bashadis* et leurs *cymbaloms*.

Tous les membres de la tribu s'alignèrent en procession et, des fagots en flammes dans les mains en guise de flambeaux, conduisirent leur nouvelle reine tout autour du bûcher. Les premiers accords de la *tanyana* disloquèrent le cortège qui, bientôt, dégénéra en bacchanale.

Le vent s'était levé. Tout le monde dansait. Hommes et femmes enlacés se caressaient de plus en plus ouvertement au rythme endiablé de la musique.

Seule au milieu de cette débauche, Paprika, accroupie devant le brasier, l'esprit ailleurs, contemplait les arabesques des flammes.

Soudain, ses yeux brillèrent d'une sorte de langueur quand elle vit Laszlo presser ses lèvres contre celles de Narilla, et son regard envieux les suivit dans l'ombre où les amoureux s'esquivaient pour mieux s'aimer.

La vieille Zsuzsa vient s'accroupir près de la jeune fille :

— Il t'aime toujours, *crallissa* ! murmura la voyante.

Paprika sursauta en entendant ces mots et regarda fixement la Sage qui venait de si bien lire sa pensée. Mais elle secoua la tête négativement.

— Je ne vois pas ce que tu veux dire, *chovahano* !

Zsuzsa continua, imperturbable :

— Et comme je le lui ai prédit quand il est parti, il deviendra célèbre — quelque part, dans le grand monde. Mais quand il sera au sommet du succès, il reviendra vers toi ! Si seulement tu pouvais changer d'attitude envers lui ! Oublier ton faux orgueil et lui laisser deviner ton amour pour lui ! Alors, peut-être pourriez-vous être heureux, quand même... en dépit de tout.

Une bouffée de fumée enveloppa le visage de la vieille qui se mit à tousser.

La jeune reine, têtue, secouait la tête obstinément :

— Tu te trompes, Zsuzsa ! insista-t-elle. Je ne pense pas à

153

celui que tu crois. Et jamais je ne pourrai changer — même si je le désirais, de toutes mes forces... Jamais... Je ne sais pourquoi !

La pythonisse sourit.

— Je sais, dit-elle.

Elle tapota la jeune épaule d'un geste compréhensif. Paprika retomba dans sa rêverie, ses grands yeux verts fixés sur les flammes.

V

L'ÉTÉ était revenu, et *Magyar Isten*, le Dieu hongrois,
avait renouvelé ses bontés et ses bénédictions pour tous
les êtres simples qui, humblement, l'adoraient.

Les champs de blé mûr ondulaient sous la brise. De belles
grappes pourpres pesaient aux ceps de vigne.

Les gousses de paprika, brillantes et rouges, étaient plus
grosses et plus lourdes de grains qu'elles ne l'avaient été
depuis dix saisons, dans le comitat de Szeged.

Et le bétail — bêtes à cornes, moutons, chèvres ou porcs —,
exceptionnellement gras, promettait de rapporter un gros
bénéfice aux grandes foires de l'automne.

Les paysans se préparaient déjà à la moisson, bien que le
mois d'août fût à peine entamé. Mais les prochaines manœuvres de l'armée austro-hongroise, auxquelles Sa Majesté
l'Empereur François-Joseph Ier assisterait en personne,
devaient s'effectuer dans le courant du mois. Et il s'agissait
d'épargner aux récoltes le piétinement des chevaux, le roulement des pièces d'artillerie et le foulement des souliers
cloutés de la troupe.

La tribu des Uleman, avec son tintamarre de jurons euphoniques, de grincements de carrioles et de mugissements de bestiaux, avait parcouru d'innombrables chemins, traversant forêts et *pusztas*.

Paprika avait pris le commandement, aidée des sages conseils de la vieille Zsuzsa.

Mais la jeune reine ne quittait guère sa roulotte qu'elle conduisait elle-même. Elle prenait soin toute seule de ses chevaux, de son maigre bétail, de son ravitaillement et de sa cuisine. Elle ne sollicitait jamais un service de ses sujets.

Elle avait hérité, à la mort de sa mère, de la cassette aux souvenirs qui renfermait la lourde chevalière d'or de son père. Maintenant, elle portait le bijou armorié au pouce, car ses doigts étaient toujours aussi effilés.

Quand son peuple curieux lui avait demandé la provenance de la bague, elle avait raconté la partie de l'histoire de Lila qu'elle avait jugée la plus importante, c'est-à-dire qu'elle, Paprika, était en réalité, « devant Dieu », une comtesse.

Aussi ses ennemies en firent-elles des gorges chaudes et, au lieu de l'appeler la Reine, ne la nommaient plus, dans son dos, que « la Comtesse », non sans un certain accent péjoratif.

A son grand chagrin, Zoltan n'était plus *Sher-engro*. Il entretenait dans son esprit des idées de revanche et tuait le temps en guettant l'occasion propice de mettre ses plans à exécution.

Suri et Saski, les voluptueuses jumelles, se trouvant toutes deux enceintes, le Borgne avait ajouté leur jeune sœur Mika à son nombreux harem.

Narilla avait divorcé de Pofok, son bagnard d'époux, et s'était remariée avec Laszlo. Elle aussi préparait des langes.

D'autres femmes de la tribu avaient donné le jour à seize petits poupons bistrés, mais quatre d'entre elles étaient mortes en couches.

Balermengro, le Velu, avait été attaqué par un chien hydrophobique et avait contracté la rage. Après avoir mordu Fénella et Sandor, le petit garçon de Gita, il était mort à l'hôpital de Pecs où ses victimes étaient encore en observation.

Sas, Timor et Vince étaient morts de la petite vérole.

Istvan, « l'homme à la pomme d'Adam », avait fini par voir son étrange organe se développer en un goitre énorme.

Quant à Ferenc, l'aide du boucher, il était en prison pour viol.

Le cortège des roulottes s'engageait lentement dans la rue principale de Petofi, un petit village ensoleillé du département de Szeged.

En entendant le *dal* gitan, tous les paysans surgirent, qui aux fenêtres, qui aux portes.

Les femmes, inquiètes, battaient vivement le rappel de leurs marmots respectifs, ou prenaient leur nourrisson dans son berceau pour le serrer contre leur poitrine, dans la frayeur qu'un des romanichels ne l'enlevât.

Les hommes gardaient un œil vigilant sur leur bétail, et montaient la garde auprès des puits, de peur que les gitans n'y jetassent quelque poison.

Le garde champêtre boiteux les surveilla de près quand ils plantèrent leur camp dans un champ, en bord de route, au sortir du village.

Mais, bientôt, la troupe basanée s'éparpillait dans le village, rendant la tâche impossible au malheureux traîne-la-patte.

Les femmes, selon leur habitude, offraient de dire la bonne aventure ou faisaient des signes suggestifs aux hommes ou aux gamins à peine pubères, les invitant à les rejoindre dans les granges ou dans les étables.

Les rétameurs collectaient de l'ouvrage.

Guslo, pour un bon prix, plaça un cheval sain et robuste mais qui claudiquait pitoyablement à un paysan qui se crut plus malin que le gitan, parce qu'il avait remarqué un clou mal enfoncé dans le sabot de la bête. Finaud, le croquant en avait tiré tout de suite la conclusion que ce clou malencontreux faisait boiter le cheval, et que l'affaire était magnifique... En fait, ce n'était là qu'un vieux truc gitan. Guslo avait lui-même planté la pointe de travers pour tromper le maquignon. Le cheval était bel et bien boiteux et ne valait pas même l'une des vingt couronnes que son malin propriétaire avait obtenues.

Les villageoises virent arriver Paprika avec curiosité et avec inquiétude.

Cette créature était si blanche et si belle qu'elle semblait n'avoir rien de commun avec le reste des Tziganes. Les épouses reconnurent tout de suite en elle une lourde menace à la quiétude de leur foyer en observant, à son passage, la lueur de convoitise qui éclairait soudain les visages placides et bovins de leurs hommes. Paprika, elle, ne voyait rien.

Zoltan promenait à travers le hameau ses deux ours en laisse, et dès qu'un petit attroupement se formait, les faisait danser, avec sa brutalité habituelle, à coups de botte. Piskos, la mère ourse, grognait d'une manière particulièrement menaçante, montrant les dents à travers sa lourde muselière.

Un brusque courant d'air rabattit soudain aux pieds de Zoltan deux feuilles d'un illustré hongrois qui volaient au gré du vent.

Tout content, il s'empressa de ramasser les pages jaunies, de les aplatir sur son genou du revers de la main et de les enfouir dans sa gibecière.

Le papier est rare chez les nomades, et Zoltan souffrait justement ces derniers temps d'une légère attaque de dysenterie.

De plus, il était un des rares gitans à savoir lire, et il se promit une heure plaisante à prendre connaissance des nouvelles du monde.

De retour au camp, les hommes vaquèrent aux soins du troupeau.

Les gitanes qui avaient prédit l'avenir ou marchandé leur corps aux gros paysans, volé des porte-monnaie, ou bien encore, pour quelques sous (et parfois par pur altruisme), initié de curieux petits garçons et petites filles à l'art de se toucher, revenaient une par une, chacune s'empressant

d'aller montrer à son homme l'argent qu'elle avait si honnête-
ment, d'après leur loi, gagné au village.

Et tout le monde de rire aux dépens de ces cochons de *gorgios*.

Les enfants des paysans qui avaient réussi à tromper la surveillance maternelle, attroupés autour des feux, regardaient
avec intérêt les rétameurs faire rougir leurs outils ou fondre
leur soudure, et les gitans préparer leur repas en plein air.

La plupart de ces gosses sédentaires se mettaient à envier
le sort des gitans : ah ! pouvoir ainsi qu'eux chanter et
danser, faire ce qui leur plairait, vagabonder délicieusement
de ville en ville, comme au cours de perpétuelles vacances.

Vers dix heures, ce soir-là, le dernier des visiteurs avait
quitté le camp.

Les feux s'éteignaient lentement, et chacun s'était déjà
retiré dans sa roulotte.

Paprika avait verrouillé sa porte et clos soigneusement ses
fenêtres. La vitre que Zoltan avait brisée avait été remplacée
par un grossier papier d'emballage. Après s'être déshabillée,
la jeune reine s'était jetée nue sur son lit et avait fermé les
yeux.

Près d'un brasier vif, derrière sa roulotte, Zoltan était
accroupi, les coudes sur les genoux, tenant déployées devant
lui les pages jaunies du journal qu'il avait eu la bonne fortune de trouver le matin. C'était un numéro du *Pouls de
Budapest*.

Tout en scrutant les feuillets à la lueur des quelques
flammes qui clignotaient encore, il soulageait ses intestins,
s'abandonnant à des besoins bien naturels.

Il tourna la page.

Son regard tomba sur le portrait d'un jeune homme aux
yeux sombres et poétiques qui lui parut familier. Fiévreusement, aussi vite que son érudition toute relative le lui permettait, il parcourut l'article qui accompagnait l'illustration.

Il n'en croyait pas son unique œil qui semblait prêt à lui
sortir de l'orbite.

Se redressant brusquement et s'empêtrant dans ses pantalons tombés sur ses chevilles, il fit quelques pas entravés, se rapprochant du feu pour relire.

Après la seconde lecture, il était convaincu.

La haine et la jalousie enlaidirent encore ce visage qui n'avait pourtant déjà nulle grâce à perdre.

Tankos, le jeune ours, en se dandinant au bout de sa laisse, s'était approché par-derrière et, pour jouer, agrippa les *gatyas* de son maître, qui pendaient sur ses bottes.

Zoltan, épouvanté, reprenant son équilibre un instant compromis, se retourna et se trouva nez à nez avec Tankos.

Rageusement, il sortit un pied de ses pantalons béants et décocha un vicieux coup en plein dans le ventre velu du plantigrade.

L'ourson recula en gémissant.

Piskos, la mère, avec un grognement terrifiant, se dressa menaçante, montrant les griffes, tirant sur sa laisse.

Zoltan, irrité par cette interruption inopportune, fut cependant content de trouver là une occasion de passer la colère que la lecture avait déclenchée.

Il tira du feu une branche dont le bout était un tison incandescent et l'appliqua en travers du museau sensible.

La bête eut un hurlement qui disait l'horreur de la brûlure. De toutes les forces de sa rage impuissante, elle tirait sur la courroie usée.

Mais Zoltan la frappa encore avec d'affreux jurons, encore et encore..., si fort que le tison vola en éclats dans une gerbe d'étincelles qui sautèrent aux yeux de l'animal torturé.

La bête géante s'effondra au sol en geignant lamentablement.

Zoltan, soulagé de son ire, parcourut une fois de plus le journal. Il jeta un coup d'œil vers la demeure de Paprika, et une expression de ruse passa sur son visage. Vivement, il rajusta ses culottes et, pliant soigneusement la page sur laquelle s'étalait la photo, traversa la petite place et s'achemina vers la roulotte de la reine.

160

PAPRIKA

Paprika entendit frapper et elle se dressa, nue qu'elle était, sur son lit.

— *So Si ?* demanda-t-elle, inquiète.

— C'est moi, Zoltan ! répondit la voix rauque, familière. Je veux te montrer quelque chose !

— Je ne veux rien voir !

— Mais écoute, Paprika ! J'ai une grosse surprise pour toi !

— Oui, je sais ! Tu me l'as déjà dit plusieurs fois. Ça ne m'intéresse pas !

— Tu as tort, Paprika... Cette fois, ce n'est pas ce que tu crois. J'ai vraiment une nouvelle importante et qui t'intéresse !

— Eh bien ! Raconte-moi cela à travers la porte !

— Ce n'est pas facile ! Écoute, Paprika, c'est au sujet de Jancsi !

La main de Paprika, instinctivement, se porta à son cœur, qui se mit à battre furieusement. Elle n'osait répondre, de peur que le tremblement de sa voix ne trahît son émotion.

— N'as-tu pas entendu ce que j'ai dit ? Il y a quelque chose dans le journal au sujet de Jancsi. Viens jusqu'à la fenêtre ! Tu verras par toi-même !

Vivement, elle enfila sa jupe, jeta un châle sur ses épaules et courut à la croisée qu'elle entrebâilla.

— Et alors ? Qu'y a-t-il ? Fais voir !

Zoltan tendit vers elle à bout de bras une feuille de papier imprimé. Au beau milieu de la page, elle reconnut le portrait de Rogi Jancsi.

Ses cheveux lissés, séparés par une raie bien nette, ne ressemblaient en rien à la crinière folle qu'il arborait autrefois. Il était représenté en habit du soir, son violon sur la hanche, dans la pose traditionnelle et un peu guindée des virtuoses.

Paprika ne pouvait en croire ses yeux. Elle tendit la main par l'ouverture de la fenêtre pour saisir le journal. Mais Zoltan recula en ricanant.

— Tu ne sais pas lire ! lui rappela-t-il. Mais moi, je sais !

PAPRIKA

Et c'est une histoire bougrement passionnante. Ton ami, le voleur de chevaux, est devenu la coqueluche de Budapest ! Tu veux que je te lise l'article ?

Frémissante, elle se précipita pour lui ouvrir la porte. Elle se trouva face à Zoltan qui entra lentement, comme pour se faire prier, et se dirigea vers le lit. Son œil s'arrêta insidieusement sur le sillon que le corps de la jeune fille y avait creusé.

Il s'assit lourdement, tenant le précieux chiffon de papier derrière son dos.

Tout impatiente qu'elle était d'apprendre des nouvelles de Jancsi, Paprika, défiante, eut tout de même soin de laisser la porte de la roulotte soigneusement entrouverte, juste au cas où il lui faudrait détaler pour sauver sa vertu.

— Si Jancsi ne t'intéresse plus du tout, pourquoi es-tu tout à coup si nerveuse ?

— Je ne suis pas nerveuse. Je veux seulement savoir ce que tu tiens tellement à me raconter !

Zoltan, sardonique, hocha la tête.

— Je me demande, commença-t-il, faisant durer le plaisir qu'il éprouvait à la faire attendre, je me demande si tu te souviens combien de fois tu t'es moqué de Jancsi quand il jouait du violon ? Eh bien ! c'est son violon qui l'a rendu célèbre. Rends-toi compte ! Il a même joué devant Jozsi Bacsi et tous les archiducs et archiduchesses. Pense donc ! Viens t'asseoir là ! Je vais te lire tout ce qu'on dit là-dedans à son sujet !

Étourdie, elle vint s'installer sur le lit près de Zoltan. Il se rapprocha d'elle avec une œillade qu'elle ne remarqua même pas, puis commença à lire :

UN PITTORESQUE GITAN, ROGI JANCSI,
APRÈS SIX MOIS DE PRISON
POUR VOL DE CHEVAUX,
FAIT SENSATION A BUDAPEST.

« Quand le violoneux gitan, Rogi Jancsi, fut relâché de la prison de Vacz, après avoir purgé une peine de six mois pour

avoir volé un cheval, il reprit la route et, un beau matin, débarqua à Budapest. Peu après son arrivée dans la capitale, il fut remarqué par l'œil connaisseur de l'experte réputée en matière de beauté masculine, Son Altesse la Princesse Estervary Ilonka. Grâce à ce très haut patronage, le jeune gitan devint bientôt le premier violon de l'orchestre tzigane, composé de trente exécutants, qui joue au Restaurant Marcus, dans l'île Sainte-Marguerite, l'endroit de prédilection et le rendez-vous nocturne favori de l'élite de Budapest. Après la mort du Prima dudit orchestre, Sarkany Bela, tué dans un accident d'automobile, Son Altesse recommanda le talentueux Rogi Jancsi pour lui faire obtenir la place demeurée vacante.

En quelques jours, il fit sensation. Et depuis, chaque soir, il joue devant un public enthousiaste, composé des plus hautes personnalités de la ville. Il lui arrive souvent de bouleverser et d'émouvoir jusqu'aux larmes son aristocratique auditoire.

Une réelle frénésie s'est déclenchée pour une œuvre de sa composition, une symphonie de la vie des gitans, intitulée " Paprika ". La semaine dernière, Rogi Jancsi, par ordre de S. M. Ferenc Joseef I, a donné un récital au château de Godollo, où Leurs Majestés sont en villégiature actuellement. Après le concert, Sa Majesté a offert au jeune virtuose, à titre de souvenir, un étui à cigarettes en or, orné de la couronne de saint Stéphane et du monogramme royal.

Selon une rumeur persistante qui circule dans les cercles bien informés et que Son Altesse n'a nullement cherché à démentir, la Princesse Ilonka prendrait un intérêt tout particulier à la carrière de ce pittoresque artiste. »

Zoltan laissa retomber le journal et, plissant son œil, dévisagea curieusement Paprika pour se rendre compte de l'effet que ces nouvelles avaient produit sur elle.

De son côté, Paprika le scrutait du regard, comme pour déchiffrer sur ses traits si, oui ou non, il s'était amusé à la mystifier.

Brusquement, elle lui arracha le papier des mains. Incapable de lire, elle regarda pendant un moment l'image de Jancsi.

Puis, impuissante, dans un accès de fureur, elle déchira la page en lambeaux.

Derrière elle, le Borgne s'esclaffa, ce qui acheva de la mettre hors d'elle.

Se retournant, elle le gifla et laboura de ses ongles pointus l'affreuse goule qui avait osé se moquer.

Sa colère ne servit qu'à raviver la concupiscence de Zoltan.

S'avançant sur elle, il l'obligea à reculer dans un coin. L'acculant contre la cloison, il lui saisit les bras et les lui ramena derrière les reins. Grognant d'effort, il la poussa vers le lit et la fit tomber à la renverse. Ses bras musclés l'étreignirent si puissamment qu'elle en perdit la respiration.

Comme dans un cauchemar, elle sentit une bouche grasse se coller à la sienne.

La porte s'ouvrit sans bruit, poussée du dehors.

La grosse tête noire de l'ourse Piskos apparut dans l'entrebâillement.

Elle n'avait plus sa muselière, et seul un bout de la laisse cassée pendait à son collier.

La bête renifla. Une odeur familière l'assura que celui qu'elle pistait était bien là.

Sans bruit, l'animal géant se dirigea vers le lit où Paprika était à bout de résistance.

Le fauve se dressa sur ses pattes de derrière et, avec un bref grognement sauvage, se laissa tomber de tout son poids énorme sur le dos de Zoltan. Ses crocs trouvèrent la nuque du dompteur détesté. La bête serra les mâchoires.

Le cri fut étranglé dans la gorge de Zoltan par le flux de sang qui l'étouffa. Dans un effort désespéré pour se dégager, l'homme réussit à se remettre sur pied et, déployant toute sa force herculéenne, tenta de repousser l'adversaire.

Mais ce fut inutile. Les griffes meurtrières lui lacérèrent le visage, le lui arrachant par lambeaux sanglants.

Paprika, pantelante de terreur, éclaboussée du sang qui

164

giclait de partout, réussit à se faufiler hors de la pièce qui, mise sens dessus dessous par la lutte sans merci, présentait l'aspect d'une boucherie de cauchemar.

Elle courut comme une folle à travers le campement, hurlant :

— Au secours ! Au secours !

Quelques romanichels à demi nus surgirent et, devinant à travers les mots sans suite et saccadés qu'elle haletait ce qu'elle voulait dire, la suivirent jusqu'à sa roulotte.

Une masse informe de chairs déchirées, un amas d'os broyés gisaient sur le plancher : Zoltan, cependant encore vivant ! Piskos se repaissait, dépeçant un membre qu'elle avait arraché.

Les plus courageux du clan arrivèrent à tirer le moribond au-dehors et l'étendirent sur le sol. Du coup, la tribu entière était debout. Hommes, femmes, enfants accouraient ; mais il n'était plus question de secours pour Gabor Zoltan.

Il était mort avant que la vieille Zsuzsa n'arrivât, s'appuyant sur ses deux cannes. Elle s'approcha de lui et contempla cette dépouille toute déchiquetée qui, tout à l'heure encore, était animée des plus impérieuses passions humaines.

— C'était écrit ! murmura-t-elle de sa voix qui rappelait le croassement du corbeau.

Tous étaient figés d'horreur. Ils se souvenaient de la prophétie de Zsuzsa, le jour de la naissance de Paprika, quatorze ans plus tôt... N'avait-elle pas prédit mot pour mot qu'il périrait sous la griffe d'une bête encore plus sauvage que lui, et qu'il vivrait pour sentir sa propre chair et ses os broyés ?

Les gitans se regardaient, impressionnés par l'impitoyable exactitude de cette prédiction. Cependant, à leur horreur, à leur pitié, était mêlé un certain sentiment de soulagement.

Quelqu'un apporta une couverture de cheval et en recouvrit la bouillie macabre.

Piskos, la vengeresse, la gueule dégouttant du sang de son maître, retourna en se dandinant vers l'arrière de la roulotte

165

où elle avait l'habitude d'être attachée. Repue, elle s'étendit près de son petit et, docile comme un mouton, sans un grognement de protestation, se laissa mettre la muselière qu'elle avait perdue lorsqu'elle avait rompu sa laisse.

Pivcza et Chika, Suri, Saski et leur jeune sœur Mika s'attardèrent à contempler la couverture qui cachait les restes de leur amant.

Pas un pleur ne fut versé.

Pas un mot de regret ne fut prononcé à la mémoire de Gabor Zoltan.

Personne ne songea à offrir une prière pour la rédemption de son âme.

Les enfants qu'il avait procréés se souvenaient des marques laissées par les lanières de son fouet sur leurs petits corps, ou bien des jours où ils avaient eu faim tandis que leur père se gavait devant eux : tous, sans exception, étaient heureux de sa disparition.

Pivcza songeait aux nuits glaciales passées sur le plancher auprès de Csampas, tandis que le Borgne, sous ses yeux, se prélassait dans le lit bien chaud avec d'autres femmes.

Elle entendait encore résonner dans ses oreilles les soupirs et les gémissements de plaisir qui venaient de ce lit, dans le silence de ces nuits... sans amour pour elle.

La pauvre Csampas, qui avait été sa consolation pendant ces longues nuits d'hiver, était morte maintenant. Mais Chika était devenue son amie. Elle, au moins, était là pour partager l'avenir. Elle lui pressa la main, plongea son regard dans le sien. Elles se comprirent. Et là, devant le corps même de l'homme qui les avait toutes deux délaissées, Pivcza prit la décision d'occuper avec Chika, dorénavant, le lit de Zoltan.

Au tour de ces garces de jumelles de découvrir les charmes d'une couche à même le parquet !

Le connétable du bourg arriva bientôt. Il fit une enquête officielle pour découvrir les causes de la mort de Zoltan. Le cas était clair. Aussi donna-t-il l'ordre de transporter le corps au dépôt des pompiers volontaires dont la baraque servait de morgue le cas échéant. Il était décidé aussi à faire enfermer l'ourse en tant que bête dangereuse. Mais on parvint à le convaincre que Piskos était apprivoisée, qu'elle n'avait jamais fait de mal à personne auparavant, et que seule la brutalité extraordinaire du Borgne l'avait poussée à prendre une aussi cruelle revanche.

Et puisque, somme toute, il ne s'agissait que d'un tzigane de plus ou de moins, le connétable se laissa facilement persuader.

Les restes informes de Gabor Zoltan furent déposés à même le ciment entre une échelle à coulisse et la pompe à main, aussi rouges que le sang qui maculait la couverture.

Et tout le monde rentra au campement. Graduellement, l'agitation provoquée par l'accident se calma et chacun, rentrant dans sa carriole, ne songea plus qu'à dormir.

Pivcza et Chika trouvèrent les jumelles et leur sœur Mika installées comme d'habitude à la place d'honneur dans le lit de leur défunt maître. Elles agrippèrent par les cheveux ses dernières favorites, surprises de cette soudaine attaque, et les sortirent du lit à coups de pied et de poing.

Puis toutes deux se glissèrent au creux du lit et se blottirent dans la couche, chaude encore du corps des autres. Leurs bras et leurs jambes s'enlacèrent. Leurs lèvres avides se joignirent.

Pour la première fois depuis bien des années, Pivcza et Chika furent heureuses.

En frissonnant, Paprika regagna sa roulotte et verrouilla la porte derrière elle. De ses mains encore tremblantes, elle lava le sang qui l'avait éclaboussée.

Jancsi lui revint à l'esprit. Elle songea à ses succès inespérés. Et cette princesse Ilonka... Baissant les yeux, elle vit les morceaux de journal maculés de sang qui traînaient sur le plancher. Fébrilement, elle tenta de les rassembler.

Elle déchira le papier d'emballage qui remplaçait le carreau de sa fenêtre et, cassant le dernier œuf qui lui restait, en utilisa le blanc pour coller les fragments déchirés sur le papier

167

cartonné et reconstituer l'article. Ce fut tout un travail, car elle ne savait pas lire, et quelques morceaux manquaient, d'autres étaient barbouillés de sang. Elle réussit néanmoins à rétablir l'image de Jancsi, presque complètement, à l'exception d'un petit bout qu'elle ne put jamais retrouver.

Assise devant son jeu de patience qui séchait, elle contemplait le visage aimé.

Un tas d'idées contradictoires lui traversait l'esprit.

Puis ses pensées se cristallisèrent.

Elle se leva et tira de sous son lit une boîte qui contenait une robe de satin rouge, un chapeau de paille laquée à larges bords, d'un rouge non moins vif, orné sur le côté d'un bouquet fané de violettes artificielles, et une paire de souliers à hauts talons, rouge elle aussi. Paprika avait un penchant irrésistible pour cette couleur.

La robe était restée en devanture, dans l'entrée du magasin de Pollack à Kecskemet, jusqu'à ce que le soleil en eût fait passer la couleur aux plis et aux drapés. Le ton vif et le brillant du satin de la parure avaient rempli de convoitise le cœur de la petite gitane, et l'appropriation s'était faite de façon mystérieuse, à un moment où le magasin était bondé d'acheteurs, tandis que Pollack et ses employés étaient occupés dans l'arrière-boutique.

Vaguement, Paprika avait pensé alors que l'occasion s'offrirait bien un jour de la porter, quand Jancsi reviendrait de prison, par exemple. Elle pourrait ainsi l'éblouir de son faste !

Maintenant, elle se parait de ses beaux atours. Lorsqu'elle eut fini de s'habiller, elle ajouta à l'ensemble de grosses boucles d'oreilles en argent, passa à ses poignets tous ses bracelets d'argent et à son cou une chaîne où pendait la petite croix d'or qu'elle avait désirée avec tant d'ardeur pendant toute son enfance, et fini par acquérir d'une grosse paysanne qui s'était fort gracieusement penchée pour fesser son moutard...

Affublée de ce clinquant accoutrement, son bijou de famille au pouce, elle était à la fois ridicule et pathétique dans ses touchants efforts pour ressembler aux belles dames des *gorgios*.

Quand elle eut fini de se coiffer, elle plia soigneusement le papier sur lequel était collée la photo de Jancsi et l'enfouit dans son décolleté.

Après un dernier coup d'œil circulaire à la pièce, elle souffla la lampe, sortit et referma la porte sur elle.

Quelques chiens aboyèrent au passage d'une furtive silhouette fantomatique qui traversait le camp.

Lorsqu'elle eut atteint la route, elle se mit à courir. Mais elle n'avait pas l'habitude des chaussures, encore moins des hauts talons et, par deux fois, se tourna la cheville. Alors elle prit le parti de retirer ses beaux souliers et poursuivit pieds nus sa course jusqu'après les dernières maisons du village.

L'horloge de l'église égrenait les douze coups de minuit.

Tout à coup, contre le tronc d'un arbre, elle aperçut un jeune villageois qui embrassait et serrait de près sa payse.

Le pourpre lui monta aux joues : elle n'avait pu s'empêcher de penser à Jancsi et à cette princesse. Elle se remit à courir.

La lune surgit de derrière un nuage, éclairant la route et donnant une ombre fantastique au moindre arbrisseau.

Paprika cassa une branche de noisetier pour s'en faire un bâton.

Un peu plus tard, elle entendit un bruit de sabots de cheval accompagné du crissement que font les roues sur les pierres de la route.

Effrayée, elle se dissimula derrière une haie toute proche et attendit.

Ce n'était que la misérable carriole d'un paysan, traînée par un cheval poussif.

Paprika, rassurée, sortit de l'ombre dans la lumière lunaire en agitant les bras. Le paysan, à moitié endormi, tira brusquement les rênes, croyant avoir une vision.

Mais au bout d'un instant, tout à fait réveillé, il constata que l'apparition n'était autre qu'une jeune fille — et ravissante, en outre.

— *Adjon Isten !* salua-t-il, tout en la détaillant de la tête aux pieds avec un sourire mièvre.

— Dieu vous garde aussi ! répondit-elle.

— Vous voulez monter ? demanda-t-il en s'écartant aimablement pour lui faire une place. Grimpez donc !

Paprika se hissa lestement sur le siège à côté de lui. Le paysan se rapprocha le plus naturellement du monde, et leurs bras et leurs cuisses se frôlèrent, comme par un pur hasard. Il lui couvrit les jambes d'une peau de mouton, la bordant sous elle avec un luxe de soins parfaitement inutile.

Paprika, méfiante, l'examina du coin de son œil pers.

Il y avait, sur ce lourd visage porcin, un sourire rusé qui ne lui disait rien qui vaille. Le charretier bénévole était grand et robuste et avait l'air d'un de ces mâles qui ne reviennent jamais bredouilles de la chasse.

— Rapprochez-vous ! lui dit-il, engageant. Vous aurez plus chaud !

— Je n'ai pas froid !

Il fit claquer les rênes sur la croupe de la rossinante qui n'attaqua un paresseux petit trot que pour avoir le plaisir, un peu plus loin, de ralentir et de revenir à son pas paisible. Mais, là, un coup de fouet énergique lui fit reprendre un trot plus soutenu.

— Où allez-vous ?

— A Budapest.

— A Budapest ? Vrai ! J'irais bien à la grand-ville avec vous. Dommage que je n'aille qu'à Erdogy !

— Oh ! cela ne fait rien. Je ne peux espérer faire toute la route en voiture. Je suis déjà bien contente que vous me conduisiez si loin !

— Qu'est-ce que vous allez faire à Budapest ? Travailler ?

— *Nem !* Mon amoureux se trouve là-bas... Nous allons nous marier !

— Oh ! alors, pourquoi faites-vous le voyage à pied ? Il n'a donc pas d'argent ?

— Il est riche ! Mais il ne sait pas que j'arrive !

PAPRIKA

Les traits du paysan se plissèrent, et il se mit à examiner attentivement la jeune fille. Ses petits yeux porcins s'attardèrent sur la jeune poitrine pointue, puis descendirent pour s'arrêter à la taille, pourtant fort mince.

Il eut un sourire équivoque qui indiquait qu'il ne se fiait pas à une apparence encore trompeuse !

— Oh ! Ainsi, *il faut* qu'il vous épouse ? Une petite surprise pour lui. Hein ? Pas vrai ? Voyez donc ça ! Fallait prendre des précautions, ma petite !

Ses yeux pétillaient, égrillards.

Paprika trouva préférable de lui laisser croire ce qu'il voulait, plutôt que de se lancer dans des confidences qu'elle n'avait nullement envie de faire.

Le lourdaud extirpa une petite bouteille de *rozs-palinka* de la tige d'une de ses bottes.

— Eh bien ! Si jamais il vous laisse choir, venez me voir à ma ferme. Y a bien la bourgeoise, c'est vrai, mais ça ne fait rien. Je peux satisfaire à la fois six beaux brins de fille comme vous ! Voilà comment je suis, moi !

Il s'esclaffa de sa fanfaronnade.

Paprika, polie, l'imita. Elle accepta aussi la bouteille qu'il lui tendait, essuya du revers de sa manche le goulot et but une bonne gorgée.

Il lui fallait bien cela, pensa-t-elle, après toutes ces émotions, et pour affronter toutes les péripéties à venir du voyage.

— Ah ! buvez un bon coup ! Ne vous gênez pas ! Allez-y franchement, comme un gars, pas comme une mauviette ! insista l'entreprenant bonhomme.

Avec un rire stupide, il releva le cul de la bouteille comme elle portait le goulot à ses lèvres.

— Vous allez me soûler ! protesta-t-elle. Et après, je n'aurai plus ma tête à moi !

— C'est ce qu'il faut ! gouailla-t-il.

Il lui prit le flacon des mains, avala à son tour une longue rasade, toussa, lâcha un rot sonore.

171

— Je parie qu'on se comprend, tous les deux ? N'est-ce pas, ma belle ?

Paprika, qui croyait devoir rester aimable, s'arrangea pour produire un gloussement d'acquiescement. Mais, en réalité, le voisinage de cette brute la faisait frissonner de dégoût.

— Vous voyez bien que vous avez froid ! s'exclama-t-il en se serrant contre elle. Blottissez-vous contre moi !

Son gros bras entoura sa taille, et il l'attira tout contre lui. Sentant une grosse patte se faufiler dans l'emmanchure de sa robe, elle voulut se dégager.

— Quoi donc ! Ça ne te plaît pas ? maugréa l'homme avec brutalité, passant au tutoiement pour bien signifier que les préambules avaient assez duré.

Songeant aux cinq heures de marche qu'il lui faudrait faire pour atteindre Erdogy, Paprika s'amadoua quelque peu.

Il lui tendit à nouveau la bouteille. Pour demeurer en bons termes, elle fit semblant d'avaler une autre gorgée. Lui, but un bon coup et fit claquer sa langue de satisfaction.

Après avoir replacé le flacon dans sa botte, il enlaça à nouveau Paprika et entreprit de fouiller son corsage. Se cramponnant à l'idée salutaire des cinq heures de marche, elle serra les dents et se tut.

La charrette s'engagea dans une passe étroite, encaissée entre deux parois abruptes de la montagne.

Un torrent rapide coulait le long de la route avec un grondement assourdissant.

L'obscurité était presque complète entre ces deux murailles escarpées. Le hululement lugubre d'un hibou ajoutait encore au caractère sinistre du lieu.

Le cheval, fatigué, ralentit à nouveau l'allure.

Cette fois, le conducteur ne joua pas du fouet. En fait, il tira même sur les rênes, et la bête s'arrêta net.

L'instant d'après, il avait renversé la jeune fille à l'intérieur de la carriole et avait enjambé prestement le siège.

Paprika cria et se débattit tant qu'elle put, mais les eaux

bouillonnantes noyèrent ses cris, et ses forces étaient bien faibles face à celles du robuste croquant.

— Et pourquoi toutes ces pleurnicheries ? lui souffla-t-il à l'oreille. Je ne vais pas te tuer ! Personne n'est encore mort d'un petit peu de gaudriole !

— *Ereszen el !* hurla-t-elle. Lâchez-moi !

— Diable, non ! Tu ne t'imaginais tout de même pas, ma belle, que j'allais te trimballer comme cela pour rien ! Allez ! Pas d'histoires !

Paprika ne répondit pas. Sa respiration s'était arrêtée. Son cœur battait à tout rompre. Ses dents grinçaient. Puis il y eut un petit cri de douleur.

La lune, cette vénérable entremetteuse de tous les temps, obligeamment se glissa derrière un nuage.

Paprika ferma les yeux et pensa à Jancsi.

A un embranchement de la route, là où se dressait un écriteau rustique où l'on pouvait déchiffrer « ERDOGY », la carriole, suivant la flèche indicatrice, s'engagea dans un chemin rural et s'arrêta à quelques mètres de la route principale.

— C'est ici que nos chemins se séparent !

Sans mot dire, Paprika sauta sur la chaussée, ses chaussures et sa badine de noisetier à la main.

— Tu ne me donnes pas un petit bécot d'adieu ?

Elle ne répondit même pas.

— *Nem ?* Bien ! Tant pis... Bonne chance quand même ! Et donne mes amitiés à ton amoureux ! Dis-lui de ma part qu'il connaît les bonnes choses ! Et appelez le lardon : Lajos — comme moi !

Et se tenant les côtes de rire à sa propre plaisanterie, qu'il jugeait de la dernière finesse, il fit claquer les rênes sur les flancs de sa haridelle qui, sentant l'écurie proche, partit au galop.

Le paysan se retourna et agita la main.

Paprika, plantée au milieu de la route, suivit des yeux la charrette, jusqu'à ce qu'elle eût complètement disparu. Un vague sourire erra sur ses traits.

Sa main plongea dans le creux du corsage et retira d'entre les seins une vieille bourse de cuir. Elle en desserra les cordons et trouva à l'intérieur un bon nombre de pièces d'argent. Laborieusement, elle entreprit de les compter. Quarante couronnes !

Elle se mit à rire franchement, tout en remettant son larcin dans sa douillette niche. Moqueuse, imitant le geste d'adieu du paysan, elle agita les bras dans la direction qu'avait prise son amant de hasard.

Puis elle sortit, toujours de la même cachette, une ancienne montre en argent au bout d'une lourde chaîne à laquelle pendait, en breloque, une miniature de cochon porte-bonheur.

Elle porta la montre à son oreille pour écouter si le mouvement marchait bien, puis jeta un coup d'œil sur le cadran. Les aiguilles marquaient deux heures. Elle enfouit cette nouvelle acquisition dans son mouchoir.

Finalement, elle extirpa de la poche de sa jupe un petit sac de papier et en examina le contenu avec curiosité.

Elle y trouva un quignon de pain bis, un petit *gomolya* de chèvre, un gros oignon et une épaisse tranche de lard, tout assaisonnée, rouge de paprika.

Sans songer une seconde au prix qu'elle avait payé cette aubaine, elle fit un dernier geste moqueur en direction de Erdogy.

Et mordant à belles dents dans l'oignon juteux, puis dans la miche, elle continua son chemin allégrement, se régalant de toutes ces bonnes choses à la santé du paysan, savourant à sa juste valeur ce repas tel qu'elle n'en avait pas fait depuis longtemps.

Puis ses pensées retournèrent à Jancsi, à la princesse Ilonka et elle pressa le pas.

Il allait être trois heures du matin quand elle arriva à Disznool. Paprika reconnut la petite ville qu'elle avait traversée bien des fois au temps où sa mère vivait encore.

La gare était à l'autre bout de la ville. Elle s'engagea dans la grand-rue qui y conduisait directement. Tous les habitants dormaient.

Quelques chiens aboyèrent sur son passage et un insolent cabot la poursuivit avec insistance. Elle sacrifia un bout de lard à ce cerbère de village, qui avala tout de go ce morceau de choix et, du coup, ne voulut plus se séparer d'une aussi aimable personne. Le roquet la suivit docilement à travers la ville.

Les chiens du monde entier, à moins qu'ils ne soient atteints de la rage, ne mordent jamais un gitan. Ils aboient, reniflent, mais une étrange franc-maçonnerie semble exister entre eux, qui pousse les chiens à suivre, la queue entre les jambes, les vagabonds enfants de la route. Il se peut que, mieux que leurs maîtres, les chiens comprennent les gitans !

Il faisait encore nuit noire quand Paprika arriva à la petite gare. Une lampe à acétylène, avec un manchon Welsbach, crachotait, diffusant une lumière indécise dans le bureau du télégraphe. L'appareil morse ponctuait de temps à autre le silence, par saccades, tandis que le ruban de papier s'amoncelait en volutes sur la table.

L'unique fonctionnaire de service était étalé de tous ses membres sur un vieux divan de cuir défoncé ; ses ronflements sonores, de concert avec le hoquet irrégulier du télégraphe, violaient le calme inquiétant qui précède l'aube.

Après un coup d'œil autour d'elle pour s'assurer qu'il n'y avait personne d'autre dans la salle, Paprika ouvrit la porte de communication entre la salle d'attente et le bureau et, sur la pointe des pieds, s'approcha du dormeur.

C'était un individu d'environ quarante-cinq ans, desséché et maigrichon. Au milieu de sa face mal rasée, sa bouche grande ouverte montrait des dents jaunes et longues, rongées de pyorrhée, qui se déchaussaient.

Il exhalait un relent d'ail et de *palinka*.

Sa tunique graisseuse était déboutonnée. Sur le col entrouvert, une roue ailée de Mercure et l'insigne de *allomasfonok*, ou chef de gare. De la poche de son pantalon, dépassait le bord d'un portefeuille élimé.

Paprika posa sa main sur l'épaule de l'homme, qui continua à ronfler paisiblement.

Avec dextérité, elle tira le portefeuille de la poche, prit les onze couronnes et quelques sous qu'il contenait puis, soigneusement, avec adresse, le glissa doucement à sa place initiale.

Cette astucieuse manœuvre achevée, elle retourna, féline, dans la salle d'attente et se mit en faction devant le guichet.

Elle n'avait pas plus tôt fait le dernier pas que l'électro-aimant crépita à nouveau de tic-tac nerveux.

Puis une sonnerie électrique se mit à grelotter sur un timbre aigu.

La pendule accrochée au mur tinta trois heures.

L'homme sur le divan remua et se dressa sur son séant. Bâillant à se décrocher les mâchoires, il se leva, s'étira, se traîna péniblement et atteignit la table du télégraphe pour parcourir les messages en morse avec une expression de lassitude et d'ennui.

Il demanda un poste et s'y reprit à quatre ou cinq fois avant d'obtenir une réponse. Une conversation brève et hachée s'ensuivit.

Cette corvée remplie, le fonctionnaire se renversa en arrière sur le dossier de sa chaise et bâilla à nouveau, cette fois en ouvrant un four si large que Paprika vit le fond de sa gorge.

Elle toussa fort pour attirer son attention.

L'homme, surpris, se tourna brusquement vers le guichet.

Embarrassé, il racla, lui aussi, le fond de sa gorge, reboutonna vivement sa tunique et lissa ses cheveux ébouriffés de sa main osseuse.

Ce faisant, il examinait la jeune fille et, dans ses yeux bouffis de sommeil, une lueur commença à pétiller.

— Eh bien ! Qu'est-ce que vous voulez ?

— *Kerek*, un billet de troisième classe pour Budapest ! répondit Paprika dans un sourire timide.

Il examina la jeune fille plus attentivement et jeta ensuite un coup d'œil sur la pendule.

PAPRIKA

Le train ne passait que dans deux heures.

Il tira sur sa tunique froissée et se dirigea vers un miroir placé au-dessus du lavabo. D'une bouteille à moitié vide, il versa quelques gouttes d'un liquide gluant à l'odeur offensante sur ses cheveux hérissés qu'il aplatit sur sa tête avec une brosse graisseuse à laquelle manquaient la plupart des poils.

Tout en se pommadant, il penchait la tête à chaque instant pour ne pas quitter des yeux l'image de la jeune fille qui se reflétait dans la glace.

Paprika, confiante, souriait aux anges.

Le chef de gare donna une dernière retouche à son col et, tout en sifflotant, terriblement faux, la marche de Rakoczi, décrocha d'une patère fixée au mur une haute casquette noire décorée de galons d'argent. Il s'en coiffa, la campant de côté, légèrement sur l'œil, à l'angle irrésistible et cascadeur qu'affectionnent les officiers de cavalerie.

Pompeusement, imbu de l'importance que lui donnait dans la hiérarchie humaine sa position de chef de gare, il revint au guichet d'une démarche presque militaire, cambrant le mollet.

Il leva le carreau et put examiner tout à son aise cet oiseau si matinal. Il remarqua combien la soie rouge de la robe faisait ressortir la pâleur du teint et la blondeur des cheveux de l'aguichante voyageuse.

— Budapest, hein ?

Il prit un ticket dans une des petites cases de l'étagère à sa droite, l'examina minutieusement avec un air d'importance, le glissa dans la fente de l'estampilleur pour y graver la date, puis le poinçonna.

— Neuf couronnes et cinquante fillérs ! dit-il en tendant le petit carton brun à la jeune fille.

Paprika fouilla dans son mouchoir. Hésitante, elle déposa sur la tablette la montre et la chaîne du paysan et les poussa de l'autre côté du guichet.

— Je n'ai pas d'argent ! dit-elle en levant de grands yeux suppliants. Alors j'ai pensé que vous seriez peut-être assez

177

bon pour accepter cette montre en paiement. Elle appartenait à mon père qui est mort. C'est tout ce que je possède. Je suis sûre qu'elle vaut beaucoup plus que le prix du billet !

Il ne lui serait jamais venu à l'idée de payer son voyage avec l'argent qu'elle avait volé. L'argent, c'est fait pour être dérobé, précieusement gardé, mais certainement pas pour être déboursé. Comme tous ceux de sa race, Paprika était habituée à pratiquer le troc.

Le chef de gare la regarda, ahuri. Puis, prenant l'énorme boîtier, il l'examina avec la morgue et l'assurance d'un expert et le porta à son oreille, bien que quelqu'un qui se serait alors trouvé sur le quai au-dehors aurait pu en entendre le « discret » mouvement.

Jetant un coup d'œil sur la pendule accrochée au mur, il entreprit de régler la toquante d'argent et la remonta.

Ce faisant, il calculait. Le train passait à cinq heures cinq. Il n'était encore que trois heures sept. Il avait tout le temps.

— Je ne peux pas faire entrer une chaîne et une montre en compte dans ma caisse ! expliqua-t-il, l'air désabusé. Tout ce que je puis faire, c'est vous les acheter. Ensuite, vous pourrez payer votre billet avec mon propre argent !

Paprika trembla. Un instant, elle eut peur que dans son élan de générosité, il ne sortît son portefeuille et constatât la perte de ses biens. Mais il continua :

— D'ailleurs, je n'ai pas besoin de montre. J'en ai déjà une !

Et il sortit de la poche de sa tunique une énorme savonnette qui pendait au bout d'une lanière de cuir.

— Oui, bien sûr, mais celle-ci est encore plus grosse, insista-t-elle, et elle est en argent, ainsi que la chaîne. Et le petit cochon de la pendeloque est aussi en argent pur !

— Hum !

— Elle ferait tellement bien sur vous qui êtes si élégant. Il faut absolument que j'aille à Budapest. Et je n'ai rien d'autre à vous offrir en échange de mon billet !

178

— Rien d'autre ? dit-il en lui jetant un coup d'œil calculateur sous ses paupières fripées, pleines de granulations.

Elle secoua ses boucles blondes et leva vers lui de grands yeux innocents.

Le chef de gare ouvrit toute grande la porte dans laquelle la fenêtre du guichet était installée. A nouveau, il examina la jeune fille, la détaillant de la tête aux pieds.

Quand Paprika vit le regard étonné de l'homme s'arrêter sur ses orteils nus, elle eut un petit rire embarrassé et, avec modestie, gauchement, elle essaya de remettre ses souliers.

— Ils me font mal !

— *Hagyja esak !* dit-il avec une compréhension trop soudaine. J'aime les pieds nus... J'aimerais bien pouvoir en faire autant. Mes pieds me font souffrir comme une douzaine de cancers à la fois. Moi aussi, je vais retirer mes bottines jusqu'à ce que le train soit signalé.

— A quelle heure passe-t-il ?

— A cinq heures cinq. Il y a encore deux heures d'attente !

Il laissa courir sur ses lèvres une langue gourmande et ajouta, aimable :

— Vous feriez mieux de venir par ici vous asseoir, ça ne coûte pas plus cher !

Paprika comprit que la montre allait être acceptée pour prix de son voyage.

— Asseyez-vous donc ici sur le sofa !

Elle regardait autour d'elle, timide, craintive, comme particulièrement intéressée par la décoration inexistante de l'endroit.

— *Gyere !* Vous n'avez pas besoin d'avoir peur. Je ne vais pas vous mordre !

Paprika gloussa.

— Oh ! Je sais bien, *allomasfonok ur* !

Il referma la porte, donna un tour de clé et tira un store tout effrangé sur la vitre du guichet. Il retira sa casquette et la déposa sur le bureau, ouvrit un tiroir et sortit une bouteille

179

de *palinka* à moitié pleine, qu'il emporta avec lui vers la banquette.

Paprika devina ce qui allait suivre.

C'était donc toujours la même procédure.

D'abord, le *palinka*, puis...

Mais il fallait qu'elle aille à Budapest.

Il fallait qu'elle voie Jancsi, « ce sale violoneux de gitan » qui avait joué devant le roi.

Et il fallait absolument qu'elle voie cette femme — la princesse Ilonka !

Qu'importait le reste ? Autant faire de nécessité vertu !

Assis près d'elle, l'homme ôta ses bottines élimées et la bande de tissu sale, repliée sur ses pieds, qui faisait office de chaussettes. Puis il caressa avec tendresse un gros œil-de-perdrix.

— J'ai attrapé ça au régiment ! ronchonna-t-il. Ce qu'ils ont pu nous faire marcher, les salauds ! Trente kilomètres par jour, et tous les jours pendant quatre semaines d'affilée. Bah ! Ça fait partie de la vie de soldat ! Et c'était le bon temps. Faut ça pour faire un homme, un vrai !

Il s'appuya confortablement et sembla se perdre dans une rêverie guerrière. Ses affreux gros pieds moites frôlèrent ceux de Paprika, comme par pur accident. Avec un air paternel, l'homme se pencha vers elle :

— Ainsi, vous allez à Budapest ? J'aimerais pouvoir faire le voyage avec vous ! Je n'ai jamais eu d'aussi bon temps que lorsque j'étais dans la capitale. C'était à l'époque de mon service au Troisième Honved d'infanterie. Vous savez ce que c'est. Le vin, les femmes, les chansons ! Surtout les femmes ! Et elles étaient toutes aussi piquantes que le paprika !

— Tiens ! C'est mon nom ! dit-elle.

Il parut surpris.

— Paprika ?

Elle fit un signe affirmatif en souriant.

— *Na hat !* C'est une coïncidence ? Êtes-vous — enfin — vous savez ce que je veux dire par paprika ?

PAPRIKA

Pour s'amuser, il la chatouilla sous le bras. Comme elle levait la main vers l'aisselle pour se protéger, hardiment, il tâta sa poitrine. Il se mit à rire comme s'il s'agissait d'un jeu sans arrière-pensée.

Paprika pensa qu'il valait mieux rire, elle aussi, afin de ne pas le contrarier.

Du coup, le fonctionnaire leva la bouteille :

— Eh bien ! A la vôtre, Paprika !

Il avala une longue gorgée et lui tendit le flacon.

Elle accepta.

— A la bonne heure ! *Galambom !* Moi, j'aime les femmes, quand elles sont pompettes.

Son rire sifflait entre ses longues dents. Son bras, engoncé dans la manche trop longue de son uniforme, reposait sur le dossier du vieux sofa de cuir, derrière la jeune fille. Tout à coup, il glissa, comme par accident !

Mais il fallait qu'elle aille à Budapest.

Une seconde plus tard, Paprika était renversée sur le sofa, ses lèvres couvertes par une bouche d'où s'exhalait un relent de *palinka*, d'ail et de dents cariées.

— Lâchez-moi ! cria-t-elle.

— *Na, guere mar !* Pour qui me prends-tu ? ricana-t-il. C'est bien moi qui vais payer ton billet ! Pas vrai ? Alors...

Elle se débattit. Mais il était trop fort et Budapest était encore à 190 kilomètres de là.

Elle ferma les yeux, retint sa respiration.

Et elle pensa à Jancsi...

Le jour se leva, mais le soleil restait derrière des nuages très bas.

L'air du matin était lourd et oppressant quand le train de cinq heures entra en gare.

C'était un de ces tortillards qui s'arrêtent à tout bout de champ et dont tous les compartiments sont de troisième classe, à l'exception d'un coupé de seconde.

Paprika était la seule voyageuse sur le quai. Le chef de

gare, arborant maintenant sa casquette de service rouge vif, cherchait à l'impressionner en signant d'un air très digne les paperasses que lui présentait le convoyeur du train.

Profitant d'un instant où elle ne l'observait pas, il la désigna d'un clin d'œil significatif au contrôleur, un gros homme court et ventru dont les joues replètes s'ornaient de magnifiques rouflaquettes.

Comprenant la mimique, le courtaud se tourna pour bien examiner la personne en question.

Celle-ci, d'ailleurs, venait d'être repérée par une troupe de jeunes réservistes, en route pour rejoindre leur garnison.

Des têtes tondues à ras, sous des képis posés de travers, à un angle que réprouve tout règlement militaire, surgissaient les unes par-dessus les autres à la portière des wagons de troisième. Tous les troufions sifflaient pour manifester leur admiration devant une aussi jolie tournure, ou bien envoyaient des quolibets qui firent comprendre à Paprika que l'on n'était pas de bois, que diable ! dans l'armée de Sa Majesté :

— Par ici, la petite blonde !

— Y a de la place chez nous !

— On t'en fera même pour t'allonger !

— Non ! Par ici, nous, on a de la gnôle !

— On va pouvoir rigoler ensemble !

Paprika ne savait que faire. Le chef de gare qui avait si bien promis de s'occuper d'elle, était retourné dans son bureau. Les appréciations bruyantes — louangeuses sans doute —, mais en termes précis, de ses charmes par ces admirateurs martiaux la gênaient au plus haut point.

— *Jesuzom !* la belle paire de miches !

— Juste de quoi remplir les mains d'un honnête soldat !

— *Igen !* Tu parles d'un collier qu'elle doit pouvoir faire avec des fuseaux pareils !

Le plus jeune d'entre eux, qui avait un fruit à la main, lui proposa, clignant de l'œil :

— Eh ! la belle enfant, est-ce que tu veux croquer la pomme avec moi ?

182

Et tous de rire à ventre déboutonné.

Perdant contenance, ne sachant où aller, Paprika fut tirée d'un dilemme embarrassant par le fonctionnaire bedonnant. Se tournant vers les militaires, il leur jeta en aboyant du ton aimable d'un sergent instructeur :

— Vos gueules, là-dedans !

En maugréant, les réservistes disparurent dans leurs compartiments, tandis que le contrôleur, d'un air débonnaire, invitait Paprika à le suivre.

— Bonne chance, Paprika ! lui envoya en guise d'adieu le chef de gare, réapparaissant sur le seuil de son bureau. N'oublie surtout pas de t'arrêter ici, sur ton chemin de retour !

Gênée, elle fit néanmoins un petit signe d'intelligence.

Le contrôleur ouvrit la portière du coupé de seconde, s'écarta galamment, d'abord pour la laisser passer, mais surtout pour reluquer les longues jambes qui gravissaient lestement le marchepied.

Il échangea discrètement un sourire de connivence avec le chef de gare puis, brusquement, reprenant son sérieux, envoya un salut impeccable et déférent à son supérieur. L'homme à la casquette rouge lui répondit avec dignité. Le mécanicien et le chauffeur de la locomotive, eux aussi, s'étaient penchés hors de leur machine pour dévorer Paprika de leurs yeux cernés de suie, en attendant le signal du départ.

Respectant l'ordre immuable du règlement, le chef de gare, le premier, porta à ses lèvres son petit sifflet, dont il tira un maigre son bref ; puis le contrôleur, embouchant sa petite trompette, émit un long mugissement.

A regret, les deux barbouillés réintégrèrent leur fournaise. Le mécanicien tira la manette du sifflet d'alarme de la locomotive qui lança trois appels stridents comme les cris d'une femme en détresse, effarouchant toute une bande de corbeaux qui tournoyaient au-dessus du train.

Le trop-plein de vapeur s'échappa avec un sifflement assourdissant. Les roues patinèrent sur place deux ou trois tours ; en grinçant, le vieil engin poussif haleta, toussa, asthmatique, exhalant vers les nuages des bouffées de fumée jaune. Le train lentement s'ébranla.

Le contrôleur, pour bien montrer son agilité, attendit que le convoi eût acquis une certaine vitesse pour sauter en marche dans le coupé de seconde. Puis il referma la portière sur lui.

Paprika, debout dans le couloir, attendait, ne sachant quelle direction prendre. Son nouveau protecteur ouvrit un compartiment avec son passe-partout et lui fit signe d'entrer.

Paprika, sur le quai, avait eu le temps d'entrevoir l'intérieur des troisièmes classes avec leurs durs bancs de bois mais, devant le rembourrage des banquettes de cuir noir des secondes, elle restait bouche bée d'admiration, ne pouvant imaginer qu'un tel luxe existât.

— Installez-vous à votre aise, *kis macska* ! lui proposa le gros petit homme, roucoulant comme un pigeon ; c'est un long trajet jusqu'à Budapest. Autant vous allonger.

Il mit le loquet intérieur et baissa le rideau sur toutes les vitres.

Hésitante, Paprika s'assit sur le bord du siège comme une pensionnaire en visite. L'homme prit place en face d'elle et ralluma ce qui lui restait d'un cigare déjà à moitié fumé.

— Vous pouvez même vous déshabiller si vous voulez. Je ne laisserai entrer personne ici ! lui assura-t-il.

Il se débarrassa de sa sacoche de cuir et de sa trompette et les déposa dans le filet à bagages juste au-dessus de lui. Puis il s'allongea confortablement et s'évertua à faire des ronds savants avec la fumée de son mégot, tout en surveillant du coin de l'œil son vis-à-vis.

Tout à coup, une idée géniale lui traversa l'esprit. Il déboutonna sa tunique et extirpa d'une poche intérieure une bouteille plate :

— J'allais oublier que j'avais ça sur moi ! C'est un sacré remontant quand il faut passer la nuit !

Il déboucha le flacon et le tendit à la jeune fille.

PAPRIKA

L'apparition soudaine du *palinka* réveilla le sens de l'humour de Paprika qui ne put s'empêcher de sourire. Apparemment, c'était là une ruse traditionnelle que tous les hommes semblaient connaître. D'abord la bouteille, ensuite...

Résignée, elle accepta une petite gorgée d'eau-de-vie.

— Allons, buvez un bon coup ! Y a rien de tel pour se sentir mieux !

Machinalement, elle obéit. Elle avait peur que, malgré un départ si réussi, il lui fallût marcher les cent quatre-vingt-dix kilomètres qui la séparaient encore de Budapest.

Sa courte expérience des hommes lui disait qu'il n'y avait qu'une seule chose à faire : être complaisante avec le contrôleur, en dépit de sa panse et d'un physique qui n'avait rien d'avenant. Décidément, le monde était fait par les hommes et pour les hommes uniquement !

Paprika commençait à voir les événements avec une certaine philosophie. Et tandis que le train roulait avec monotonie, le bruit des roues, ponctué à intervalles réguliers du choc sourd et rebondissant qu'elles font en passant sur chaque joint des rails, semblait, dans son esprit, épouser le rythme particulier d'un chant, d'une mélodie gitane, confuse, imprécise d'abord, puis plus nette. Paprika reconnut l'air : celui-là même que Jancsi jouait jadis pour elle.

La mélodie qu'il avait nommée « Paprika » en souvenir d'elle. Cette peinture musicale de la vie gitane dont elle était la figure centrale.

La composition qu'il avait jouée devant le roi, et aussi devant la princesse Ilonka.

— Ainsi, vous allez à Budapest ?

La voix du contrôleur interrompit la symphonie intérieure. L'homme était là, près d'elle, ses formes rondouillardes étalées, débordant de la banquette.

Elle sentit les gros bras enlacer ses épaules et une petite patte aux doigts boudinés s'égarer dans son corsage.

— Vous vous débrouillerez très bien dans la capitale, faite

comme vous l'êtes. Ça se paie cher, les fruits verts, à Budapest !

Soudain, l'obscurité totale se fit dans le compartiment.

Le train enfilait un long tunnel.

Pour la forme, Paprika offrit une molle résistance.

Elle ferma ses yeux las et pensa à celui qu'elle désirait plus que toute autre chose au monde.

VI

LE crépuscule enveloppait déjà Budapest quand le train stoppa le long du quai d'arrivée.

La gigantesque verrière de la gare du Sud était encore tout irisée des dernières lueurs du jour qui s'évanouissait.

Tout en haut de la voûte, les grands arcs électriques clignotaient déjà et leur clarté bleuâtre inondait l'intérieur de la gare.

Paprika, lasse et désabusée, souhaitait en descendant du wagon n'avoir jamais quitté l'abri du camp gitan.

De plus, les souliers rouges, aux talons effilés, qu'elle avait remis lui faisaient vraiment très mal. Elle marchait comme sur des œufs, lentement, précautionneusement, à petits pas incertains. Elle serrait les dents dans son effort.

Les yeux de quelques voyageurs particulièrement peu pressés de gagner la sortie avaient glissé sur elle, sans plus d'intérêt que sur n'importe quel autre personnage anonyme de la foule. Mais après une seconde de réflexion, choqués par cette insolite vision qui venait seulement de parvenir à leur cerveau, leurs regards revenaient sur elle, comme pour contrôler la véracité de leur impression première. Alors ces badauds moqueurs souriaient et se poussaient du coude en se faisant remarquer mutuellement l'accoutrement ridicule et l'air de province de la jeune fille. Mais sa magnifique tournure, son port royal et son beau visage avec son expression étrange faisaient oublier le grotesque de son costume, et aussitôt les quolibets s'arrêtaient sur les lèvres des passants.

Les flots d'une humanité grouillante et affairée, les échanges bruyants d'accueils et d'adieux, l'étourdissaient. Chacun semblait avoir des parents, des amis ; tous, sauf elle.

Figée sur place, elle restait là, ne sachant de quel côté diriger ses pas.

La bousculade générale décida pour elle. Comme un fétu de paille, elle fut entraînée par une cohue de gens qui se précipitaient vers la sortie.

Coincé contre elle se trouvait un petit homme malingre dont le cou de dindon dépassait d'un col trop grand pour lui et dont le long nez pointu était chevauché d'un lorgnon à monture d'or. Le type parfait du pédagogue.

Grâce à un remous de la foule, il vint se coller contre la jeune fille, et un éclair d'érotisme passa dans ses yeux éteints.

Quand il se fut assuré que personne ne pouvait l'observer, il lui pinça la fesse.

Paprika sursauta et se retourna.

Mais son regard indigné ne rencontra que les yeux faussement étonnés de l'hypocrite.

Elle émergea finalement dans la rue et, pour la première fois de sa vie, fut mêlée au tumulte d'une grande cité.

Les tramways électriques, les autobus, les omnibus des hôtels, les fiacres, les taxis automobiles allaient et venaient, se croisaient, se poursuivaient, dans un tohu-bohu indescriptible, avec un vacarme infernal.

Les lumières de la ville et les enseignes lumineuses intermittentes, dont les couleurs éclatantes jaillissaient de tous côtés, l'aveuglaient.

La clameur des cochers et des marchands de journaux, les timbres des trams, les trompes des voitures, les sifflets impé-

ratifs des agents de la circulation, toute cette étrange cacophonie de la vie d'une cité l'étourdissait.

La foule qui l'avait portée malgré elle jusque-là se disper-
sait maintenant dans toutes les directions, mais une autre
non moins dense se reformait aussitôt, grâce aux nouveaux
arrivages de voyageurs qui descendaient des fiacres, des taxis
ou des bus d'hôtels avec leurs valises et leurs malles.

Des porteurs, sanglés dans leur blouse à rayures bleues et
blanches, se disputaient frénétiquement les bagages, tandis
que tout le monde s'enlaçait, s'embrassait, se serrait la main,
échangeait des adieux et des promesses, ajoutant au tintamarre environnant.

Paprika vit le chétif pédagogue disparaître dans les bras
puissants de sa femme, une plantureuse matrone flanquée
d'un quatuor de moutards maladifs qui attendaient patiemment leur part des effusions paternelles. Tandis qu'il embrassait sa famille comme il se doit, le « monsieur-pince-fesse »
roulait toujours dans la direction de Paprika de petits yeux
émoustillés.

Elle remarqua des individus à l'allure importante sanglés
dans des uniformes, coiffés de casques bulbeux, sabre au
côté, avec des numéros inscrits sur la boucle luisante de leur
ceinture. Ils semblaient donner des ordres à tout le monde, et
Paprika en conclut qu'ils devaient être de la police. Surmontant sa terreur innée pour les représentants de la Loi, elle
s'approcha timidement du plus proche, une grande et belle
brute qui agitait énergiquement une grande main gantée de
blanc pour faire circuler la foule et dégager le passage.

Paprika, extirpant de son corsage le papier d'emballage sur
lequel elle avait collé l'image de Jancsi, le tendit à l'agent de
police.

— S'il vous plaît ? *rendor ur !* balbutia-t-elle avec déférence.

— Que peut-on faire pour ta frimousse, ma poupée ?
répondit-il, souriant, en la regardant de la tête aux pieds.

Il la prit par le bras — avec l'air protecteur qu'affectent

depuis tout temps tous les agents du monde quand ils ont affaire à une jeune et jolie femme — et il l'escorta jusqu'au trottoir où il prit connaissance du papier qu'elle lui tendait.

— Et alors, que veux-tu ?

— Je cherche l'endroit où il... je veux dire Rogi Jancsi joue du violon !

Il la regarda avec un intérêt grandissant.

— Tu le connais ?

Bien que ne s'attendant pas à cette question, Paprika n'hésita qu'une seconde pour hocher la tête affirmativement et répondre avec assurance :

— C'est mon frère !

L'agent, qui avait admiré ses cheveux blonds et son teint laiteux, remarqua avec un bienveillant scepticisme :

— Tu ne m'as pas l'air d'une Cigany !

— Oh ! mon père était blanc. C'était un des magnats de Hongrie ! rétorqua-t-elle, toute fière.

Puis, se rendant compte qu'elle venait de se couper, elle ajouta précipitamment pour réparer sa gaffe :

— C'est-à-dire que Rogi Jancsi n'est que mon demi-frère !

L'agent l'étudiait avec curiosité.

— Pourquoi n'est-il pas venu à ta rencontre ?

— Oh ! Il ne sait pas que je viens ! répliqua-t-elle instanta-nément. Je veux lui faire une surprise !

Il la regarda à nouveau de pied en cap, ses yeux s'arrêtant à plaisir sur la poitrine provocante de la jeune reine des gitans.

— Eh bien ! expliqua-t-il lentement, ton frère se trouve loin d'ici. Il joue au restaurant « Marcus », dans l'île Sainte-Marguerite. Tu vas prendre le tram 47, ici, sur la place. Il t'emmènera jusqu'au boulevard Sainte-Marguerite, le long du Danube. Puis tu traverseras le pont Sainte-Marguerite jusqu'à l'île.

Après une pause, il ajouta :

— Si je n'étais pas de service, j'irais bien t'accompagner moi-même !

PAPRIKA

Paprika eut un sourire comme pour se mettre dans les bonnes grâces de l'homme, mais se félicita intérieurement de l'heureux hasard qui semblait prendre pitié d'elle en retenant celui-là à son devoir.

— Tu vas t'installer pour de bon en ville ?

— Je ne sais pas encore !

Un large sourire découvrait les belles dents éclatantes :

— Eh bien ! si tu restes, il faudra qu'on se revoie ! Moi, j'aime les petites blondes, et je parie que toi, tu aimes les grands costauds !

Comme elle baissait la tête sans répondre, du bout de son index il lui releva le menton.

— On pourrait se rencontrer dimanche prochain ? C'est mon jour de repos. On pourra vraiment rigoler ! On fera un pique-nique, puis du canotage, puis on ira aux cascades, et tout le bazar. Hein ? Le soir, on ira danser. Et après un dîner bien arrosé, on ira s'étendre sur le gazon, pour... enfin... pour regarder passer les bateaux. Ça te plairait ?

Paprika jugea bon de ne pas le contrarier.

— Ça sera très amusant, en effet !

— Tu parles ! fit-il avec un sourire qui insinuait bien des choses.

— Mais je ne sais pas encore où je vais habiter. Peut-être que mon frère voudra me garder chez lui ?

Il se pencha vers elle pour lui glisser à l'oreille, sur le ton de la confidence :

— Tu n'es peut-être pas au courant, mais ton frère a d'autres chats à fouetter. Il a un béguin et un sacré béguin ! Avec une Princesse ! Rien que ça ! Il vit dans son palais, et elle lui a mis un fil à la patte. Paraît qu'elle ne lui laisse pas beaucoup de loisirs !

Le gardien de la paix ponctua son discours d'un gros rire.

Le fait que la première personne à qui elle s'adressait, en arrivant à Budapest, fût au courant de tous les détails de la vie amoureuse de Jancsi avec cette princesse fit subitement

191

monter le sang aux joues de Paprika. Devant ses yeux, toutes les lumières se mirent à danser une sarabande.

— Je te fais un pari que la princesse Ilonka ne te laissera pas vivre chez elle, même si ton frère le voulait. Elle serait jalouse de sa propre grand-mère ! Alors, ça tient pour dimanche ?

Paprika, dans sa stupeur, était incapable de répondre. Heureusement, juste à cet instant, un embouteillage se produisit dans la circulation.

— Attends une seconde ! lui dit-il, il faut que j'aille mettre de l'ordre là-dedans !

Il se redressa, se raidit, tendit sa tunique et, l'air important, s'éloigna d'un pas décidé.

Après un interlude d'ordres impérieux, accompagnés d'une gesticulation efficace, en plein milieu d'un enchevêtrement de trafic qu'il réussit à démêler, il revint vers Paprika.

— Alors... c'est convenu, pour dimanche à neuf heures et demie ? réitéra-t-il. Devant le monument de Kossuth, sur la *Orszaghaz-ter*. Tu n'auras pas de mal à trouver. N'importe qui te dira où c'est !

Hésitante, elle marmonna : « Je... Je ne crois pas... », puis, pensant qu'il était plus facile d'accepter :

— Eh bien ! oui... Bon ! C'est entendu, *rendor-ur*, j'y serai.

— *Na Kesz !* C'est promis !

L'agent lui tendit la main avec un large sourire suffisant. Elle hésita quelque peu à lui tendre la sienne.

— Maintenant, je vais te conduire jusqu'au tram. L'inspecteur est capable de surgir d'une minute à l'autre.

Et sans plus lui demander son avis, la prenant par le coude, il la mena jusqu'au n° 47 qui stationnait à quelques pas de là.

Le receveur, un assez joli garçon, était en train de faire passer le trolley de l'avant à l'arrière. L'agent lui fit signe et lui désigna la jeune fille :

— Fais-la descendre au Pont Margit ! Elle veut aller à *Margit Sziget !*

PAPRIKA

Le receveur regarda Paprika avec un intérêt manifeste. Il toucha la visière de sa casquette d'un doigt, pour faire comprendre à l'agent qu'il prenait bonne note de sa recommandation. Puis, il fit signe à Paprika de monter sur la plate-forme arrière, et profita de ce qu'elle passait devant lui pour admirer le galbe de ses jambes.

— Alors dimanche ! N'oublie pas !

— Il n'y a pas de danger ! Et merci encore ! répondit-elle en souriant.

L'agent lui envoya un petit salut coquin et s'éloigna rapidement.

Le receveur indiqua une banquette à Paprika qui s'y installa. Il tira sur la sonnette du signal.

Le conducteur, impatient, fit tinter plusieurs fois son timbre, et le tramway s'ébranla d'un seul coup, compromettant l'équilibre des occupants, puis commença péniblement son parcours suivant le tracé des rails, à travers un embrouillamini de véhicules divers et de piétons affairés.

Il n'y avait que peu de monde dans la voiture. Après avoir perçu le prix de toutes les autres places, le receveur s'approcha de Paprika et lui tendit un ticket qu'il venait de poinçonner.

— Vingt fillérs !

Elle prit le billet, levant vers lui un regard timide.

— Mais... je n'ai pas d'argent ! *Kalauz ur !* L'agent de police n'a donc pas payé pour moi ?

Le receveur secoua la tête négativement. Elle ouvrit de grands yeux innocents :

— Il a dû oublier. Tant pis ! J'irai à pied !

Et elle se leva et se retourna pour descendre. Après un coup d'œil sur ses hanches ondulantes, le receveur la retint :

— Ça ne fait rien ! dit-il. Si vous allez à pied, vous ne serez pas rendue avant demain matin. Je vais payer pour vous !

Paprika se retourna avec une expression de surprise remarquablement simulée :

— Vous... Vous allez payer pour moi ?

Il cracha dans la rue avec désinvolture.

— Et pourquoi pas ? demanda-t-il nonchalamment.

— Je vous remercie infiniment, *Kalauz ur*. Je suis sûre que le *rendor* vous remboursera la prochaine fois qu'il vous verra !

— Oh ! Ça ne vaut même pas la peine d'en parler. Je peux encore me permettre de dépenser quelques fillérs !

Il tira deux pièces de sa poche et, consciencieusement, les déposa dans la sacoche de cuir qui pendait à son épaule.

— Vous m'avez l'air de le connaître joliment bien, ce flic-là ! avança-t-il, le regard perplexe.

— *Nem !* Je viens seulement de le rencontrer.

— Mais, je l'ai entendu vous parler d'un rendez-vous pour dimanche !

— *Igen !* — mais c'est seulement au cas, au cas où je pourrais m'y rendre.

Le receveur la regarda de travers.

— Alors, pourquoi aurait-il dû payer pour vous ?

Il lui fallut faire appel à toute son imagination pour, très vite, inventer un mensonge qui pût faire illusion de vérité.

— Parce que je lui ai dit que j'avais perdu mon argent. Il m'a proposé de m'en prêter, et je devais le rencontrer dimanche pour le lui rendre, mais puisqu'il ne vous a pas payé...

— Oh ! Je comprends !

Le receveur parut soulagé d'un doute.

— Et qu'allez-vous faire dans l'île ? demanda-t-il après un petit silence.

Ses mensonges au sujet de sa visite à Jancsi ayant eu des résultats inattendus, elle essaya une autre histoire inventée de toutes pièces :

— Je vais rendre visite à ma sœur. Elle travaille au restaurant « Marcus ».

— Vous allez habiter avec elle ?

Elle eut un instant d'hésitation.

194

— Je ne sais pas encore. Elle est mariée et ne voudra peut-être pas que je reste avec elle et son mari. Elle est terriblement jalouse !

— Eh bien ! Si jamais vous rentrez ce soir, souvenez-vous que je fais le trajet jusqu'à deux heures et demie du matin. C'est l'heure de départ du dernier tram au Pont Margit. Après, je suis libre jusqu'au lendemain trois heures dans l'après-midi. Au cas où vous ne pourriez pas rester chez votre sœur, attendez-moi en tête de ligne, je vous conduirai là où vous voudrez aller !

Elle lui envoya un coup d'œil calculateur.

— Je ne connais personne d'autre à Budapest que ma sœur !

— Eh bien ! Vous pourrez venir chez moi !

La plupart des voyageurs étant absorbés dans la lecture des journaux du soir, il se rapprocha et glissa son bras sur la banquette, derrière elle.

— Je parie que ça gazerait, nous deux ! Pas vrai ?

Paprika sourit afin de n'avoir pas à se compromettre par une réponse explicite.

Il la chatouilla sous le bras, et comme par un pur hasard, frôla sa poitrine.

Paprika gloussa avec un petit rire nerveux en se dégageant.

— Vous connaissez le restaurant « Marcus » ? demanda-t-elle, essayant de redonner à leur conversation un ton plus anodin.

— C'est un endroit tout ce qu'il y a de chic ! votre sœur, quel emploi y occupe-t-elle ?

— Oh ! Elle travaille à la cuisine. Elle m'a raconté dans ses lettres tout ce qui se passe là-bas. Il paraît qu'en ce moment, dans le restaurant, c'est un gitan qui joue du violon. Oh ! comment s'appelle-t-il ? Je ne me souviens plus de son nom.

— Oh ! Vous voulez parler de Rogi Jancsi !

— C'est ça ! Je me demande s'il est vraiment aussi extraordinaire que ma sœur le prétend.

Le receveur éclata de rire.

— Ça dépend dans quel sens vous voulez dire ? Si c'est pour ce qui est de jouer du violon, alors là, oui, il est formidable ! Tout le monde est entiché de ce sacré tzigane. Il peut vous faire pleurer aussi vite que ça !

Il fit claquer ses doigts pour illustrer ce que son vocabulaire était incapable de traduire.

— Il n'y a pas quinze jours, il a joué devant Jozsi Bacsi ! Paprika sentit sa gorge se serrer.

— Est-ce vrai qu'une princesse est amoureuse de lui ? demanda-t-elle, le cœur battant à tout rompre dans sa poitrine.

Le receveur, voulant jouer au déluré pour l'impressionner, commença à lui raconter, sur le ton de la confidence, comme s'il était le seul à les connaître, des faits qui étaient de notoriété publique, farcis de détails issus de sa propre invention :

— Si c'est vrai ? Il mène la princesse Ilonka par le bout du nez ! C'est elle qui l'a ramassé dans la rue, quand il est sorti de prison. Il jouait du violon sur le trottoir, devant la poussette d'un marchand de saucisses. Ah ! Il n'était pas reluisant, sale, dégoûtant, plein de poux ! Faut le voir maintenant ! Attifé comme une gravure de mode, parfumé et pommadé. Il se prélasse dans un palais, comme un roi. Je vous montrerai l'endroit, on passe juste devant. La Princesse lui apporte son café au lait, elle-même, tous les matins au lit ! Oui... Paraît qu'il a ce qui plaît aux dames...

Il ajouta avec un petit rire satisfait :

— Il n'est pas le seul, d'ailleurs. Je n'ai peut-être pas de violon, moi mais ce que j'ai, eh bien, ça ne déplaît pas non plus au beau sexe.

Il lui décocha un coup de coude en s'esclaffant. Paprika lui répondit d'un sourire machinal, l'esprit ailleurs.

Le tramway s'engagea dans *Margit Korut*. En passant au coin de *Kiraly Hagi*, le receveur, s'adressant à Paprika, lui désigna un élégant palais :

— Vous voyez la grande porte devant laquelle se tient ce gros portier en livrée ? C'est là que la princesse Ilonka habite

196

avec son tzigane chéri... Tout de même... Y'en a qu'ont la vie facile !

Paprika regarda l'édifice avec une curiosité avide. Devinant derrière les rideaux de dentelle d'une grande baie une douce lumière tamisée, elle se demanda si Jancsi et la Princesse étaient encore au lit. Un goût de fiel lui monta à la bouche. Ses yeux se brouillèrent. Elle serra les poings.

Le quai du Danube était le point terminus de la ligne. La voiture stoppa, se vida, et les voyageurs s'égaillèrent dans toutes les directions. Après avoir changé le trolley de direction, le receveur revint près de Paprika, la prit par le coude et lui montra du doigt le pont de l'autre côté du boulevard Sainte-Marguerite :

— Voilà *Margit Hid.* Vous allez le franchir. Vous verrez, au milieu du pont, il y a un embranchement. Vous prendrez le bras de gauche qui conduit dans l'île. Vous ne pouvez pas vous tromper.

Il sortit son porte-monnaie de sa poche, l'ouvrit, y prit une pièce qu'il lui tendit :

— Voici une *korona,* dans le cas où vous auriez envie d'une saucisse ou d'un verre de vin. Et si vous revenez, n'oubliez pas de me rejoindre ici. Le dernier tram part à deux heures et demie !

Paprika, distraite, acquiesça de la tête. Brusquement, elle se sentit presque soulevée de terre. De ses bras vigoureux, l'homme la serra fort contre lui et lui déposa un gros baiser bruyant sur la bouche.

— Je t'attendrai ce soir, *edesem* !

L'esprit toujours hanté par le palais qu'elle avait vu, de ses yeux vu, et où Jancsi vivait avec cette princesse, Paprika s'éloigna comme un automate vers le trottoir tout proche. Il lui fallut attendre, pour traverser, que le trafic s'arrêtât. Le tram repartit et, passant devant elle, le receveur lui fit un signe de la main qu'elle ne remarqua même pas.

Suivant un petit groupe de piétons, elle s'engagea sur la chaussée, se dirigeant vers le Pont Sainte-Marguerite.

A cet instant précis, un long grincement, suivi d'un bruit de collision et de cris de terreur, se fit entendre.

Puis une terrible explosion retentit.

A l'entrée du pont, un lourd véhicule venait d'emboutir un camion-citerne qui transportait du pétrole. Le liquide, jaillissant des flancs du véhicule éventré, avait pris feu. En quelques secondes, l'accès du pont n'était plus qu'un brasier ardent.

Des gens affolés couraient dans toutes les directions. Le trafic s'arrêta, créant un embouteillage monstre. Des cris et des hurlements d'agonie parvenaient du pont en flammes. Des sifflets de police essayaient de percer ce vacarme.

Deux agents de la police montée piquèrent brusquement un galop, obligeant malgré elle la foule à se disperser. Les agents en patrouille dans les environs couraient de toute la vitesse de leurs jambes vers la scène de l'accident. Les soldats qui passaient par hasard se précipitaient automatiquement pour prêter main-forte à la police dans les travaux de sauvetage. Près de postes avertisseurs, deux policiers donnaient l'alerte aux pompiers.

Comme tout le monde, Paprika accourut sur les lieux. Elle fut noyée dans la marée des gens qui se bousculaient pour mieux voir et que la police avait bien du mal à contenir à une certaine distance des abords du pont.

Du milieu des flammes gigantesques et des tourbillons de fumée où ils s'étaient engouffrés, des agents et des soldats réapparaissaient, portant des blessés.

On entendit soudain le son d'une trompette, qui allait s'amplifiant, répétant inlassablement ses deux notes à la quarte.

Quelques instants plus tard, des quatre coins de la ville, d'autres trompettes résonnèrent, répondant en canon à la première, de leurs deux notes, sur des tons différents, et se rapprochèrent du sinistre dans un concert forcené.

Les pompes et tout le matériel d'incendie arrivèrent en trombe de toutes les directions.

PAPRIKA

Les pompiers sautèrent à bas de leurs camions et, sur un commandement de l'officier en charge, une vingtaine d'entre eux, en uniformes d'amiante blancs et coiffés de masques contre l'asphyxie sous leurs casques, brandissant des extincteurs chimiques et tirant après eux de grands tuyaux, se précipitèrent dans l'enfer du feu, d'où continuaient à parvenir des cris de détresse.

Les lances crachèrent du sable dans les flammes.

Les pompes pneumatiques fonctionnèrent à plein rendement. Des ambulances arrivèrent sur place.

Puis des réserves de police, faisant le cordon, firent reculer la foule des curieux, de plus en plus dense aux abords de la tête du pont sur chaque berge.

Le trafic était totalement bloqué sur le boulevard qui longe le Danube.

Les victimes de l'accident furent déposées dans les ambulances qui les emmenèrent aussitôt.

Dans tout ce tumulte, Paprika se souvint soudain qu'il lui fallait parvenir à l'île Sainte-Marguerite. Mais maintenant que le pont obstrué lui barrait la route, comment allait-elle se rendre à sa destination ? Elle n'en avait aucune idée.

Elle chercha autour d'elle quelqu'un à qui demander le renseignement. A ses côtés, elle remarqua un gros costaud, au torse puissant, moulé dans un maillot de jersey à rayures rouges et blanches. Des ancres marines étaient tatouées sur ses avant-bras musclés et, dans l'échancrure généreuse du chandail, un cœur perforé d'une flèche ornait le milieu de son poitrail.

L'homme, depuis quelques instants déjà, observait la jeune fille. Il lui sourit quand elle se tourna, hésitante, vers lui.

— *Kérem*, Monsieur le marin, y a-t-il, à part ce pont, un autre chemin pour se rendre à *Sziget Margit* ?

L'homme jeta autour de lui un coup d'œil rapide pour s'assurer que personne ne prêtait attention à leur entretien, puis se pencha vers elle :

— Mais, bien sûr ! ma belle petite gueule ! Notre bateau y

va, et on lève l'ancre justement dans un instant ! dit-il en lui montrant le fleuve en contrebas.

Paprika se pencha sur le parapet et aperçut un bâtiment à aubes qui était sous pression. Sur la coque s'étalait en lettres jadis dorées un nom qu'elle ne put lire, et pour cause ! Ce fut le matelot qui la renseigna :

— C'est lui, là, le *Hunyadi* !

La pensée qu'il lui faudrait peut-être payer son passage avec une partie du petit pécule qu'elle avait amassé, au prix de quelles humiliations, navrait son cœur de gitane.

— Mais je n'ai pas d'argent ! confia-t-elle à son interlocuteur dans un chuchotement.

Le grand gorille grimaça un sourire, tout en enveloppant d'un regard connaisseur l'accorte silhouette de la jeune fille.

— J'ai l'impression qu'on va pouvoir s'arranger quand même ! répondit-il.

Là-dessus, il la prit par le coude et la poussa à travers la foule jusqu'aux escaliers tout proches. Ils descendirent les marches qui menaient au quai.

Un coup de sifflet du bateau fit accourir les passagers qui s'étaient attardés sur les lieux de l'accident. Ils dévalèrent les escaliers, achetèrent en toute hâte leurs billets au guichet d'une petite cabine en tôle ondulée et se précipitèrent à bord.

A la passerelle, un marin, exacte réplique (mais format réduit) de celui qui avait fait la connaissance de Paprika, contrôlait les billets.

— *Vigyazoz ! Vigyazoz !* Attention à la marche ! répétait-il d'une voix monotone à chaque passager qui s'engageait sur la passerelle.

L'homme qui escortait Paprika murmura quelque chose à l'oreille du préposé au contrôle, qui regarda immédiatement la jeune fille et fit un signe affirmatif.

Instinctivement, dans un ensemble parfait, les deux matelots jetèrent un coup d'œil furtif vers la dunette pour s'assurer que le capitaine n'observait pas leur manège.

— Montez et restez près du bastingage ! murmura entre ses dents le plus gros des deux.

Paprika s'élança sur la passerelle et, prestement, de sa démarche de chat, monta à bord. La paire de matelots dévorait des yeux la courbe de sa jeune croupe.

Le marin tatoué, en sifflotant entre ses dents, s'en fut prendre son poste de l'autre côté de la passerelle, en face de son camarade qu'il seconda dans le contrôle des billets.

— *Visgyarat ! Visgyarat !*

La foule qui avait embarqué sur le petit vapeur était vulgaire, composée en grande majorité de simples soldats et de sous-officiers accompagnés de leurs bonnes amies, cuisinières et femmes de chambre pour la plupart, et de quelques minables pékins, flanqués de leurs mornes épouses.

Tous à la fois commentaient avec véhémence l'accident du pont, se massant comme un troupeau de moutons du même côté du bateau, derrière le bastingage, les yeux levés vers le pont Sainte-Marguerite d'où montaient des nuages d'épaisse fumée noire.

Le sifflet déchira l'air à nouveau. La passerelle fut retirée par deux mousses, les cordages jetés et la porte d'accès refermée.

De sa dunette, le capitaine lançait des ordres dans son mégaphone :

— Faites avancer des voyageurs sur tribord, nous penchons à babord !

En passant auprès de Paprika, le tatoué murmura du coin de la bouche :

— Dès que nous appareillerons, descendez par cette écoutille ! Je vous attendrai dans la salle des machines, *Megertett*?

Morne, Paprika hocha la tête.

Le sifflet se fit entendre à nouveau et pour la dernière fois. Les marins se précipitèrent vers les écoutilles et se laissèrent glisser le long des échelles. Les énormes roues de chaque côté battirent l'eau furieusement, entraînant le bateau qui s'élança en travers du courant vers le milieu du fleuve, laissant derrière lui un sillage d'écume.

Des rires aigus, des voix criardes, tous les bruits vulgaires d'un pique-nique populaire se répercutèrent sur le pont.

Une jeune fille au sourire en chasse-neige se mit à pincer les cordes d'un banjo. Un petit groupe joyeux se forma aussitôt autour d'elle.

— Qu'est-ce qu'on joue ? demanda un adolescent plein d'acné, prenant son accordéon en bandoulière.

Une jeune fille qui zozotait suggéra :

— Ze suis fait pour toi, tu es fait pour moi !

— Oh ! non ! Pas cette rengaine ! C'est endormant !

— Jouez « Kangouro-hop-là » ! cria une bossue.

— Je ne me souviens pas de l'air ! protesta la joueuse de banjo au sourire débordant.

— Ça ne fait rien, maligne ! T'as qu'à me suivre ! rétorqua l'accordéoniste boutonneux.

Le duo commença dans une horrible cacophonie — chaque exécutant ayant un ton et un rythme bien à lui —, mais personne ne sembla s'en offusquer.

Des bras enlacèrent des tailles. Le pont grouilla bientôt de couples qui dansaient.

Paprika regardait les amoureux danser joue à joue, mêlant leur haleine, et ses pensées s'évadèrent vers le palais de la princesse Ilonka...

L'odeur d'huile chaude qui montait de la vrombissante salle des machines la faisait aspirer à l'air pur des grands chemins.

Soudain, une grosse poigne calleuse lui saisit le poignet.

— Je vous avais pourtant bien dit de descendre ! lui souffla le gros marin, furieux.

Sans répondre, elle se laissa mener vers l'écoutille la plus proche. Le rustre la poussa rudement par l'ouverture, et elle trébucha le long des gradins.

En bas, le plus petit des deux matelots l'attendait, un rictus aux lèvres.

Un de ses hauts talons se prit dans les barreaux de l'échelle et elle glissa, perdant l'équilibre.

L'homme la rattrapa dans ses bras nus et profita de l'aubaine pour la peloter et lui appliquer, sur la bouche, un baiser sonore.

Mais le gros tatoué, toujours furieux, envoya d'un revers de la main son trop entreprenant copain s'aplatir contre la cloison :

— Moi, d'abord !

Son bras gauche souleva Paprika par la taille, tandis que le droit restait libre pour défendre sa proie, le cas échéant.

La jeune fille se débattit comme un démon, mais le marin, qui sans aucun doute était entraîné à ce genre de lutte, la maintenait le dos appuyé contre lui, afin de l'empêcher de le frapper du pied ou du genou, là où les coups font le plus mal.

Il la porta ainsi, comme un sac de charbon, jusqu'à un petit pissoir au fond de la salle des machines.

D'un coup de pied, l'homme fit voler grand ouvert le battant de la porte et, de sa main libre, envoya un pied de nez à l'autre marin, ainsi qu'au machiniste et au chauffeur de la chaudière qui, attirés par la voix de Paprika, s'étaient approchés.

Le petit matelot, jaloux, saisit un lourd bidon en cuivre contenant encore un peu d'huile et le lança à toute volée dans la direction du ravisseur, mais celui-ci repoussa la porte juste à temps et le projectile, dans un fracas de verre brisé, heurta seulement l'imposte.

De l'autre côté de la porte vinrent le bruit d'une clef tournée dans la serrure et le rire goguenard du gros marin.

Paprika luttait désespérément.

Il l'accula contre le mur. Elle se mit à hurler.

— Ta gueule ! grommela la brute.

Une énorme patte appliqua une claque terrible sur la bouche de la prisonnière. Sa tête alla heurter la cloison, et du sang parut à la commissure de ses lèvres.

— *Buta !* Tu t'imaginais peut-être que je t'offrais la balade pour ton bon plaisir ?

A demi assommée, Paprika se sentit attirée contre le gros

corps ; une bouche lippue couvrit la sienne, aspirant le sang qui continuait à couler. Elle ferma les yeux. La puanteur fétide et les relents d'ammoniaque, de chlorhyde de chaux qui émanaient de l'endroit la prirent à la gorge. Le cœur lui manqua. Elle aurait voulu s'évanouir tout à fait — pour n'être pas consciente de la dégoûtante horreur de la mésaventure qui lui arrivait.

Un remorqueur, à ce moment, croisa le bateau, le saluant d'une série de petits coups de sifflets amicaux.

*
* *

Le *Hunyadi* avait remonté le courant pendant une demi-heure. Maintenant, le petit vapeur s'apprêtait à accoster.

Sur le pont, les joyeux drilles continuaient leur vulgaire bamboche qui maintenant battait son plein.

Les couples, plus qu'à moitié ivres de *palinka* et de gros vin, dansaient toujours.

Un coup de gong retentit. Par le porte-voix, un ordre guttural descendit dans la salle des machines.

Brusquement, la porte des lavabos s'ouvrit, livrant passage à la brute tatouée qui, reboutonnant les derniers treize boutons de son pantalon à pont, se dirigea vers l'échelle menant au pont supérieur.

— Maintenant, si ça vous dit, vous pouvez vous l'envoyer ! lança-t-il gouailleur au mécanicien et au chauffeur.

Un deuxième commandement retentit .

— *Felgozerovel !*

Le mécanicien appuya sur un petit levier de cuivre.

Les vibrations du bateau diminuèrent progressivement.

— *Megallani !*

Au troisième commandement, le mécanicien poussa le levier vers la droite.

La machine s'arrêta brusquement.

PAPRIKA

Le bateau glissait silencieusement vers la jetée à peine éclairée.

Un nuage de vapeur, jaillissant des tuyaux d'échappement, enveloppa les passagers sur le pont moyen.

Paprika se faufila hors des cabinets. Comme elle se précipitait vers l'échelle d'écoutille, le mécanicien l'aperçut.

— *Guere !* La petite blonde ! lui lança-t-il, égrillard, alors, c'était bon ? Tu as mouillé ?

Angoissée, elle supplia :

— Laissez-moi sortir ! Il faut que je descende du bateau !

— Tu as tout le temps ! rétorqua l'homme, essuyant ses mains huileuses sur un chiffon déjà maculé de graisse lourde.

Il fit quelques pas et vint se placer entre Paprika et la seule issue. Il se dressait sur la pointe des pieds et retombait sur ses talons, faisant un petit bruit sec agaçant, et le sourire qui distendait ses lèvres était rien moins que rassurant.

Le soutier, traînant les semelles, vint rejoindre son compagnon.

— Toi, ma mignonne, tu vas bien me donner un petit bécot avant de partir ? demanda le mécanicien en clignant de l'œil.

Le gong retentit à nouveau :

— Renversez la vapeur !

Tout en maintenant la pauvre fille contre lui, le mécanicien exécutait les ordres. Il manipula un levier. La vapeur, en fusant, poussa le gros piston hors du cylindre.

La grosse tige brillante d'huile lourde pénétra à nouveau dans la matrice, puis remonta plus haut pour s'enfoncer plus vite et plus profond, comme retenue à l'intérieur par le vagin d'acier, puis se retira encore plus loin pour s'enfoncer encore plus avant, de plus en plus vite, lourdement, comme l'organe fantastique d'un monstre d'acier.

Le mécanicien eut un ricanement obscène :

— Ça te rappelle quelque chose ?

Elle comprit ce qu'il voulait dire, se débattit pour se libérer, mais le mécanicien au torse nu serra plus fort son étreinte et ne laissa pas échapper sa captive.

PAPRIKA

Le bateau, doucement, venait d'accoster.

Les quelques passagers dont cette escale était la destination étaient déjà descendus, et les deux mousses s'apprêtaient à lever la passerelle quand Paprika s'y engagea, dévalant la pente de toute la vitesse de ses longues jambes.

Ils ne la remarquèrent que lorsqu'elle eut sauté à quai.

— Amuse-toi bien à Sainte-Marguerite ! lui cria le gros marin aux tatouages, d'une voix goguenarde.

Paprika continua sa course, poursuivie par le rire imbécile qui lui tintait aux oreilles ; elle ne s'arrêta que lorsqu'elle entendit les roues du bateau à aubes frapper à nouveau l'eau du fleuve.

Alors, seulement, elle osa se retourner et regarder en arrière. Le *Hunyadi* continuait à remonter le courant du Danube.

Haletante, Paprika entreprit de réparer le désordre de sa toilette et de relisser sa coiffure. Elle était seule. Les quelques rares passagers qui avaient débarqué avaient disparu dans la direction de la petite ville dont elle apercevait les lumières dans le lointain.

Seule dans la pénombre que la lueur incertaine des lampes à huile de quelques réverbères, le long de la rue, ne faisait qu'accentuer, Paprika sentit le manteau glacé de la peur se poser sur ses épaules.

Quelles horreurs cette soirée lugubre avait-elle encore en réserve pour elle ?

Du noir de la nuit vint une réponse immédiate :

— *Hat ezki ?* — Vous cherchez quelqu'un ?

Elle tressaillit et se tourna dans la direction d'où venait cette question, prononcée d'une voix éraillée. Mais elle ne vit personne. Sa terreur s'accrut.

Enfin, à force de scruter les ténèbres, elle finit par distinguer un homme trapu, aux épaules larges, qui s'avançait vers elle, sortant de l'ombre, et dont les pas faisaient un bruit bizarre, irrégulier.

Son cœur battait à tout rompre.

L'homme s'approcha et répéta sa question. Elle remarqua

alors qu'il avait une jambe de bois et portait des vêtements de pêcheur. Dans son visage basané, grêlé de petite vérole, un nez court et aplati et des yeux bridés lui donnaient l'air d'un Mongol. Une odeur repoussante, nauséabonde, émanait de toute sa personne.

L'homme tirait en vain sur une petite pipe courte éteinte. Il sortit une grosse boîte d'allumettes de sa poche et en gratta une sur le pilon de bois qu'il ramena à la hauteur de sa main, en repliant sous lui le moignon de sa jambe sectionnée au-dessous du genou.

L'odeur du soufre fit tousser Paprika. L'homme l'examina furtivement à la lueur de l'allumette alors qu'il rallumait son brûle-gueule.

Finalement, Paprika put recouvrer l'usage de la parole :

— Je suis à la recherche du restaurant « Marcus ».

La petite flamme vacillante s'éteignit.

— Le restaurant « Marcus » ? répéta-t-il lentement. Je ne vois rien de ce nom-là par ici !

Paprika essaya de donner des précisions pour lui rafraîchir la mémoire.

— C'est un grand restaurant où le gitan Rogi Jancsi joue du violon !

L'homme répondit vivement :

— Oh ! oui ! J'ai entendu parler de lui ! C'est le type qui a ses petites entrées chez une dame de la haute, une espèce de princesse, il me semble ! Hein ? C'est bien ça ! Il joue au restaurant « Marcus » à *Margit Sziget* !

— Mais ce n'est donc pas *Margit Sziget*, ici ?

L'homme retira le culot de sa bouche et cracha, de biais, un jet de salive.

Il secoua la tête négativement :

— Vous êtes sur *Palota Sziget* ! Sainte-Margit est à environ quatre kilomètres au sud !

Paprika resta stupéfaite.

— Vous êtes venue par le *Hunyadi* ?

Paprika fit signe que oui. Elle était incapable de prononcer un mot. Sa gorge se serrait, et des larmes de rage lui jaillirent des yeux en songeant à ce qu'elle avait dû souffrir à bord de ce bateau pour rien ! Si seulement elle était arrivée à bon port, elle aurait tout oublié. Aucun prix n'aurait été trop cher pour accomplir son voyage jusqu'au bout. Mais être laissée là, à plus d'une lieue de son but ! Non, c'en était trop !

Se tournant vers la rivière où clignotaient encore, dans le lointain, les lumières du *Hunyadi*, elle proféra le plus noir des jurons gitans qu'elle connût.

— Comment vais-je faire pour m'y rendre ? demanda-t-elle au puant personnage qui s'était soudain matérialisé hors de l'ombre. Il faut absolument que je sois à Sainte-Marguerite ce soir !

L'homme tira une bouffée de sa pipe, plissant ses petits yeux malins :

— Vous avez de l'argent ?

Paprika secoua la tête négativement :

— J'ai donné mon dernier fillér pour prendre ce maudit bateau !

Le bancal gratta une nouvelle allumette sur son pilon et en profita pour observer à nouveau Paprika d'un œil critique.

— Qu'avez-vous donc de si pressé à faire là-bas ?

Paprika répondit avec autant de naturel que si elle disait l'exacte vérité.

— Je vais retrouver mon père ! Il joue dans l'orchestre de Jancsi. Il est très malade, et il veut me voir avant de mourir !

L'homme toussa et se racla le gosier.

— J'ai un remorqueur à moteur. Mais le pétrole coûte cher, et je n'en ai pas assez pour faire l'aller retour !

Dans sa tête, Paprika compta le plus rapidement qu'elle put. Elle avait volé quarante couronnes au paysan, onze couronnes et quarante fillérs au chef de gare. Le contrôleur du tramway lui avait donné une couronne, et elle n'avait pas encore déboursé un fillér. Vraiment, elle pouvait s'offrir le luxe de dépenser, disons... deux couronnes et quarante fillérs. Cela lui laisserait quand même la somme rondelette de cinquante couronnes, plus son pécule personnel de dix grosses pièces d'or, qu'elle avait eu soin d'emporter avec elle.

— Je vous ai dit que je n'avais plus d'argent, déclara-t-elle, c'est vrai. Mais ma mère, avant de mourir, m'a donné en talisman deux couronnes et quarante fillérs que je garde comme porte-bonheur. Je ne voulais jamais les dépenser, mais si vous me conduisez à l'île Sainte-Margit...

— *Jol Van* ! Donnez-moi ça !

Il tendit une main velue.

Paprika se félicita d'avoir séparé ces deux couronnes et la menue monnaie du reste de son capital. Elle fouilla dans sa poche et en extirpa la somme annoncée. A la lueur d'une nouvelle allumette, elle fit tomber les pièces, une à une, dans la paume calleuse.

Tout en comptant, elle remarqua que tous les doigts de l'homme avaient été sectionnés à la première phalange. Un frisson la parcourut lorsque, par inadvertance, elle toucha la main mutilée.

— Venez par ici ! L'*Arany* est amarré là, tout près !

L'ombre, chuintante des remous du fleuve, semblait peuplée de fantômes au bord de l'eau. Un vent glacé soufflait, dévalant le cours du Danube.

Paprika aperçut un petit remorqueur noir.

L'aspect de l'*Arany*, dans le halo blanchâtre du feu de mouillage accroché au sommet du mât, n'avait rien de rassurant.

En dépit de son nom, qui signifie « or » en hongrois, l'*Arany* était crasseux et gluant. La même puanteur que Paprika avait déjà remarquée venant du propriétaire se dégageait de l'embarcation.

L'homme sauta à son bord avec toute l'agilité d'un jeune homme en possession de ses deux jambes. Il tendit sa patte écourtée pour aider Paprika ; mais elle fit semblant de n'avoir pas vu son geste et sauta sans son aide dans la barque.

Le marinier alluma les feux de marche, rouges et verts, dénoua l'amarre et, la main appuyée sur le rebord du quai,

209

donna une brusque et vigoureuse poussée ; sous l'élan, le bateau gagna le courant. Après quelques ratés, le boiteux réussit à mettre le moteur en marche.

A peine descendue dans l'embarcation poisseuse qui dansait fortement sur les vagues, Paprika eut peine à résister à une forte impulsion de sauter à quai et de s'enfuir. Mais elle s'était répété à nouveau sa décision de voir Jancsi, le soir même, coûte que coûte. Une inflexible détermination — n'avait-elle pas, des années durant, toujours obtenu ce qu'elle voulait ? — la poussait et l'aidait à ne reculer devant aucun obstacle.

— Asseyez-vous là, près de moi ! l'invita son compagnon d'une voix rauque. Ce n'est pas si souvent que j'ai une jeune fille comme vous, bien en vie, pour me tenir compagnie !

A contrecœur, elle se dirigea vers lui, sur le banc à l'avant.

— Mettez une de ces couvertures sur les genoux. Ça vous tiendra chaud !

Paprika jeta un coup d'œil vers le tas de guenilles qu'il venait de lui signaler. Elle grelottait de froid, en effet. Mais l'idée du contact de ces loques immondes sur sa peau la fit frémir de dégoût. Tout habituée qu'elle était aux fortes émanations de la caravane des gitans, l'odeur qui se dégageait du remorqueur la faisait presque défaillir.

Pour une raison mystérieuse, cela lui évoquait des funérailles. Le souvenir des obsèques de sa mère obsédait son esprit. Elle essaya de substituer à la macabre évocation l'image de sa mère vivante — en ange gardien toujours prêt à consoler. Mais son esprit refusait de lui obéir et s'obstinait à superposer au consolant souvenir la vision du corps maternel froid et raide, enveloppé dans le suaire.

Une bouffée d'air la fouetta au visage. Et l'étrange senteur fade, douceâtre, lui vint à nouveau aux narines.

Maintenant, plus de doute, elle avait reconnu l'odeur.

Ça sentait le cadavre.

Un frisson lui parcourut l'épine dorsale. Elle jeta un coup d'œil furtif vers l'homme à la barre.

Il l'observait et lui sourit de façon sinistre.

Elle détourna les yeux et regarda autour d'elle.

Sur les eaux noires du fleuve, ridées par le vent, pas le moindre esquif n'était en vue.

Seules dans le lointain, quelques rangées de lumières projetaient un halo dans le ciel.

Budapest !

Ah ! Si seulement elle pouvait y retourner !

Paprika voulut ramener ses pieds transis sous elle, mais elle se heurta à un paquet de cordages enroulé. En contre-choc, quelque chose déclencha un bruit de ferraille.

— *Visgyazzon !* N'allez pas vous enferrer ! grommela le bancal. C'est qu'ils sont tranchants, mes hameçons !

Puis, rassuré, il éclata de rire. On aurait dit le bêlement d'une chèvre.

Prudemment, de son pied, la jeune fille tâta autour d'elle et sentit l'acier des crochets acérés, bien trop gros pour aucun poisson.

— Vous... vous ne pêchez pas avec ça ? murmura-t-elle, posant la question malgré elle, bien que son opinion fût déjà faite.

L'homme reprit le bêlement moqueur dont il entrecoupait ses paroles :

— Oh ! Mais si ! Et c'est du gros poisson que j'attrape avec. J'en ai un à bord. Vous voulez voir ? *Gyere ide !* Prenez la barre un instant !

Comme hypnotisée, la blonde passagère obéit.

Tandis qu'elle maintenait le gouvernail, le marinier à la jambe de bois prit la lanterne qui pendait à mi-mât et s'accroupit près de quelque chose de noirâtre, entassé au fond du bateau, recouvert en partie par une vieille toile goudronnée.

Il en souleva un coin et approcha la lanterne.

Paprika devint blême.

Là, à ses pieds, se trouvait le cadavre d'une jeune fille à peu près de son âge à elle. La malheureuse avait dû être jolie, bien que son corps, gonflé d'eau, boursouflé, commençât à se violacer. Le torse était nu, le sein droit déchiré.

— *Csinos ?* C'est mon hameçon qui l'a accrochée par là ! gloussa l'homme.

Il souleva la chemise mouillée qui collait à la peau, découvrant le bas du tronc.

Une horrible entaille aux bords gluants et déjà putréfiés sillonnait l'abdomen :

— Ça, c'est la marque de l'autre grappin !

Il laissa retomber la bâche, remit le fanal en place et reprit la barre des doigts glacés de Paprika.

— Ça, c'est une bonne prise pour moi ! Il y a une récompense de cent couronnes pour ce poisson-là. Ça fait quinze jours qu'on recherche ce cadavre. Je l'ai agrippé ce soir, mais il était trop tard pour remonter le courant jusqu'à Visegrad. Elle était de ce patelin-là.

Il gratta à nouveau une allumette sur son pilon de bois et ralluma sa pipe :

— Paraît qu'elle s'est jetée du pont parce que son amoureux a filé avec une autre donzelle. Comme si y avait pas assez d'hommes comme ça sur cette terre pour remplacer ce coco-là ! Quelle idiote, pas vrai ? Mais comme on dit, la perte de l'un fait le gain de l'autre. C'est le cas de le dire !

Le bêlement de chèvre reprit, ponctuant d'humour noir les ignobles traits.

— Et cent couronnes, c'est pas à dédaigner par les temps qui courent. La drague ne nourrit plus son homme ! Les gens ne piquent plus une tête comme dans le temps. Ils périssent tout comme..., mais aujourd'hui, ils aiment mieux crever de faim. Pour gagner sa croûte, faut plus compter que sur ceusses qui tombent à l'eau sans le faire exprès, ou bien sur ceusses qu'on y pousse exprès.

Il cracha un jet de salive dans la direction du cadavre.

— Pour une pêche comme celle-ci, la ville ne me paie que vingt-cinq couronnes ! Si c'est pas une misère... Heureusement que la famille en offre soixante-quinze en sus !

PAPRIKA

Paprika pensa qu'elle allait défaillir. Le rire chevrotant et macabre bourdonnait dans ses oreilles. Elle vit danser devant ses yeux une bouteille que lui tendait le bancal.

— Buvez un coup ! *Dragam !* Ça va vous remonter ! N'avez pas l'air d'avoir le cœur bien accroché.

Elle prit le flacon et le portait à sa bouche quand, tout à coup, la pensée que les lèvres du dégoûtant personnage s'étaient posées sur le goulot avant elle lui traversa l'esprit. Elle eut un haut-le-cœur.

De grosses vagues plus violentes vinrent frapper les flancs du dragueur. Elle dut s'agripper à une traverse pour ne pas perdre l'équilibre. Son estomac se contracta nerveusement, et l'eau lui monta au coin de la bouche. Elle rendit la bouteille sans y toucher.

— Je ne peux pas boire ! Je suis malade !

— Dommage ! Allez, appuyez-vous contre moi !

Paprika se pencha par-dessus bord, et des vomissements convulsifs la secouèrent.

Le bancal goguenard attendit qu'elle se redressât. Alors, son bras se glissa sous la taille de la jeune fille, et les phalanges mutilées fouillèrent dans son corsage pour tâter sa poitrine nue.

Paprika eut un vif mouvement de recul.

— Tu es chatouilleuse, hein, ma belle ?

Puis la voix doucereuse devint rauque, menaçante :

— Dis donc ! Tu croyais pas que j'allais me taper une balade de nuit jusqu'à *Margit Sziget* et retour pour seulement deux couronnes et quarante fillérs ?

Il cracha à nouveau d'un air dégoûté.

— Non, mais ! Pour qui me prends-tu ? Ça ne paie pas la moitié de l'huile qu'il faut, et je ne parle pas du pétrole que je vais brûler !

Terrifiée, la jeune fille comprit ce qui allait suivre. Elle songea un instant à acheter le bon vouloir de l'homme avec le reste de son argent, mais elle réfléchit qu'il ne ferait que lui rire au nez en empochant son argent et exigerait quand même ce qu'il voudrait d'elle.

213

PAPRIKA

Elle jeta un regard terrorisé vers le cadavre étendu sous la bâche. Si elle appelait au secours, personne ne pourrait entendre ses cris.

De ses lèvres tremblantes, elle commença la première phrase du *Pater Noster* que sa mère avait essayé de lui apprendre :

— *Miro gudlo Devel, savohal ote an do cheros...*

Mais elle n'alla pas plus loin. Elle n'avait jamais été capable de retenir le reste.

Elle regarda intensément la côte qui apparaissait, sombre et lointaine.

Soudain, le bateau fit une embardée. Le marinier piquait droit sur une masse opaque qui, sur la droite, surgissait de la nuit, grossissant à vue d'œil et devenant plus précise de seconde en seconde dans la lueur falote du fanal de mouillage qui la surmontait.

Paprika put constater qu'il s'agissait d'une drague de rivière, amarrée non loin d'une berge.

— Que faites-vous ? demanda-t-elle au pilote.

— Je m'arrête ici !

La proue du remorqueur cogna contre les flancs de la drague. L'homme au pilon amarra à la masse flottante, là où il faisait le plus noir, afin que la présence insolite de son embarcation près de la drague ne fût pas remarquée par d'autres bateaux qui passeraient éventuellement à proximité.

— Il n'y a pas âme qui vive dans les parages ! lui signifia-t-il. Hurle, si le cœur t'en dit. Moi, je m'en fous !

Paprika jeta un coup d'œil vers le demi-cercle lumineux dans le ciel, qui indiquait Budapest. De là où elle était, elle pouvait distinguer l'embranchement du Danube. Entre les deux bras du fleuve brillaient les lumières de l'île Sainte-Marguerite : Jancsi était là !

— *Mozogjon !* Allons, grimpe ! Ouste !

Paprika pensa avoir pris racine sur le remorqueur. Elle essaya de lever ses pieds. Ils lui semblèrent lourds comme du plomb.

PAPRIKA

— Allons, grouille-toi ! Tu t'imagines pas que je vais passer toute la nuit, là, à attendre que tu te décides ?

Elle se sentit poussée par-derrière.

Machinalement, elle trouva les barreaux de l'échelle sous ses pieds. Lentement, elle gravit les échelons jusqu'au ponton de la drague.

L'unijambiste la suivait de près, une lampe tempête à la main. Son pilon de bois ne semblait aucunement le handicaper. Comme une araignée, il se hissa le long de l'échelle à la force de ses bras.

Et ils disparurent tous deux à l'intérieur de la drague.

*
* *

Le remorqueur noir *Arany* accosta à l'extrémité nord de l'île Sainte-Marguerite, contre un petit quai bordé d'une rangée d'arbres dont les larges ramures abritaient aussi des bateaux.

Avant même que la coque n'eût touché le môle, une silhouette échevelée bondissait sur l'échelle et en grimpait les échelons à une vitesse vertigineuse. Poursuivie par le bêlement moqueur du monstre à la jambe de bois, Paprika s'enfuit comme une folle à travers les arbres vers l'intérieur de l'île.

Le macabre marinier ralluma son brûle-gueule et poussa son bateau dans le courant vers le milieu du fleuve où il croisa une flottille de péniches-citernes qui transportaient du pétrole roumain et remontaient péniblement le Danube.

Paprika ne cessa de courir que lorsqu'elle se trouva seule dans le calme apaisant de la nuit d'été. Elle s'arrêta un instant pour reprendre haleine, telle une bête traquée qui aurait cherché refuge dans les fourrés.

Une musique discordante lui parvint.

Plus calme, elle se mit à marcher dans la direction de ces

215

accords heurtés. Bientôt, elle arriva près d'un petit ruisseau qui coulait entre des berges qui disparaissaient sous les fougères.

Cette partie de l'île était déserte et sombre. La jeune fille épuisée trouva cependant la force de se débarrasser en un éclair de tous ses vêtements et, avec délices, plongea dans l'eau fraîche.

Elle s'ébroua et se frotta éperdument, comme pour laver sa peau des contacts immondes qu'elle avait subis. Réconfortée par la fraîcheur du bain, elle essuya son corps avec des feuilles et des fougères et se revêtit. Puis elle reprit sa marche.

Le cours d'eau qu'elle longea menait à une cascade dont les eaux tièdes et sulfureuses bondissaient de roc en roc.

Puis elle passa devant les ruines moussues du vieux cloître où Marguerite, fille du roi Adalbert V, avait vécu en pieuse nonne.

Plus loin, en contrebas, elle atteignit une allée de graviers bordée de hauts arbres séculaires, au pied desquels s'étalaient de belles pelouses bien tondues, parsemées de parterres fleuris.

Bientôt, elle y rencontra quelques couples élégants, en gais costumes d'été, qui se promenaient dans ce beau décor.

La musique s'amplifiait, de plus en plus chaotique.

Venant de la gauche, au travers des marronniers auxquels leurs longues fleurs blanches donnaient des airs de gigantesques chandeliers, coulaient les accents langoureux d'une valse viennoise jouée par un orchestre à cordes.

De la droite venaient les mesures martelées et cuivrées de la marche de Rakoczi.

Et comme un écho traversant le petit lac où se reflétaient les formes blanches des cygnes glissant silencieusement sur la nappe transparente, Paprika entendit une *csardas* endiablée, jouée sans aucun doute par des violons gitans et des *cymbaloms*. Les accords criards d'un jazz américain y mélangeaient, de temps à autre, leurs discordances.

216

PAPRIKA

La douce brise du soir apportait le parfum des roses et des fleurs exotiques. Des couples d'amoureux s'étaient égaillés sur les bancs bras dessus, bras dessous, indifférents au reste du monde. Quelque part, dissimulé dans les branches, un rossignol chantait.

Les cygnes, sur les lacs, se disaient leurs amours dans de petits cris rauques.

Paprika ne s'attendait pas à trouver l'île aussi vaste. Elle regarda autour d'elle, embarrassée, ne sachant de quel côté se diriger.

Au tournant d'une allée, un vieil homme, une grappe multicolore au bout du bâton qu'il tenait sur l'épaule, vendait des ballons de baudruche. Elle s'arma de courage et, l'abordant, lui demanda le chemin pour se rendre au restaurant « Marcus ».

Les yeux étrangement fixes du camelot semblaient regarder au-delà d'elle — alors elle réalisa que l'homme était aveugle.

— Suivez l'allée tout droit ! lui dit-il, puis prenez sur la droite. Il y a une grande enseigne électrique à l'entrée. Vous ne pouvez pas la manquer. D'ici, c'est à peu près à dix minutes de marche !

Tendant une main tâtonnante, il effleura les cheveux soyeux et le profil pur, puis descendit, d'un geste expert, le long du buste.

— Vous êtes seule ?

Paprika le regarda, soupçonneuse.

— Non, mon père est avec moi ! C'est lui qui m'attend là-bas !

— Si vous étiez seule, je vous y conduirais moi-même. Je connais tous les recoins de l'île... Ça fait dix ans que je ne l'ai pas quittée... On pourrait aller prendre un verre ensemble !

— *Koszonom* ! l'interrompit-elle brusquement, et elle s'éloigna rapidement.

Elle se demandait si jamais elle parviendrait à se débarrasser de la convoitise que sa personne inspirait aux hommes. Même un aveugle désirait la posséder !

PAPRIKA

Elle se conforma aux indications reçues, et au fur et à mesure qu'elle avançait, les passants devenaient de plus en plus nombreux.

La foule des flâneurs, venus là pour s'amuser, se faisait plus dense, et quelques-uns d'entre eux, qui cherchaient l'aventure, se retournèrent sur la gracieuse silhouette dont la robe écarlate soulignait la démarche ondoyante.

Elle passa successivement devant les restaurants *Tarjan* et *Spolarich* d'où s'échappaient des flots de musique.

Quand elle arriva au tournant de l'allée, elle aperçut soudain l'entrée brillamment illuminée du « Marcus ».

La route décrivait une gracieuse courbe devant cet élégant rendez-vous de l'élite.

Les voitures défilaient devant la porte en une ligne ininterrompue.

Des équipages conservateurs à l'élégance de bon ton, tirés par des chevaux de race, contrastaient avec les lignes révolutionnaires des modernes automobiles qui étalaient tapageusement la richesse de leurs propriétaires.

Des Mercedes, des Fiat, des De Dion-Bouton, Daimler et Weiss-Manfred se suivaient dans un flot continu.

Les livrées discrètes des anciennes familles nobles côtoyaient celles, beaucoup plus voyantes, des parvenus.

Des valets de pied sautaient à bas de leurs sièges, se précipitant pour ouvrir les portes, levant leurs coudes à angle droit pour que les doigts gracieux et fins des passagères pussent s'y appuyer un instant en descendant.

Les portières livraient passage à une multitude de jeunes créatures minces, aux attaches longues et fines et aux lèvres exagérément rouges, à des membres de la haute aristocratie et à ceux du demi-monde — difficile à différencier des premiers —, à des douairières vieilles et laides, enfin, à de grosses femmes courtes et grasses, aux poitrines tombantes maintenues par d'impitoyables corsets, aux visages plâtrés, qui caquetaient à qui mieux mieux.

Tout ce beau monde froufroutait dans une débauche de toi-

218

lettes de chez Paquin, Poiret et Drecoll, de décolletés audacieux, de capes de velours, d'hermine et de zibeline russe.

Des tiares et des diadèmes brillaient sur les cheveux
soyeux, couronnant même des profils altiers de Juives aux
yeux orientaux.

Des bracelets de diamants, larges de deux doigts, « chevrons
de service » de ces vétérans parfumés, dont certains avaient
vieilli sous les feux de l'amour, encerlaient des poignets dont
quelques-uns n'avaient plus toute leur sveltesse.

Saphirs, émeraudes, rubis, cabochons de pierres précieuses
taillés en carrés, en losanges, montés en marquise, en solitaire, enchâssés dans des chevalières, ornaient aussi bien des
doigts effilés aux ongles étincelants que de courtes phalanges
rondelettes.

Les essences de luxe de chez Houbigant, Coty, Patou,
Chanel, se mélangeant aux parfums des bouquets épinglés
aux corsages, enveloppaient les nouvelles venues d'un nuage
odorant.

Les aristocrates qui escortaient ces femmes du monde ou
du demi-monde, grands, minces, en uniforme ou en habit, la
taille bien dessinée, avaient des visages émaciés, des yeux
clairs, cernés par mille petites rides gagnées dans le soleil, la
pluie et le vent sur le champ d'exercice, à la chasse et pendant
les nuits passées au jeu, au bar ou... à la chasse encore...

Parmi les militaires rutilants d'or et d'argent, chatoyants
de toutes les couleurs de la palette d'un peintre, la cavalerie
— hussards, dragons, uhlans et officiers de la Garde Royale —
affirmait sa prééminence.

Les sabres s'entrechoquaient, et les éperons, tintant à
chaque pas, faisaient une musique martiale et métallique.

En contraste, les ploutocrates, « barons » de la Bourse et
autres « rapaces » en tenue de soirée mal portée, ventres
bombés sur des jambes arquées, surmontés d'avides visages
au nez crochu, à l'œil spéculateur, venaient jouer les gentils-
hommes avec leurs gains trop faciles de joueurs malhonnêtes.

Leur complexe d'infériorité leur donnait, en fait de mécanisme de défense, une arrogance supérieure à celle d'un Grand d'Espagne.

Maintenu par un cordon de police, un troupeau de petites gens, dans leurs minables atours du dimanche, se pressait de chaque côté pour examiner curieusement les arrivants.

Paprika se faufila parmi les badauds presque jusqu'au dernier rang.

Une blonde oxygénée se trouvait devant elle. Affublée d'une toilette tapageuse du plus mauvais goût, elle commentait à haute voix les arrivées, à la grande joie de ses voisins immédiats :

— Ça, c'est *Grof Csuta Dezso* ! C'est un ami à moi. Oui ! Un ami personnel ! Celle qui l'accompagne, c'est la fille d'un concierge de *Bela Ut*... Paraît que le Comte lui a fait un gosse. Mais je trouve que ça se voit pas ! Et vous ?

Paprika se félicitait d'avoir trouvé une si bonne place, d'où elle pouvait voir tout ce qui se passait, et près d'une dame qui avait d'aussi belles relations et semblait en savoir plus long que *Le Pouls de Budapest*. Cette affreuse poule lui paraissait du dernier chic et le comble de la distinction !

— Voilà maintenant *Grof Sichacki Pista*. Ah ! Vous parlez d'un numéro, celui-là ! annonça la jeune femme à la crinière d'étoupe. Dans le temps, je travaillais chez Mme Zsofi. Euh ! Je veux dire : le salon de massage. Eh bien ! Il n'y venait que pour *une* chose... C'était pour se faire... euh... hum... oui, enfin... Faut mieux être discrète !

— Ça l'a pas empêché de gagner la coupe de *Jozsi Bacsi* au concours hippique de l'armée, la semaine dernière ! rétorqua un homme dont la jaquette à carreaux et les *jhaterpoores*, à cette heure tardive, parlaient de son amour pour tout ce qui, de près ou de loin, touchait à un champ de courses.

— Vous l'avez jamais vu courir, ce lapin-là ? Bon Dieu ! Ça vaut la peine ! L'autre jour, il a crevé sa jument, mais il a gagné la course. C'est ça que j'appelle un cavalier !

— *Igen* ! Oui, il est pas mal balancé ! condescendit la

220

blonde. *Eljen Sichacki !* hurla-t-elle soudain, agitant son mouchoir à bout de bras.

Le comte Sichacki répondit d'un petit geste distrait de sa main gantée de blanc et eut un sourire indulgent.

Comme les grenouilles d'Aristophane, le chœur plébéien n'arrêtait pas son coassement.

— Oh ! Regardez par ici ! cria une maigre jeune fille, un étui à violon sous le bras, c'est Cica Etelka, la chanteuse de l'Opéra !

Un landau découvert, avec valet de pied et cocher en livrées noires, approchait lentement.

Un jeune hussard était assis au côté d'un douillet amas de zibelines qui emmitouflait la cantatrice, aussi célèbre pour ses exploits d'alcôve que pour sa voix.

— Je me demande si c'est en poussant des contre-ut qu'elle a gagné de quoi se payer cette peau de bique ? ricana une grosse femme dont les mamelles opulentes tremblaient comme de la gélatine.

— *Krisztus !* Non ! répliqua la petite gazette. Vous ne savez donc pas avec qui elle est en ce moment ? Avec le prince Esteryary Sandor, le frère de la princesse Ilonka !

Paprika reconnut le nom immédiatement. Comment aurait-elle pu l'oublier, ce nom détesté ? N'avait-il pas obsédé son esprit chaque minute durant son voyage à Budapest ?

Elle inspecta avec curiosité cet élégant officier de hussards, sanglé dans l'attila bleu foncé, pincé à la taille, rutilant de brandebourgs dorés. Son képi noir, avec la cocarde impériale brodée d'or, était posé de travers à un angle audacieux.

Il était du type marqué du parfait aristocrate. Ses traits, trop épurés, décelaient le lent procédé des unions presque incestueuses auxquelles une longue lignée d'ancêtres avait dû se résoudre pour éviter toute mésalliance.

Un bec d'aigle à l'arête étroite, des yeux gris, froids, implacables. Une lèvre inférieure trop pleine, trahissant une sensualité bien au-dessus de la normale. Des dents de carnivore, longues et très blanches. Un soupçon de moustache fine,

221

cirée et retroussée en pointes effilées sur une lèvre supérieure mince et cruelle. Tel était S.A. le prince Estervary Sandor.

Paprika le trouva merveilleux. Il correspondait exactement à l'image qu'elle s'était formée du prince idéal.

Son large sabre cliquetait contre le trottoir, et ses éperons d'argent tintèrent quand il claqua des talons en s'inclinant pour aider Mademoiselle Cica à descendre de voiture.

Les agents de police en faction rectifièrent la position et portèrent la main à leur casque au passage du couple.

Le cocher inclina son fouet sur la droite, saluant comme le prescrivait l'étiquette.

Avec le respect inné qu'éprouve le bas peuple pour la haute noblesse, la foule se découvrit.

— Je le connais personnellement ! enchaîna la tapageuse blonde, qui sentait fort le patchouli. Il venait me voir deux fois par semaine quand j'étais encore en... je veux dire, dans les affaires... Il me donnait un pourboire de dix balles à chaque coup ! C'est un chic type, un peu bizarre. Oh ! mais ils le sont tous !

Ainsi, c'était là le frère de la fameuse princesse Ilonka.

Paprika, qui ne le quittait pas des yeux, le vit s'arrêter au seuil des jardins et serrer la main d'un jeune officier. De toute évidence, ils ne s'étaient pas rencontrés depuis longtemps, et le Prince semblait particulièrement heureux de retrouver son camarade et de le présenter à la chanteuse.

— Tu parles ! S'il doit être content de revoir les copains ! Il est frais émoulu de la forteresse de Komarum où il s'est fait suer pendant les six mois qu'il avait écopés pour avoir tué en duel le banquier Zafir ! expliqua à son auditoire la blonde garce qui, décidément, était au courant de tous les potins et de tous les scandales.

— Je connais tous les dessous de cette histoire-là !

— *Oh Igen !* J'ai vu quelque chose là-dessus dans mon journal ! dit la femme à la poitrine gélatineuse. Tout de même, c'est de la chance qu'il a, que je me dis, ce gars-là.

D'abord être pincé avec la femme par le mari, sans que rien de dangereux lui arrive ! Puis ensuite trouver moyen de percer le pauvre cocu en plein dans le cœur sans même attraper une égratignure ! Ah ! oui ! Il peut dire qu'il est verni ! Ça a fait du tam-tam dans les journaux à l'époque. Ils mettaient que c'était son sixième duel !

Paprika ne perdait pas un mot de toutes ces réflexions et se demandait, non sans appréhension, si la princesse Ilonka ressemblait à son frère.

— *Igen !* C'en est un drôle avec les femmes ! ajouta la blonde artificielle. Il les tombe toutes ! Et c'est justice d'ailleurs, il est beau, plein aux as et, par-dessus le marché, prince, ce qui ne gâte rien !

— Eh ! Regardez donc si c'est pas curieux ! On parle du frère, et voici la sœur !

— Regardez la princesse Ilonka. Réunion de famille, ma parole !

Paprika pâlit.

Un coupé noir, fermé, tiré par deux juments d'un blanc de neige aux crinières flottantes, s'avançait vers l'entrée.

Le cocher et le valet de pied portaient des attilas et des kalpaks noirs, avec deux rubans tombant dans le dos.

Tout le monde, pour mieux voir, se haussa sur la pointe des pieds ; les corps se tendirent.

Paprika, d'une poussée brutale, bouscula les gens afin de se rapprocher le plus près possible de cette femme et de pouvoir l'examiner tout à son aise, espérant et priant Dieu ou le Diable que cette damnée créature qui aimait Jancsi fût au moins vieille et laide..., bien que riche et princesse !

— Je parie qu'elle a son gitan avec elle ! s'écria la blonde qui savait tout.

Le cœur de Paprika battit la campagne. Elle crut qu'il allait éclater.

— *Nem !* C'est pas Ilonka ! Elle n'est pas à Budapest en ce moment ! discuta la grosse femme. Elle fait une cure à Balaton. Je l'ai lu dans *Le Pouls de Budapest* !

— Faut pas croire tout ce qu'on dit dans les gazettes ! Je sais ce que je raconte ! Je peux encore reconnaître son équipage et sa livrée quand je les vois, tout de même !

Le valet de pied, sautant à bas de son siège et passant derrière la voiture, arriva juste à son poste quand le fougueux attelage finit par s'arrêter. Se découvrant, il ouvrit la portière adornée du blason de la Maison princière des Estervary.

Les agents de police se remirent au garde-à-vous, et la foule se découvrit à nouveau.

De la voiture descendit un jeune homme, grand, mince, brun, vêtu de l'habit de rigueur et d'une longue cape noire doublée de satin blanc négligemment jetée sur ses épaules. Sous son bras gauche, il tenait, serrée comme un bébé, une boîte à violon en cuir verni.

— C'est Rogi Jancsi ! s'exclama la blonde oxygénée. Je vous l'avais bien dit ! Elle ne sort jamais sans lui !

— Holà ! Jancsi ! hurla le turfiste. Comment t'y prends-tu ?

Paprika n'avait pas eu besoin des commentaires de ses voisins pour identifier immédiatement le jeune musicien, bien qu'il eût changé au-delà de toute imagination.

Le cœur de la jeune fille se mit à battre à un rythme syncopé. Elle restait les yeux fixés sur lui, médusée.

Une femme descendit aussi du coupé. Jeune, grande, souple, le corps moulé dans une robe de charmeuse blanche, elle se drapait dans une immense cape d'hermine. Son cou blanc dépassait, orné d'un collier de perles incomparables.

Elle avait le visage même de l'aristocrate, nez fin et menu dont les narines frémissaient comme celles d'une jument arabe.

Le front haut était encadré de cheveux roux Titien. Des yeux sensuels aux paupières lourdes, bordées de longs cils, voilaient son regard.

Les pommettes hautes, saillantes, révélaient les origines magyares. La bouche large et luxurieuse. Les lèvres tentantes, peintes à outrance. Des dents de carnivore, blanches et larges, semblables à celles de quelque étrange et solitaire animal de proie, exactement comme celles de son frère.

En descendant, la Princesse appuya sa main fine, gantée de blanc, en un geste intime, sur le bras de son cavalier.

Paprika la dévorait du regard et, malgré elle, les larmes lui montaient aux yeux. Quelle chance lui restait-il, à elle, la pauvre petite gitane, vêtue d'une minable robe rouge sale et fanée ? Ni les cieux, ni les enfers n'avaient donc entendu sa prière ?

La Princesse glissa son bras sous celui de Rogi Jancsi et se dirigea vers la grille d'entrée.

— Hé ! Jancsi ! jeta un galopin au visage boutonneux, tu nous jettes pas des sous, ce soir ?

Jancsi sourit, prit une poignée de piécettes dans sa poche et les jeta négligemment, en pluie, sur la populace. Après quoi, il s'empressa rapidement de rejoindre la Princesse qui attendait en haut des marches, tandis que ses admirateurs enthousiastes l'acclamaient bruyamment :

— *Eljen* Jancsi ! — *Koszonom !... Eljen* Ilonka !

Tout le monde se bousculait pour ramasser les pièces de monnaie.

L'une d'elles avait atteint Paprika en plein visage, puis roulé à terre.

La jeune fille, jouant du coude furieusement et malmenant tous ceux qui la gênaient, se baissa pour la retrouver.

Elle aperçut la petite pièce d'or à moitié cachée sous l'un des pieds de la tapageuse blonde.

Paprika frappa un coup de poing d'une véhémence telle sur les orteils de la gêneuse que celle-ci poussa un cri de douleur et, instinctivement, leva le pied.

Paprika saisit la pièce et, vive comme l'éclair, la fit disparaître dans sa bouche.

— J'ai ramassé une pièce de cinq couronnes ! cria une fille aux joues trop avivées de rouge, en montrant sa trouvaille au bout de ses doigts.

— Moi aussi ! Et la mienne est toute neuve ! s'exclama

une midinette dont un collier de verroterie cachait mal la cicatrice d'une ancienne diphtérie.

— Ce gitan ! En voilà un qui fait ce qu'il faut ! Vivre et laisser vivre ! décréta un homme sur un ton solennel.

— Oh ! C'est pas malin ! ronchonna un gars à la redresse à sa môme tout endimanchée qui le tenait par le bras. J'en ferais autant si j'avais une princesse à la coule !

— Ouais ! Parlons-en ! rétorqua la fille. Faudrait d'abord que t'aies ce qu'il faut pour ça !

Tout le monde, autour d'eux, se mit à rire. Même l'agent de police participa à l'hilarité générale.

Paprika se fraya un passage parmi les spectateurs mis en gaieté et gagna l'entrée de l'établissement.

De là, elle pouvait voir l'intérieur du jardin où les soupeurs, sous les acacias et les marronniers en fleurs, étaient assis devant de petites tables nappées de blanc.

Des milliers d'ampoules électriques étaient suspendues en guirlandes dans les branches au-dessus des têtes, faisant scintiller de mille feux, de mille éclats prismatiques, les joyaux des femmes.

Au milieu du parc, de larges escaliers conduisaient, par quatre côtés différents, à un pavillon où une clientèle exclusive dégustait des pâtisseries, des spécialités exotiques, et savourait du vin de la Fameuse Veuve de Reims ou d'autres crus non moins réputés.

Au centre du pavillon, il y avait une large estrade où devait se tenir l'orchestre gitan qui comprenait trente musiciens et dont Rogi Jancsi était le « *Prima* ».

Jancsi, sa princesse toujours à son bras, gravissait justement les marches qui conduisaient au pavillon.

Ils étaient reconnus par tous les soupeurs. Sur le passage de Son Altesse, les hommes, dans un bruit de chaises repoussées, se dressaient à demi en signe de respect. Des talons claquaient, des éperons sonnaient, des sabres cognaient contre les barreaux, tandis que les dames, pleines d'enthousiasme pour Jancsi, applaudissaient de leurs mains couvertes de bijoux.

Les bravos se répercutèrent bientôt dans tout le restaurant, qui ne semblaient jamais devoir cesser, car les tables reprenaient, les unes après les autres, leurs applaudissements frénétiques.

La Princesse répondait d'un geste gracieux de la tête à droite et à gauche tout en avançant.

Jancsi, lui, avait retiré son chapeau et s'inclinait légèrement de tous les côtés avec la grâce ondoyante qui lui était naturelle.

Tout à coup, Ilonka remarqua son frère. Il aidait Mademoiselle Cica à s'asseoir. Tous deux l'aperçurent et lui firent un signe amical de la main. La Princesse, après avoir chuchoté quelque chose à l'oreille de Jancsi, se dirigea vers la table de son frère. Jancsi l'accompagna avec une visible contrariété.

Tous les yeux de l'assistance étaient braqués sur eux. La cantatrice se leva à nouveau et s'inclina devant la Princesse. Apparemment, elles se connaissaient déjà.

Ilonka lui présenta le jeune musicien. Mademoiselle Cica parut ravie de rencontrer le célèbre violoniste. Lui, s'inclina profondément et baisa la main tendue, avec une parfaite aisance, comme s'il avait été entraîné toute sa vie à pratiquer les belles manières des salons.

Le Prince fit claquer légèrement ses talons, inclina brièvement la tête mais ne tendit pas la main.

Il avait une opinion bien arrêtée sur les gitans et trouvait sa sœur folle d'étaler ainsi en public sa liaison avec ce *Cigany*... artiste ou pas ! Tel l'Allemand qui hait le Français mais aime son vin, l'aristocrate hongrois déteste le *Cigany* mais adore sa musique... On applaudit les Tziganes, mais on ne fraye pas avec eux.

Il est vrai qu'Ilonka avait toujours manifesté un certain faible pour des hommes de basse extraction. Mais, après tout, cela ne regardait qu'elle, pas lui ! Il avait déjà bien assez de démêlés avec ses propres histoires sentimentales, sans aller se plonger dans celles de sa sœur. D'ailleurs, par un accord

227

tacite, ne s'étaient-ils pas promis mutuellement de ne jamais intervenir dans leur mode de vie respectif ?

Jancsi, dès le premier abord, détesta le Prince. Il eut comme un pressentiment mystérieux qu'un jour ils se retrouveraient. Il inclina la tête, sèchement. Après un échange de platitudes polies, les deux couples se séparèrent. Jancsi et Ilonka s'éloignèrent.

Fekete, le directeur de l'établissement, en dépit de son nom — qui signifie « noir » —, avait une chevelure du plus beau roux ; il courba l'échine avec exagération et, l'air solennel, très digne, les conduisit à leur table, tout près de l'orchestre.

Une demi-douzaine de serveurs s'empressèrent autour d'eux avec obséquiosité, les débarrassant de leurs manteaux, et les aidèrent à s'installer.

Jancsi tendit sa boîte à violon à l'un de ses musiciens, un vieux Tzigane aux cheveux tout blancs qui, en fermant les yeux, déposa un fervent baiser sur le couvercle, comme s'il se fût agi de la relique d'un saint martyr.

Paprika avait observé tout cela, le cœur lourd. Elle pouvait à peine croire que ce jeune homme d'une si parfaite élégance, si intime avec une véritable princesse, fût Jancsi — Rogi Jancsi, de la tribu des Ulemans ! Sa propre tribu, la tribu dont, elle, Paprika, était la reine. Le même Jancsi, qui l'avait tenue dans ses petites pattes sales quand elle était née, l'avait baptisée, et n'avait jamais, par la suite, cessé de veiller sur elle. Le même Jancsi qui l'avait aimée et désirée pour épouse. Ce même Jancsi qui, moins d'un an avant, avait volé un cheval pour satisfaire un de ses caprices et souffert en prison à cause d'elle. Ce Jancsi dont elle s'était tant moquée et qu'elle avait appelé un sale violoneux de gitan.

De sa place, Paprika ne pouvait plus voir le jeune artiste depuis qu'il s'était assis à la table.

Ainsi, elle avait fait tout ce chemin, de Petofi à Budapest, pour vérifier l'histoire que Zoltan lui avait lue en lui montrant la photo de Jancsi dans *Le Pouls de Budapest* !

Dans ce but, elle avait souffert la dégradation du contact

de tous ces hommes répugnants. Et maintenant qu'elle avait retrouvé Jancsi, qu'il était si proche, elle ne pouvait même pas l'entrevoir ! Non ! Il fallait qu'elle pût au moins le voir ! A n'importe quel prix !

Elle jeta un coup d'œil furtif vers les gardiens de la paix. Ils étaient occupés à contenir les badauds qui, pour mieux voir un groupe de nouveaux arrivants, se pressaient, obstruant presque le passage.

Avec la souplesse féline et coutumière des gitans, elle s'avança jusqu'au coin du portail qu'elle contourna en glissant rapidement de l'autre côté, se faufilant le long de la haie de myrte qui clôturait le jardin.

Transpirants, les serveurs passaient en hâte, de lourds plateaux surchargés en équilibre sur le plat de la main.

Des « *piccolos* » portaient des seaux en argent remplis de glace d'où émergeaient des cols de bouteilles ruisselants.

Des bouchons sautaient.

Des verres tintaient contre des verres.

Un bourdonnement de conversations s'élevait du jardin.

Paprika remarqua, au rez-de-chaussée du pavillon, les allées et venues continuelles des serveurs à travers une porte battante, et elle en conclut que ce chemin-là devait conduire aux cuisines et aux caves.

Sans savoir encore comment elle gagnerait l'étage, elle décida d'essayer une des entrées, et s'engagea hardiment entre deux rangées de tables.

Personne ne parut la remarquer.

Parvenue devant la porte, elle se heurta à un gros homme en habit, au visage poupin, orné d'une petite moustache blonde et d'un triple menton. Il la regarda, surpris.

— Que faites-vous ici ? demanda-t-il d'une voix gutturale qui révélait une origine germanique.

Timidement, elle le regarda :

— Je... je cherche quelqu'un !

— Le chef de cuisine ? questionna l'homme, soupçonneux.

— Non ! Je cherche... Enfin... Je voudrais voir Rogi Jancsi !

— Pour quelle raison ?

— J'aimerais l'entendre jouer une fois seulement, Monsieur. Parce que...

Elle hésita et baissa les yeux.

— Ah ! C'est pour cela ! dit-il en haussant les épaules dédaigneusement. Vous êtes toquée de lui, comme toutes les autres femmes !

— Oh ! non ! répondit Paprika en secouant ses boucles. Je ne l'ai même jamais vu. Mais on dit qu'il joue si divinement !

Elle leva les yeux, timide, et eut un sourire enchanteur.

L'homme sembla se radoucir, et Paprika lui décocha son regard le plus innocent.

— Je sais qu'il est interdit d'entrer ici, mais je pensais pouvoir peut-être me cacher quelque part, afin de le voir de près.

Le visage cramoisi du maître d'hôtel s'éclaira d'un sourire grivois, et mille petites rides plissèrent le contour de ses yeux d'un bleu de porcelaine.

— Que tonnerez-vous, lui demanda-t-il soudain, si che vous troufe une place où vous poufez l'examiner ?

Paprika devina ce qui allait suivre mais, adroitement, n'en laissa rien voir et regarda l'homme avec un sourire encore plus prometteur.

— Je crains de ne pouvoir vous donner ce que vous désirez ! bredouilla-t-elle. Je n'ai pas d'argent, et ces bracelets n'ont pas grande valeur !

L'homme jeta un coup d'œil vers les serveurs affairés et, mine de rien, lui tâta le bout des seins de ses doigts rondouillards.

— Où habitez-vous ?

Paprika, persuadée que l'homme demeurait dans l'île, répondit :

— A Budapest !

— Barfait ! s'écria-t-il. Moi aussi, sch'habite là. On va ensemble partir, après sche fait la fermeture.

Il lui montra une porte dissimulée sous les escaliers :

230

— Quand le konzert il est fini, fenez attendre ici, dans l'ékonomat ! C'est entendu, n'est-ce pas ?

Elle acquiesça de la tête, se promettant bien, intérieurement, de tout faire pour éviter ce rendez-vous.

L'homme rayonnait de joie.

— Pon ! Puisque nous sommes t'ackord, suiffez-moi sur l'eskalier !

Il lui saisit la main et l'entraîna derrière lui. Mais, sur le premier palier, il s'arrêta :

— Fite ! Un petite paiser et après, sche vous kontuis ensuite où vous voutrez !

Incapable de se défendre, Paprika sentit les bras épais de l'homme l'attirer contre lui et sa moustache hérissée se presser contre sa bouche.

— Tu me plais, petite tiable ! balbutia-t-il, émoustillé, en postillonnant et lissant sa moustache quelque peu en désordre. Tu me fais toutes sortes te schoses ! Sche voudrais que mon servize est fini maintenant. Sche t'emmènerais toutte suite à ma maisson !

Il poursuivit sa marche.

Elle le suivit dans l'escalier et, avant d'atteindre les dernières marches, il lui désigna une petite niche derrière la rampe de pierre :

— C'est une ponne place ! lui dit-il tout bas. Tu peux voir tout, et personne te voit !

Paprika regarda à travers les piliers de la rampe.

— On arrive schuste à temps ! Tu wois ?

Jancsi gravissait, en effet, les gradins montant à l'estrade réservée à l'orchestre, sous un tonnerre d'applaudissements. Il s'inclina plusieurs fois à droite et à gauche, en serrant son violon sous son bras.

— Et tu vois la Princesse terrière ? Regarde !

Vivement, ses yeux se tournèrent vers la table où elle aperçut Ilonka, assise, qui levait son verre avec un regard de connivence intime et un sourire d'encouragement vers Jancsi, qui s'inclina, complice.

— T'es pien, là ? demanda le maître d'hôtel avec sollicitude.

Paprika n'entendit même pas.

— Si quelqu'un, par hasard, te demande ce que tu fais ici, dis que tu attends Karl ! C'est *moi* !

La jeune fille acquiesça de la tête machinalement, sans même se retourner.

— Maintenant, il faut que sche me sauffe. N'oublie pas te m'attendre à l'ékonomat !

Et Karl disparut en courant dans les escaliers.

Elle regarda autour d'elle, effrayée. Quelqu'un venait de l'appeler :

— « Paprika ! »

A nouveau, elle entendit l'appel retentir, puis une troisième, puis une quatrième fois, et bientôt de tous les côtés, son nom fusa, répété par des voix qui scandaient :

— « *Paprika !... Paprika !!... PAPRIKA !!!...* »

Le sang lui monta au visage, et elle cacha sa tête dans ses mains.

— *Huzd ra,* Jancsi ! Joue « Paprika » !

Alors elle comprit. Tout le monde réclamait la rhapsodie tzigane que Jancsi avait composée, dont elle était l'inspiratrice et qui portait son nom.

Jancsi salua une fois encore et, posant son violon contre sa poitrine, juste au-dessus du cœur, dans la position verticale habituelle à tous les Tziganes, et qu'aucun professeur de musique n'aurait tolérée, il pencha la tête sur l'instrument au point de l'effleurer de l'oreille gauche. Alors, lentement, il éleva son archet au-dessus des cordes.

Toutes les voix se turent ; les mouvements restèrent suspendus. Le silence se fit absolu. L'assistance tout entière attendait anxieusement le prélude du chant magique.

L'infinie délicatesse des premières notes d'un violon tzigane peut se comparer au zéphyr, au tendre murmure d'une mère qui fredonne une berceuse à son enfant pour l'endormir.

PAPRIKA

Mais dans l'âme de la jeune fille effondrée derrière la rampe, ces notes exquises, en s'échappant des cordes mélodieuses, déchaînèrent une tornade d'émotions. Des images du passé surgirent dans son esprit, comme des fantômes, dès qu'elle reconnut les premières mesures de la ballade que Jancsi avait jouée, pour elle, pour elle seule, tant et tant de fois.

Et dire qu'elle s'était tant moquée de lui ! de son jeu ! N'était-elle pas allée jusqu'à lui conseiller d'abandonner son violon pour devenir rétameur de chaudrons ?

Oui ! Elle se souvenait de chaque accord de l'éternelle rêverie musicale mélancolique qu'il lui serinait sur son misérable petit *bashadi* grincheux, de cette rengaine, comme elle avait eu l'audace, un jour de mauvaise humeur, d'appeler cette mélodie, qui semblait exercer un charme hypnotique sur cette assistance d'élite.

Jancsi lui-même était visiblement ému. Son visage basané, en pâlissant, prenait des tons de cendre. Ses lèvres étaient serrées. Les souvenirs que cette rhapsodie éveillait en lui étaient, pour la plupart, douloureux ou tragiques et, dans ce prélude lent et plaintif, étaient exprimées la mort de son père, de sa mère et sa triste enfance d'orphelin.

Puis il s'arrêta et, relevant légèrement la tête, se tourna vers l'orchestre. Tous les exécutants, prêts à le suivre, attendaient, l'archet levé, haletants, leurs yeux pleins d'admiration et d'orgueil fixés sur leur chef.

Jancsi se redressa alors de toute sa taille, puis s'accroupit brutalement, comme pour accentuer l'attaque de son archet et, d'un geste brusque, entraîna tout l'orchestre.

Ce fut d'abord le *dal* obsédant, au rythme las, qui accompagne la caravane des gitans à travers les champs de paprika, et que vint traverser, imperceptiblement, au bout de quelques mesures, le grondement sourd d'un orage lointain, s'approchant peu à peu, menaçant, pour éclater en sonorités déchirantes et brutales. Puis une interruption — un cri de douleur, la naissance de Paprika, et la première plainte de l'enfant.

L'un après l'autre, chaque instrument se tut, et Jancsi continua en solo un chant très doux, plein d'une limpide naïveté, où se traduisaient toute sa tendresse pour l'enfant nouveau-né, son immense compassion pour les souffrances de la mère.

Ensuite, la mélodie devint caressante, presque amoureuse, évocatrice de l'adolescence précoce de la blonde enfant et des sentiments qu'elle lui avait inspirés.

Paprika, bouleversée, venait de comprendre enfin tout ce que cette musique exprimait. Elle ferma les yeux pour mieux revivre le passé que Jancsi retraçait si magistralement devant elle.

Elle se rappelait tour à tour les soins dont il l'avait toujours entourée. Comment il la lavait — tout bébé —, la peignait, l'habillait, lui avait appris à marcher, à faire des pirouettes, à voler. Comment il avait su partager ses joies, ses peines et ses jeux. Comment il s'était toujours prêté à « cligner », quand on jouait à cache-cache avec les autres petits gitans. Comment il avait accepté d'être toujours le pandore, quand on s'amusait au gendarme et au voleur ! Comment il avait toujours pris son parti à elle, dans ses querelles avec les autres chenapans !

Elle comprenait subitement toute l'ingratitude de son attitude à elle, Paprika.

Elle se souvenait de ses railleries, de ses colères injustes, de sa mauvaise humeur délibérée, auxquelles il n'avait jamais répondu que par de nouvelles bontés.

L'incident de la montre de Zoltan lui revint à l'esprit. Comme elle avait joui cruellement de le voir souffrir sous le fouet du Borgne !

La musique s'était atténuée et n'était plus que quelques notes hésitantes où se sentaient confusément les premiers émois d'un amour naissant avec le réveil du printemps. Émotion étrange, nouvelle, qui, lentement, secrètement, grandit dans l'intimité du cœur, que les yeux troublés veulent exprimer par des regards anxieux et que les lèvres timides n'osent encore avouer.

Jancsi avait fermé les yeux. Il matérialisait au fond de lui-même toute la vision de son amour. Et, insensiblement, le chant s'élevait plus passionné.

Paprika en devinait toute l'éloquente signification : l'expression de l'amour de plus en plus ardent qu'il avait éprouvé pour elle, expression aussi de l'amour qu'elle éprouvait pour lui — amour qu'elle avait caché au plus profond d'elle-même dans le sanctuaire pervers de son cœur.

Le violon exécuta sur « *due corde* ».

Minuit au clair de lune... Leur premier baiser... Elle pouvait en sentir encore sur ses lèvres la tiède douceur. Et, cependant, comme elle avait su le punir cruellement avec sa diabolique idée de répression !

Un court silence, et les doigts de l'artiste s'animèrent dans une série d'arabesques compliquées, pour déferler en une cantate passionnée — son chant d'amour.

Jamais encore Jancsi n'avait joué de pareille façon. Jamais il n'avait senti avec autant d'acuité la présence de Paprika. L'image obsédante, au sourire provocant, dansait réellement devant ses yeux mi-clos, animait toutes les visions de sa rhapsodie. L'arrogant visage auréolé de soie blonde dans laquelle les rayons du soleil venaient se jouer, passait et repassait sans cesse devant lui, et un rire moqueur, strident, résonnait dans ses oreilles.

Paprika ! Oh, Paprika ! Comment peux-tu être si cruelle ? N'as-tu jamais compris tout l'amour que j'éprouvais pour toi ? Ne m'entends-tu pas ? Ne veux-tu pas me croire et m'écouter enfin ?

Il se retourna vers l'orchestre. Les violoncelles et les contrebasses attaquèrent — religieux. Les notes, basses, vibrantes, étaient comme un serment devant Dieu — le serment d'un éternel amour.

La musique s'arrêta sur le solennel engagement. Il y eut une nouvelle pause, mais nul n'osa bouger.

Alors, Jancsi attaqua un thème en solo, grave, exprimant

les doutes, les soupçons d'un amour incompris, où la jalousie s'insinue lentement.

Et Paprika se souvint comme elle avait cherché à exacerber cette jalousie en se servant de Zoltan. Pour pousser Jancsi à bout, n'était-elle pas allée jusqu'à s'offrir en mariage à la plus forte brute du camp ?

Vint ensuite un *accelerando* dans lequel se déclarait avec véhémence un serment de revanche sans merci. Et, brusquement, un silence dramatique. Alors — la réaction — l'anéantissement de tous les espoirs devant les insurmontables obstacles du sort, l'amertume des larmes tombant goutte à goutte sur la tombe d'un amour mort. Et les myosotis du souvenir fleurissant sur la terre encore rouge de sang.

Jancsi, abîmé dans son jeu, avait oublié sa propre existence. Le poids de toutes ses émotions intérieures l'avait comme anéanti. Ses cordes criaient sous l'archet toute l'inutilité de sa vengeance.

Soudain, il se redressa et se raidit. Avec le rugissement du dompteur de fauves qui force une bête réfractaire à lui obéir, il entraîna tout l'orchestre avec lui dans le finale de sa rhapsodie.

Une frénétique csardas orgiaque, dans laquelle s'entremêlaient les chansons légères de l'oubli exaltant les amours faciles et les désirs vulgaires, les hymnes sauvages en l'honneur du vin magyar dans lequel on noie toutes les peines, en l'honneur des femmes, de la luxure, du sang rouge qui coule.

Les violons semblaient secoués d'un rire spasmodique ; les *cymbaloms* montaient et descendaient furieusement des gammes chromatiques éperdues. Enfin, arriva la coda, abrupte, brutale, au milieu d'un *staccato* affolé.

Silence.

Alors, comme les eaux impatientes d'un torrent trop longtemps contenues, l'auditoire, donnant libre cours à son émotion, éclata dans un tonnerre de vivats.

Hommes et femmes applaudissaient avec frénésie, pleuraient ouvertement. Dominant le crépitement des mains, de tous côtés jaillissaient des cris enthousiastes :

236

— Bravo, Jancsi !

— *Eljen*, Jancsi !

— *Hogy volt !*

Avec une hâte fébrile, les mains des femmes, aux doigts couverts de bagues, détachèrent les bouquets des corsages. Des orchidées, des camélias et des gardénias se mirent bientôt à pleuvoir et jonchèrent l'estrade aux pieds du jeune artiste resté immobile et pâle, les yeux fixés dans le vide, comme inconscient de l'orage d'enthousiasme que son jeu venait de déchaîner.

« Paprika ! Paprika ! Oh ! être auprès de toi ! Sentir encore une fois ta présence ! Sentir ton corps s'abandonner entre mes bras... »

Le visage multiple du public dansait confusément devant ses yeux, et le tumulte des applaudissements résonnait dans ses oreilles comme un grondement sourd et lointain.

La princesse Ilonka remarqua l'émotion intense du jeune homme. Des pleurs plein les yeux, impulsive, elle se leva et courut vers lui pour le serrer avec effusion dans ses bras, l'embrasser sur la bouche.

Ce geste poussa au paroxysme l'émotion des assistants, et les acclamations redoublèrent, de plus en plus frénétiques. Les larmes coulaient sur toutes les joues, même sur les visages glabres des maîtres d'hôtel et des garçons.

— *Eljen Ilonka ! Eljen Ilonka és Jancsi !*

Le jeune homme sembla remonter lentement des profondeurs de quelque abîme, comme un plongeur qui émerge, étourdi après une longue immersion. Il prit la main d'Ilonka et la baisa en s'inclinant profondément devant elle, puis se tourna vers l'assistance qu'il salua. L'orage éclata à nouveau.

— *Eljen Jancsi ! Eljen Ilonka !*

Devant les yeux de Paprika, tout s'obscurcit. Son cœur déchiré lui faisait mal, physiquement. Ses mains, agrippées à la rampe, retombèrent inertes sur ses genoux et, baissant la tête, anéantie, elle s'appuya contre le mur.

Les acclamations continuaient toujours.

— *Hogy volt !*

— Encore !

— Bravo, Jancsi !

Et c'était lui, lui, qu'elle avait appelé un sale violoneux gitan... !

Les larmes vinrent enfin apporter leur soulagement, mais une lutte sourde continuait en elle. Quoique heureuse et fière du succès de Jancsi, elle le haïssait, ou plutôt croyait le haïr plus qu'elle n'avait jamais haï quiconque de sa vie. Plus même qu'elle n'avait haï Zoltan lui-même !

Brusquement, elle sécha ses larmes, se leva et descendit rapidement l'escalier. Insensible à l'exaltation de la foule, elle courut entre les tables, vers la sortie.

Karl, le maître d'hôtel, se retourna quand elle passa comme un éclair devant lui, sans même lui faire un signe, et son gros visage poupin eut une expression chagrine d'étonnement mêlé de déception.

A l'entrée du jardin, la foule, toujours massée, se bousculait en applaudissant, et les deux agents eux-mêmes en oubliaient leur surveillance pour se joindre à l'enthousiasme général.

Paprika parvint à se frayer un chemin et sortit sans être molestée, ni même remarquée.

Elle s'engouffra dans l'allée sombre qui conduisait au lac, s'enfuyant, haletante.

Derrière le feuillage des buissons de lilas qui bordaient la promenade, elle se laissa tomber, comme un animal blessé, et elle fondit en larmes, enfonçant ses ongles rageurs dans la terre, son amie.

Dans l'ombre tranquille, l'écho des acclamations qui diminuaient peu à peu arrivait jusqu'à elle.

Au-dessus de sa tête, un rossignol commença à chanter.

Les carillons de l'église du « Couronnement » venaient d'égrener leurs notes aigrelettes sur les eaux endormies du Danube, et les deux coups de l'heure suivirent, espacés et calmes.

PAPRIKA

Presque aussitôt, se répondant d'une rive à l'autre, sonnèrent les cloches de Saint-Istvan, Saint-Andras et Saint-Lukacs.

Dans la brise fraîche, les derniers sons s'évanouirent, annonçant l'aube prochaine.

Une musique discordante provenait encore des restaurants de l'île Sainte-Marguerite.

Les orchestres jouaient leur morceau final.

Calèches et autos commençaient à quitter le « Marcus » et les autres restaurants selects de l'île, ramenant les épouses lasses, écroulées dans un coin, les maris renfrognés dans l'autre.

Ou bien encore des couples nouvellement engagés dans une liaison, serrés l'un contre l'autre, échangeant des baisers humides, s'étreignant de leurs mains avides.

La foule des roturiers, émoustillée par le vin, émergeait par flots des guinguettes et des bars.

Quelques paires d'amoureux pressés cherchaient les endroits obscurs du parc ou se glissaient derrière les ruines du cloître médiéval, voué jadis à la dévotion et au recueillement.

D'autres se serraient de près, allongés sur les pelouses sous les rosiers, et s'ébattaient sur les larges pierres moussues où, naguère, de pieux moines et de saintes nonnes s'étaient agenouillés en prière, tout à leur dévotion.

Deux couples envahirent le banc près duquel Paprika s'était laissée tomber.

La jeune fille, lasse, se releva et, en se traînant, regagna solitaire la route qui conduisait au pont Marguerite.

Équipages et automobiles passaient devant elle dans un défilé ininterrompu, tandis que des hommes et des femmes, bras dessus, bras dessous, complètement ivres, chantant à tue-tête ou riant à gorge déployée, la croisaient en tous sens.

Deux hommes l'accostèrent. Elle poursuivit son chemin sans répondre.

Son corps lui faisait mal, comme s'il avait subi toutes les tortures de la roue. Elle avait à peine la force d'avancer. Au milieu du pont, elle s'arrêta et, s'appuyant contre la balustrade, fixa un moment les eaux sombres du Danube.

Pourquoi ne pas en finir tout de suite ? Elle était épuisée, à bout, à bout de tout.

Jancsi était célèbre, adulé, aimé d'une princesse qui osait l'embrasser devant un millier de personnes. Plus rien ne pouvait la rattacher à la vie maintenant, puisqu'il était perdu pour elle à jamais.

Elle se demanda quelles sensations on pouvait bien éprouver en se précipitant dans ce vide. Était-il très douloureux de se noyer ? Elle se pencha sur le parapet.

Tout à coup, le souvenir hideux du marinier à la jambe de bois lui traversa l'esprit et la fit frissonner.

Elle s'imagina gisant sous la toile brune de l'« Arany », la poitrine mutilée, l'abdomen arraché par les grappins acérés, sa chair gluante et verdâtre éclairée par la lumière blafarde de la lanterne.

Non ! Jamais elle ne consentirait à retourner dans cette horrible embarcation, même morte !

Un canot à moteur de la police fluviale passait à ce moment sous le pont. Son hélice tourbillonnait furieusement dans l'eau, laissant derrière elle un sillage d'écume blanche.

Sur la surface ridée du fleuve, ses feux de position, rouges et verts, se reflétaient en zigzags étranges, semblables aux contorsions de serpents étincelants.

Paprika détourna la tête. Elle avait froid. Elle reprit sa route.

Sur les lieux de l'accident, des hommes s'affairaient, à la lueur de grandes lampes à acétylène, à réparer l'asphalte de la surface brûlée du pont et à charger les débris des véhicules sur une benne de dépannage.

Deux heures et demie sonnaient quand Paprika déboucha sur le boulevard Sainte-Marguerite.

Quelqu'un courut au-devant d'elle. Elle reconnut le receveur qui l'avait amenée.

— Je savais que vous viendriez, *libuskam* ! cria-t-il d'un air joyeux en la prenant vivement par le coude. Mais pressons-nous, je suis déjà en retard de deux minutes sur l'horaire !

Étourdie et presque reconnaissante, Paprika se laissa entraîner jusqu'au tramway dans lequel elle grimpa. Elle s'écroula sur la banquette derrière le conducteur au visage renfrogné, furieux d'avoir perdu, à cause d'elle, quelques instants d'un précieux sommeil.

Le tramway, rempli de fêtards somnolents et fatigués, démarra avec une secousse brusque dans un bruit de ferraille usée, et s'élança vers le cœur de la cité.

Le receveur paya le ticket de la jeune fille, comme il l'avait déjà fait au courant de l'après-midi.

Un arrêt non loin de la demeure de la princesse Ilonka donna le temps à Paprika d'apercevoir un coupé, tiré par deux juments blanches à la crinière flottante, qui entrait sous la porte cochère, devant le portier rigide, saluant, la main au chapeau. Le bruit des sabots des chevaux s'étouffa presque aussitôt.

Quand le tramway passa devant les fenêtres, deux d'entre elles venaient de s'éclairer.

Soudain, Paprika, torturée, détourna les yeux.

Jancsi et sa princesse étaient seuls, maintenant. Et ils allaient se mettre au lit — et ils allaient s'aimer.

— *Na hat !* Avez-vous entendu jouer le Tzigane ?

Elle sursauta en entendant la voix du receveur et répondit d'un signe de tête affirmatif.

— Comment le trouvez-vous ?

Elle haussa les épaules, les yeux rêveurs :

— Très bien ! Mais j'ai connu autrefois un gitan qui jouait tout aussi bien que lui. Seulement, il n'était pas vêtu avec autant d'élégance.

— Vous l'avez dit ! approuva le receveur. L'habit fait le moine ! C'est le costume d'abord qui fait la touche avec les femmes ! J'en sais quelque chose !

Il se mit à rire en rajustant son col et tirant sur sa tunique.

— Avez-vous vu votre sœur ?

Paprika le regarda, complètement ahurie :

— Ma sœur ?

Alors seulement elle se souvint de l'histoire qu'elle avait inventée.

— Oh ! oui ! Son mari voulait que je reste avec eux, mais ma sœur est si drôle ! Elle serait jalouse de sa propre mère ! Alors...

— Pourquoi ne dites-vous pas la vérité ?

Elle le regarda, effrayée.

— Allons ! Pourquoi ne pas admettre que vous avez préféré venir me retrouver ?

Interloquée, elle ne répondit mot, et le receveur, dans sa juvénile prétention, interpréta son silence comme une timide affirmation.

Le tramway s'était vidé peu à peu, et il ne restait plus que quelques voyageurs somnolents. Le jeune homme vint s'asseoir auprès de Paprika, glissa son bras autour de sa taille et, la serrant de près, lui murmura à l'oreille :

— Je crois bien que, vous et moi, ça va bicher, tous les deux ! J'ai senti cela dès que je vous ai vue !

Le trolley approchait du terme de sa course. Le receveur fit descendre la jeune fille de voiture, un arrêt avant le terminus, la priant d'attendre quelques instants, pendant qu'il irait contrôler la rentrée de la voiture au dépôt, pointer sa fiche de travail et faire sa caisse.

— J'habite juste au coin de la rue, lui dit-il en revenant. Ce n'est pas grand, chez moi, mais j'ai un bon lit. C'est le principal ! Pas vrai ?

En riant, il enlaça la taille de la jeune fille et l'attira contre lui. Paprika était trop lasse de corps et d'esprit pour avoir la force de faire une objection. Elle acquiesça d'un signe et accompagna le jeune homme sans mot dire, presque heureuse d'écouter son bavardage et d'avoir trouvé un abri où se reposer enfin.

Quelle importance le reste pouvait-il avoir maintenant ? Tout lui était devenu si indifférent.

PAPRIKA

Le receveur sortit une grosse clef de sa poche et ouvrit le portail.

A la lueur d'un morceau de bougie qu'il avait pris sur une planche et qu'il alluma dans le couloir, tous deux commencèrent l'ascension d'un vieil escalier de pierre en spirale.

Trois étages ! Paprika qui, de sa vie, n'avait jamais éprouvé une telle fatigue suivait péniblement son compagnon en s'appuyant à la rampe.

Arrivé au troisième, l'homme ouvrit une porte et invita la jeune fille à entrer dans son appartement.

En y pénétrant, elle vit qu'il était composé d'une chambre assez misérable et d'une cuisine minuscule. Une odeur de renfermé, de literie défraîchie, imprégnait toute la pièce.

Le receveur alluma un papillon de gaz au-dessus du lit défait.

— Faites comme chez vous ! dit-il cordialement à Paprika. Mettez-vous à votre aise !

Dissimulant avec peine son impatience, il commença à se dévêtir tout en gardant les yeux fixés sur le jeune corps qui excitait sa convoitise. Une fois déshabillé, il remonta sa grosse montre d'argent, l'accrocha à un clou fiché dans le mur et régla sur midi, pour le lendemain, le réveil qui faisait tic-tac sur la table de nuit.

Paprika était demeurée au milieu de la pièce, immobile, une main sur ses yeux comme si la lumière lui faisait mal.

L'homme prit sur une étagère une bouteille à demi pleine de *szilva-palinka* et, après avoir avalé une longue gorgée, tendit la bouteille à son invitée :

— *Igyal !* Cela te fera du bien !

Elle le regarda.

C'était donc toujours la même chose ! La bouteille d'abord, ensuite...

Elle but une longue gorgée, puis une autre.

Si elle essayait de se griser... Pourquoi pas ? Cela l'aiderait peut-être à oublier.

Le jeune homme vida après elle le reste de la bouteille d'un seul trait et, avec un coup d'œil significatif à Paprika, se mit au lit.

Sortant de ses réflexions, elle commença par retirer ses chaussures, prenant l'un après l'autre ses pieds endoloris dans sa main et les frottant tendrement, là où le cuir avait meurtri ses orteils délicats.

Après quoi, lentement, elle se dévêtit, pliant avec soin chacun de ses vêtements puis, avec un frisson d'appréhension semblable à celui qu'on éprouve avant de se jeter dans l'eau glacée, elle se glissa dans le lit.

Un bras impatient l'étreignit.

Un autre s'étira pour éteindre.

L'obscurité reprit ses droits.

Dans le palais Estervary, Jancsi venait de renvoyer son domestique.

Il désirait être seul avec les souvenirs que, ce soir tout particulièrement, la rhapsodie avait ravivés dans son âme.

Un flot d'images troublantes passait et repassait devant ses yeux.

Avec impatience, il ôta son habit qui l'oppressait comme une camisole de force et endossa le premier vêtement qui lui tomba sous la main, un pyjama de taffetas noir, parfumé à l'essence de gardénia, cadeau de la princesse Ilonka.

Puis il entra dans sa chambre à coucher et s'arrêta devant la glace qui recouvrait entièrement le mur près du lit. L'image qui s'y reflétait était celle d'un élégant étranger, aux cheveux plaqués et vêtu de noir, qui s'examinait avec curiosité.

Cet étranger lui renvoyait sa question d'un œil inquiet et comme hanté. Puis, lentement, vint se superposer la vision d'un jeune gitan couvert de guenilles, pieds nus, portant sur son dos un *bashadi* patiné par le temps et les intempéries.

Jancsi s'assit sur le lit, s'enfonçant dans les moelleuses soies blanches. Les coudes sur les genoux, dans l'attitude préférée des gitans, il ferma les yeux, et son esprit s'en fut voguer au gré des flots du souvenir.

PAPRIKA

Devant lui s'élevaient les hauts murs de pierre de la prison de Vacz. Derrière ces murailles, il avait connu six mois de dur labeur et y avait laissé sa santé. Dans des crises de fièvre qui lui avaient donné parfois le délire, il avait été hanté par Paprika.

La mort était devenue son seul espoir. Il s'était souvenu qu'elle avait pris, en geôle, quelques-uns de ses frères de la tribu. Mais le sort n'avait pas voulu lui ouvrir cette porte de la délivrance.

Au contraire, il s'était trouvé libéré plus tôt ; et les six autres mois qu'il aurait dû encore subir lui avaient été épargnés, en raison de son mauvais état de santé, et aussi un peu grâce à son *bashadi* avec lequel il avait su toucher le cœur de ses geôliers.

C'est au mois de mai qu'il était sorti de prison. Les arbres fruitiers en fleurs paraient de leurs gros pompons blancs et roses la campagne inondée de lumière. Dans l'air tiède, le chant joyeux d'une alouette montait comme un hymne à l'espoir et à la liberté. Mais l'âme du jeune libéré n'avait éprouvé que tristesse et découragement.

Dans un champ fraîchement labouré, il s'était laissé tomber et avait enfoncé ses doigts dans l'humus gras et moite vibrant d'une sourde gestation intérieure et qui fleurait bon la terre, cette grande amie éternelle des gitans.

Devant ses yeux, aveuglés par les larmes, dans un abandon moqueur, l'obsédante silhouette de Paprika était venue danser.

Elle était mariée maintenant et perdue pour lui, à jamais.

Et, cependant, il avait brûlé de l'envie de la revoir, ne serait-ce que quelques instants, même de loin ! Mais, énergiquement, il avait repoussé cette tentation et, se rappelant son serment, s'était résolument tourné vers Budapest.

La capitale, avec ses palais, ses cathédrales, ses lumières, l'avait ébloui.

Et il avait pensé à la célébrité qu'y avaient acquise un grand nombre de violonistes tziganes : Czinka Panna, Michael

Barna, Bihari, Magyri Imre et d'autres, une douzaine d'autres dont il ne se rappelait pas les noms.

Alors, il s'était dit : pourquoi pas lui aussi ? Ne pouvait-il pas jouer tout ce qu'il entendait et exécuter ses propres œuvres ? Son cœur n'était-il pas rempli de mélodies qui ne demandaient qu'à naître sur son violon ? Et la ballade improvisée à la naissance de Paprika ne pouvait-elle s'amplifier en une grande rhapsodie tzigane ?

Oui, il allait se mettre à la tâche ! Son esprit s'était senti capable d'accomplir de grandes choses, et une force mystérieuse l'avait poussé, qu'il n'avait jamais éprouvée auparavant.

Toujours assis sur le bord du lit, la tête dans les mains, il refaisait de mémoire la route pénible qu'il avait suivie jusqu'à Budapest.

Il se rappelait les petites auberges sur la route, les csardas qu'il avait jouées en échange d'un bol de *gulyas* et d'un verre de vin.

Il se souvenait de sa première halte à Kaposhaza, où une voluptueuse servante, Annuska, aux jambes robustes gainées dans des bottes de cuir rouge, l'avait enivré et porté elle-même dans sa mansarde, au-dessus de l'étable à cochons. Elle aurait voulu qu'il restât toujours auprès d'elle.

Que de villes ! Que de villages ! Que d'auberges ! Des auberges et encore des auberges, où il lui avait fallu gratter du violon ou laver le plancher, nettoyer les étables pour obtenir juste de quoi ne pas mourir de faim.

Des filles de salle, des serveuses, beaucoup de serveuses, beaucoup de filles, des filles partout, qui toutes lui avaient fait les yeux doux.

Il se souvenait, en particulier, d'une jeune veuve, propriétaire de l'auberge « Zrinyi » à Szokolo, qui s'était tellement amourachée de lui qu'il avait espéré un moment tout oublier, grâce à elle ; mais sans cesse, nuit et jour, l'image de Paprika était revenue danser devant ses yeux.

Que de longues marches ! Que de plaines désolées ! Que de

contrées désertiques parcourues ! Que de torrents furieux traversés ! Que de lieues franchies sous un soleil brûlant !

Que de nuits noires passées à grelotter dans des vêtements trempés, l'estomac vide et les pieds endoloris d'ampoules, hantées de cauchemars et de gendarmes trop curieux !

Et tous ces chiens, compagnons d'un soir, dont il avait partagé la niche et la bonne chaleur.

Et tous ces cimetières anonymes où, en échange d'une nuit paisible, il avait offert une bonne pensée à la mémoire de morts qu'il n'avait jamais connus.

Et pour survivre, un sou gagné par-ci, un quignon de pain noirci trouvé par-là, des fruits, pas toujours mûrs, volés ailleurs.

Et partout, inexorablement, la pensée torturante de Paprika — d'une Paprika appartenant à un autre.

Enfin, Budapest !

Ses lumières aveuglantes... Ses voitures, son vacarme incessant... Ses larges avenues bordées d'arbres... Ses palais et ses cathédrales imposants... comme il n'aurait su les imaginer... Monuments de bronze et de marbre... Et l'étonnement apitoyé des élégants citadins devant ses vêtements en guenilles, sa maigreur, ses pieds nus.

Et les regards soupçonneux de la police, quand il léchait les vitrines des charcuteries où jambons et saucissons se côtoyaient alors que ses entrailles vides grognaient la faim !

Il ne pourrait jamais oublier le marchand de saucisses « *Debrecener* » qu'il avait trouvé arrêté au coin d'une rue, devant sa voiture et sa grande marmite de saucissons. On eût dit une locomotive miniature ! Un nuage de fumée odorante se dégageait de la petite cheminée, qui avait mis ses narines au supplice.

Le vendeur bossu criait, avec une surprenante voix de crécelle, chaque fois qu'un passant lui paraissait être un client potentiel :

— Ces saucisses viennent directement de Debrecen !

Elles n'avaient pas plus vu le jour à Debrecen, la ville qui devint fameuse à cause précisément de ses extraordinaires saucisses, que celles de Vienne et de Francfort à Vienne ou Francfort.

Ce qui n'empêchait pas les alléchantes portions de se débiter sous son nez, brûlantes et grasses à souhait, d'émerger de la bassine « locomotive », de tomber sur les tranches, bien minces, de pain bis, saupoudrées d'un geste expert d'un petit peu de raifort râpé, et de disparaître dans les bouches avides, le tout pour vingt fillérs seulement !

Avec un sourire amer, Jancsi se rappelait le marché qu'il avait proposé au vendeur :

— Pour un morceau de musique, un morceau de pain, avec saucisse et condiments, bien entendu !

Le bossu avait accepté, convaincu que le violon attirerait les clients.

Son plan avait pleinement réussi.

Les accents de son violon avaient attiré beaucoup de passants qui, profitant de l'occasion, avaient acheté des saucisses, pour manger tout en écoutant.

Aussi, plein de l'espoir d'un déjeuner pantagruélique, il avait gratté son instrument à en perdre haleine, humant la vapeur appétissante qui lui creusait encore plus l'estomac.

Le bossu perçut beaucoup d'argent ; mais lui, Jancsi, n'avait pas reçu les saucisses promises.

— Tout est vendu ! Plus de *Debrecen* ! Allez-vous-en, sale gitan, ou j'appelle la police !

Il s'était traîné jusqu'à l'autre coin de la rue et là, appuyé contre le mur, à moitié mort de faim, désespéré, il n'avait attaché aucune importance à l'attroupement qui s'était formé autour de lui et à l'agitation anormale qu'un événement extraordinaire apporte dans le va-et-vient routinier des passants d'une petite rue commerçante.

En effet, une victoria tirée par deux juments blanches dont les sabots tiraient des étincelles des pavés venait de s'arrêter. Deux femmes extrêmement élégantes en étaient descendues.

PAPRIKA

Jancsi s'était trouvé porté au premier rang des curieux, qu'un agent de police avait du mal à contenir, au moment où les jeunes dames traversaient le trottoir pour entrer dans un magasin.

Les hommes s'étaient découverts ; les femmes avaient fait la révérence. Une des jeunes aristocrates, la plus grande et la plus belle, avait incliné légèrement la tête en réponse aux hommages de ces petites gens et promené sur eux un regard froid et indifférent, qui était brusquement venu s'arrêter sur le jeune homme.

Ses pas s'étaient ralentis, et elle l'avait examiné avec un sourire d'appréciation hardi. Puis elle avait murmuré quelques mots à sa compagne, qui lui avait décoché un coup d'œil critique. Toutes deux avaient chuchoté une seconde.

Lui, Jancsi, avait senti avec embarras tous les regards de la foule fixés sur lui, sans comprendre la raison de la curiosité subite qu'il venait d'inspirer.

Les jeunes femmes étaient enfin entrées dans le magasin.

Mais presque aussitôt, la plus petite, après un hâtif griffonnage, avait rouvert la porte et s'était approchée de lui. Avec un sourire audacieux, elle lui avait tendu le billet et était rentrée vivement dans la boutique.

Stupéfait, Jancsi avait tourné et retourné le bristol entre ses doigts, incapable de comprendre ce qu'on lui voulait.

Les curieux, témoins de la scène, s'étaient pressés immédiatement autour de lui, riant et plaisantant, et des cous s'étaient tendus pour essayer de lire le mystérieux message.

Le visage rouge d'embarras, il avait repoussé ses voisins indiscrets et s'était éloigné. Ne parvenant pas à se débarrasser de deux filles effrontées qui s'obstinaient à le suivre, il avait pris le parti de se réfugier dans une vespasienne.

Là, enfin tranquille, il avait épelé avec difficulté les mots délicatement gravés sur la surface ivoirée de la carte :

ESTERVARY DE ESTERUYFALU ILONKA
HERCEGNO

Au recto était inscrit au crayon :
« Palais Estervary, Maggit Ut — huit heures, ce soir ! »

Avec quelle curiosité et quelle impatience il avait attendu d'entendre sonner les huit coups à l'église du « Couronnement » !

Maintenant, confortablement installé dans une des pièces douillettes de cette élégante résidence, il revoyait la façade de pierre grise du somptueux palais, telle qu'elle lui était apparue pour la première fois.

Une entrée étroite dans l'immense porte cochère, finement sculptée, devant laquelle se tenait un portier imposant, sanglé d'une bandoulière d'argent, coiffé d'un chapeau à la Napoléon, et portant une haute canne surmontée d'un pommeau à couronne princière.

Puis un large escalier de marbre. Des candélabres massifs. Des laquais en culottes de soie noire, chaussés d'escarpins, ricanant à son passage et clignant de l'œil avec un air entendu vers les femmes de chambre françaises.

Puis une salle de bain d'onyx noir et d'albâtre. Une baignoire — une piscine plutôt — à laquelle on accédait par des marches de marbre et d'où montait une buée chaude et parfumée.

Un valet l'avait aidé à se dévêtir. Le bain achevé, deux accortes femmes de chambre au sourire moqueur avaient procédé aux soins des ongles de ses mains et de ses pieds, tandis qu'un coiffeur avait coupé ses cheveux en broussaille et l'avait rasé.

Et ces pyjamas de soie blanche, et cette robe de chambre de satin noir qu'il avait dû endosser. Enfin, cette vaporisation abondante au gardénia, qui avait achevé la transformation.

Finalement, cette vaste chambre à coucher, aux lumières voilées...

Et Elle !

Elle était là qui l'attendait, allongée sur un grand lit circulaire au centre de la pièce. Son corps souple, qui creusait la couche, avait toutes les sinuosités voluptueuses d'une panthère au repos.

PAPRIKA

Un déshabillé diaphane la couvrait, dissimulant mal, sous un décolleté de dentelles, le bout des seins roses, pointant hardiment, impudiques, impatients.

Il revoyait encore ses yeux sensuels, ses lèvres avides de pécheresse.

La soie blanche du négligé qui moulait la courbe harmonieuse des jambes découvrait au-dessus du genou un peu de peau nacrée et veloutée. Les pieds étaient nus et fins, et les mains nerveuses se terminaient par des ongles en pointe et polis comme des miroirs.

Tous les détails de ce corps magnifique, tel qu'il s'était offert à lui ce soir-là, lui revenaient nettement à la mémoire.

Elle lui avait tendu une coupe de vin et, comme par hasard, leurs doigts s'étaient frôlés.

De sa belle voix grave, elle lui avait demandé de jouer.

Il avait obéi et, son *bashadi* serré contre sa poitrine, avait attaqué les premières mesures de « Paprika », désespérément, comme on prie son saint patron de vous délivrer d'un péril mortel. Ses pensées s'étaient efforcées de se fixer sur Paprika, mais l'image se refusait à paraître.

Le parfum des gardénias et le vin avaient engourdi ses sens.

Quand il s'était arrêté, il s'était aperçu que la jeune femme pleurait. Son négligé était tombé, et les lèvres humides, entrouvertes, elle lui avait tendu les bras.

Malgré lui, il s'y était laissé tomber.

*
* *

Les quelques mois suivants lui avaient laissé un souvenir moins vivace. Tant de choses s'étaient passées depuis ce premier rendez-vous.

Il était devenu célèbre, comme il l'avait désiré, comme Zsuzsa le lui avait prédit.

251

PAPRIKA

Le gitan voleur de chevaux, qui avait été en prison, avait joué devant Sa Majesté, le Roi de Hongrie.

Une princesse était devenue sa maîtresse et sa bienfaitrice.

Il partageait sa vie, dans son palais, sortait dans sa voiture, couchait avec elle !

Mais cette existence lui semblait irréelle comme un rêve qui allait s'achever d'un moment à l'autre.

Pendant tous ces derniers mois, il s'était efforcé de se persuader qu'il haïssait Paprika. Il avait été tenaillé par un impérieux besoin de se venger et de triompher un jour devant elle. Celui qu'elle avait appelé autrefois un sale gitan, dont elle s'était moquée, dont elle avait méprisé l'amour, pouvait enfin, à son tour, la railler et lui rendre toutes les insultes qu'elle lui avait jetées à la face. Il pouvait, à son tour, lui aussi, la dédaigner. Eh bien ! maintenant, il n'en avait plus envie...

Quelque chose venait de se passer ce soir. Quoi ? Il n'aurait su l'expliquer. Mais toute cette haine si bien entretenue avait subitement disparu.

Dès les premières mesures de sa rhapsodie, comme par miracle, il avait senti la présence de la jeune fille, si proche que son souffle frais lui avait quasiment effleuré les joues, et dans son âme était remonté, comme entraîné par une lame de fond, le souvenir de toutes les cruautés de celle qu'il adorait.

Puis la vision s'était transformée en un visage inondé de tristesse. Le rire moqueur s'était changé en supplication tendre.

« Reviens auprès de moi ! murmurait-elle, je t'aime ! »

Il aurait juré avoir entendu sa voix dans cette douloureuse déclaration d'amour. Et il avait joué uniquement pour elle. Pour elle, il avait atteint ce soir le sommet de son art. Il avait fait chanter les cordes comme d'elles-mêmes, surmontant les difficultés qu'il n'osait encore se targuer d'avoir vaincues.

Ses doigts avaient pirouetté, virevolté au travers des arpèges les plus savants, comme jamais auparavant. Ils avaient même réussi à jouer une cadence tout en triples croches *legatissimo* !

252

PAPRIKA

Cette magistrale exécution achevée, son rêve avait continué encore.

Tremblant, les tempes trempées de sueur froide, il avait ouvert les yeux, pour bien constater la présence réelle de Paprika à ses côtés.

Étonné, mais toujours convaincu de sa présence, il avait regardé autour de lui, pensant qu'elle cherchait à s'échapper.

Alors son esprit, peu à peu, était retombé dans la réalité, redevenant conscient du vide qui l'entourait, malgré les applaudissements qui martelaient ses oreilles.

Quand la Princesse l'avait embrassé, il avait éprouvé un dégoût insurmontable. Il aurait voulu essuyer ses lèvres, là où la jeune femme venait de poser les siennes.

Devant toutes les ovations de cette foule bouleversée par l'émotion, ces fleurs jetées à ses pieds, il n'avait ressenti qu'un terrible isolement proche de l'angoisse.

Il demeurait anéanti en constatant que cette heure de triomphe, si ardemment désirée, et à laquelle il était parvenu uniquement pour satisfaire sa vengeance vis-à-vis de Paprika, ne signifiait rien, puisqu'elle n'était pas là pour la partager avec lui.

Rien, vraiment, ne pouvait compter sans elle. Et pourtant quelle folie de désirer sa présence ! Ne le raillerait-elle pas, maintenant, comme elle l'avait toujours fait ? Bien sûr ! Sinon davantage.

D'ailleurs, n'était-elle pas maintenant mariée à Balermengro, cette brute chevelue à face de singe ? Et elle devait attendre, probablement, un enfant de lui, de lui ou d'un autre.

Découragé, Jancsi s'étendit sur le lit. Une torpeur invincible envahit peu à peu ses pensées et, entraîné dans de confuses visions, il se laissa glisser dans le sommeil.

Dans le boudoir de la princesse Ilonka, une très jolie jeune femme, vêtue du costume national hongrois, ample et courte jupe rouge et bottes montantes, procédait à la toilette de nuit de Son Altesse.

Ces préparatifs constituaient généralement un cérémonial très compliqué mais, ce soir, la femme de chambre avait été priée d'aller au plus court.

— Pas de bain, Donka ! avait dit la Princesse. Vous savez que je l'aime bouillant, mais cela demande un certain temps. Je ne veux pas m'attarder davantage. La vie est trop courte ! Je veux jouir de cette nuit autant qu'il m'en sera possible. Vous me comprenez ?

— *Igen !* Altesse, je sais !

Un sourire malicieux erra sur le visage de la femme de chambre qui trempa son index dans un flacon de « Gardénia » et le passa sur les pointes roses et impertinentes des seins de sa maîtresse.

Avec un soupir voluptueux, Ilonka saisit sa poitrine à pleines mains pour s'assurer de sa belle fermeté.

Se levant, elle s'étira toute, et s'avança vers un miroir dans lequel elle pouvait se voir tout entière et qui refléta sa complète nudité. Se tournant, de profil, de face, de dos, elle s'examina, critique, toujours soucieuse de ses formes impeccables mais aussi toujours heureuse d'en contempler les courbes parfaites qui lui inspiraient une sorte de trouble amoureux pour sa propre personne.

La cameriste la regardait faire, jetant sur elle un long regard admiratif et chargé de convoitise.

— As-tu préparé assez de caviar et de champagne glacé ?

Donka comprit et sourit :

— Tout est prêt, Altesse !

Elle prit un vaporisateur aux proportions gigantesques et aspergea le lit à profusion d'essence de gardénia.

Ce devoir terminé, elle se tourna vers sa maîtresse :

— Son Altesse n'a plus besoin de rien ?

— Non, merci, Donka ! Va te distraire aussi !

La femme de chambre se retourna, ayant dans ses yeux étonnés comme une lueur de reproche :

— Je me demande bien avec qui ?

— Mais il y a Aladar, le sommelier, Ferenc, le valet, les

laquais, les grooms, les cuisiniers, toute une petite armée, enfin ! Cela ne te suffit pas ? lança la Princesse dans un rire espiègle.

Donka secoua lentement la tête. Ses yeux gris-vert, insondables, s'enfoncèrent dans ceux de sa maîtresse :

— Je déteste les hommes, tous les hommes !

Ilonka ne répondit pas.

— Une très bonne nuit à Votre Altesse !

Donka fit une révérence et recula vers la porte, faisant respectueusement toujours face à la Princesse.

— Bonne nuit, Donka !

La porte s'ouvrit et se referma doucement. Ilonka se dirigea vers une autre qui conduisait à l'appartement de Jancsi et, tendant l'oreille, écouta.

Aucun bruit. Elle passa dans la salle de bain digne d'un sybarite, le cabinet de toilette qui y attenait et entra dans la chambre de Jancsi.

Il était étendu sur le lit comme un enfant fatigué, les mains posées derrière sa nuque sous sa tête ébouriffée. Il dormait d'un sommeil profond.

Ilonka s'approcha de son pas de panthère et l'examina de ses yeux froids, durs, qui rapetissaient au fur et à mesure que sa rancune augmentait.

Après tous les préparatifs qu'elle venait de faire pour une nuit de volupté, elle le trouvait endormi, encore une fois, comme la veille et les nuits précédentes. N'avait-elle pas le droit de réclamer ses attentions ? Ses désirs étaient-ils donc ignorés à ce point ?

Jancsi dormait profondément et rêvait.

Il était étendu au sommet d'une colline verte, moussue. Tout autour de lui, dans la verdure veloutée, il y avait de larges fleurs blanches. Des fleurs comme il n'en avait jamais vu éclore, sauvages, dans les champs.

C'étaient des gardénias.

Il comptait les petits nuages, moutons dans le bleu profond du

*ciel ; et les rayons du soleil réchauffaient ses entrailles, lui rappe-
laient sa virilité.*

*Soudain — née du bleu du ciel et de l'or du soleil —, Paprika
lui apparaissait. Elle était nue comme il l'avait si souvent vue
pendant son enfance, sa blancheur éblouissante se confondant
avec celle des gardénias.*

*Elle lui arrachait tous ses vêtements avec des gestes brusques
et rapides qui dénotaient son caractère autoritaire. Puis elle
s'allongeait près de lui.*

Il sentait ses longues mains fines le caresser.

Ses lèvres purpurines frôlaient les siennes.

*Le parfum des gardénias s'exhalait plus lourd — plus fort —,
apporté par la brise qui courait sur leurs peaux nues.*

Les caresses de Paprika se faisaient plus précises.

Il se réveilla en sursaut.

— *So si ?* demanda-t-il en *Calo.*

Il rencontra les yeux langoureux et pervers d'Ilonka qui lui
souriaient et sentit le corps nu de la Princesse, parfumé de
gardénia, se presser contre lui. Elle essayait de le dévêtir.

— Oh ! Ilonka ! dit-il faiblement et sur un ton déçu.

La Princesse se leva. Elle le regarda. Une interrogation
fusa dans le regard qui chatoyait entre les cils baissés. Elle
devinait son désappointement à son visage, au ton de sa voix.

— Vous n'êtes pas content, mon « amour » ? dit-elle en traînant sur les mots. Son ton caressant cachait mal une pointe
d'ironie. Qu'avez-vous donc ? reprit-elle plus sèchement.

— Je rêvais, je suis fatigué ! répondit-il simplement, tout
en saisissant la main qui, s'étant égarée, avait provoqué un
rêve si réaliste.

— Vous êtes fatigué ? Mon pauvre cher Jancsi !

Il n'y avait plus à se tromper sur le ton de raillerie qu'elle
prenait maintenant. Elle se leva et le regard qu'elle lui lança
le mit très mal à son aise.

— Avez-vous, par hasard, compté combien de fois vous
vous êtes trouvé fatigué ces dernières semaines ?

PAPRIKA

Le jeune gitan fronça les sourcils. Une aversion soudaine, inexplicable, sourdait en lui. Il s'efforça de la surmonter.

Avec un air d'humilité feinte, la Princesse murmura dans un soupir :

— Je suis égoïste, n'est-ce pas ? Vous me trouvez exigeante sans doute ? Un grand artiste ne devrait pas avoir à se plier aux caprices d'une femme ! Fût-elle Ilonka !

Elle se détourna et se dirigea vers la porte.

— Je vous en prie ! Ne soyez pas fâchée ! plaida-t-il.

Il savait qu'il aurait dû se précipiter vers elle, la retenir, la prendre dans ses bras, oublier sa fatigue et la prier de rester.

Visiblement, elle attendait ce geste.

Il aurait pu vaincre sa répulsion, oublier sa lassitude, sans doute, mais il lui serait impossible de parvenir à oublier Paprika.

Arrivée près de la porte, Ilonka se retourna. Malgré sa nudité, elle était redevenue « la Princesse », et son attitude hautaine était pleine de dignité, de dédain. L'arc mobile de ses sourcils était levé ; ses lèvres sensuelles avaient une expression dure et cruelle, mais le ton de sa voix restait aimable, gracieux même :

— Reposez-vous bien, Jancsi ! Bonsoir. Faites de beaux rêves !

Et la porte se referma sur elle avant qu'il n'ait eu le temps de répondre.

Ilonka, étendue sur son lit circulaire, chercha pendant quelques instants les moyens les plus divers pour assouvir sa colère et se venger par un caprice cruel. Elle passa en revue, dans son esprit, toutes les différentes méchancetés de sa connaissance, pour choisir l'ultime rosserie qu'elle pourrait faire à Jancsi, prendre sa revanche.

Puis elle se leva, se dirigea vers le seau à champagne, prit une des bouteilles de « Veuve Clicquot » qui s'y trouvaient et, faisant sauter le bouchon, se remplit une coupe.

Tout en buvant, une pensée soudaine lui traversa l'esprit.

Après tout, la vengeance pouvait attendre.

Entre-temps, il y avait le nouveau valet d'écurie, Ernö. Plusieurs fois déjà, la jeunesse de son corps d'athlète bien découplé avait attiré son attention. De sa fenêtre, elle l'avait aperçu, un jour, luttant avec les grooms et les cochers. Il avait triomphé de tous.

Ilonka soupira, les narines palpitantes.

Elle avait toujours aimé l'odeur de la sueur, du crottin des chevaux et du cuir. Elle avait toujours eu un penchant irrésistible pour les jeunes palefreniers.

N'était-ce pas, à Vienne, dans le palais de sa mère, un valet d'écurie qui l'avait initiée à des plaisirs nouveaux, quand elle n'avait encore que douze ans ?

Il lui semblait encore sentir l'odeur forte et excitante du cuir de la sellerie. Et elle revoyait, dans son esprit, la lignée d'imposantes selles de « Saumur », luisantes et si bien entretenues, et les rênes et les mors de « Pelham » qui pendaient dans la pénombre fraîche de cette pièce, généralement déserte.

A distance, elle se souvenait avec délices des frissons et des joies qu'elle y avait connus.

Elle vida sa coupe, s'empara d'un négligé de voile de soie noire qui traînait sur le bras d'un fauteuil, et l'enfila sans même prendre le temps de l'agrafer.

Puis, enveloppant une bouteille de champagne dans une serviette, elle s'engagea sur la pointe de ses pieds nus dans le hall, les pans de son négligé découvrant son ventre nu et volant au gré de sa marche.

Il lui fallait descendre un étage, tourner à droite. A l'extrémité du couloir se trouvait la chambre d'Ernö. Elle avait repéré la topographie des lieux, la veille, quand, par hasard, elle avait vu le garçon sortir de sa chambre.

Doucement, elle tourna le bouton de la porte qui n'était pas verrouillée. Elle se glissa à l'intérieur de la pièce, refermant le battant derrière elle, ayant soin de mettre le loquet.

Dans le sombre réduit se répandait une odeur de sueur, de cuir et de savon de selle de chez « Propert ».

Elle s'approcha avec précaution du lit, faillit tomber en trébuchant sur une paire de bottes de cheval éperonnée, placée au pied de la couche.

Mais Ernö avait le sommeil lourd, et le bruit ne le réveilla point.

Ilonka, à tâtons, posa la bouteille de champagne sur la table de nuit, laissa glisser son négligé de ses épaules puis, soulevant le couvre-pied de plume, se glissa dans le lit, dans le creux chaud que faisait le corps de l'athlète endormi.

Ses pieds nus frôlèrent ceux du dormeur qui sursauta et se dressa, effrayé.

— *Fogd be a szad !* ordonna-t-elle à voix basse, c'est moi, la princesse Ilonka !

Elle agrippa à l'encolure la chemise de son domestique et, d'un geste brusque, la déchira de haut en bas.

*
* *

Paprika, dans le petit lit du receveur, n'avait pas trouvé le soulagement et le repos escomptés.

La couche était trop douce, trop moelleuse et trop chaude pour elle, habituée qu'elle était à dormir nue sur les rudes paillasses de la roulotte.

Dans les premiers instants, le contact du corps chaud et nu de l'homme allongé auprès d'elle l'avait calmée. Elle s'était sentie si épuisée, si solitaire qu'elle avait été presque heureuse de trouver une sécurité relative dans les bras de son jeune amant de hasard.

Pour la première fois, elle s'était donnée avec un complet abandon, uniquement pour oublier. Maintenant, elle restait là, étendue, l'esprit sans pensées, anéantie.

Mais le sommeil se refusait à venir.

D'abord, ç'avait été le tic-tac du réveil qui l'avait obsédée, puis le ronflement incessant de l'homme.

L'atmosphère lourde, âcre, renfermée, l'oppressait. Après

une nuit blanche, elle regardait les premières lueurs de l'aube poindre à travers les rideaux sales qui pendaient aux fenêtres.

Finalement, n'y tenant plus, elle enjamba le receveur assoupi, faisant bien attention de ne pas l'éveiller, se glissa hors du lit et disparut dans la cuisine.

Là, elle se passa de l'eau sur le visage, guettant, l'oreille tendue, la respiration du dormeur.

Puis elle revint dans la chambre pour se vêtir.

Les pantalons du receveur étaient étalés sur une chaise.

Elle s'en approcha, extirpa d'une des poches un porte-feuille. Il contenait dix-neuf couronnes et soixante fillérs.

Elle prit le tout, assez gitane pour se souvenir que les faveurs accordées à un *gorgio* doivent toujours être payées, comme l'exige la *Leis Prala*, la Loi qu'elle n'aurait pas voulu transgresser !

Elle remit le portefeuille à sa place et allait se diriger vers la porte lorsqu'elle aperçut la montre pendue au bout de sa chaîne, au-dessus du lit. Elle retira à nouveau ses souliers et, sur la pointe des pieds, s'avança pour s'emparer de ce dernier trésor. Elle le fit disparaître vivement dans son corsage et sortit de la pièce.

Dans la rue, elle croisa quelques rares passants mal éveillés qui portaient leur déjeuner dans de petites gamelles.

Une voiture balayeuse descendait lentement, raclant la chaussée de sa brosse métallique, soulevant un nuage de poussière.

Une arroseuse suivait à quelques mètres.

Paprika marcha rapidement jusqu'au tournant le plus proche, s'assura qu'elle n'était pas suivie et, avec l'instinct inné et le sens de la direction indiscutables du pigeon qui retourne à son nid, prit sa course vers le chemin de la gare du Sud.

Une heure plus tard, elle arrivait dans la cour de la station.

Tout à coup, elle se souvint du rendez-vous qu'elle avait promis au sergent de police. Elle regarda autour d'elle furtivement, craignant d'apercevoir le gardien de la paix à son poste. Mais il était encore trop tôt.

Elle gravit les escaliers qui conduisaient dans le hall. Il était presque vide. Quelques voyageurs somnolaient, crasseux de suie et de transpiration. C'était une heure creuse entre deux trains, et tout semblait calme.

Timidement, elle s'approcha d'un guichet.

Derrière la vitre, un appareil de morse martelait inlassablement ses éternels points et tirets.

Elle attira l'attention d'un factionnaire à demi endormi qui, se levant, s'approcha en traînant la savate, releva le petit carreau.

— *Kerek !* Une troisième classe pour Disznool, comitat de Szeged.

Avec des gestes lents, l'employé apathique lui tendit le petit carton.

— Neuf couronnes, cinquante fillérs, dit-il en bâillant et regardant ailleurs.

Paprika étala devant lui une montre et une chaîne en argent. L'homme, étonné, se pencha et rencontra les yeux implorants d'une pâle jeune fille habillée de soie rouge toute fripée.

— C'est tout ce que je possède ! C'est une très bonne montre. Elle a appartenu à mon père qui est mort. Elle vous ira très bien, monsieur, commença-t-elle, décochant un sourire irrésistible.

L'homme sourit aussi.

VII

LES grandes manœuvres d'automne de l'armée austro-hongroise se préparaient. Celles-ci se déroulaient, chaque année, en présence du commandant suprême, Sa Majesté apostolique, empereur d'Autriche et roi de Hongrie, François-Joseph Ier.

L'État-Major général avait choisi le comitat de Szeged comme théâtre des opérations.

Là, au milieu des vastes plaines de froment, de maïs et de paprika, une bataille décisive allait être organisée avec tout le matériel, dans des conditions simulant un réel état de guerre.

De tous les côtés, régiments, divisions, brigades, corps d'armée, convergeaient rapidement vers la zone des « hostilités ».

L'artillerie de campagne, les batteries montées et les contingents de cavalerie dépassaient au trot les colonnes d'infanterie, laissant derrière eux rouspéter, jurer, cracher, les malheureux fantassins qui suffoquaient dans le nuage de poussière soulevé par les chevaux.

Des compagnies cyclistes pédalaient sous le soleil de plomb.

PAPRIKA

Des motocyclistes défilaient dans un bruit infernal d'explosions rapprochées comme celles d'un barrage de mitrailleuses.

Conduits par les volontaires du « Corps automobile », les officiers d'État-Major — cerveau de ces forces armées — passaient dans la pétarade imposante des voitures, qui éructaient leur surplus de monoxyde de carbone à la face de l'infanterie, une fois de plus victime, toussant et rechignant, comme toujours.

Des estafettes, sur leurs montures écumantes, galopaient en tous sens.

Les *Feld-gendarmes*, à pied et à cheval, s'échelonnaient le long de la route pour régler le trafic.

Les champs, les villages et les villes de la contrée se trouvèrent envahis par des hordes soldatesques vêtues de grisaille réglementaire.

Mais loin de déchaîner la terreur comme l'eût fait une véritable guerre, tout n'était que joie au milieu du bon peuple. Leur roi, le gardien de la couronne sacrée de Saint Istvan, leur bien-aimé Jozsi Bacsi, allait être parmi eux.

Aussi, toutes les maisons, dans tous les villages, s'étaient-elles gaiement décorées de drapeaux, de banderoles aux couleurs nationales, rouge, blanc, vert, avec des fleurs, des feuilles de chêne et des branches de pin, de sapin, ainsi que de l'ancien écusson de Hongrie.

Partout l'excitation, le bruit, le tintamarre, les commandements lancés à tous les vents.

La confusion régnait partout, comme s'il s'agissait d'une réelle mobilisation pour faire la vraie guerre.

Du fait de la situation politique en général, des nombreux incidents de frontière et des querelles constantes avec les Serbes qui, forts de l'appui de la Russie, devenaient de plus en plus belliqueux, les chefs militaires de l'Autriche — l'Archiduc François-Ferdinand et son fidèle « Vendredi », le Baron Konrad Von Hötzendorf, chef de l'État-Major général, accompagné de ses satellites — voulaient faire une démonstration particulièrement impressionnante de leurs forces. De fait, sous le nom de « manœuvres », ce n'était ni plus ni moins qu'une répétition générale, car ils étaient tous d'accord pour déclencher une guerre « préventive ».

Pour faciliter « l'entrée en campagne », tout ce qui pouvait être transporté fut expédié par voie ferrée.

Le train dans lequel voyageait Paprika, en route vers Disznool, se trouva détourné pendant trois longues heures sur une voie de garage, à Szeged, pour laisser le passage libre aux convois de troupes qui avaient priorité.

De ses yeux fatigués, elle vit passer toute cette puissante machine de guerre en mouvement.

Des milliers de fantassins en gris souris, de cavaliers en rouge et bleu, se penchant par grappes aux portières des wagons de troisième classe, entassés dans les fourgons de marchandises, ou apparaissant entre les battants entrouverts des coupés modèle : « 40 hommes, 8 chevaux », partout, sur les marches, sur les tampons, et même allongés sur les toits.

Suant, fumant, criant, chantant, ils s'accompagnaient de l'accordéon ou de l'harmonica et faisaient des remarques et des gestes obscènes en apercevant Paprika ou toute autre femme.

Dans les wagons à bestiaux, elle pouvait entendre les mules et les chevaux piaffer avec impatience et hennir.

Elle vit défiler les plates-formes chargées d'un matériel énorme. De canons sur voie ferrée, d'artillerie lourde, de mortiers et de Haubitzers de Skoda et de Krupp, dressant leurs gueules menaçantes dépourvues de culasses. Des canons antiaériens, des mitrailleuses et des caisses remplies de munitions. Des cuisines roulantes ou « ratas » ou encore « canons à Gulgas » qui, dans l'esprit du simple soldat, sont l'attirail de guerre le plus apprécié, sinon le plus efficace, ce qui confirme l'assertion de Bonaparte, à savoir qu'une armée marche sur son estomac.

Les camions de stérilisation de l'eau et de désinfection, les matériaux pour les stations de secours et les hôpitaux de campagne. Les voitures d'ambulance du Service de Santé de l'armée et de la Croix-Rouge, accompagnées par les aristocratiques chevaliers de Malte, aux brassards marqués de la croix de Genève qui, en attendant de se dévouer volontairement comme des Samaritains, se prélassaient dans les compartiments de première, fumant de gros cigares et flirtant avec les jeunes et jolies infirmières.

Le défilé continuait toujours. C'étaient maintenant les convois entiers du train des équipages, transportant du bétail de boucherie et le ravitaillement. Puis venaient le lourd matériel et les pontons du Génie et des Pionniers. Les ballons captifs et les réservoirs d'hydrogène en acier du Corps aéronautique. Les appareils de Télégraphe et de Téléphone, les héliographes et tous les autres appareils modernes de la science guerrière.

Tout ce spectacle impressionnant et bruyant laissait cependant Paprika indifférente.

La guerre aurait été réellement déclarée que cela ne l'eût pas émue davantage.

A supposer que les Roumains, les Serbes ou les Russes eussent envahi simultanément tout à coup la Hongrie ? Cela lui aurait peu importé ! Elle n'avait plus rien à perdre. Tout lui avait déjà été pris !

Tous les hommes pouvaient bien s'entre-tuer si cela leur plaisait ! C'était leur affaire.

D'ailleurs, tous les hommes étaient des cochons ! Pourquoi irait-elle les plaindre ? Des brutes qui ne songeaient qu'à s'enivrer, se battre ou violer les femmes ! Qu'ils aillent se faire tuer ! Ils n'étaient bons qu'à ça !

Mais une pensée lui traversa tout à coup l'esprit.

Jancsi aurait vingt et un ans au mois de septembre. Il serait donc bientôt enrôlé, et il lui faudrait faire trois ans de service militaire. Il était fort, en bonne santé, on le prendrait certainement !

Elle se demanda où on l'enverrait. Peut-être en Bohême, ou dans le Tyrol ?

En admettant que la guerre éclatât réellement — la guerre

que l'on simulait en ce moment et à laquelle on s'entraînait constamment —, qu'arriverait-il alors à Jancsi ?

Il serait tué d'une balle. Comme son père. Il perdrait tout son sang et agoniserait, les lèvres sèches de fièvre et de soif, seul, sans secours.

Et puis après ? Pourquoi ne mourrait-il pas ainsi ? N'était-ce pas tout ce qu'il méritait ?

Ou bien un ennemi lui percerait peut-être le cœur de sa baïonnette meurtrière ? Quel dommage ce serait pour elle de ne pas être là, afin de pouvoir contempler les derniers soubresauts de son agonie.

Elle n'aurait pas fait un geste pour lui venir en aide, pas même levé un doigt !

Elle se serait assise à côté de lui, prenant plaisir à regarder le sang couler lentement de ses plaies et s'étaler sur le sol ; sauvagement, avec volupté, elle aurait trempé ses doigts dans leur mare sanglante et éclaté de rire devant les yeux vitreux de Jancsi, pour qu'il emportât d'elle cette dernière vision afin d'en être torturé par-delà même la mort.

Elle secoua violemment la tête en s'efforçant de chasser ces pensées monstrueuses, soulevées par la colère et la jalousie. Sincèrement, elle ne voulait pas que Jancsi meure ; elle ne voulait plus jamais le voir souffrir.

Elle le soignerait avec les remèdes que Zsuzsa lui avait enseignés ; elle courrait chercher les herbes et les feuilles qui arrêtent les hémorragies, le prendrait dans ses bras et ferait tout au monde pour le sauver, pour qu'il vécût.

Puis elle s'aperçut soudain de l'absurdité de ses réflexions.

On n'était pas en guerre !

Et qui plus est, la princesse Ilonka userait certainement de son influence pour faire exempter Jancsi de service militaire. Elle ne voudrait jamais se séparer de son amant !

Qui donc, entre-temps, jouerait du violon pour la distraire ? Qui donc partagerait sa couche parfumée ?

Évidemment, elle pouvait trouver d'autres mâles, des centaines ! Des milliers d'hommes si cela lui plaisait !

N'était-elle pas princesse ? Belle et riche ? Pourquoi ne s'offrirait-elle pas tous les hommes qu'elle voulait ? Oui ! Pourquoi pas ? C'était bien son droit !

Certes, mais alors, pourquoi avait-elle jeté son dévolu sur Jancsi qui appartenait à une autre ?

Un désir fou de vengeance s'empara de l'esprit enfiévré de Paprika.

Elle aurait dû tuer cette princesse de malheur. Elle aurait dû lui planter son *churi* en plein cœur, quand cette putain titrée avait eu l'audace d'embrasser à pleine bouche son Jancsi à elle, Paprika, devant un millier de personnes.

Elle aurait dû tuer cette princesse de malheur. Elle aurait eu Jancsi. Elle en avait bien le droit ! Non ? Certainement plus que cette princesse ! Et elle aurait pu en profiter pour perforer cette peau de satin. Ç'aurait été si facile à travers une robe aussi légère ! Elle l'aurait poignardée, cette poitrine superbement impudique, enfonçant la lame jusqu'à ce cœur noir de femelle *gorgio*.

Et elle aurait tourné et retourné la lame dans la plaie, de façon à l'élargir davantage et faire un gouffre assez grand pour y enfoncer sa main et saisir ce qui restait de ce cœur. Plongeant ses ongles acérés dans les chairs vives, elle l'aurait arraché, ce cœur encore palpitant, avec une joie mauvaise, jouissant à la vue du sang empoisonné qui jaillirait des blessures de la rivale détestée !

Ou plutôt, non, d'un terrible coup de couteau, elle l'aurait ouverte du bas en haut, jusqu'à la poitrine. Et, forçant ses deux poings dans l'abdomen béant, elle aurait saisi les entrailles fumantes, et aurait tiré, tiré, tiré de toutes ses forces !

Mais quand cette chance de vengeance s'était offerte, elle n'avait pas su en profiter, et, dans son coin, comme une petite fille, elle avait pleurniché et s'était enfuie.

Et, pire encore, n'avait-elle pas songé à en finir avec la vie en se jetant dans le Danube ? Quelle folie !

Un des trains chargés de militaires que, par la vitre, elle

regardait passer, s'arrêta avec une secousse accompagnée de grincements abominables.

En face de son compartiment se trouvait un coupé de première classe, rempli d'officiers d'un régiment de hussards en tenue de campagne.

Paprika, qui avait appris si peu de choses, savait tout de même cela en matière d'uniforme. Elle n'avait pas besoin qu'il portât son attila galonné d'or de grande tenue pour reconnaître un officier de hussards. Elle connaissait bien la simple tunique bleu foncé, sans boutons, aux pattes de col bleu d'azur.

La plupart des officiers étaient renversés paresseusement sur les banquettes, fumant et buvant, se reposant et récupérant les longues nuits blanches de leurs obligations mondaines, reprenant des forces pour les épreuves de la campagne qui les attendait.

Quelques-uns jouaient aux cartes. Deux, plus âgés, consultaient des cartes stratégiques.

Paprika, distraitement, les regardait.

Un jeune lieutenant, les pointes effilées de ses petites moustaches bien lissées se retroussant sur sa lèvre mince, se leva d'un air d'ennui et se mit à la portière.

En apercevant la jeune fille, il sourit, agréablement surpris, découvrant de larges dents blanches, et après s'être assuré qu'aucun de ses camarades et de ses supérieurs ne l'observait, discrètement, il lui envoya dans l'air un baiser de ses lèvres sensuelles.

Paprika tourna la tête, agacée. Mais ce visage l'intriguait. Où avait-elle vu ce sourire et ces grandes dents de carnivore ?

Tant de choses et de visages étaient passés devant ses yeux, au cours de son voyage, que sa mémoire ne savait plus où donner de la tête !

Le lieutenant s'était mis à siffloter.

Doucement, malgré elle, ses yeux se tournèrent encore vers lui.

Brusquement, elle se souvint. C'était le prince Estervary, le frère de cette princesse Ilonka.

Comment avait-elle pu hésiter un seul instant à le reconnaître ? Comment pouvait-on oublier un visage aussi frappant que celui-là ? Il est vrai que, de tous les endroits possibles et imaginables, cette petite gare de province était bien le dernier où elle se serait attendue à rencontrer le Prince !

Cependant, rencontre pour rencontre, il lui fallait revoir quelqu'un qui lui rappelât encore cette maudite rivale !

Le jeune officier sourit malicieusement et lui envoya un autre baiser. Sa mimique était si subtile et si drôle que Paprika ne put s'empêcher de se dérider.

L'aventure de sa mère lui revint à l'esprit.

Lila aussi avait été remarquée par un officier qui avait dansé avec elle, l'avait embrassée sous les palmiers, les aza-lées, et l'avait prise pour épouse « devant Dieu »... Lui aussi était un jeune et beau hussard...

Le prince Estervary siffla à nouveau, et Paprika le regar-da, plus hardiment cette fois.

Et pourquoi pas ? Cet homme, après tout, ne lui avait fait aucun mal, et elle ne pouvait le tenir responsable des actions de sa sœur.

D'ailleurs, la dame blonde aux relations si reluisantes qui était auprès d'elle dans la foule, devant le restaurant « Marcus », n'avait-elle pas déclaré que le Prince était un brave garçon, très riche ? Et, incontestablement, il était bel homme !

Elle lui sourit.

Faisant bien attention de ne pas être remarqué de ses camarades, le Prince prit dans le filet au-dessus de sa place un bouquet, détacha le petit bristol qui y était épinglé, et relut avec un sourire cynique le griffonnage hiéroglyphique qui l'assurait de la fidélité de Mademoiselle Cica, « Cantatrice à l'Opéra Royal ».

Il empocha la carte et, après avoir déposé un baiser sur les tubéreuses du bouquet, le lança à travers la vitre baissée de la portière dans la direction de Paprika qui reçut le gracieux et odorant hommage dans son giron.

A ce moment, le convoi militaire fut ébranlé par une brusque secousse. Les roues grincèrent lamentablement. Les wagons se heurtèrent dans un bruit de ferraille, et le train, lentement, démarra, accélérant peu à peu son allure. Le Prince se pencha encore à la portière et salua Paprika.

Celle-ci, inconsciemment, répondit au signe d'adieu de l'officier en portant les tubéreuses à ses lèvres.

« En quoi ce geste serait-il coupable ? » pensait-elle.

Pourquoi ne pas regarder un autre homme ? Après tout, elle était libre. Elle n'avait de comptes à rendre à personne. Elle s'appartenait complètement. Jancsi ne vivait-il pas sa vie de son côté ? N'avait-il pas sa princesse ? Et pourquoi donc n'aurait-elle pas le droit de respirer ces fleurs qu'un homme, jeune et beau, venait de lui jeter ? Bien que frère d'une rivale haïe, il n'en était pas moins un fort joli garçon ! Pas comme Jancsi, bien sûr, mais beau quand même, à sa façon, et prince hongrois ! Ce qui ne gâtait rien ! Au contraire...

Ses pensées, brusquement, revinrent à son père et à ses titres : « Grof Feyerhazy de Felsöerdek, Geza Arpad, capitaine dans le Premier Régiment Impérial et Royal de Hussards " Kiraly Ferenc Jozsef ", Chevalier de l'Ordre de Saint-Istvan, Chambellan de Sa Majesté, Magnat de Hongrie. »

Avec orgueil, elle aimait se rappeler tous ces noms et tous ces titres que, tant et tant de fois, sa mère lui avait répétés. Non, jamais, elle ne pourrait oublier cette mélodieuse litanie qu'elle pouvait débiter d'un trait, par cœur. N'était-elle pas, elle-même, comtesse « devant Dieu » ?

Ses yeux se baissèrent sur la lourde bague d'or encerclant son pouce et contemplèrent les détails du blason : Une main gantée de fer, tenant un cimeterre nu — dans le champ inférieur —, surmontée d'un cœur — dans le champ supérieur — et, au-dessus, une couronne à neuf pointes.

« Mon épée au service de mon Dieu — de mon Roi — de mon Amour ! »

Cette devise était toute l'histoire tragique de son père. Il avait servi son roi, essayé de protéger la femme qu'il aimait, et il avait trouvé la mort.

Par analogie, elle songea au récit qu'avait fait cette dame blonde du duel dans lequel le rival du prince Estervary avait été tué — comme son père.

Elle aurait tant voulu connaître son père, l'admirer dans son uniforme de gala, se promener fièrement à ses côtés, dans une calèche attelée de deux juments blanches, conduite par un cocher et des valets de pied vêtus d'attilas et de kalpaks aux longs rubans flottant sur le dos !

A cette image, tout à coup, s'en associa une autre. Décidément, tout la ramenait sans cesse vers Jancsi et son infernale princesse. Damnés soient-ils, l'un et l'autre ! Lui était-il donc impossible de chasser de son esprit cette pensée obsédante ?

Elle fit un effort sur elle-même pour penser à autre chose et en vint, tout naturellement, à se souvenir de sa tribu et de ses frères roms. Étaient-ils encore à Petofi ? Ou bien, sans l'attendre, avaient-ils repris la route vers Disznool Szeged-Var, comme prévu ?

Les gitans n'ignoraient pas que les manœuvres devaient s'effectuer dans la région, et cette occasion de récolter de l'argent était trop belle pour qu'on la laisse échapper. Les soldats, malgré leur peu de ressources, sont généreux et dépensiers. Ils aiment le *palinka*, la danse, la musique et le « plaisir ». Ils aiment se faire dire la bonne aventure. Ils n'hésitent pas à acheter un bon prix n'importe quel petit bout de lard rance qu'on leur vend indifféremment comme infaillible talisman pour les rendre irrésistibles en amour, ou comme remède pour les cors de leurs pieds endoloris.

Ils veulent pour la plupart faire l'amour avec les gitanes. Ils s'enivrent tous et facilitent la tâche aux *Roms* qui ont pour but de faire l'inspection de leurs poches.

Paprika n'avait averti personne lorsqu'elle avait quitté le campement. Ses sujets avaient dû la chercher partout. Ne retrouvant pas sa trace, ils avaient dû se mettre en route. De cela, elle était à peu près sûre. Ils n'avaient certainement pas manqué de semer, pour elle, le *patteran*, ce guide secret des *Romanis*, qui n'est fait que de petites branches disposées d'une certaine façon et échelonnées le long du chemin. Elle les reconnaîtrait facilement et rejoindrait la tribu, sans trop de mal et dans un délai assez bref.

Naturellement, à son retour, on la questionnerait. Mais elle n'avait aucun désir de raconter la vérité. Elle s'en garderait bien ! Elle ne voyait pas non plus la nécessité d'abandonner son butin à la caisse commune, comme c'était l'usage.

Pourquoi le ferait-elle ? N'était-elle pas la Reine ? N'avait-elle pas assez souffert entre les mains de toutes ces brutes de *gorgios* ? Pourquoi ses frères de la tribu auraient-ils le droit de partager un argent si durement gagné ? Et c'était un véritable petit trésor qu'elle rapportait de son expédition : de belles pièces bien brillantes en argent, et une plus rutilante encore, en or pur !

Non ! Elle expliquerait simplement qu'elle avait éprouvé le besoin d'être seule après la scène sanglante et tragique au cours de laquelle l'ourse avait tué Zoltan. Qu'elle s'était éloignée dans les bois pour y chercher le calme. Mais alors, pourquoi ces vêtements de *gorgio*, ne manquerait-on pas de lui demander ? C'était là une singulière toilette pour aller dans les bois ! Et puis après ? Cela lui avait plu de s'habiller ainsi, et cette réponse devait leur suffire. Était-elle leur Reine, oui ou non ?

D'ailleurs, à dater de ce jour, elle allait faire montre d'autorité plus que jamais. Ce ne lui serait pas difficile. Elle avait les hommes de la tribu derrière elle. Les hommes l'avaient toujours soutenue et toujours aimée. Et ils prendraient et exécuteraient ses ordres, maintenant !

Quant aux femmes, elles avaient peut-être changé à son égard ? Elles se rendaient peut-être compte qu'elles ne devaient plus la regarder comme une menace à leur bonheur domestique.

Depuis le départ de Jancsi, n'était-elle pas restée seule, sans chercher à provoquer leurs hommes ? Ainsi, à l'exception de cette sale gale de Narilla, qui resterait toujours son ennemie mortelle, et qu'elle ne serait pas en peine de remettre à sa place, elle avait confiance, cette fois, dans la docilité de toutes les femmes du camp.

D'ailleurs, si elles pouvaient deviner le dégoût que lui inspiraient maintenant les hommes, leurs craintes disparaîtraient totalement. Les hommes ! Combien elle les haïssait et les méprisait ! Tous ! Même... Soudain, l'image de Jancsi revint encore devant elle. Cette obsession devait-elle demeurer continuelle ? Il n'y avait donc aucun remède magique à la torture permanente de cette lancinante pensée ? Zsuzsa, peut-être... La vieille amie et sage conseillère saurait bien trouver, parmi tous les philtres infaillibles de sa connaissance, celui qui lui permettrait de gommer définitivement le trop cher visage. Oui ! La première chose à faire, en rentrant, était de consulter Zsuzsa.

Il était près de dix heures quand le train, essoufflé, entra en gare de Disznool d'où Paprika était partie pour son aventureuse et malheureuse expédition à Budapest.

Elle reconnut à peine la petite gare. La façade était toute décorée de drapeaux, de bannières et, entre les poteaux télégraphiques, pendaient des festons de coquelicots et des guirlandes de feuillage qui entouraient les écussons de la Maison de Habsbourg et du Royaume de Hongrie.

Le quai se trouvait envahi par une soldatesque bruyante dont le train s'était arrêté pour faire le plein d'eau.

Les hommes étiraient leurs membres engourdis, se désaltéraient à l'eau croupie de la fontaine ou soulageaient leurs vessies contre les piquets de la palissade.

Paprika fut presque heureuse de cet encombrement qui lui permettait de passer sans être vue du chef de gare, d'ailleurs absorbé par le fonctionnement de son appareil morse.

Mais elle était à peine descendue du wagon que les troupiers se précipitèrent sur elle comme une horde de loups affamés.

Une jeune et jolie fille solitaire est toujours, pour les militaires du monde entier, une attraction irrésistible, et devant elle tous se comportent toujours de même !

Paprika se trouva aussitôt bousculée, pincée, palpée par des mains avides, et Dieu seul sait ce qui aurait suivi si une sonnerie de clairon n'avait rappelé les hommes à leurs wagons : « Attention ! En avant ! »

Comme par enchantement, le quai se vida, et Paprika se trouva délivrée de ses tourmenteurs.

Elle gagna vivement la porte et bientôt se trouva sur le bord de la route où de jeunes couples de paysans, les mains calleuses dans les mains couperosées, regardaient, bouche bée, le spectacle inusité qui se déroulait devant eux.

Une colonne d'infanterie défilait, interminable. Les hommes, couverts de poussière, épuisés, traînaient la semelle. Mais ils chantaient quand même.

Suivait un détachement de mitrailleuses « Schwarzlose », portées par des mules. Une des bêtes, fatiguée, s'arrêta brusquement, décidée à ne pas aller plus loin.

Tirée, poussée, fouettée, piquée au derrière, la pauvre bête, ses quatre sabots fichés en terre, refusait obstinément d'avancer. Tout le monde se mit à rire devant les efforts, accompagnés de jurons, des mitrailleurs et des muletiers qui, suant à grosses gouttes, vinrent finalement à bout de la bête réfractaire en l'attachant à l'arrière d'un tracteur de canon sur roues à chenilles.

Paprika profita de cette interruption dans le défilé pour traverser la chaussée. En quelques instants, elle fut sur la route cantonale de Szeged-Var.

A l'embranchement, elle se mit à la recherche du *patteran* qu'elle ne tarda pas à découvrir malgré l'obscurité : quatre petites branches, disposées selon un code conventionnel, formaient un hiéroglyphe qui livrait le message suivant :

« Passés ici aujourd'hui, à l'heure sans ombre. Serons à Szeged-Var à la nuit. »

Paprika, qui ne savait pas lire, n'eut aucune peine à déchiffrer la signification du *patteran*. Une des branches, plantée de biais dans la terre, pointait dans la direction de Petofi, dernier campement de la tribu. La deuxième, à un angle moins aigu, indiquait, dans le sens opposé, le chemin qu'avait pris la caravane. La troisième, couchée à même le sol, au pied de la précédente, disait que la tribu arriverait à destination quand le soleil aurait disparu sous l'horizon. Et la dernière, plantée verticalement, marquait l'heure du passage, l'heure sans ombre : midi.

Des nuages cachaient la lune.

Il faisait très sombre.

Paprika se mit en route. Elle avait plus d'une heure de marche devant elle. Ses pieds la faisaient souffrir abominablement. Elle s'empressa de retirer ses souliers et frictionna légèrement ses orteils. Puis elle reprit son chemin.

Elle se demandait si Jancsi était en train de jouer « Paprika » à cette heure-ci et si, tous les soirs, après chaque audition, sa princesse l'embrassait devant une foule en délire. La rencontre avec le beau prince lui revint alors à l'esprit, et elle prit dans son corsage le bouquet de tubéreuses qu'il lui avait jeté. Elle voulait garder ces fleurs. Pourquoi pas ? Ce n'était pas tous les jours qu'on rencontrait un prince, ni surtout que ce prince vous envoyait un baiser dans un bouquet de tubéreuses.

Elle marchait depuis une demi-heure quand un bruit de sabots de chevaux accompagné du grincement que font des roues cerclées de fer la fit se retourner. Inquiète, elle courut se dissimuler derrière un orme.

Une colonne du train des équipages se rapprochait lentement. Dans la lumière diffuse que jetaient les lanternes du convoi, elle distingua en tête un officier à cheval, sabre au clair.

Une escorte de douze cavaliers, carabine en bandoulière, sabre en main, chevauchait derrière le premier lieutenant.

Puis venaient de lourdes voitures recouvertes de bâches, tirées par des attelages de six chevaux.

Sous les yeux de Paprika, défilèrent successivement les

fourgons de l'Intendance qui transportaient la solde des effectifs, ceux de la Poste militaire où des vaguemestres s'affairaient à trier le courrier, puis les voitures d'ambulance où les soldats du Corps de Santé dormaient profondément sur leurs brancards.

Enfin, en arrière, une « roulante ». Le cuisinier était en train de prendre une pelletée de charbon du tender et rechargeait son fourneau. Puis il remua son rata.

La vue du « canon à gulyas » rappela à Paprika qu'elle n'avait rien mangé depuis la veille. Ses nerfs avaient été si fortement secoués au cours de son voyage qu'elle n'avait pas été un seul instant tourmentée par les affres de la faim. Mais maintenant qu'elle se savait hors de danger, proche de l'abri du campement, elle sentit le besoin impérieux de manger quelque chose.

Obéissant à son estomac qui criait famine, elle sortit de sa cachette et appela le cuisinier. L'homme, entendant le son d'une voix féminine, se tourna et plongea un regard dans sa direction, mais il faisait trop noir pour qu'il pût distinguer quoi que ce fût. Il décrocha une de ses lanternes et dirigea le rayon lumineux vers la route en contrebas.

Paprika surgit de l'ombre avec de grands gestes des bras.

Voyant qu'il s'agissait d'une jeune fille, il lui fit signe d'approcher. Elle courut pour atteindre l'arrière de la plate-forme et grimpa tant bien que mal sur la voiture en marche.

A environ huit longueurs de cheval, derrière la cuisine roulante, suivait l'arrière-garde, composée d'un lieutenant et de douze hommes, sabre au clair, presque tous somnolents sur leurs montures dont le pas régulier les berçait. Un maréchal des logis fermait la marche.

Dans la pénombre de la nuit, le tintamarre des voitures, de chevaux en marche, ils ne voyaient ni ne pouvaient rien entendre.

C'était tant mieux pour Paprika !

Le cuisinier eut un sourire heureux en constatant que sa passagère était jeune et jolie et, lançant un regard inquiet du côté de l'escorte, jugea plus prudent de prendre sa capote accrochée à la cloison, de la faire endosser à la jeune fille, et de remplacer par son képi le chapeau de paille au piteux bouquet de violettes.

Les cheveux ramassés sous le képi et le col du manteau relevé, Paprika présentait assez, dans l'obscurité, l'allure d'un jeune soldat.

Pour ne pas éveiller de soupçons, elle dissimula son chapeau sous la capote, puis s'assit sur ses talons, à la manière gitane, sur l'étroit siège de fer que le cuistot lui indiqua.

Wenzel Navratil contemplait avec ravissement cette vision qui venait de surgir de la nuit pour égayer sa veillée solitaire. Il trouva que le sort l'avait favorisé au-delà de toute espérance, surtout en période de manœuvres, lui, pauvre gâte-sauce !

Il montrait sa joie avec un bon rire qui fendait son visage d'une oreille à l'autre. Son nez était aplati et retroussé, comme il convient à un pur Czech. Ses yeux bleus reflétaient une grande bonté.

— Où vous va ? demanda-t-il en très mauvais hongrois.

— A Szeged-Var ! répondit Paprika.

— Aussi nous allons ! dit-il en allumant une cigarette.

Après avoir tiré une longue bouffée, il eut une idée subite :

— Alors vous buvez un coup sacré *slivovitz* avec moi ? Hein ?

Paprika sourit vaguement. Elle se souvenait des hommes qu'elle avait dû subir, et de leur routine qui lui était devenue, hélas, familière au cours de son pénible voyage à Budapest. Mais que pouvait-il lui arriver ici, en pleine vue de l'escorte qui suivait la cuisine roulante ?

Elle acquiesça.

Navratil sortit une bouteille dissimulée sous le siège sur lequel Paprika était juchée et la lui tendit.

— Vous cacher, hein ? suggéra-t-il.

Paprika obéit et, se dissimulant derrière le vaste dos du soldat, but une longue gorgée. Elle rendit la bouteille à son hôte qui en ingurgita à son tour une grande rasade.

— Sacré *Radetzky* ! Ça brûle comme flammes de damnation ! commenta-t-il en faisant une grimace comique. Mais c'est bon, hein ?

Paprika hocha affirmativement la tête. Elle s'attendait maintenant à le **voir,** comme les autres, venir s'asseoir auprès d'elle et lui passer son bras autour de la taille.

Un coup de vent lui apporta dans les narines les effluves du rata.

— Que faites-vous cuire là ? demanda-t-elle sans ambages.

— *Hongrois Gulyas !* Seulement un Czech peut cuire dans toutes les langues ! Vous goûtez ? Beaucoup paprika, hein ?

Paprika n'attendait que cette offre.

— Oui, avec plaisir ! répondit-elle vivement.

— Voilà, moi, il aime les femmes comme vous ! assura naïvement le cuisinier. Vous veut mange quelque chose... vous prends ! *Rosumie ?*

Elle sourit à la courte réflexion de l'homme, bien qu'elle devinât plus qu'elle ne comprît ce qu'il voulait dire dans son charabia.

Un heureux hasard non seulement lui évitait de faire la route à pied, mais encore lui offrait de quoi se restaurer. C'était tout ce qui importait pour le moment.

Wenzel Navratil, brandissant sa louche, remplit une gamelle d'étain jusqu'au bord et la tendit à Paprika, ainsi qu'une cuiller. Puis il fouilla dans son havresac et en sortit une énorme boule de pain noir qu'il offrit à la jeune fille qui s'en saisit et y mordit à belles dents.

Le soldat la regardait dévorer avec un bon sourire qui illuminait son rude visage de Slave.

— *Dobrze ?* demanda-t-il.

Ne prenant même pas la peine d'exprimer son appréciation pour la réconfortante tambouille, Paprika secoua la tête affirmativement et continua à se gaver.

— Vous êtes épousée ? s'enquit soudain le cuistot sur un ton inquiet.

La bouche pleine, elle mastiquait avec une telle avidité

qu'il lui était impossible de répondre, et elle fit non de la tête, d'un air surpris.

— Un amoureux ? continuait-il, menant ainsi une curieuse enquête.

Toujours muette, elle secoua à nouveau négativement ses boucles blondes qui, rebelles, s'échappaient du képi ; mais elle tendit à l'homme son assiette vide, avec un regard éloquent.

— Encore ! Hein ? Bon estomac ! Comme soldat ! déclarat-il en riant, débonnaire.

Il remplit de nouveau l'écuelle de bons morceaux de viande, de pommes de terre, le tout abondamment arrosé de sauce épicée.

Paprika engloutit cette seconde portion avec autant d'avidité, sans lever les yeux un seul instant.

— Vous encore avec papa et maman ?

Même réponse muette.

— Vous travaille ?

Elle haussa les épaules.

Wenzel Navratil parut surpris.

— Bien sûr ! Tout le monde travaille ! Voyons ! déclarat-elle.

Le Czech s'assit maladroitement auprès d'elle et lui passa le bras autour de la taille.

Paprika ne s'était pas trompée ! Seulement, celui-là prenait son temps. L'inévitable allait suivre, et la jeune fille se hâta, espérant avoir le temps de finir son repas avant d'être obligée de sauter de la voiture.

L'homme se pencha près de sa petite oreille nacrée autour de laquelle bouclait un doux duvet d'or pâle.

— Moi, il t'aime bien ! murmura-t-il, d'une voix enrouée.

Paprika mangeait de plus en plus vite.

— Moi, il t'aime, pour te marier !

Stupéfaite, elle le regarda pour la première fois, mais la figure de l'homme s'éclairait d'une émotion sincère.

— Moi, toujours bon pour toi ! Moi, il a économies. Un

gentil restaurant à Leitomischl... à moi aussi ! Papa mort, il laissé à moi un tas de sous... caisse d'épargne postale... Moi, pas beau comme toi ! reconnut l'amoureux, mais moi il t'aime ! Tout de suite... comme je te vois... moi, il t'aime... Tu veux marier moi ?

Paprika s'arrêta de manger, estomaquée. La sincérité de l'humble Czech lui allait droit au cœur. Voilà un homme, un *gorgio*, qui, rien que sur sa mine, lui proposait le mariage, brusquement. Elle se tourna vers lui avec une sympathie qu'elle n'avait jamais éprouvée pour quiconque jusqu'alors.

— Mais vous ne me connaissez que depuis dix minutes ! raisonna-t-elle. Vous ne savez pas comment je suis réellement. Comment pouvez-vous m'aimer déjà ?

Le soldat avait les yeux humides. Il plaça une de ses grosses pattes sur son cœur :

— Honnête, je jure, mon cœur il fait mal. L'amour, il vient comme ça : Boum ! expliqua-t-il en faisant claquer ses doigts.

Paprika comprit qu'il était sincère, bon et honnête, et qu'il tiendrait ses engagements à son égard. Et elle était convaincue que, tout comme il l'assurait, c'était là un être qui serait toujours bon pour elle.

Cependant, elle eut grand-peine à ne pas éclater de rire au nez de son compagnon, en s'imaginant, elle, la Reine de la tribu tzigane des Ulemans, l'épouse de ce brave homme et finissant ses jours dans un petit restaurant à Leitomischl, au fin fond de la Bohême. Menant chaque jour la même vie, voyant tous les jours les mêmes visages. Enfin, restant fidèle toute sa vie à *un* homme qui n'aimerait jamais qu'elle.

Tout cela était incompréhensible à son esprit de gitane. Comme Jancsi se moquerait d'elle, si jamais il l'apprenait !

Et il n'aurait pas tort. Lui, avec sa rutilante princesse à son bras, elle, derrière les cordons du tablier de son camus d'époux !

Non ! Si jamais elle devait un jour se marier, ce ne serait qu'avec un homme beau, riche et titré. Un homme dont elle serait fière, lorsqu'elle rencontrerait Jancsi et sa princesse ! Un homme qui serait aussi beau que Jancsi et pour le moins baron !

Oui ! Pourquoi n'épouserait-elle pas un noble ? Parce qu'elle était à moitié gitane ? Sa mère, elle, était une gitane pur sang ! Et pourtant, le comte Grof Feyerhazy, Geza, Arpad, capitaine des Kiraly Hussards, Chevalier de l'Ordre de Saint-Istvan, un des plus riches magnats de Hongrie, avait été prêt à l'épouser « devant les hommes » et l'avait épousée... « devant Dieu » ! N'était-elle pas aussi jolie que sa mère l'avait été ?

De la tête de la colonne vint un commandement rauque du premier lieutenant :

— ... 'scadroon... 'ten...tion !

Les soldats de l'escorte du Train, somnolents, sursautèrent et rectifièrent la position en maudissant sous cape les officiers, les sous-officiers et l'armée tout entière.

La trompette lança le signal de « la générale ».

Wenzel fut tiré brutalement de son rêve de félicité conjugale.

— Ça, Szeged-Var ! dit-il en ôtant vivement son képi de la tête de Paprika et s'en coiffant précipitamment. Retire la capote. Vite !

Rapidement, elle obéit.

— Toi, maintenant, tu descends, mais plus tard, je parle avec toi avant d'aller dormir ! Ta maison, il est où ? demanda-t-il fiévreusement.

La jeune fille ne répondit pas.

Mais elle prit le soldat spontanément dans ses bras et l'embrassa franchement sur les deux joues puis, prenant son chapeau d'une main et ses souliers de l'autre, elle sauta légèrement de la voiture et disparut en courant derrière les hauts peupliers.

L'écuelle vide et la cuiller dans ses mains tremblantes, Wenzel, éberlué, resta quelques instants immobile, ses yeux embués fixés dans la direction du bois qui bordait la route.

PAPRIKA

La cloche de la vieille église annonçait onze heures quand Paprika retrouva enfin le campement, installé dans un bocage proche du cimetière, juste à la sortie du village de Szeged-Var. La demeure féodale des anciens comtes de Szegedny était l'unique raison d'être de cette agglomération.

Dans le camp endormi, quelques tisons rougeoyaient encore, çà et là, achevant de se consumer sous leurs cendres mauves. Les gitans s'étaient retirés de bonne heure, dans l'attente des événements palpitants des fêtes du lendemain.

Les roulottes étaient disposées en croix, selon la coutume, avec au centre celle de la Reine.

Paprika se glissa sans bruit dans la direction de sa carriole, mais les chiens, ayant flairé sa présence, se précipitèrent sur elle en aboyant, reniflant sa robe qui leur paraissait insolite. Impatientée, elle cracha sur eux à la manière gitane pour se faire reconnaître, et les bêtes se turent.

Elle s'enferma dans sa roulotte.

Quelques femmes, Pivcza ou Chika peut-être, y avaient remis de l'ordre et nettoyé le sol du sang de Zoltan. Tout avait repris son aspect familier, propre et net.

Elle rangea sa robe rouge dans le vieux carton qu'elle ficela soigneusement puis glissa sous le lit, avec l'intention de porter cette robe de dame, une fois encore, bientôt, pour la plus grande surprise et l'absolu mécontentement — elle y comptait bien — de Narilla, Suri, Saski et de toutes ses autres ennemies mortelles, quand les manœuvres amèneraient au camp des officiers, ou bien encore quand Jancsi reviendrait. Mais elle rejeta cette dernière idée immédiatement comme étant par trop ridicule.

Puis, elle se vêtit de sa vieille jupe et de son châle habituel.

Enfin elle replaça dans la cassette de sa mère ses bijoux, tous, la bague de son père exceptée. Car, dans son esprit, cet anneau lui conférait le titre de comtesse... « devant Dieu » !

Après, elle rangea ses propres pièces d'or, celles qu'elle avait emportées avec elle, y ajouta l'argent qu'elle avait si durement gagné et, finalement, la pièce d'or de cinq couronnes que ce sale violoneux de gitan lui avait lancée en plein visage.

Bien qu'elle sût, dans son cœur, que Jancsi n'avait pu la voir, elle ne lui pardonnerait jamais cette insulte. Jamais ! Mais elle garderait quand même le précieux disque jaune.

Les pièces d'or ne sont pas faites pour être jetées à tous les vents.

Quant à l'effigie si laborieusement reconstituée du sale violoneux, qu'en faire ? Pas question de la laisser traîner. Paprika la refourra dans son corsage. Uniquement, bien sûr, pour la dérober aux regards !

Soudain, elle aperçut le bouquet de tubéreuses qu'elle avait négligemment jeté sur la table.

Elle le prit délicatement entre ses doigts et en aspira profondément le parfum exotique, qui lui fit venir à l'esprit des images fugitives de cierges fumants, de suaire et de cercueil, de pleurs.

Les fragiles pétales cireux et odorants commençaient déjà à jaunir sur les bords.

Paprika, se dressant sur la pointe des pieds, réussit à atteindre un pichet ébréché, le remplit de l'eau de la cruche en grès, y déposa le bouquet mourant de son « prince charmant » et posa le tout sur le rebord de sa fenêtre.

N'était-il pas normal qu'elle voulût conserver ce gracieux hommage ? Après tout, elle était persuadée que Jancsi — bien qu'elle n'eût rien vu de tel — avait gardé le bouquet que sa princesse lui avait jeté l'autre soir... Alors... Alors, pourquoi n'en ferait-elle pas autant, elle ?

Enfin, impatiente de consulter Zsuzsa, elle sortit et, avec précaution, se dirigea vers la roulotte de la prophétesse.

La main levée, elle allait frapper à la porte, quand une voix croassante prévint son geste.

— *Avata Acoï*, Paprika !

Malgré les preuves innombrables des facultés surnaturelles de Zsuzsa, la jeune fille ne put s'empêcher de frissonner devant cette nouvelle manifestation de divination.

En tremblant, elle ouvrit la porte qui grinça sur ses gonds, et ses yeux scrutèrent l'intérieur sombre de la roulotte.

La vieille *baba*, toute cassée, était enfoncée dans son fauteuil et, de chaque côté, sur les bras du siège, se tenaient deux chats noirs asthmatiques dont les yeux phosphorescents jetaient dans l'ombre des reflets glauques.

Le regard de la voyante brillait lui-même d'un éclat étrange dans la pénombre et, de sa chevelure défaite, en désordre, semblait sortir une irradiation bleuâtre.

Paprika demeura quelques secondes silencieuse, adossée contre la porte qu'elle referma sur elle.

— Viens près de moi, *mi chal* ! lui dit Zsuzsa de sa voix rauque et cassée.

La jeune fille se précipita vers elle et, se laissant tomber à genoux, enterra son visage dans le giron de sa vieille amie.

Toutes les émotions refrénées pendant son voyage venaient de remonter en elle comme un torrent et, brusquement, elle fondit en larmes.

Zsuzsa caressa, de ses longs doigts osseux, la tête bouclée secouée de sanglots.

Sans mot dire, elle attendit que Paprika eût épuisé ses larmes.

— Ne me dis rien, mon enfant. J'ai tout deviné. Je sais où tu es allée. Je lui avais prédit, ainsi qu'à toi, qu'il deviendrait célèbre. Mais n'ai-je pas ajouté aussi qu'au sommet de la gloire il reviendrait vers toi ?

Paprika leva son visage inondé de pleurs et secoua la tête avec obstination :

— Je ne veux pas qu'il revienne ! cria-t-elle. Je ne veux plus jamais le revoir ! Qu'il reste avec sa princesse ! Je le déteste !

Sa tête retomba, et de nouvelles larmes jaillirent.

Sur le visage dépouillé, presque irréel de Zsuzsa, glissa un sourire d'indulgente compréhension. Elle secoua la tête et fit claquer sa langue contre ses gencives édentées.

Soudain, elle se mit à trembler de tous ses membres. Ses

yeux se révulsèrent, et son visage blêmit. Elle essaya de parler et ne parvint qu'à marmonner des mots inintelligibles.

Enfin, peu à peu, son tremblement s'atténua.

Au bout d'un court instant, elle put parler, articulant péniblement et très bas, en s'arrêtant à chaque mot, comme si elle épelait quelque indéchiffrable grimoire :

— *Je vois deux routes...*

L'une est large..., unie..., aplanie... Elle est bordée... de grands arbres... et de champs couverts de fleurs...

L'autre... est étroite..., escarpée..., rocailleuse... et longée de chaque côté... d'un précipice béant... Au fond des gorges... coule du sang...

Sur la première..., le soleil brille...

Le ciel est sans nuages...

L'air est doux et balsamique..., comme après une ondée printanière...

Au loin... un grand arc-en-ciel enjambe l'horizon...

Sur la seconde... gronde un orage infernal...

Des nuages d'encre amènent les vapeurs infestées de l'enfer...

La tempête soulève au fond du gouffre... des vagues de sang...

Des éclairs rouges et verts sillonnent le ciel...

Les détonations de la colère céleste... roulent perpétuellement...

Cette route escarpée est courte...

Au bout..., il n'y a rien... Le néant... les ténèbres !

Tu dois parcourir l'une ou l'autre de ces routes... C'est à toi de choisir !

Une toux violente interrompit Zsuzsa et secoua sa branlante carcasse. Quand la quinte cessa, la voyante reprit son souffle avec peine.

— *Si tu l'accueilles bien, lorsqu'il reviendra, et si tu lui avoues ton amour..., tu vivras dans le bonheur complet, auprès de lui, jusqu'à un âge très avancé...*

Dieu vous bénira, et tu lui donneras deux enfants... Une fille et un garçon, qui ne vous apporteront que de la joie et perpétueront vos vies quand, lui et toi, vous serez retournés dans l'au-delà...

A bout de souffle, la vieille s'arrêta quelques secondes encore. Puis elle reprit, avec un regain de vigueur :

— *Mais si, pour te venger d'un tort imaginaire, tu le repousses quand il reviendra, toute ta destinée se trouvera changée, ainsi que la sienne...*

Oh ! Mon enfant ! Ne prends pas la route escarpée, évite ce que j'appréhende...

Elle exhala une plainte, comme si une douleur extrême lui déchirait le corps.

Paprika, l'esprit tendu à l'extrême, écoutait chaque mot avec une anxiété croissante, et ses yeux agrandis fixaient, dans une muette interrogation, le visage de la vieille qu'une lueur étrange continuait d'auréoler.

— Que vois-tu encore, *baba* ? demanda-t-elle inconsciemment dans le langage *Calo* que Zsuzsa employait dans ses prophéties. Dis-moi, je t'en supplie !

— *Sur la route escarpée, tu rencontreras un autre homme, un* gorgio ! *Un homme de rang élevé, mais aux instincts pervers, et qui n'a aucun sens de l'honneur... Tu l'épouseras pour te venger de celui que tu aimes... Je vois des uniformes galonnés d'or..., des soldats...*

Sa voix s'éleva sur un diapason aigu :

— *Le roi de Hongrie lui-même assistera à ton mariage et te conduira à l'autel !*

La voyante fit une pause.

Les chats sifflaient et miaulaient, pris d'une colère subite.

Paprika, incrédule, saisit les mains de la prophétesse. Elle ne pouvait pas le croire. Le Roi lui-même, assister à son mariage ? Non ! Vraiment, cela n'était pas possible !

Zsuzsa semblait lire ses pensées.

— *Tu ne me crois pas, petite... Je sais... Mais c'est vrai ! C'est ce que je vois... Je sens le goût du vin... J'entends la musique des* bashadis *et des* cymbalums... *Je vois un sabre..., un couteau..., un fusil..., du sang...*

Beaucoup de sang et... la Mort !...

Une larme glissa sur ses joues ridées.

PAPRIKA

— Dans un champ de paprika, non loin d'ici, tu es née... Dans un champ de paprika..., non loin d'ici..., tu mourras !

Et Jancsi éprouve un si grand amour pour toi... qu'il n'aura pas la force de te survivre !

Zsuzsa se tut. Son corps émacié était violemment secoué par l'émotion provoquée par sa tragique vision. Peu à peu, les spasmes se calmèrent.

— Voilà tout ce que je vois sur la mauvaise route ! Le choix t'appartient... Il dépend de toi d'être heureuse avec lui pour toujours ou d'être cause de sa mort, de celle d'un autre et de la tienne. Choisis sagement !

Un silence lugubre suivit ces dernières paroles. La respiration de Zsuzsa semblait suspendue.

Les deux chats, sans mouvement, paraissaient changés en statues d'ébène. Seuls leurs yeux verts brillaient étrangement dans l'ombre.

— *Chovahano !* murmura la jeune fille en tremblant. Écoute-moi, *baba*, je vais te dire quelque chose que je n'ai encore jamais avoué à âme qui vive !

Zsuzsa, plus calme, pencha la tête, attentive.

— J'ai aimé Jancsi ! continua Paprika, je l'ai aimé comme, de ma vie, je n'aimerai aucun homme ! Mais je n'ai jamais pu lui montrer cet amour. Je n'ai même pas su lui dire un mot de remerciement pour toutes ses bontés ! Au contraire, bien souvent, j'ai cherché à le blesser. Je l'ai abreuvé des plus viles injures. Mais j'ai comme le sentiment que ce n'était pas moi ! Pas réellement moi qui agissais de la sorte ! Quelque chose (quoi au juste, je ne sais pas) m'a toujours arrêté dans la gorge les mots qu'il fallait prononcer et que je voulais dire ! C'est ce mystérieux quelque chose qui a toujours retenu mes bras, quand je voulais l'embrasser. C'est encore ce quelque chose qui m'a poussée à le faire partir quand mon cœur saignait et que je n'aspirais qu'à le voir rester près de moi, toujours !

Cette confession, faite tout d'une traite, avec la hâte de se libérer d'un secret trop lourd, était à peine achevée que Paprika aurait voulu déjà la rétracter.

Peut-être était-ce encore cette même force étrangère, cet « alter ego » qu'elle comprenait vaguement, qui surgissait à nouveau en elle et lui faisait regretter l'impulsion qui l'avait conduite aux aveux ?

En quelques secondes, elle en avait dit plus long que dans toute sa vie, comme pour soulager son âme d'un pesant fardeau.

Mais, presque aussitôt, était venue la réaction, et de nouvelles larmes, de colère cette fois, aveuglèrent ses yeux.

Un désir de vengeance, bien gitan, lui montait à la gorge, l'étouffait, et ses lèvres ne traduisaient pas assez vite le flot désordonné de ses pensées d'anathème.

— J'ai dit que j'aimais Jancsi ! cria-t-elle finalement entre deux sanglots. C'était vrai jusqu'à... jusqu'à hier soir. Mais, depuis hier, je le déteste ! Je le hais ! Je le hais tellement que je me sens capable de le tuer de sang-froid, lui et sa princesse ! Elle l'a embrassé devant mille personnes ! Je l'ai vu, de mes yeux vu ! Elle l'aime, et il le lui rend bien, à cette chienne ! Et c'est parce qu'ils s'aiment tellement que je les hais ! Lui surtout, maintenant qu'il est devenu célèbre, ce sale violoneux de gitan ! Il avait juré que je regretterais mes paroles ! Voilà pourquoi je le hais encore plus qu'elle ! de tout mon être !

Sa voix s'élevait en tremblant sur un ton de plus en plus aigu, et elle cria presque, incapable, dans sa colère, d'articuler les mots :

— Je le hais ! Je le hais ! Je le hais !

Puis sa tête blonde retomba sur les genoux de la vénérable Zsuzsa.

Celle-ci n'avait pas besoin de ce flot de paroles incohérentes et haineuses pour comprendre les véritables sentiments qui bouleversaient ce jeune cœur. N'était-elle pas sur terre depuis plus de cent ans, cette fois-ci ? Car Zsuzsa savait bien qu'elle n'en était pas à son premier séjour parmi les vivants de cette planète. Du bout de ses doigts d'où semblait émaner un fluide magnétique, elle caressa la tête enfiévrée de l'enfant, déchirée par l'orage intérieur que déclenchaient ces émotions contradictoires.

— Écoute-moi, *mi chi* !

Paprika ne bougea pas.

— Il va bientôt être minuit ! murmura la voyante, et la lune est dans son plein. Quand tu entendras le chant d'un rossignol, déshabille-toi, aussi nue que Dieu t'a faite... Cherche et suis l'oiseau jusqu'à ce que tu aies reconnu la branche sur laquelle il s'est posé. Brise cette branche et plante-la dans un pot d'argile rempli de terre ramassée sur une tombe fraîche. Alors, pense à lui de toutes tes forces et pleure ! Pleure, que tes larmes arrosent la branche et abreuvent la terre !

Paprika avait levé la tête, imperceptiblement, et écoutait l'augure. Dans ses yeux, une lueur d'espoir commençait à briller.

— Si tout se trouve accompli entre le premier coup de minuit et le moment où un nuage voilera la lune, Jancsi reviendra vers toi pour ne plus jamais te quitter, ni dans cette vie, ni dans l'autre !

— Mais je ne veux pas qu'il revienne ! Je ne veux plus le revoir ! Je le déteste ! Je le déteste !

Un sourire incrédule erra sur le visage de Zsuzsa, et ses yeux se fermèrent.

— *Dovo si, mi chi* ! Va, maintenant. Minuit va bientôt sonner, et la lune se découvre.

Au travers des carreaux sales, Paprika aperçut le pâle disque qui, lentement, s'élevait au-dessus d'un long banc de nuages. Et elle se demanda comment Zsuzsa, qui n'avait pas ouvert les yeux, savait cela. Soudainement, elle posa ses lèvres sur les mains de la vieille, puis se leva.

— *Ja Develehi, chovahano* ! dit-elle simplement, pour la remercier.

— Va avec Dieu ! murmura Zsuzsa en la bénissant. Reste avec Dieu ! Pour l'amour de Dieu, pense aux deux routes ! recommanda-t-elle une dernière fois.

Malgré elle, Paprika acquiesça d'un mouvement de tête et sortit rapidement de la roulotte.

Les chats sautèrent sur les genoux de Zsuzsa.

Dans sa roulotte, Paprika demeura quelques instants immobile, devant sa fenêtre au carreau brisé, abîmée dans le spectacle du clair de lune.

Elle sortit de sa douillette cache l'effigie reconstituée de Jancsi, la contempla longuement puis, dans un accès de colère subite, froissa le papier, le réduisit en boule et le jeta d'un geste violent dans un des coins de la chambre.

Elle détacha son châle, le fit glisser de ses épaules et le tendit en travers de sa fenêtre pour ne plus voir l'astre de la nuit.

A ce moment, la cloche de la vieille église commença à sonner minuit.

Bientôt vint se mêler au son grêle un gazouillement très doux.

Tout proche, insistant, le chant à la fois limpide et triste de Philomèle s'élevait dans la nuit comme une prière vibrante vers Dieu, là-haut !

Les paroles de la prophétesse revinrent à l'esprit de Paprika. Elle arracha vivement le rideau improvisé et interrogea la nuit, mais le rossignol restait invisible.

Avec hésitation, elle ouvrit la porte et s'arrêta sur le seuil.

Son corps devait se trouver aussi nu que Dieu l'avait fait, avait dit la sage.

En hâte, elle laissa tomber son jupon, et ses formes pures apparurent dans la clarté lunaire.

Belle, d'une beauté émouvante, bouleversante, les mains nouées derrière la nuque et le corps rejeté en arrière, comme si elle s'offrait à la nuit, elle en aspira profondément l'air délicieusement frais.

Le chant du rossignol reprit son essor.

Avec d'infinies précautions, elle dirigea ses pas vers l'endroit d'où venaient les notes cristallines.

Mais, comme si l'oiseau se moquait d'elle, il s'envola à

son approche avant qu'elle n'ait eu le temps de repérer la branche sur laquelle il s'était posé.

D'un arbre à l'autre, elle le suivit, progressant, légère, sur la pointe des pieds, mais le chanteur malicieux la fuyait toujours.

Tenace, elle continuait sa chasse silencieuse.

Elle était parvenue devant le portail de fer, surmonté d'une croix, qui dominait l'entrée du cimetière. La seconde recommandation de Zsuzsa lui revint à l'esprit. « Plante la branche dans un pot d'argile rempli de terre ramassée sur une tombe fraîche. »

Il semblait que le Destin conduisît exactement ses pas vers le lieu exigé pour accomplir le rite.

Elle regarda autour d'elle.

Personne. Tout n'était que calme et solitude.

Elle leva un regard anxieux vers le ciel. Un gros nuage noir, solitaire, voguait dans la nuit, comme attiré par le phare de la lune. Encore quelques minutes de grâce, et le disque aux lueurs froides serait enseveli.

Comme ensorcelé, le rossignol lança quelques trilles et s'envola directement dans le cimetière.

Avec répugnance, Paprika se décida à pousser la lourde porte qui grinça sur ses gonds rouillés.

Elle craignait la rencontre des *bavol-engros*, les spectres des trépassés qui, sans aucun doute, par une nuit pareille, hantaient les parages.

Mais quelque chose de plus fort que ses craintes la fit avancer.

C'était une étrange vision que cette silhouette blanche et nue, se glissant, tel un fantôme, entre les sombres cyprès, les saules pleureurs, les pierres tombales, et dont la chevelure flottait comme une cape d'argent dans les clartés bleuâtres.

Avec une résolution désespérée, Paprika poursuivait l'oiseau, qui s'obstinait à fuir son approche.

La cloche de l'église sonna le quart après minuit. Le nuage se rapprochait de plus en plus du visage blafard de la lune.

Enfin, tout en haut d'un saule pleureur, Paprika parvint à distinguer l'oiseau.

Elle fit des repères dans son esprit, afin de bien reconnaître, lorsqu'elle l'aurait atteinte, la branche sur laquelle s'était posé le passereau moqueur.

Puis, comme un chat sauvage, elle se glissa sous l'arbre et grimpa de branche en branche. Malgré la rude écorce qui lui égratignait les jambes, elle se hissa, les yeux toujours fixés avec anxiété sur le nuage qui, dans le ciel, poursuivait sa course et menaçait de faire échouer sa périlleuse tentative.

Elle atteignit enfin son but.

Le rossignol s'envola dans un bruit étouffé de battements d'ailes.

Paprika saisit le petit rameau souple comme un jonc, réussit enfin à le briser et, le plaçant entre ses dents, redescendit rapidement. Elle sauta à terre avec toute la souplesse d'un jeune puma.

Le nuage, entamant déjà le halo lumineux, ne semblait plus, maintenant, qu'à quelques mètres de l'astre.

Haletante, écorchée à vif, elle chercha désespérément, parmi les monuments modestes et les simples croix, une tombe fraîchement creusée.

Soudain, elle se rendit compte qu'elle se trouvait dans l'ancien cimetière. Le nouveau devait être plus loin, sans doute à l'autre bout.

Comme une folle, elle se précipita sauvagement de ce côté, fantomatique apparition, bondissant par-dessus les tombes abandonnées, entre les croix branlantes et les dalles écroulées, au milieu des débris funéraires.

Son pied glissa, et elle trébucha. Son visage s'en fut heurter un monticule de terre qui s'éboula sous elle. Elle avait, d'un geste instinctif, porté sa main droite en avant pour amortir sa chute et, sous le choc, un pan de terre s'effondra sous son poing qui s'engouffra dans une cavité.

En dégageant son bras, devant son visage, Paprika vit,

dans le trou noir et béant d'où se dégageait une odeur douceâtre et pénétrante, le coin d'un cercueil en putréfaction.

Elle frémit de terreur en voyant soudain des vers grouiller dans l'humus remué.

Dans ses oreilles résonnèrent les anciennes litanies rituelles, que l'on récite au cours des enterrements gitans :

« Pourquoi Dieu nous a-t-il faits ?

Pour que les vers trouvent leur vie, en dévorant nos chairs, quand nous serons morts ! »

Comme un écho, les paroles solennelles de la vieille sorcière lui revinrent à l'esprit :

« Si tu lui avoues ton amour, quand il reviendra, tu vivras ! Sinon, tu mourras ! »

Non ! Elle ne voulait pas mourir ! Elle voulait vivre ! Vivre et aimer ! Elle était si jeune encore. Elle n'avait, pour ainsi dire, encore rien goûté de la vie !

Devant ses yeux apparut le suaire blanc dans lequel avait été enveloppé le corps raidi de sa mère.

Non, pas cela ! Elle ne voulait pas mourir !

Elle serait bonne pour Jancsi, s'il revenait... Si seulement il voulait revenir, comme elle l'aimerait !

Dans la confusion de ses pensées, cette résolution lui rappela dans quel but elle se trouvait à cette heure, nue, en ce lieu. Ne s'efforçait-elle pas, au moyen de la sorcellerie, avec toute l'énergie du désespoir, de le ramener vers elle ?

De nouveau, ses yeux se levèrent avec inquiétude vers le nuage qui, maintenant, semblait immobile, à un fil de la lune, mais immobile !

Un renouveau d'espérance fit battre son cœur.

Elle se redressa en chancelant. Ses genoux lui faisaient mal ; elle les avait heurtés et écorchés en tombant.

Une fois de plus, elle regarda autour d'elle, parmi les tombes.

Non loin de là, sur la droite, se trouvaient quelques nouveaux sépulcres couverts de couronnes et de gerbes fanées. L'un d'entre eux semblait avoir été comblé le jour même.

Les fleurs qui y étaient amoncelées étaient encore fraîches, ainsi que la dorure des inscriptions sur les rubans.

Au centre du petit monticule, à demi enfoui dans l'humus, il y avait un fuchsia en pot.

Fébrilement, Paprika creusa un trou à l'endroit où il se trouvait et, dépotant soigneusement la fleur avec la terre qui s'accrochait aux racines, la transplanta.

Cette opération terminée, elle se signa trois fois.

Pourquoi ? Elle n'aurait su l'expliquer. Avec des gestes précipités, elle remplit le pot vide jusqu'au bord de terre fraîche prélevée sur la tombe. En tremblant de hâte, elle prit la petite branche de saule qu'elle tenait entre ses dents, et la planta dans la terre du pot.

Comme pour demander pardon de son vol envers le mort inconnu, elle murmura les premiers mots du *Pater Noster* :

— *Miro gudlo Devel, savo hal ote ando Cheros, te aval swuntunos tiro nav...* Que ton règne arrive, que je fasse toujours ce que ta volonté veut que je fasse...

Sa mémoire n'en avait jamais retenu plus long, mais elle continua à marmonner une prière naïve de sa façon :

— *Mi Dubblesky !* Écoute-moi ! Envoie une maladie à cette princesse et fais-la mourir ! Ramène-moi mon Jancsi ! Fais qu'il m'aime plus qu'il n'a jamais aimé cette princesse ! Qu'il me pardonne tout le mal que je lui ai fait. Et si je dois lui en faire encore, ce sera ton œuvre, mon Dieu, et non la mienne ! Je n'y pourrai rien ! Dans l'éternité !

Des larmes remplirent ses yeux. Lentement, elles roulèrent sur ses joues et, comme elle tenait le petit pot où se dressait la brindille contre son cœur, ses pleurs, un à un, tombèrent sur la branche de saule.

Le charme était consommé.

Doucement, le nuage entama le disque lumineux de la lune, et l'ombre couvrit le corps blanc de la jeune fille nue, immobile, debout sur la tombe fraîche.

PAPRIKA

Le dernier coup de l'horloge de l'église du « Couronnement », annonçant deux heures frissonna et mourut dans la brise matinale soufflant du Danube sur Budapest assoupie.

Dans le palais Estervary, Son Altesse la princesse Ilonka, aux mains de sa camériste, Donka, procédait aux rites compliqués, qu'elle affectionnait tout particulièrement, de sa toilette de nuit.

Comme presque chaque soir, durant l'exécution religieuse de ces soins frivoles, la Princesse et sa femme de chambre échangeaient leurs petites confidences intimes et discutaient librement de leurs affaires d'amour.

La profonde baignoire d'onyx et d'albâtre, remplie presque à ras bord, dégageait des vapeurs parfumées.

Donka aidait sa maîtresse à en descendre les marches, la soutenant pour qu'elle ne glissât pas.

Quand la Princesse se trouva allongée dans l'eau presque brûlante, Donka, manches retroussées, aspergea copieusement le buste non immergé, savonna les épaules et les bras, faisant monter la mousse sous ses doigts experts.

— Après tout ce que j'ai fait pour lui ! continua la Princesse, il ne veut même pas me confier un mot de ce qui le chagrine !

— Il ne me semble pas malade, pourtant ! remarqua Donka, plus pratique. Il mange, boit et dort bien !

— Tu l'as dit ! s'exclama avec indignation Ilonka. En fait, c'est tout ce qu'il sait faire, maintenant : manger, boire et dormir ! Il ne m'adresse même plus la parole ! Quant au reste, n'en parlons pas... Ce soir, en revenant de Sainte-Marguerite, il est resté dans le coin de la voiture, les yeux fermés, tenant son violon serré dans ses bras comme un poupon. Il n'a pas prononcé un seul mot. Et quand je lui ai demandé la raison de son silence, il m'a répondu qu'il se sentait las, que cette rhapsodie « Paprika », qu'il joue presque chaque soir, sape toute son énergie !

Les yeux d'Ilonka brillaient de colère.

— Mais tu aurais dû le voir, Donka, continua-t-elle, quand

ce vieux gitan l'a appelé en sifflant, au moment où la voiture s'engageait sous le porche, ce soir ! Il s'est réveillé brusquement et, sans un mot, il a sauté du coupé. Il s'est jeté au cou de ce vieux dégoûtant et il était là, à le prendre dans ses bras et à l'embrasser, comme s'il s'agissait d'un frère retrouvé qui revenait de loin ! Sa prétendue fatigue avait disparu comme par enchantement, et il m'a laissée là, toute seule ! En montant les escaliers, je l'ai vu rentrer, accompagné de son gitan crasseux qu'il a emmené dans son appartement. Et il était bien réveillé, je te l'affirme !

— *Igen*, Altesse ! Ferenc vient de me dire que Monsieur Jancsi a donné des ordres pour qu'on apporte dans sa chambre tout ce qu'on pourrait trouver dans la glacière et toutes les bouteilles de vin sur lesquelles il serait possible de faire main basse.

— Et maintenant, je suppose qu'ils vont boire et bavarder toute la nuit. Puis, quand j'irai le retrouver, il sera fatigué, une fois de plus. Après tout, je ne l'ai pas pris chez moi uniquement pour me jouer du violon !

— Certainement pas, Altesse ! insinua Donka.

Avec un sourire, elle s'affaira et étala la mousse sur le corps de sa maîtresse.

Quoique réellement très las, Jancsi, à ce moment, était si heureux qu'il en avait totalement oublié sa fatigue. Il recevait son vieux frère aux cheveux tout blancs, Custor Ignac.

C'est ce même Custor Ignac qui lui avait enseigné à tirer les premiers sons mélodieux des cordes de son *bashadi*, et il ne se tenait pas de joie de revoir le bon vieux violoneux.

Depuis une demi-heure, il écoutait avec ferveur, les yeux brillants de joie, les interminables histoires de la tribu que le vieil Ignac racontait d'une façon si vivante qu'elles apportaient à Jancsi la bonne odeur de la terre, la hauteur du ciel étoilé et réveillaient dans son âme la nostalgie des grands chemins, sa nostalgie pour Paprika.

Le nom lui brûlait les lèvres.

Il aurait voulu demander mille choses à son sujet. Que

faisait-elle ? Était-elle heureuse ? Mais Ignac enchaînait et embrouillait si bien et si rapidement ses anecdotes qu'il était impossible de placer un mot.

La bouche pleine des friandises que Jancsi lui offrait, le vieux racontait à son jeune ami comment il s'était décidé à partir pour Budapest :

— Après avoir laissé ce qui restait de Zoltan sur le pavé près de la pompe à incendie, expliqua-t-il en terminant l'histoire macabre de la mort du *Sher-engro,* on s'est tous assis autour des feux, et on est resté un bon moment à discuter de ce qui venait d'arriver tout en faisant passer la cruche de vin. Puis, finalement, tout le monde est allé se recoucher. Moi, je ne pouvais pas dormir. D'ailleurs, Gizzi, ma femme, non plus.

Ignac s'arrêta pour déguster une gorgée d'un Tokay tel qu'on n'en trouve que dans les caves princières. Il poussa un petit soupir et fit claquer sa langue pour montrer son appréciation.

— Le lendemain matin, reprit-il, il était environ neuf heures quand Narilla — tu te rappelles cette chatte sauvage ? A propos, elle a divorcé de Pofok et, maintenant, elle est remariée avec Laszlo... Je disais donc, Narilla arrive en courant, tout essoufflée, dans ma roulotte, en hurlant de toute la force de ses poumons. Elle venait de recevoir une carte postale de son frère Lörenc, qui est valet d'écurie aux haras royaux de Gödöllö. Sur la carte, il y avait ton portrait et, en dessous, quelques lignes qui racontaient ton histoire. Depuis que Zoltan est mort, je suis le seul de notre tribu à savoir lire et écrire, et Narilla venait me demander ce que disait sa carte. Alors, j'ai regardé et, après l'avoir lue, eh bien, je l'ai relue, stupéfait. Toute la tribu s'était réunie autour de moi pour écouter la nouvelle, et j'étais fier de toi, Jancsi, mon gars ! J'en pleurais des larmes de joie.

« Rends-toi compte, Gizzi, c'est moi qui lui ai appris à jouer ! C'est moi qui étais son professeur ! » que je répétais à ma femme encore au lit.

Oh ! Si tu la voyais ! Mon pauvre Jancsi... Elle est devenue si grosse, maintenant, qu'elle remplit tout le lit à elle seule et que je suis forcé de dormir par terre ! Mais, oui, mon gars, j'en suis arrivé là ! C'est la vie...

Il soupira tristement, mais retrouva son sourire en reprenant son verre qu'il chauffait au creux de sa main, en humant le bouquet du vin avec extase.

— Mais, pour revenir à mon histoire, c'était *moi* son professeur, me disais-je. Rien d'étonnant qu'il joue aussi bien !

Ignac se renversa sur le dossier de son fauteuil en éclatant d'un bon gros rire au fond duquel on sentait une larme.

Jancsi, partageant l'hilarité de son ami, lui tapotait cordialement le dos.

Ils trinquèrent, après avoir rempli à nouveau leurs verres, et laissèrent le bon jus des vignes d'Hegyalya couler lentement dans leur gosier en précieuses petites gorgées.

— Il m'a fallu leur raconter ton histoire je ne sais combien de fois ! Il y en avait tout le temps un qui ne l'avait pas entendue en détail ! continua Ignac. Mais ils étaient tous contents et fiers d'apprendre qu'un des nôtres était arrivé à une telle célébrité et recevait de semblables distinctions. Pour fêter cette bonne nouvelle, on a sorti le meilleur vin de la tribu — aucun rapport avec celui-ci, pour sûr, mais du très bon vin quand même — qu'on avait escamoté la veille, je ne sais où — ah ! si, dans la cave d'un curé, et chacun a bu à ta santé et nous avons tous été saouls en ton honneur.

Jancsi se représentait fort bien cette scène typique de la tribu et riait de bon cœur.

— Alors, mon garçon, ils sont tous partis se coucher, parce qu'ils ne tenaient plus debout et qu'il n'y avait plus rien à boire. Je me mis alors à réfléchir. Si Jancsi — je me suis dit — est devenu si célèbre avec son violon au point de jouer devant Jozsi Bacsi, je ne vois pas pourquoi je ne pourrais pas essayer d'en faire autant. Si je tentais la chance une fois de plus, avant de devenir trop vieux ? Qui sait ? Et j'ai commencé à expliquer tous mes projets à Gizzi. Mais quand je me suis retourné vers elle, ma grosse dondon dormait déjà à poings fermés ! C'est moi, son professeur, je me suis répété. Sais-tu, mon garçon, que moi aussi, j'ai eu de grandes ambitions, autrefois ? J'avais pensé devenir un autre Csermack. Dans ma jeunesse, j'ai été son second violoniste. Tiens, maintenant encore, je peux jouer par cœur Liszt, Brahms ou Paganini. Mais, au lieu de persévérer, je me suis mis en tête que j'étais amoureux de Gizzi. Eh bien ! Ce fut la fin de tout !

Custor Ignac fit encore une pause pour vider d'un trait le verre que Jancsi venait de lui remplir, et commença à s'apitoyer sur son propre sort :

— Quelle vie bête j'ai eue ! Jouer du violon sous les gouttières pour ramasser quelques sous dans la boue, Gizzi toujours collée à mes trousses. Quelle existence, pour un homme comme moi, qui avais échafaudé de si grands rêves autrefois !

— C'est drôle, tu vois, cela m'aurait suffi, à moi, dit Jancsi, songeur. Et je changerais de place avec toi, mon vieil Ignac ! Ma façon de vivre ne veut rien dire, quand on n'est pas heureux. Et je ne le suis pas ! Tu ne peux t'imaginer à quel point la tribu me manque. Pouvoir vagabonder dans la campagne, être libre vraiment, comme seuls savent l'être les gitans. Et non esclave, comme un riche commerçant citadin, forcé de vendre tous les soirs de la musique dans un restaurant à la mode pour le prix d'un bien-être illusoire. Ah ! vivre au grand air ! Chanter la liberté et l'amour...

Paprika lui revenait à l'esprit et il allait, enfin, pouvoir s'informer d'elle ; mais Ignac l'interrompit sur un ton amer :

— Oui ! *Tu* peux chanter l'amour tant que tu voudras ! dit-il en désignant du pouce, par-dessus son épaule, l'appartement de la Princesse. Mais comment veux-tu que *je* chante l'amour ? Et comment veux-tu que je me sente libre avec Gizzi continuellement sur mes talons ?

Le vieillard débita ces quelques mots avec une grimace si comique que Jancsi ne put s'empêcher d'éclater de rire.

— L'amour ! continua Ignac, l'air complètement dégoûté, l'amour, c'est un rêve fou que l'on fait avant de se marier !

Mais va donc essayer maintenant d'aimer Gizzi ! Autant vouloir enlacer une truie de Bakonnya !

Le vieux violoneux écrasa, sur sa joue creuse, une larme qu'il n'avait pu contenir car, maintenant, il était ivre.

Jancsi se sentit pris d'une immense pitié devant les désillusions de son vieil ami et songea qu'il pourrait peut-être l'engager dans son orchestre. Il lui devait bien cela, d'ailleurs.

— Ainsi, pour en revenir à mon histoire, résuma Ignac d'une voix pâteuse et entrecoupée de hoquets, j'ai pensé à toi, et l'espoir a repris le dessus. Peut-être qu'il n'est pas trop tard, après tout, pour essayer. Alors, pendant que Gizzi ronflait, j'ai pris tout l'argent qu'elle avait amassé secrètement — sans le déposer dans la bourse commune ! — et j'ai couru jusqu'à la gare où j'ai pris le premier train. Et me voilà ! Gizzi ne pourra pas rouspéter, puisqu'elle a enfreint la *Leis Prala* elle-même en cachant l'argent, remarqua-t-il, haussant les épaules. Et puis, si elle fait du tapage, j'expliquerai tout à la Reine !

Enfin, l'occasion tant attendue se présentait à Jancsi. Le vieux s'était arrêté pour attaquer une autre aile de poulet qu'il mastiquait en prenant son temps.

— Comment se porte maman Lila ? demanda-t-il vivement, craignant d'être encore interrompu par le récit des malheurs conjugaux d'Ignac.

Le vieux violoniste regarda Jancsi, l'air stupéfait comme s'il ne comprenait pas qu'on pût poser une pareille question. Puis il se souvint de la longue absence du jeune homme.

— Ah ! c'est vrai, tu n'étais pas là ! Mais Lila est morte au Noël dernier ! répondit-il sur un ton solennel. Zsuzsa prétend que c'est Zoltan qui l'a empoisonnée. Oui ! On l'a enterrée le matin même de Noël. Je ne pourrai jamais oublier ce jour-là ! J'ai dû jouer du violon à l'enterrement, et il faisait si froid que mes doigts ont presque gelé ! Je ne pouvais même plus les remuer ! D'autant plus qu'à vrai dire il y a eu trois cérémonies. Csampas et la petite fille de Chika sont mortes le même jour ! Toutes les trois empoisonnées ! Mais Dieu les a bien vengées, si vraiment c'est le Borgne qui avait fait le coup !

En secouant sa tête blanche, le vieillard s'empara d'un pilon, cette fois, et se remit à dévorer à belles dents.

Jancsi restait muet de stupéfaction, et des larmes embuaient ses yeux. Lila ! Sa maman Lila ! La plus douce, la plus tendre des femmes, toujours prête à consoler, était morte ! Jamais plus il n'entendrait sa voix caressante l'appeler et l'inviter à lui confier ses peines, à se blottir dans ses bras, comme elle l'avait fait tant de fois.

— Lila était un ange de douceur ! remarqua Ignac, la bouche pleine, comme pour faire écho à ses pensées.

— Et qui est reine maintenant ? demanda Jancsi tout bas, craignant que le tremblement de sa voix ne trahît son anxiété et son émotion.

— Paprika ! répondit Ignac, comme si cela allait de soi, tout en glissant un regard inquisiteur vers le jeune homme, qui ne remarqua rien.

Paprika était reine... Sa petite Paprika aux cheveux d'or, reine de la tribu des Ulemans...

— Les femmes étaient plutôt contre elle ! expliqua Custor Ignac d'un air détaché, tout en continuant à mastiquer férocement son pilon. Mais les hommes ont tous voté pour elle, et ils l'ont emporté sur les femmes. Peu à peu, d'ailleurs, les femelles se sont calmées. Je parierais même qu'il y en a qui l'aiment bien, maintenant, ajouta-t-il avec un petit rire sec.

— Et Balermengro ? s'informa Jancsi, en s'efforçant de maîtriser le tremblement de sa voix et de prendre le ton le plus naturel du monde, bien qu'il entendît lui-même les battements de son propre cœur.

Ignac parut surpris de l'intérêt que semblait montrer le jeune homme pour cette grande brute. Pas un mot sur tous ses amis de la tribu, et il s'inquiétait du Velu ? !

— Oh ! Balermengro, il a mal fini ! dit-il. Un chien enragé l'a mordu, il y a quatre mois, et il en est mort ! Mais avant de mourir, il a mordu Arpas, tu te rappelles bien ? Le petit de Gita, et Fenella aussi, et ils sont morts tous les deux.

Jancsi n'écouta pas les derniers mots.

Balermengro était mort. Ainsi, Paprika était veuve maintenant et libre à nouveau. Vivement, sans laisser le temps à Ignac d'aborder un autre sujet, il demanda :

— A-t-elle un enfant de lui ?

Ignac le regarda d'un air stupide.

— Qui ça ? Fenella ?

— Mais non ! Paprika ! rectifia Jancsi avec impatience.

Décidément, ce vieux fou n'arrivait pas à se concentrer sur un seul sujet à la fois.

— Un enfant ? De qui ? demanda Ignac étonné.

— De Balermengro, de son mari, évidemment ! Voyons !

— Son mari, Balermengro ?

Ignac n'y était plus du tout. Il semblait fort perplexe, et Jancsi commença à regretter de lui avoir donné si généreusement à boire.

— Mais oui ! répliqua le jeune homme, plus impatienté. Balermengro, le mari de Paprika. Ils se sont mariés le jour où j'ai quitté la tribu. Zoltan m'a même fait boire à leur bonheur ! Tu te souviens bien ?

Ignac sourit.

— Oh ! je comprends, maintenant ! dit-il en riant. Mais non ! Elle n'a jamais épousé personne, pas plus Balermengro qu'un autre. Dès que tu es parti, elle a tourné le dos au Velu et, comme une furie, l'a défié, lui et toute la tribu ! Une orpheline, a-t-elle argumenté, a le droit de choisir son mari ! Et les plus vieux lui ont donné raison.

Jancsi n'avait plus aucun contrôle sur son cœur, qui battait à tout rompre. Vivement, avec des mains tremblantes, il remplit à nouveau le verre de son visiteur et le sien.

— Tiens, Ignac, mon vieux, bois ! s'écria-t-il, ne s'efforçant même plus de dissimuler son émotion. *Piavta !* ajouta-t-il en levant son verre.

— *Piavta !* répondit Ignac en vidant le sien d'un trait, non

302

sans remarquer, en faisant claquer sa langue : Ce vin est vraiment digne d'un roi !

Il se pourlécha les lèvres et, s'abîmant dans la contemplation du fond de son verre vide, poursuivit, songeur :

— Oui ! Paprika a bien changé ! Elle fait tout son travail elle-même depuis que tu es parti. On ne la voit pas beaucoup. Elle s'enferme dans sa roulotte. Elle ne parle presque plus à personne. Elle ne veut même plus danser.

Il s'arrêta un instant et soupira, plein de considération :

— Paprika n'est pas heureuse ! Elle rêvasse tout le temps à quelque chose, avec des yeux tristes. Bien souvent, je l'ai aperçue en train de pleurer dans sa roulotte. Mais quand on lui demande ce qui la chagrine, elle ne répond même pas, ou bien d'un mot, toujours le même : « Rien ! », et elle vous tourne le dos.

Il secoua la tête, et ses yeux demeurèrent un instant perdus dans le vague. Mais entre ses cils, il jeta un regard furtif vers Jancsi, guettant sur le visage du jeune homme l'effet de ses paroles.

Les pensées de ce dernier tourbillonnaient.

Paprika n'était pas mariée ! Elle ne l'avait jamais été ! Elle se trouvait libre, elle avait changé !

Alors, la vision qu'il avait eue d'elle l'autre soir, en jouant pour elle, était peut-être réelle ? Peut-être était-ce son retour à lui qu'elle désirait ? Peut-être l'aimait-elle, après tout ? S'il en était ainsi, qu'importait le reste du monde ? Plus rien ne comptait.

En un instant, sa décision fut prise. Il allait tout de suite partir et retourner auprès d'elle, sans perdre une minute en futiles préparatifs.

— Il faut t'en aller maintenant, vite !

Ignac en fut abasourdi. Lui qui comptait rester auprès de son jeune ami et bavarder encore, tout en dégustant un autre verre de vin, de ce bon vin vieux digne vraiment d'un roi.

Mais Jancsi l'obligea à se lever, l'aidant à trouver son équilibre.

— Va ! dit-il. Descends et attends-moi au coin de la rue à droite. Je ne serai pas long à te rejoindre !

Il accompagna jusqu'à la porte et dans le hall le titubant Ignac et sonna son valet. François parut.

— Reconduisez mon ami ! lui ordonna-t-il.

Après quoi, rentrant précipitamment dans son cabinet de toilette, il entreprit de troquer sa tenue de soirée contre des vêtements de ville.

Custor Ignac, aidé du domestique, commença à descendre péniblement les escaliers, mais sur son visage enluminé errait un sourire de satisfaction.

La Princesse venait de sortir de son bain, dont la buée parfumée embaumait l'atmosphère. Ses belles formes nues, étendues languissamment sur son lit rond, une jambe repliée, l'autre nonchalamment étirée, elle fumait une cigarette égyptienne « Shepherd » à bout doré et s'abandonnait aux soins de sa camériste.

Donka frictionnait tour à tour les pieds de sa maîtresse avec de l'eau de Cologne puis, avec une petite pierre ponce, frottait délicatement la légère callosité de l'épiderme sous le menu talon rose.

Donka aimait tout particulièrement cette partie de son service et y prenait un plaisir singulier. Manipuler ces orteils aux ongles nacrés, laisser courir ses doigts entre eux ou masser les seins fermes et satinés était devenu pour elle plus qu'un devoir domestique. Le contact de ce corps magnifique et voluptueux lui procurait d'étranges frissons, voisins de l'extase.

Quant à Ilonka, dont les sens commençaient à s'émousser et à ne plus réagir si promptement aux stimulants ordinaires et normaux, elle sentait, sous les attouchements experts des belles mains soignées de sa femme de chambre, s'éveiller en elle un plaisir neuf.

Elle tressaillit voluptueusement quand Donka, qui venait de mouiller ses doigts de salive, délicatement lui frotta le dessous chatouilleux de son petit orteil entre le pouce et l'index onctueux.

— Et que va faire Votre Altesse si Monsieur Jancsi dort encore ce soir ?

— Eh bien, il va falloir qu'il s'explique une fois pour toutes ! répondit la Princesse avec décision.

— Votre Altesse a raison ! acquiesça Donka, incitant sa princière maîtresse à la révolte. Il n'y a aucun plaisir à vivre ainsi ! C'est tout comme si Votre Altesse était mariée avec lui !

— Exactement ! répondit la Princesse. C'est exactement l'attitude qu'il a — celle d'un mari ! Toujours sérieux et préoccupé. Perdu dans des rêvasseries sans fin. Et ce que je veux, c'est un amant ! C'est pour cela qu'il est ici ! La vie est bien trop courte pour qu'on la prenne au sérieux. Je veux, au seuil de la mort, éprouver la sensation d'avoir joui et usé de chaque fibre de mon corps ! Je veux avoir épuisé toutes mes ressources de vie. Quand on m'enterrera, je veux ne pas être encore à demi vivante... Je veux être tout à fait morte !

— Votre Altesse a raison, c'est exactement ce que je pense ! accorda Donka dans un rire frivole.

Elle avait fini de masser un pied et entreprenait l'autre.

— Pourquoi le garderais-je, d'ailleurs ? Pourquoi m'encombrer inutilement ? remarqua la Princesse sur un ton plus grave. Nous ne sommes pas mariés ! Ce n'est qu'une aventure ! Pas plus importante que celles que j'ai eues auparavant avec d'autres hommes ! Elle a duré un peu plus longtemps. En fait, trop longtemps ! Voilà ce qu'il y a ! Les choses traînent en longueur. Et je suppose qu'il est fatigué de moi. Comme je le suis de lui, d'ailleurs...

Elle alluma une nouvelle cigarette directement à celle qu'elle venait de fumer et écrasa le mégot dans un cendrier d'onyx.

Donka lui jeta un regard où se lisait un espoir timide. Elle humecta de sa langue le gros orteil d'Ilonka pour lui briquer la peau et continuer son massage savant.

— Mais *je* veux être la première à rompre, et c'est *moi* qui mettrai le point final à cette histoire ! rumina la Princesse. Je ne permettrai pas que ce soit *lui* !

Et, avec une soudaine résolution, elle ajouta :

— Ça y est, j'en ai décidé ainsi, c'est ce soir même que je vais dire : « Fini ! »

— Je suis contente de voir Votre Altesse prendre enfin une décision ! murmura Donka avec une inflexion étrange dans la voix.

Soudain, elle s'arrêta et, baissant la tête, pressa contre ses lèvres humides le creux chatouilleux de la plante du pied de sa maîtresse et le couvrit de baisers ardents.

Ilonka ferma à demi les paupières, et un sourire voluptueux entrouvrit sa bouche gourmande.

Toutes deux se levèrent. Donka avait repris son attitude correcte de parfaite servante, mais son regard la trahissait.

Elle prit l'énorme vaporisateur et aspergea d'essence de gardénia tout le corps nu de sa maîtresse.

— Si tu entends les éclats du feu d'artifice, tout à l'heure, tu sauras ce que nous célébrons ! dit la Princesse d'un ton impertinent avec un coup d'œil dédaigneux vers la chambre de Jancsi.

Toutes deux se mirent à rire.

— J'attendrai Votre Altesse ! murmura Donka. Puis-je encore faire quelque chose ?

— Oui, Donka, remplis donc deux coupes de champagne, pour toi et pour moi !

La camériste jeta un regard furtif vers Ilonka pour s'assurer que la nuance d'intimité amoureuse qu'elle avait cru saisir dans la voix se reflétait aussi dans les yeux de sa maîtresse, puis elle exécuta ses ordres.

Ilonka leva sa coupe :

— Trinquons à la fin d'un amour ! dit-elle, et au commencement d'un autre !

Leurs yeux se rencontrèrent et se comprirent.

Dans son cabinet de toilette, Jancsi s'était vêtu en hâte et maintenant, il était prêt à partir. Soudain, il songea à son violon. Il s'approcha de l'étui en cuir verni noir et souleva le couvercle.

Là, devant ses yeux, au fond du luxueux écrin, sous une bande de peluche noire brodée à son monogramme en fil d'argent, reposait un Stradivarius authentique. Le premier cadeau d'Ilonka. Il avait coûté une petite fortune. Il se saisit avec tristesse de ce merveilleux instrument et le pressa un instant contre sa poitrine. Ses doigts errèrent légèrement sur les cordes. Puis il le replaça délicatement sur le satin de la boîte et ferma le couvercle, mélancoliquement, pieusement, comme on ferme le cercueil d'un ami très cher.

Puis, grimpant sur une chaise, il tira à lui d'une étagère haute son vieux *bashadi* dans son sac de toile cirée poussiéreux, l'archet effrangé. Les larmes lui montèrent aux yeux en les voyant à nouveau. Si ce misérable crincrin avait été jadis assez bon pour jouer pour Paprika, il le serait à nouveau pour lui. Tel il était venu, tel il voulait partir.

Il ne voulait rien sur lui qui lui rappelât le passé qui venait de mourir. Il ne garderait strictement que ce qu'il avait sur lui.

D'ailleurs, n'avait-il pas payé ses vêtements avec l'argent de ses propres gains ?

Et le porte-cigarettes en or que le Roi lui avait offert, il l'emporterait aussi.

Il saisit le vieux violon dans sa housse qui montrait la trame.

Sans même un regard d'adieu au luxe qui l'avait entouré ces derniers mois, il ouvrit la porte.

Il se trouva face à face avec Ilonka.

Elle recula en le voyant tout habillé, son vieux crincrin sous le bras.

— Où allez-vous donc ? lui demanda-t-elle quand elle fut revenue de sa surprise.

— Là où je suis à ma place, répondit-il avec calme. Je pars retrouver ma tribu.

Elle comprit, au ton de sa voix, que sa décision était sans appel. Il l'avait devancée dans la rupture. Il avait eu le dessus ! C'était lui le premier qui avait prononcé les mots de la fin.

Autour des hautes pommettes saillantes, le visage d'Ilonka se durcit brusquement. Tous les muscles de son corps souple se raidirent comme ceux d'une tigresse prête à bondir.

— Qui vous croyez-vous donc, jeta-t-elle d'une voix perçante, pour me traiter de la sorte après tout ce que j'ai fait pour vous ?

Elle l'avait saisi par le revers de son manteau et, dans sa fureur, soulignait chaque mot d'une secousse saccadée de ses poings nerveux.

— Où seriez-vous sans moi ? poursuivit-elle durement. A gratter du violon dans les rues ! A ramasser quelques sous dans la boue et dans le crottin de cheval ! A mendier, tout couvert de vermine, comme *un sale violoneux de Cigany* que vous êtes !

Jancsi sursauta sous l'insulte, comme si un coup de *karikas* venait de lui cingler le visage.

Ilonka vit l'effet produit par ses dernières paroles.

— Oui, c'est tout ce que vous êtes, railla-t-elle à nouveau, vous ne serez jamais qu'*un sale violoneux de Cigany* !

Jancsi la regarda droit dans les yeux et lui répondit d'une voix où ne perçait aucune rancœur :

— Je regrette, Ilonka, d'en finir de cette manière, mais je vous dois la vérité. Je ne vous aime pas et je ne vous ai jamais aimée ! J'ai été ébloui. Vous êtes si belle, si généreuse, et puis tout ce luxe autour de vous, et votre titre de Princesse... J'ai vécu comme dans un rêve ! Mais je me suis réveillé bien vite. Je ne me suis jamais senti à l'aise ici. Vous avez eu beaucoup de bontés pour moi, que je ne pourrai, hélas ! jamais vous rendre. Nous nous sommes trompés tous deux. Ce que vous m'avez appelé à l'instant, je le suis en effet. Oui, je suis un *Cigany*, et ma place est parmi les gens de ma race. Les gitans et les blancs ne peuvent se mélanger. Je viens de m'en apercevoir. Un Tzigane n'est, à vos yeux, qu'un violoneux, bon à gratter son instrument, pour vous faire rire ou pleurer, selon votre humeur. Mais, votre caprice satisfait, « l'artiste » de tout à l'heure n'est plus qu'*un sale violoneux de Cigany*. Moi, tout le temps que j'étais ici, je me suis langui des miens. J'avais faim de la terre, de sa bonne odeur. Faim des grands ciels et de leur hauteur. Sans le savoir, j'étais prisonnier. Maintenant, je viens de le comprendre et je ne peux plus demeurer ici. Il faut que je sois libre, libre comme un vrai Tzigane ! Et puis j'ai aimé une jeune gitane... J'ai essayé de l'oublier, parce que... Non, rien ! Vous ne pourriez pas comprendre. Mais je l'aime toujours ! Et je retourne vers elle !

Ilonka le lâcha et recula brusquement. Dans ses yeux passèrent des éclairs de rage et l'arrogance des Magyars.

— Ainsi, vous vous êtes moqué de moi ! hurla-t-elle. Vous pensiez à une autre quand vous étiez dans mes bras ! Et à une sale putain *cigany* encore ! Qu'elle crève, et vous aussi !

Hors d'elle-même, elle se jeta aveuglément sur lui et, de ses poings durs, martela le visage calme et résolu de Jancsi, qui n'essaya même pas d'éviter les coups.

En voyant le sang couler sur une des joues que ses bagues avaient écorchée, elle s'arrêta net, courut se jeter sur le lit de l'amant qui la dédaignait et y sanglota de rage et d'humiliation.

Jancsi, sans un geste vers elle, sortit de la pièce et descendit les escaliers en courant.

Donka, dans un léger vêtement de nuit, tout ce qu'il y a de sommaire et de bref mais néanmoins coquet, se tenait dans un coin du hall, d'où elle avait épié toute la scène. Elle eut un sourire de satisfaction en regardant passer le jeune homme.

Dès qu'il eut disparu, elle se glissa rapidement dans la chambre du favori envolé, verrouilla la porte derrière elle. Puis elle s'approcha du lit où la Princesse sanglotait toujours.

La camériste, avec des gestes tendres et frôleurs, prit sa maîtresse par les épaules et la força doucement à se retourner.

Puis elle but, à même la source, les larmes qui coulaient encore. Ses lèvres suivirent, dans un long baiser continu, la trace salée des pleurs et s'arrêtèrent un instant aux commissures des lèvres comme pour donner à Ilonka le temps de se reprendre. Puis elle cueillit sur les lèvres sensuelles qui s'entrouvraient le long soupir passionné.

Abîmées dans un baiser au goût pervers, les deux femmes retombèrent voluptueusement sur le satin blanc des coussins, leurs deux corps enlacés dessinant une arabesque mouvante.

*
* *

Le portier, somnolent, parut particulièrement étonné de voir Jancsi sortir à une heure aussi incongrue.

— Dois-je faire atteler la voiture, Monsieur ?

— Non, Pierre, je m'en vais à pied !

Sur le point de s'éloigner, le jeune homme se ravisa. Fouillant dans ses poches, il en sortit tout l'argent qu'elles contenaient et, après avoir prélevé une seule pièce d'or qu'il garda, tendit tout le reste au portier éberlué. Alors, seulement, le domestique remarqua les égratignures sur le visage de Jancsi. Il comprit que quelque chose venait de se passer, mais il était depuis trop longtemps au service de la princesse Estervary pour s'étonner ou s'inquiéter encore de quoi que ce fût. Il empocha tout bonnement ce fantastique pourboire.

— Merci, Monsieur.

— Adieu, Pierre !

Jancsi se dirigea vers le coin de la rue, son vieux *bashadi* sous le bras, comme à son arrivée, quatre mois auparavant.

Ignac l'attendait.

— Qu'y a-t-il donc ? Que s'est-il passé ? demanda-t-il avec inquiétude en voyant le visage ensanglanté de son jeune ami.

— Rien ! Nous allons rejoindre la tribu ! répondit Jancsi résolument en maintenant son mouchoir sur la petite éraflure de sa joue.

Custor Ignac joua la surprise :

— Mais tu es devenu complètement fou ! Pourquoi veux-tu retourner dans notre sale campement de Tziganes, quand tu peux vivre dans un vrai palais, boire et manger ce qu'il y a de meilleur, tout en gagnant une fortune ?

Les yeux d'Ignac eurent alors un éclat malicieux. Mais la seconde suivante, avec une apparente obstination, il reprit son argumentation :

— Pour toi, évidemment pour *toi*, c'est peut-être très bien ! Mais pour *moi* ? Hein ? Pourquoi est-ce que je retournerais là-bas ? Hein ? Dire que j'ai fait tout ce chemin depuis Disznool pour abandonner avant même d'avoir essayé ! Abandonner ma dernière chance d'atteindre la célébrité et la fortune ? Pourquoi ? Pour retrouver Gizzi, peut-être ? Tu peux t'imaginer le plaisir que cela me fait...

Jancsi ne prêtait pas la moindre attention aux paroles d'Ignac.

— Eh bien, tant pis ! Tu rentres au bercail avec moi ! Tu seras donc toujours le même ? Vieux fou ! lui dit-il sur un ton affectueux.

Il passa son bras sous celui du vieillard qui n'était pas très d'aplomb sur ses jambes et l'entraîna d'un pas alerte en direction de la gare.

Custor Ignac souriait en lui-même.

VIII

UNE fois de plus, les ombres précises du jour s'estompèrent devant les ténèbres.

Il était près de dix heures du soir, le lendemain, quand Jancsi et Custor Ignac sautèrent à bas de la voiture d'ambulance du Service de Santé sur laquelle, depuis Disznool, ils avaient voyagé gratuitement et à l'insu du soldat-conducteur.

A cet endroit, ils trouvèrent le même *patteran* qui avait guidé Paprika. Les petites branches leur indiquaient la direction de Szeged-Var qu'avait prise la tribu des Uleman, durant l'absence d'Ignac. Les deux gitans se mirent à la poursuite de leur caravane.

Jancsi hâtait le pas, brûlant d'impatience de revoir la tribu, suivi d'Ignac qui se traînait afin de laisser croire à son compagnon qu'il craignait la colère de sa femme Gizzi.

Maintenant, les deux voyageurs étaient presque arrivés à leur but.

Ils pouvaient déjà apercevoir les roulottes dans les lumières clignotantes que projetaient les feux à travers les arbres.

Jancsi n'aurait pu choisir meilleur moment pour son retour au bercail.

PAPRIKA

Le camp des gitans était envahi par des soldats et par la populace rustique de Szeged-Var.

La bousculade et la confusion étaient telles que Jancsi espérait pouvoir atteindre la roulotte de Paprika sans être remarqué de ses autres frères *roms*.

Avec d'infinies précautions, le vieil Ignac sur ses talons, il se glissait sur les abords du campement.

Devant le grand brasier qui flamboyait au centre, il aperçut Hentès-le-Boucher et Fozsto, son aide, qui découpaient un quartier de bœuf.

Il reconnut, dissimulées derrière les roulottes, Nina et Rézy distribuant la bonne aventure. Il connaissait leur refrain par cœur : « Mets une grande pièce d'argent dans ta main, et je te dirai ce que Dieu m'a confié tout bas du royaume des ombres. » Il sourit.

Plus loin encore, il remarqua Pivcza et Chika, les amantes répudiées de Zoltan, qui se promenaient main dans la main. Devant elles se dandinaient Piskos qui les avait débarrassées de leur tyran à toutes, et son fils Tankos. Varos, qui avait hérité de l'assassin de son père ainsi que du rejeton de l'ourse, grattait du violon derrière les plantigrades et, de temps à autre, les stimulait en les piquant de son archet aux endroits sensibles.

A quelque distance de là, sous les arbres, il vit Katalin et Rona vendre leurs infaillibles remèdes universels, et Gita charmer ses serpents venimeux.

Devant la roulotte d'Agatko, des troupiers faisaient la queue, attendant leur tour, tandis que Fekvo, le mari, encaissait l'argent à l'avance.

Jancsi et Ignac passèrent tout près de la tente où Viola et Tankosno, deux gamines de dix ans, attiraient une foule plus choisie de sous-officiers en s'exhibant, toutes nues, dans leurs danses suggestives.

Szabo continuait ses jeux d'adresse avec une bouteille, un sabre et une pelote de laine tandis que, non loin de lui, Beg Worman marchait avec ses mains nues sur des charbons ardents.

Jancsi, de plus en plus ému, s'arrêta un instant pour mieux contempler la scène et aperçut les sœurs jumelles Suri et Saski qui attiraient un soldat ivre derrière les buissons pour le détrousser.

Décidément, rien, en apparence, n'avait changé.

Il leur fallait maintenant traverser le centre du campement.

Les flonflons du *bash-mengro* avec les crins-crins de ses violons et *cobzas*, les plaintes de ses *cymbaloms* et le martèlement des *guzlas* parvenaient aux oreilles de Jancsi et paraissaient à ce fils prodigue comme une mélodieuse symphonie.

Et les odeurs âcres des grands feux de bois, au-dessus desquels rôtissaient des quartiers de viande, mélangées avec les émanations des bêtes et des gens, l'accueillaient comme de vieilles amies.

Soudain, Jancsi vit la roulotte de la Reine. Son pouls battit plus fort. Il pressa le pas.

Avait-elle changé physiquement ? Le reconnaîtrait-elle dans ses vêtements de citadin ? Que dirait-elle ? Avait-elle vu aussi la carte de Narilla ? Était-elle au courant de ses triomphes et de sa célébrité ?

Regrettait-elle enfin l'insulte qu'elle lui avait jetée à la figure au moment de son départ ?

Au même instant, il se souvint qu'Ilonka s'était servie des mêmes mots pour l'injurier.

Mais dans la bouche de cette femme, ces mêmes mots n'avaient aucune signification ; ils lui avaient seulement rappelé ceux de Paprika qui, eux, l'avaient aiguillonné, éperonné, avaient eu un effet stimulant et l'avaient, en un certain sens, aidé dans son ascension.

Et maintenant qu'il avait réussi, elle devait regretter cette insulte.

N'avait-il pas juré devant Dieu de l'amener à se rétracter ?

Et cela, il l'exigerait d'elle.

Il se glissa sans se faire remarquer à travers la foule hilare vers la roulotte de la Reine, suivi d'Ignac dont le visage s'éclairait d'un bon sourire.

Mais les yeux de chatte de Narilla tombèrent sur la silhouette élégante du bel étranger vêtu d'un costume de tweed bien coupé, et, elle jeta aussitôt son dévolu sur ce visiteur de marque.

D'une démarche ondulante, calculée pour attirer l'attention du jeune homme, elle s'approcha.

Jancsi tourna la tête, et elle le reconnut.

— *My Dubblelesky !* s'écria-t-elle, stupéfaite. Mais c'est Jancsi ! En voilà une surprise ! Le grand, le fameux Rogi Jancsi ici !

Et avant que celui-ci n'eût trouvé le temps de répondre, elle le saisit par le bras, l'empêchant de s'esquiver, et cria d'une voix des plus aiguës :

— *Pralor ! Prenor ! Avata !* Rogi Jancsi est de retour !

Ceux qui se trouvaient non loin d'eux se retournèrent pour le regarder et, en quelques minutes, il se trouva entouré d'une foule excitée d'hommes, de femmes, d'enfants et de chiens.

De toutes parts, les gitans accouraient pour accueillir leur frère avec des cris d'étonnement, des hurlements et des vivats :

— *Pralor ! Prenor !* Voilà Jancsi !

— Jancsi est de retour !

Paprika, qui avait dormi profondément tout le long du jour et dormait encore, entendit le nom de l'aimé dans ses rêves, répété par tant de voix et si fort qu'il la réveilla. S'asseyant sur son lit, elle prêta l'oreille.

On criait le nom au-dehors.

Elle sauta du lit et courut à la fenêtre de sa roulotte.

Là, devant elle, à quinze pas à peine, se tenait Jancsi, en chair et en os, souriant et serrant des mains.

Narilla était pendue à son bras, Suri et Saski à son cou, et toutes deux l'embrassaient comme un frère ressuscité.

Sur le rebord de la fenêtre — juste à côté du pichet dans lequel mouraient les tubéreuses du Prince —, se trouvait le pot avec la branche de saule.

Paprika se pencha avec ferveur sur le petit rameau, déposa un baiser de gratitude et, à nouveau, ses larmes arrosèrent la terre qu'elle avait recueillie sur la tombe fraîche.

Le charme avait réussi !

Son plus ardent désir avait été exaucé, Jancsi était revenu ! Elle se signa.

— *Mi Dovvel's kerrismus !* C'est l'œuvre du Seigneur ! murmura-t-elle, confondant Dieu et la sorcellerie dans le désordre de ses pensées.

La vieille Zsuzsa avait eu raison, une fois de plus ! Toutes ses prédictions devaient-elles donc s'accomplir ?

Oui ! Mais, cette fois, laquelle serait-ce ?

La belle route large, ensoleillée et fleurie menant à l'arc-en-ciel au bout ?

Ou bien le vilain chemin, rocailleux, escarpé, qui aboutissait au néant ?

« Sois bonne pour lui quand il reviendra ! » avait dit la *baba*.

Une crainte indéfinissable envahit son cœur. La peur que cette force étrange ne l'obligeât à faire exactement le contraire de ce qu'elle désirait, à dire encore une fois des mots qu'elle ne pensait pas.

Car Paprika ne pouvait pas admettre la dualité de sa propre personnalité. Tout ce qui était mauvais en elle venait de l'extérieur, lui était étranger et ne pouvait provenir de sa propre volonté, pensait-elle. D'où l'explication primitive qu'elle se donnait à elle-même d'une mystérieuse présence en elle, de l'esprit du Mal.

Elle regardait à sa fenêtre la foule grossir autour de Jancsi.

Presque toute la tribu était là pour lui souhaiter une bruyante bienvenue.

Agatko elle-même était venue, sans même prendre le temps de se rhabiller, laissant les soldats continuer patiemment à faire la queue devant sa porte.

Jancsi devait serrer la main de chacun et répondre à cent questions à la fois, tandis que chacun l'admirait.

La dernière arrivée fut Zsuzsa.

Appuyée sur ses deux cannes, elle se traîna péniblement vers le jeune homme qui se découvrit en la saluant très bas.

— *Ja Develehi chovahano !* lui murmura-t-elle.

A ce moment, Vasgyuro revint avec une cruche de vin pendant au crochet qui lui servait de main.

Jancsi but le premier et, ensuite, la cruche fit le tour du cercle.

— *Piavta ! Piavta !*

— A la santé du *Rom !* criaient-ils tous en trinquant au retour heureux de leur frère.

Au milieu de l'enthousiasme général, Jancsi aperçut une masse de graisse tremblante qui venait vers lui, ou plutôt qui roulait, forçant tous ceux qui se trouvaient devant elle à se reculer comme ils l'auraient fait devant une locomotive. C'était Gizzi, plus énorme, plus colossale encore que ne l'avait décrite Ignac, son mari.

Elle s'approcha de Jancsi et l'enlaça, l'embrassa avec effusion, puis éclata en sanglots. Une véritable cataracte de larmes inonda la poitrine du jeune virtuose.

Jancsi, pensant connaître la raison de ce vif désespoir, jeta un coup d'œil autour de lui, se demandant où Ignac avait bien pu se cacher si subitement.

Il l'aperçut juste au moment où le vieux violoniste désenchanté essayait de se faufiler sans attirer l'attention à l'intérieur de sa propre roulotte, toute proche. Sans dire un mot, Jancsi prit la tête de la grosse femme et la lui tourna de ce côté. Gizzi écarquilla les yeux de stupéfaction.

Poussant un cri, elle s'élança dans la foule, bousculant tout le monde et, suivie de rires sonores, vola vers son homme comme un gros nuage poussé par le vent.

Quand elle eut monté les marches, faisant danser toute la roulotte sous son poids de pachyderme, et qu'elle se fut introduite péniblement à l'intérieur, malgré l'entrée devenue trop étroite pour elle, elle referma la porte précipitamment.

Alors, face à face, Custor Ignac et sa femme se regardèrent

comme deux enfants qui auraient joué une bonne farce à quelqu'un. Joyeusement, ils s'étreignirent et s'embrassèrent. Pour y parvenir, obligeamment, la bonne Gizzi se pencha en avant afin que son énorme poitrine ne gênât pas son mari dans son élan affectueux.

— Il est tombé dans mon piège comme un bœuf sous la hache de Hentès ! dit en riant Ignac. Je n'aurais jamais cru que ce serait aussi facile !

Gizzi prit une cruche de vin sur une planche et remplit deux gobelets.

— Tout ce que j'espère, maintenant, c'est de les voir enfin d'accord tous deux ! dit-elle. A leur bonne entente !

Et elle trinqua avec son mari.

Pendant ce temps, Jancsi commençait à perdre patience, au milieu de ses admirateurs. Il lui fallait maintenant embrasser les enfants de Zsofi, de Sargarepa et de Térez, qui étaient encore trop jeunes pour reconnaître, dans ce beau gentleman, le même garçon gitan qu'un an auparavant les gendarmes avaient emmené entre eux.

Il cherchait, mais en vain, à se rapprocher de la roulotte de Paprika, vers laquelle il lançait des regards désespérés.

— Est-il vrai, Jancsi, que tu as joué devant Jozsi Bacsi ?

C'était une des violonistes, Gaya, la jeune aveugle, qui le questionnait.

— Oui, Gaya, j'ai joué pendant une heure pour le Roi, à Gödöllö, et il m'a donné ceci !

Il sortit de sa poche l'étui à cigarettes en or, portant le fac-similé de la signature royale appliqué sous la couronne de Saint-Istvan, et le posa dans les mains de Gaya.

Les doigts sensibles de la jeune femme caressèrent l'objet sous toutes les faces. Ses yeux morts se remplirent de larmes. Elle se pencha subitement, prit la main de Jancsi et y porta ses lèvres, puis, pour cacher son émotion, s'éloigna à tâtons.

— Laisse-moi voir aussi, Jancsi ! s'écria un autre.

Tous voulurent alors toucher l'objet précieux. Et tous ces longs doigts avides de pickpokets se tendirent anxieusement vers Jancsi, qui leva son trésor au-dessus des têtes et le tourna dans toutes les directions pour qu'ils pussent tous contempler l'étui d'or et en admirer les détails.

De sa fenêtre, Paprika n'avait perdu ni un mot, ni un geste de ces chaleureuses démonstrations, et vit, elle aussi, le cadeau brillant du royal donateur.

Décidément, Jancsi était devenu un personnage d'importance, assailli de questions, de louanges et d'invitations flatteuses.

Suri et Saski, toujours cramponnées à lui, le suppliaient de les suivre dans leur roulotte — afin de partager leur souper et déguster une aile de poulet —, mais il était clair qu'elles étaient prêtes aussi à lui laisser déguster et partager autre chose qu'elles possédaient.

Narilla brûlait de l'inviter, elle aussi, mais Laszlo — son mari — était là, sur ses talons, encore extrêmement jaloux.

Viola, l'impudique effrontée de dix ans, essayait toutes ses séductions acidulées et frottait son corps nu contre lui, sous l'œil approbateur de sa mère qui était toute prête à la seconder.

En fait, toutes les filles éligibles de la tribu — et non moins les femmes mariées — étaient prêtes à se disputer, sinon à se battre, pour l'honneur d'avoir Jancsi pour hôte.

Jancsi commençait à croire qu'il ne pourrait jamais rejoindre Paprika.

Mais Zsuzsa devina son impatience. Elle leva sa main décharnée, imposant le silence.

— *Pralor ! Prenor ! Meck !* proféra-t-elle d'une voix perçante qui attira l'attention de tous. Un des nôtres revient de loin, et nous sommes tous heureux de le revoir ! Mais c'est la coutume, *mi chal*, dit-elle en s'adressant à Jancsi, au retour d'une longue absence, d'aller présenter ses respects à la Reine, comme preuve de loyauté.

Le jeune gitan, reconnaissant à la vieille *baba* pour son habile suggestion, s'écria vivement :

— J'y vais tout de suite, *chovahano* !

319

PAPRIKA

Comme il s'élançait vers la roulotte de Paprika, Narilla le retint par le bras :

— Elle t'accueillera mal ! lui souffla-t-elle avec malice. Elle dort encore. Elle a disparu encore un coup pendant deux jours et deux nuits ! Elle n'est rentrée que ce matin ! Dieu seul sait où elle est allée !

— Dieu et moi ! lui fit sévèrement remarquer Zsuzsa.

Mais les paroles de Narilla avaient frappé Jancsi.

Pourquoi Paprika avait-elle quitté le camp ? Où était-elle allée ? Les propos d'Ignac lui revinrent en tête. Il lui avait affirmé que Paprika avait bien changé. Et bien ! le vieux fou l'aurait-il trompé ?

Zsuzsa ordonna à la foule de se disperser :

— *Dovo se lit* ! leur dit-elle avec fermeté.

Elle leur enjoignit de rejoindre les *gorgios* venus pour se distraire.

Jancsi, l'esprit soucieux et absorbé, pensant à Paprika, suivit Zsuzsa à travers la foule qui s'écartait docilement jusqu'à la roulotte de la Reine.

Celle-ci attendait, anxieuse et, en elle, des sentiments contradictoires se livraient bataille.

Elle avait entendu les accusations et sous-entendus injurieux de Narilla et avait aussitôt résolu de braver l'insulte de cette haïssable putain.

Mais en voyant Jancsi s'approcher, toutes ses idées de revanche s'évanouirent et un sentiment de néant, de vide inquiétant, se fit en elle, qui la laissa dépourvue.

Avant de quitter Jancsi, Zsuzsa l'attira dans un coin, à l'écart des oreilles indiscrètes :

— Écoute, *mi chal*, lui murmura-t-elle tout bas, quoi qu'elle te dise, quoi qu'elle te fasse, n'y attache aucune importance ! Sois patient avec la petite. Les planètes, dans leur cours, ont voulu qu'elle soit ainsi. Mais rappelle-toi, elle n'a jamais pensé à aucun autre homme que *Rogi Jancsi* ! De cela, je suis sûre, et c'est tout ce que je puis te dire. Ce qui doit arriver est maintenant entre les mains de Dieu ou du Diable. *Ja Develehi !*

Elle donna sa bénédiction à Jancsi, et s'éloigna sans lui laisser le temps de la remercier.

Son cœur battant à un rythme syncopé, le jeune homme gravit précipitamment les marches et frappa à la porte.

— *So si ?* demanda, sur un ton indifférent et froid, une voix, la voix qu'il désirait tant entendre.

— C'est moi ! répondit-il, Jancsi !

— Qui ? fit la voix.

Cette fois, il crut percevoir une nuance d'ennui et d'irritation.

— Jancsi ! ! ! répéta-t-il.

N'avait-elle donc pas reconnu sa voix ?

— Que veux-tu ? questionna Paprika sèchement, en guise d'accueil chaleureux.

Le sang monta au visage de l'amoureux. Ce qu'il *voulait*? Elle osait lui demander ce qu'il voulait après cette absence d'un an ? Les paroles de la Sage aidèrent Jancsi à surmonter cette première rebuffade. Sa voix se fit douce pour dire, presque humblement :

— Puis-je entrer ?

— Je suis couchée ! Attends !

Si Jancsi avait pu voir au travers de la porte, il aurait aperçu une Paprika dont l'agitation et le trouble démentaient complètement la voix froide.

Les deux mains pressées sur son cœur pour en modérer les battements précipités, elle s'efforçait délibérément de trouver un calme qu'elle était loin de ressentir. Le sourire de joie qui avait éclairé ses traits disparut sous le masque impassible qu'elle se composa.

Du rebord de la fenêtre, elle prit vivement le pot contenant la branche magique et le glissa sous son lit. Jancsi connaissait peut-être, lui aussi, l'usage du charme. Pour rien au monde, elle n'aurait voulu qu'il pût deviner qu'elle avait eu recours à la sorcellerie pour le rappeler auprès d'elle. Pour rien au monde, elle n'aurait voulu qu'il sache ses vrais sentiments. Encore une fois, le double qui était en elle, ce maudit esprit, était à l'œuvre.

321

Elle retourna à la fenêtre et, s'emparant des tubéreuses du Prince, les installa au beau milieu de la table centrale, bien en évidence, afin qu'il ne pût manquer de les remarquer.

Elle sortit sa robe de soie rouge de sa boîte et commença à s'habiller.

Jancsi, plein d'espoir quelques instants auparavant, s'assit, découragé, sur les marches. Pourquoi agissait-elle ainsi ? Pourquoi cette froideur dans ses paroles ? Les planètes étaient-elles vraiment responsables de ses actions, comme le prétendait Zsuzsa ?

Jancsi se le demandait sérieusement.

Paprika avait à peine enfilé sa robe que, brusquement, elle se ravisa.

A quoi rimait-il de s'habiller ainsi pour Jancsi, familiarisé depuis si longtemps avec les somptueuses toilettes et les hermines de sa princesse ?

Cette pauvre robe de soie fanée ne servirait qu'à le faire rire. D'ailleurs, pourquoi se mettre en frais pour lui ? Il aimait toujours sa princesse, sans aucun doute.

Que venait-il faire ici, de toute façon ? Se vanter, cela était certain, de ses succès et de ses amours princières ! Pour lui faire mieux regretter les paroles injurieuses qu'elle lui avait adressées autrefois ! Ou l'obliger à se rétracter ?

Elle remit sa vieille jupe verte à gros pois rouges et noua sur ses seins nus un châle de soie jaune à longues franges.

Elle se recoiffa quand même devant son petit miroir brisé et se passa maladroitement un peu de farine sur le nez et les joues, comme elle l'avait vu faire aux belles dames de Budapest. Tremblante, elle se décida à ouvrir la porte.

Jancsi, vivement, se leva.

Ses yeux, brillant d'un ravissement sans bornes, contemplèrent la jeune fille.

Depuis bientôt une année qu'il ne l'avait vue, Paprika s'était développée et épanouie comme une fleur sous les caresses du soleil matinal après une nuit de pluie. Elle lui apparut plus belle et plus désirable que jamais, dans son apparente froideur.

Si seulement il avait pu deviner le trouble intérieur de cette fille à l'apparence de statue d'albâtre !

— Paprika ! *Pireni !* murmura-t-il, entièrement bouleversé par la joie.

La seconde d'après, il la saisit dans ses bras et la serra sur son cœur, si fort que tout sembla tourner devant les yeux de la jeune fille.

Littéralement étouffée, elle ne reprit son souffle que pour respirer celui de Jancsi et sentir ses lèvres écraser les siennes.

Dans ce premier instant, elle s'abandonna complètement dans ses bras, et son corps frémit d'un tressaillement intense à cette étreinte tant désirée pour laquelle elle avait tant prié.

Mais, l'instant d'après, brusquement, la force infernale la fit se dégager des bras de Jancsi avec une telle violence que celui-ci perdit presque l'équilibre et trébucha sur les marches de la roulotte.

Oui ! L'esprit malin avait repris son empire sur elle.

Elle avait senti sa force mystérieuse s'emparer de ses bras, et c'est poussée par cette force qu'elle avait été contrainte d'éloigner Jancsi, alors que son plus ardent désir était de rester longtemps, longtemps, dans ses bras.

Jancsi demeura anéanti, et ses bras tendus vers elle retombèrent lentement.

Pourtant, il avait cru, un instant, sentir les lèvres de Paprika lui rendre son baiser. Alors pourquoi, subitement, ce refus brutal ? Il ne comprenait plus.

Les derniers conseils de Zsuzsa lui revinrent à l'esprit :

« Sois patient ! N'attache pas d'importance à ce qu'elle fera ou dira ! Les planètes sont seules responsables. »

En hésitant, il remonta les marches.

Paprika, insolente, lui tourna le dos et rentra à l'intérieur de la roulotte, avec le ferme espoir qu'il la suivrait.

— Je n'ai pas beaucoup de temps ! remarqua-t-elle cependant, d'un ton glacé.

L'attitude indifférente et frigide de Paprika le déroutait et lui faisait mal.

Derrière elle, il franchit avec émotion le seuil sur lequel il se rappelait avoir dormi tant de nuits, autrefois, lorsqu'il veillait sur Paprika et sa mère, la douce Lila.

Machinalement, inconsciemment, il referma la porte derrière lui.

Son regard, après s'être promené mélancoliquement sur tous ces objets familiers qui lui étaient restés si chers, s'arrêta devant la place vide où se trouvait, autrefois, le lit de Lila.

Paprika devina sa pensée :

— Je suppose que tu es au courant de ce qui est arrivé à Maman ? commença-t-elle, toujours glaciale.

Il inclina la tête et, déposant son *bashadi* sur la table, alla dans le coin vide, face au mur et, les yeux fermés, le visage recueilli, murmura une courte prière pour le repos de l'âme de la morte.

Quand il eut fini, il se signa et se retourna vers Paprika, qui l'avait regardé faire.

Dans un élan spontané et affectueux, il s'approcha d'elle et lui prit les deux mains, s'efforçant de lui exprimer, par ce geste de pure sympathie, toute sa compassion pour la souffrance que cette cruelle perte avait dû lui causer.

Elle espéra alors qu'il se rapprocherait plus encore, qu'il la reprendrait dans ses bras et qu'elle sentirait à nouveau ce frisson brûlant la parcourir tout entière.

Mais, au seul contact de ses mains, elle se dégagea dans un mouvement d'impatience presque brutal.

L'indignation et la colère commençaient à soulever Jancsi ; mais il croyait entendre la voix de Zsuzsa lui répéter inlassablement à l'oreille :

« Sois patient ! Ce sont les planètes. Ce n'est pas elle ! »

— Paprika ! commença-t-il solennellement, pendant une longue année, j'ai attendu cet instant. J'avais osé espérer que, toi aussi, tu serais heureuse de me revoir, quand le sort nous réunirait.

« *Je le suis ! Je suis heureuse, Jancsi ! Prends-moi dans tes bras, serre-moi et embrasse-moi ! Oh, embrasse-moi !* »

C'était ce qu'elle voulait dire.

Mais « quelque chose » refoula les mots tendres dans sa gorge et lui fit répondre d'une voix où Paprika reconnut le ton infernal du Malin. Elle résista tant qu'elle put, mais l'esprit mauvais était le plus fort :

— Pourquoi serais-je heureuse de te revoir, Rogi Jancsi ?

Dédaigneuse, elle leva ses sourcils :

— Tu ne m'es rien ! Alors, pourquoi devrais-je donc tant me réjouir de ton retour ? As-tu oublié comment nous nous sommes séparés ?

— Non, je n'ai pas oublié. Dieu sait pourtant si j'ai essayé, répondit-il franchement. Mais je n'ai pu y parvenir. Il m'a bien fallu reconnaître, à la fin, que je t'aimais toujours et plus que jamais ! Je t'aime tant, Paprika ! Quand, hier, j'ai appris que tu n'avais pas épousé Balermengro..., que tu étais libre..., j'ai tout abandonné..., les succès..., ma carrière..., la place que je me faisais dans le monde..., tout..., pour revenir vers toi !

Il s'arrêta.

Il reprit haleine, comme le ferait un nageur avant de plonger à nouveau dans les eaux profondes.

Paprika lui tourna le dos et affecta de regarder par la fenêtre.

Cette attitude insolente mit la colère de Jancsi à son comble. Il saisit brusquement la jeune fille par les épaules, la fit pivoter sur place, la forçant à le regarder en face :

— Tu dois m'écouter ! hurla-t-il.

Puis il se reprit et, plus calme, lui dit, sur un ton solennel ·

— Paprika, je suis revenu pour te poser, une fois de plus, la même question. Veux-tu devenir ma femme devant Dieu et les hommes ?

Paprika se demanda si Dieu avait réellement entendu sa prière, la nuit précédente. La Princesse serait-elle donc morte, comme elle l'avait souhaité ? Ou bien était-ce le sortilège de Zsuzsa qui avait forcé Jancsi à revenir et à lui offrir à nouveau son amour ?

« Peu importe que ce soit Dieu ou Zsuzsa qui te ramène auprès de moi, je t'aime, Jancsi, je serai ta femme, et avec quelle joie ! »

Voilà les mots que Paprika aurait voulu dire, mais les griffes invisibles du Démon qui l'habitait les étranglèrent dans sa gorge avant qu'elle n'ait pu les prononcer.

Elle aurait voulu jeter ses bras autour du cou de Jancsi, l'étreindre, l'embrasser comme, sans doute, jamais sa princesse n'avait su le faire ! Elle aurait voulu se donner à lui, sans hésitation, sans la moindre réserve, complètement !

Et elle l'aurait surpris par plus de volupté et plus de passion que ne pouvait en avoir jamais eu sa princesse.

Mais, encore une fois, la force invisible la retint dans son élan vers lui et transforma ses élans en gestes insolents et en paroles de mépris.

De nouveau, la voix méchante lui souffla la réponse qu'elle devait donner :

— Devenir ta femme ? questionna-t-elle avec un étonnement ironique. Et pour qui me prends-tu ? Qu'as-tu donc fait, depuis que je t'ai vu, qui aurait pu me faire changer d'opinion ? Tu as fait un an de prison pour vol. Voilà toutes tes prouesses !

Elle savait combien cette raillerie allait le blesser, puisqu'il avait volé uniquement pour satisfaire un de ses caprices. Mais comment lui expliquer que ces mots ne venaient pas d'elle, mais du Tentateur qui l'habitait ? De toute façon, il ne l'aurait jamais cru.

« Raille-le ! » lui soufflait la voix démoniaque.

Jancsi frissonna de la tête aux pieds. Il eut envie de partir et de disparaître dans la nuit, sur la route, loin, là-bas d'où il s'était enfui !

Elle ne l'aimait pas, voilà tout ! Elle n'aurait jamais été capable de le traiter ainsi si elle l'aimait. Tous ses efforts à lui restaient donc inutiles. Il ne pouvait pas la forcer à l'aimer. L'amour ne s'impose pas ! Il le savait de sa propre expérience.

« Patience » se répéta-t-il, se remémorant Zsuzsa. Ne tiens nullement compte de ce qu'elle fera ou dira ! Les planètes ont conspiré à sa naissance pour la faire ainsi. »

Jancsi eut recours à toutes les forces de sa volonté pour maîtriser son agitation intérieure, en réprimer l'explosion.

— Eh bien ! continua-t-elle pour le faire sortir de ses gonds, de quoi es-tu si fier ?

— Narilla ne t'a donc pas montré la carte de Budapest sur laquelle se trouvait mon portrait ?

Elle secoua la tête en prenant un air surpris, se réjouissant intérieurement de la colère grandissante de Jancsi.

Cette fois, le Maudit avait pris entièrement possession d'elle, et la lutte n'était plus possible.

On ne pouvait la blâmer ! N'avait-elle pas, la nuit précédente, supplié le Ciel pour que Jancsi lui pardonnât tout le mal qu'elle allait lui faire ? Mais aussi, pourquoi Dieu se refusait-il à écouter ses prières ? *Mi Dovel's Kerismus !* C'était la faute du Seigneur, et non la sienne ! Elle n'y pouvait rien.

— Eh bien ! dit finalement Jancsi, sur un ton qui parvenait mal à dissimuler sa rage, j'ai été, durant ces derniers cinq mois, à Budapest. Je suis devenu *Primas* d'un orchestre de trente exécutants au restaurant « Marcus », à *Margit Sziget*. J'ai gagné dix mille couronnes par mois ! Toute la capitale me connaît. Mon portrait et des articles qui me sont consacrés paraissent chaque jour dans les journaux. Il ne s'est pas passé de réception ou de bal donné par quelque magnat de Hongrie que je n'y fusse convié avec mon orchestre. Enfin, j'ai joué devant Sa Majesté le Roi lui-même, à sa demande expresse, et il m'a offert en souvenir cet étui à cigarettes en or, avec le fac-similé de sa signature.

Jancsi chercha dans sa poche droite l'objet précieux. Son visage devint blême. Vivement, sa main fouilla la poche gauche, tâta son pantalon, son veston, inspecta chacune des poches où, peut-être, dans un moment d'inattention, il aurait glissé l'étui. Rien ! ! !

Livide, il se perdait en conjectures. Aurait-il perdu le précieux objet alors qu'il se dirigeait vers la roulotte de la Reine ? Ou bien était-ce un de ses frères qui le lui avait escamoté ? Il se souvint que Narilla, Suri et Saski l'avaient serré de bien près !

Désespérément, il poursuivit ses recherches, fouillant toutes ses poches.

— *Mi Dubbelesky !* Il a disparu ! Je l'ai perdu ! Je ne mens pas. Oui, je sais, tu ne veux pas me croire ! Mais je l'ai montré à tous les *Roms*, il y a un instant ! Tu peux le leur demander ! Dieu m'est témoin !

Satan — toujours lui — chuchota à l'oreille de la jeune fille de rire. Elle essaya bien, comme toujours, de résister, mais en vain, évidemment ! Malgré elle, Paprika sentit monter dans sa gorge un tremblement et, brusquement, résonna un éclat de rire impudent, d'un timbre cuivré, qu'elle ne reconnaissait pas comme sien.

Les yeux de Jancsi brillèrent de fureur.

Elle aurait voulu mettre sa main sur ses lèvres, pour arrêter le rire qui montait à nouveau ; mais ses doigts se raidirent, s'écartèrent comme dans une convulsion, et ses bras refusèrent, et le rire métallique s'éleva à nouveau.

Paprika rejeta la tête en arrière, secouée par cette hilarité stridente, cruelle, qui jaillissait de plus en plus fort.

Les dents de Jancsi s'entrechoquaient comme sous l'empire de la fièvre.

— Pourquoi ris-tu ? dit-il en bégayant de rage. Est-ce donc si drôle, qu'un malheur m'arrive ? C'est un souvenir sans prix que je viens de perdre, ou qui m'a été volé !

— Peuh ! Qui oserait voler un frère *rom* ? C'est contraire à la *Leis Prala* !

Tout de suite, elle regretta ces mots imprudents. N'avait-elle pas volé autrefois la montre de Zoltan, crime pour lequel Jancsi avait payé, en subissant la flagellation au *karikas* devant toute la tribu rassemblée ?

— Tu ne t'attends tout de même pas à ce que je croie ton

histoire à dormir debout ? railla-t-elle encore, pour accroître les tourments du garçon. Il paraît que le Roi t'a fait don d'un superbe porte-cigarettes en or et, juste au moment où tu veux me le montrer, il a disparu ! Tu ne trouves pas cela bizarre ?

Et son rire repartit de plus belle, plus métallique que jamais.

— Et puis, en admettant que le Roi t'ait fait ce cadeau ? Tu n'es pas le premier gitan qui ait joué devant Jozsi Bacsi ! Il lui faut écouter patiemment, quand il séjourne en Hongrie, les crinscrins de *bash-mengro.*

Maintenant, Jancsi tremblait de rage. Dans sa précipitation à lui répondre, il bégaya :

— Je... Je.. je n'ai pas jou... joué avec des violoneux ! J'ai joué devant le Roi en solo ! Tout seul, tu m'entends ? criat-il, incapable de se contrôler plus longtemps. J'ai joué ma rhapsodie, à laquelle j'ai donné ton nom ! Demande à tous ceux qui savent lire, si tu ne veux pas me croire ! Demande à Custor Ignac. Il sait ! Il m'a vu, là où je jouais ! Je pourrais être encore à Budapest et gagner beaucoup d'argent ! Je pourrais aller jouer à Vienne, à Paris, à Berlin, en Amérique même, en gagner encore plus, si je le voulais ! Mais j'ai renoncé à cette vie et tout abandonné pour revenir auprès de toi. Et voilà comment tu me reçois ? Tu n'as donc vraiment ni cœur, ni âme ?

La route sombre, escarpée, rocailleuse qui ne conduisait qu'au néant, apparut tout à coup devant les yeux de Paprika. Avec terreur, elle crut voir briller la lueur sinistre des éclairs sur les vagues de sang ! Et, dans ses oreilles, résonnèrent des grondements annonciateurs de l'enfer. Des vapeurs de soufre montaient dans l'air, lui brûlaient les narines et lui faisaient venir les larmes aux yeux.

Elle aurait voulu crier, appeler à l'aide et gagner en courant la bonne route ensoleillée avant qu'il ne fût trop tard. Mais tout n'était que ténèbres.

Elle aurait voulu crier à Jancsi qu'elle le croyait, qu'elle avait vu son triomphe de ses propres yeux, qu'elle était fière de lui, qu'elle l'aimait !

Une autre voix intérieure lui rappelait cyniquement :

« Tu ne voudrais pas t'humilier devant lui ? N'as-tu donc aucun orgueil ? Aurais-tu déjà oublié cette princesse qui lui apportait son déjeuner au lit ? Et qui l'embrassait devant mille personnes ? »

Alors, Paprika, avec plus d'insolence encore, ricana à la face de Jancsi :

— Tu as peut-être été célèbre à Budapest. Tu as bien pu jouer en solo devant toutes tes princesses et tes archiducs et devant le Roi lui-même, comme tu le prétends, mais je m'en moque ! Pour moi, tu ne seras toujours qu'un sale violoneux de gitan !

Voilà ! Elle l'avait dit ! Les paroles fatales avaient été à nouveau proférées.

La force du Diable venait de la pousser sur la route sinistre, bordée d'abîmes profonds où bouillonnaient des flots de sang.

Paprika se demanda si toutes les prophéties que Zsuzsa lui avait faites allaient se réaliser puisqu'elle s'engageait sur le mauvais chemin.

Avec un étrange sentiment de détachement, elle attendait curieusement que l'avenir se dévoilât, et il lui sembla être moins l'auteur que le spectateur de tout ce qui allait suivre.

Jancsi, haletant, se mordit les lèvres jusqu'au sang.

L'insulte qu'il avait tant espéré voir regretter et rétracter, elle venait de la répéter.

Tout était irrémédiablement fini. Le monde venait de cesser d'exister pour Rogi Jancsi !

Il regarda fixement Paprika et ferma les yeux un instant. Quand il les rouvrit, une sensation de ténèbres le fit presque chanceler.

Il saisit son *bashadi* sur la table, courut à la porte et sortit en trébuchant.

Paprika s'élança pour le suivre, mais elle se sentit retenue.

« Ne va pas tout gâcher, maintenant ! chuchota en elle la voix mauvaise. Il ne te quittera pas ! Il t'aime toujours ! N'as-tu pas souffert toi-même à cause de lui ? C'est bien à son tour, maintenant ! »

Jancsi, fuyant la roulotte de la Reine, courut comme un égaré jusqu'à l'extrémité du camp, cherchant à regagner la route.

Comme il passait devant le cimetière, son regard s'arrêta sur la petite chapelle ardente qui se trouvait à l'entrée, et dont la porte rouillée était entrouverte.

Il entra.

Une ombre sépulcrale et mystérieuse envahissait l'étroit oratoire. L'air était imprégné d'une odeur d'encens, de fleurs fanées et de fumée de cierges.

Devant l'autel, sur un catafalque tendu de noir, reposait un cercueil de bois grossier. Le couvercle en était déjà cloué.

De chaque côté veillaient les lumières clignotantes de deux cierges dont la cire pleurait.

Jancsi s'arrêta, les yeux fixés sur le cercueil.

Là, reposaient les restes d'un être qui, la veille encore, éprouvait les inquiétudes et les joies de la vie. Un être qui, sans doute, avait connu l'amour et dont l'existence avait peut-être été bouleversée par les mêmes angoisses que lui, Rogi Jancsi.

Demain, ce corps disparaîtrait sous terre à tout jamais.

Demain... Demain ? Que réservait demain à Rogi Jancsi ?

Lentement, il leva les yeux vers l'autel et tomba à genoux.

Enfin, écrasé par le désespoir, il s'étendit sur les dalles de pierre froide et pleura. L'écho de ses sanglots résonnait à l'infini entre les murs de la petite chapelle.

Une silhouette toute courbée apparut dans l'encadrement de la porte.

C'était Zsuzsa.

Elle franchit le seuil en regardant autour d'elle anxieusement.

Scrutant la pénombre, elle aperçut Jancsi prostré sur le sol, au pied de l'autel.

Elle approcha en se traînant péniblement et vint s'agenouiller auprès du désespéré. Ses longs doigts décharnés se posèrent affectueusement sur la tête du malheureux.

Jancsi sursauta, releva les yeux et reconnut la *baba*.

— *Ma rove mi chal !* lui dit-elle avec douceur pour le calmer. Ne te fais pas de chagrin.

Elle attendit un instant que les larmes l'eussent soulagé du trop-plein de sa peine.

Il se dressa sur ses genoux.

— Ne pars pas, Jancsi ! conseilla la Sage. Au fond de son cœur, elle t'aime, sincèrement ! Crois-moi ! Mais la configuration des étoiles à sa naissance l'a faite si orgueilleuse, si vaine et si changeante qu'elle ne peut pas t'avouer son amour. Attends, elle le fera un jour ! Je vais prier pour que ce ne soit pas trop tard. Mais je te le répète : sois patient avec elle, en dépit de ce qu'elle peut faire ou dire. Elle souffre beaucoup elle-même. Plus que toi-même, Jancsi, ne saurais l'imaginer !

L'ancienne respirait avec difficulté. Subitement, elle fut prise d'une des quintes de toux qui lui étaient coutumières.

Jancsi, se levant, lui tendit la main pour lui permettre de se redresser.

— Aide-moi à rentrer au campement, je ne pourrai jamais refaire tout ce chemin seule ! Je me fais bien vieille, dit-elle avec un sourire las.

Mais il y avait un éclair malicieux dans ses yeux.

Jancsi passa son bras sous celui de la vieille, la soutenant dans sa marche.

En passant près du cercueil de l'inconnu, Zsuzsa s'arrêta un instant.

— Il a été tué, hier soir, au cours d'une rixe à l'auberge du village. C'est à cause d'une fille qu'il s'est battu ! murmurat-elle en hochant la tête.

Elle se signa trois fois.

Sortant du volumineux sac pendu à son côté une piécette d'argent, elle la glissa dans une fissure du couvercle du cercueil et la fit tomber à l'intérieur.

332

PAPRIKA

— *Ja Develehi !* dit-elle en faisant le signe mystérieux de la Trinité au-dessus du catafalque.

Ils sortirent.

En sécurité dans sa roulotte dont elle avait verrouillé la porte, Paprika était agenouillée auprès de son lit.

Elle soupesait dans ses mains un lourd étui à cigarettes en or. Ses doigts passaient et repassaient, caressants et curieux, sur le relief de la couronne de Saint Istvan et du fac-similé de la signature royale qui en décorait le centre.

Après avoir admiré tout à loisir ce « souvenir sans prix », fermant les yeux, elle y posa ses lèvres avec ferveur et respect.

— *Mi Dovvel opral, dick tuley amunde,* marmonna-t-elle, c'est Ton œuvre, Seigneur, et non la mienne ! Je n'y peux rien !

Elle tira de sous le lit la cassette aux trésors de sa mère et, avec un sourire rusé, y déposa son nouveau larcin.

Du dehors parvenait l'impromptu endiablé des *bashadi* et des *cymbaloms*.

Paprika ouvrit la porte et s'arrêta sur le seuil. Elle regarda anxieusement autour d'elle.

La fête, au camp, battait son plein.

Tous les visiteurs, militaires et civils, avaient déjà bu du *palinka* plus que de raison, et maintenant ils écoutaient les accents changeants de la musique tzigane et en jouissaient comme seuls les Magyars en sont capables.

Exaltés par le vin, ils chantaient, dansaient et riaient bruyamment.

Les troupiers patientaient toujours, devant la roulotte d'Agatko, en se poussant et en faisant de grosses plaisanteries, tandis que son mari, Fekvo, tout content, comptait minutieusement la recette.

Nina, Rény et Tinka distribuaient aux crédules les secrets qu'elles avaient reçus du royaume des ténèbres.

Beg Worman, le fakir de la tribu, marchait inlassablement sur ses charbons ardents. Szabo, le jongleur, continuait ses tours d'adresse, et les danseuses Tankosno et Viola, les provocantes adolescentes, épuisaient tout leur répertoire de poses lascives devant leur select auditoire de sous-offs.

Les inséparables Pivcza et Chika, toujours la main dans la main, dirigeaient les danses des ours Piskos et Tankos, que Varos accompagnait de son crincrin.

Narilla et Zsoffi avaient vendu à bon prix de petits bouts de graisse à de crédules soldats qui avaient avalé les lardons rances avec la ferme conviction que ce talisman infaillible allait leur rendre la puissance virile qui avait déserté momentanément leurs reins, épuisés par de récentes étreintes.

Dans un juste retour des choses, les soldats avaient d'ailleurs forcé les gitanes qui refusaient leurs avances à ingurgiter, elles aussi, des poignées de ce lard infect, coupé en menus morceaux, et attendaient patiemment que les effets du charme se fissent sentir sur la compagne de leur choix.

Paprika, scrutant toujours la foule, poussa un soupir de soulagement en apercevant Jancsi qui accompagnait Zsuzsa et l'aidait à monter dans sa roulotte.

A ce moment, sur la route, à proximité du campement de la tribu, venaient de s'arrêter deux victorias découvertes, venant de l'hôtel Magyar Korona de Szeged-Var. En descendirent une demi-douzaine d'officiers subalternes éméchés qui, visiblement, cherchaient aventure.

D'une voix déjà pâteuse, suite à leurs trop nombreuses libations, ils donnèrent aux cochers l'ordre de les attendre.

Se prenant bras dessus, bras dessous, ils s'acheminèrent vers le camp en titubant quelque peu et en riant bruyamment.

Ils portaient tous la petite tenue des hussards. Les lourds fourreaux de leurs sabres à large lame battaient contre la tige de leurs bottes.

A leur approche, les troupiers éparpillés parmi les gitans se mirent au garde-à-vous et saluèrent avec rigidité. Ivres ou à jeun, tous réagissaient ainsi, à la seule vue d'un uniforme d'officier.

On leur avait si bien ancré dans le sang cette attitude de

respect envers un officier ! Se lever, joindre les talons et saluer selon le règlement, était devenu pour eux un geste machinal, presque inconscient, qu'ils accompliraient même au jour de leur mort, étendus dans leur cercueil.

Les civils s'écartèrent avec joie pour laisser passer les officiers. Ils savaient que ces fougueux jeunes gens portaient tous de fiers et anciens noms, qu'ils étaient tous descendants de cette vieille noblesse dont les membres s'étaient battus et étaient morts pour la Hongrie sur tant de champs de bataille.

Ils avaient bien droit, eux aussi, à un peu de plaisir, tant que la paix durait encore.

Ne seraient-ils pas les premiers, en cas de guerre, à combattre pour leur patrie bien-aimée ? Et pourquoi ne boiraient-ils pas, même au point de s'enivrer légèrement, le jus capiteux des vignes magyares ? Leurs ancêtres n'avaient-ils pas, autrefois, abreuvé ces mêmes vignes de leur sang ?

L'arrivée de ces joyeux drilles fut le signal d'un assaut concerté de la part des plus jeunes garces de la tribu.

Suri et Saski, les jumelles, leur jeune sœur Mika, Narilla, Rona et même la petite Viola, qui n'avait encore que dix ans, les entourèrent aussitôt, leur faisant force courbettes et force sourires.

A grand renfort de déhanchements suggestifs et de charme, elles s'employaient de leur mieux à retenir les regards, plus qu'intéressés d'ailleurs, de ces visiteurs galonnés.

Ceux-ci étaient venus, en goguette, chercher un frisson, une aventure, un peu de délassement après une épuisante journée de chevauchée sur les routes brûlantes et poussiéreuses, ou à travers les chaumes des champs.

Ils ne se firent pas prier et choisirent aussitôt leurs partenaires, avec de grands éclats de rire, et non sans quelques discussions ni sans avoir échangé entre eux d'amicales bourrades.

Quand ils furent tous d'accord, et que chacun eut trouvé sa chacune, ils s'enlacèrent tous, bras dessus, bras dessous, et s'avancèrent jusqu'au grand feu central du camp en chantant, criant et riant très fort, à la grande joie de tout le monde.

Paprika, pensive, était encore debout sur le seuil de sa porte. Quand la joyeuse petite phalange passa devant elle, un des officiers la remarqua et s'arrêta brusquement.

Narilla, qui était pendue à son bras, s'efforça de l'entraîner.

Le lieutenant la repoussa brusquement et s'approcha lentement de la roulotte de la Reine.

De ses yeux légèrement injectés de sang, il dévisagea cette exotique beauté blonde, nonchalamment appuyée contre la paroi de la roulotte, les mains languissamment jointes derrière la nuque.

Il essaya de rassembler ses idées et de fouiller les recoins de sa mémoire, s'efforçant de se souvenir où il avait déjà rencontré cette belle fille.

Les autres officiers s'arrêtèrent aussi et revinrent sur leurs pas, obligeant leurs rétives partenaires à les accompagner pour voir ce qui se passait entre leur camarade et cette blonde créature qui détonnait dans un camp de gitans.

Narilla, de nouveau, agrippa par le bras son compagnon, toujours absorbé dans ses réflexions, et voulut l'attirer à elle.

— *Takarodj innen !* lança-t-il, cassant.

Elle lui tira la langue, ainsi qu'à Paprika et, dépitée, s'éloigna.

Les officiers éclatèrent de rire, et leurs compagnes, inquiètes de l'attrait que semblait exercer Paprika sur leurs fraîches conquêtes, s'empressèrent de les entraîner le plus loin possible de ce dangereux voisinage.

— Nous allons dans notre roulotte ! jeta Narilla, en pointant son index dans la direction de la carriole. Quand vous aurez fini par-ci, venez nous rejoindre par-là !

Et, à contrecœur, elle rejoignit les autres.

De tous les sémillants officiers, c'était sur le séduisant lieutenant qu'elle avait jeté son dévolu, mais à quoi bon essayer de rivaliser avec la garce à peau blanche ?

Tout le groupe s'éloigna.

Le jeune officier s'était approché de Paprika et, derrière

son monocle sans monture, l'examina hardiment, détaillant chaque trait de ce séduisant visage et de ce corps aux courbes harmonieuses.

Lentement, avec grâce, d'un pas rythmé, la jeune fille descendit les marches, les mains appuyées d'une façon provocante sur ses hanches ondulantes.

Paprika avait immédiatement reconnu le prince Estervary.

Ces grandes dents de carnivore, au-dessus d'une lèvre inférieure sensuelle, pourrait-elle jamais les oublier ? N'étaient-elles pas les mêmes que celles de la princesse Ilonka ?

Le bouquet de tubéreuses lui revint en mémoire, ainsi que les baisers que le jeune aristocrate lui avait envoyés.

Alors, soudain, le Prince, lui aussi, se souvint du petit intermède dans le train, quoique ne saisissant pas très bien ce que la blonde créature pouvait bien faire dans un campement de gitans.

Sa main, gantée de blanc immaculé, se porta légèrement à la visière de son képi. Simultanément, il claqua des talons, et ses éperons cliquetèrent, comme seul un jeune et fringant hussard au regard plein de la malice du diable même peut les faire tinter.

Ce tintement argentin éveilla en elle l'histoire de sa mère, quand le comte Feyerhazy, son père, avait invité Lila à danser pour la première fois, lors de leur unique rencontre.

Le Prince sourit, découvrant une denture éblouissante.

Paprika lui rendit son sourire aussitôt.

— N'est-ce pas vous que j'ai aperçue hier dans un train ? demanda le lieutenant.

— Oui, c'est moi ! répondit Paprika.

— Que faites-vous donc dans ce campement de Tziganes et dans cette robe de gitane ? la questionna-t-il ensuite.

— Je suis la Reine de la tribu ! répondit la jeune fille fièrement.

Il la regarda, stupéfait.

— Mais vous êtes blanche !

Paprika eut un petit sourire de vanité.

337

— Ma mère était la Reine des gitans, mais mon père...

Elle s'arrêta un instant pour que chaque mot fasse bien l'impression qu'elle désirait.

— ... Mon père était le comte Feyerhazy de Felsöerdek Geza Arpad, capitaine dans le Premier Régiment de Hussards Kiraly Ferenc-Jozsef, Chambellan du Roi et Chevalier de l'Ordre de Saint Istvan !

Elle débita tous ces titres avec l'emphase d'un majordome annonçant un hôte de marque.

— Moi-même, continua-t-elle, je suis comtesse..., « devant Dieu » seulement parce que mes parents n'étaient pas mariés quand mon père a été tué en duel. Il s'est battu pour défendre l'honneur de ma mère. Voici la bague qui lui appartenait.

Fièrement, elle tendit son pouce auquel était passé le lourd anneau blasonné.

Le Prince examina avec attention le bijou.

C'était exact ! C'étaient bien là les armes des Feyerhazy, il les connaissait. Le cimeterre à nu, dans le champ inférieur, avec le cœur au-dessus, et la devise : « Mon épée pour mon Dieu, mon Roi et mon Amour ! » L'histoire de la famille Feyerhazy ne lui était pas inconnue. Il avait souvent entendu parler du comte, qui s'était distingué dans le régiment auquel lui-même appartenait. Il avait même eu quelques échos de l'aventure de Feyerhazy avec une brune reine gitane et du duel tragique qui s'était ensuivi. Mais il ignorait que le comte eût laissé une fille bâtarde, qui dirigeait maintenant une tribu de Tziganes !

Sur le moment, il demeura interdit.

L'homme du monde qu'il s'enorgueillissait d'être et le séducteur non moins réputé qui avait su toujours faire face aux situations les plus délicates, se trouva néanmoins hésitant sur l'attitude à prendre à l'égard de cette jeune et vraiment captivante créature.

Il décida de saluer et de claquer des talons derechef, mais un peu plus respectueusement cette fois-ci. Après tout, c'était la fille d'un ancien officier de son régiment. Illégitime, bien sûr, mais sa fille tout de même.

Non que cette constatation le rendît scrupuleux ou sentimental outre mesure, mais le moins qu'il pût faire était vraiment de saluer et de faire montre d'une certaine déférence de forme.

C'était vraiment peu de chose que de porter une main à la visière en s'inclinant légèrement et en faisant tinter des éperons. Geste bien facile en soi et que toutes les femmes, quelles qu'elles fussent, appréciaient.

Voilà donc ! La main gantée de blanc immaculé à la visière, les talons rapprochés, le petit plongeon brusque du torse, et le fameux cliquetis argentin des éperons.

— Lieutenant prince Estervary Sandor Jozsi ! se présenta-t-il de la voix gutturale qu'affectent tous les militaires de carrière.

Paprika sourit, flattée de ces démonstrations de bon ton.

Ses pensées commençaient à vagabonder follement. Malgré son imagination débordante, elle n'aurait jamais songé qu'un tel événement fût possible ce soir !

Dieu avait été vraiment très bon envers elle. Il avait finalement exaucé ses prières. D'abord, il avait ramené Jancsi auprès d'elle, et maintenant, pour aiguiser sa jalousie, il faisait apparaître ce prince.

Mais la prédiction de Zsuzsa lui revint brutalement en mémoire :

« Si tu cherches à te venger d'un tort imaginaire, tu seras cause de sa mort — de celle d'un autre — et de la tienne ! »

Seulement son esprit se refusait à croire à ces paroles. Dieu la protégerait. Il l'aiderait à rendre Jancsi jaloux, comme il l'avait fait jusqu'à présent.

Ses yeux se tournèrent vers la roulotte de Zsuzsa.

Jancsi était assis sur les marches et regardait dans leur direction. Tout de suite, elle fut certaine qu'il avait reconnu le prince Estervary, car il se leva brusquement et les fixa avec des yeux sombres et troublés.

PAPRIKA

C'était d'ailleurs quand le chagrin et la douleur avaient leur torturante emprise sur lui qu'elle préférait Jancsi.

— Votre Altesse veut-elle entrer dans ma roulotte et accepter un verre de vin ? proposa-t-elle avec un sourire plein de promesses. C'est une coutume chez nous, Tziganes !

Le prince Estervary s'inclina à nouveau dans un de ces irrésistibles saluts dont il avait le secret.

Paprika envoya un coup d'œil furtif vers Jancsi pour s'assurer de l'effet produit et, avec ostentation, prit le lieutenant par la main et l'attira, lui faisant monter les marches d'accès à sa roulotte.

Elle avait hérité de sa mère la propreté méticuleuse qui avait été chez Lila une seconde nature. Elle n'éprouva aucune honte quand le Prince entra dans sa pauvre demeure, car tout se trouvait net et en ordre.

Avec un geste gracieux et plein d'aisance, elle invita son visiteur à s'asseoir sur son lit étroit.

Le jeune prince avait ôté son képi en franchissant le seuil, exactement comme si cette misérable cabane sur roues avait été le boudoir coquet d'une dame de l'aristocratie.

Tandis que Paprika prenait un carafon sur une étagère et versait le vin, il s'assit.

Il regarda autour de lui avec curiosité et intérêt et, tout à coup, fixa ses yeux sur la table.

Surpris, il reconnut, trônant dans un pichet ébréché, les tubéreuses que lui avait offertes amoureusement sa dernière maîtresse et qu'il avait si nonchalamment jetées en hommage gratuit à une charmante mais fugitive apparition.

Et ce ne fut pas sans amusement qu'il les vit gardées précieusement par celle dont il avait la ferme intention de faire sa prochaine conquête galante.

Gracieusement, Paprika lui tendit un gobelet quelque peu fêlé :

— *Aukko tu pios adrey Romanes !* dit-elle en *Calo*, élevant son verre et traduisant aussitôt en hongrois : A votre santé en Romanie !

340

Estervary se leva et, joignant les talons, porta son verre galamment :

— A la plus charmante reine que j'aie jamais rencontrée dans aucune cour !

Avec un sourire d'aise, Paprika accepta cet extravagant compliment qui flattait sa vanité.

Ils burent.

Dès que le Prince eut vidé son verre, Paprika s'empressa de le remplir à nouveau.

Elle songeait à tous ces hommes qui l'avaient fait boire au cours de son voyage, afin de la conquérir plus facilement.

Cette fois, les rôles semblaient renversés, et elle éprouvait une singulière satisfaction à penser que maintenant, pour une fois, c'était elle la séductrice.

Ah ! si seulement Jancsi avait pu être témoin de ce tête-à-tête ! Il avait donné à une autre femme ce qui, en droit, lui appartenait ? Elle se donnerait bien, une fois encore, à un autre homme !

Cela vaudrait la peine, rien que pour voir les larmes dans les yeux de Jancsi. Alors, seulement alors, sa vengeance serait assouvie. Pas avant !

Quand elle jugerait qu'il aurait suffisamment souffert pour payer ses torts envers elle, elle oublierait tout et lui pardonnerait même la princesse Ilonka.

Alors, elle s'engagerait avec lui sur la route ensoleillée et fleurie, ses mains blanches dans ses mains brunes, leurs lèvres se confondant dans un baiser, et tous deux, enfin réunis, s'achemineraient vers l'Arc-en-Ciel.

Mais qu'importait ce qui allait arriver, maintenant ? Comme son fatalisme naïf l'en persuadait, c'était l'œuvre de Dieu qui s'accomplissait et non pas la sienne, elle n'y pouvait vraiment rien du tout !

Une troisième fois, elle remplit les verres.

Avec une grâce calculée, elle vint s'asseoir auprès d'Estervary.

Le Prince avait déjà beaucoup bu avant d'arriver au camp.

Maintenant, le vin capiteux et fort que Paprika versait si généreusement commençait à faire son effet.

Il ôta ses gants et les accrocha à la poignée de son sabre.

Il prit les mains de Paprika et les baisa. Il égrenait les doigts roses et fuselés aux ongles en amandes, les pressait l'un après l'autre sur ses lèvres.

Son bras droit se glissa autour de la taille de la jeune fille, puis sous le châle qui, seul, recouvrait les jeunes seins fermes. Le contact d'une peau veloutée et fraîche le fit frissonner des pieds à la tête comme au contact d'un courant électrique.

A ce moment — Paprika n'en espérait pas tant —, Jancsi, tourmenté au-delà de toute endurance depuis la disparition du Prince à l'intérieur de la roulotte, passa devant la porte ouverte.

Il arriva juste à temps pour voir la jeune fille qu'il aimait renversée par le Prince qui la serrait dans ses bras et l'embrassait sur les lèvres.

Par-dessus son épaule, la tentatrice aperçut Jancsi, comme foudroyé, demeurer sur place, anéanti, immobile. Certaine d'être vue par lui, elle rendit le baiser avec une ardeur simulée.

Alors quelque chose se passa qu'elle n'avait pas prévu.

Jancsi escalada les marches de la roulotte et, sans en demander l'autorisation, entra délibérément et s'approcha.

Paprika repoussa le Prince et se redressa avec un rire forcé.

Le lieutenant se retourna, surpris, pour se trouver face à face avec un élégant étranger dont l'exaltation était visible.

Ses poings étaient crispés, menaçants, et cependant son attitude restait hésitante, presque déférente, comme celle de quelqu'un qui aurait conscience de l'infériorité de sa position.

La lampe à pétrole, accrochée à la cloison derrière lui, ne jetait qu'une pâle clarté dans la pièce, et le visage du jeune homme était noyé dans l'ombre.

Le Prince leva un sourcil qui reflétait tout l'ennui de se trouver en pareille situation, mais se redressa avec le plus grand calme, fit un léger salut avec un sourire trop sûr de lui et, fixant son monocle dans l'œil droit, lança vers Jancsi un regard quelque peu méprisant.

Il connaissait trop bien l'effet psychologique produit par ce simple morceau de carreau solitaire sur les gens d'un rang inférieur.

Ce n'était pas la première fois qu'il se trouvait surpris en tête-à-tête par un mari ou un amant. Prenant un air étonné, il questionna Paprika :

— Je présume que ce monsieur est un membre de votre famille pour se permettre d'entrer ici sans y être invité et de nous interrompre ?

Paprika ne put réprimer un sourire malicieux.

— Votre Altesse ne reconnaît donc pas ce « monsieur » ? Ce n'est autre que Rogi Jancsi, le fameux *Primas* tzigane de Budapest !

Avec un geste naturel dans la direction du lieutenant, elle le présenta fièrement, répétant ses noms et titres avec la mémoire et l'exactitude d'un maître du protocole.

N'avait-elle pas observé la Princesse présenter Jancsi à cette cantatrice de l'Opéra ?

— Son Altesse le prince Estervary Sandor Jozsi, lieutenant du Kiraly Hussards !

Paprika, alors, entreprit de réciter avec emphase et sur un ton railleur les exploits de Jancsi, se servant le plus possible des termes qu'il avait employés pour la convaincre :

— Monsieur Rogi était le chef d'un orchestre de trente exécutants au restaurant « Marcus », à *Margit Sziget*. Il y gagnait, paraît-il, dix mille couronnes par mois. Pas un seul magnat de Hongrie n'oserait donner un bal ou un banquet sans y inviter Rogi Jancsi et son orchestre gitan. Il a même eu l'honneur de jouer devant Sa Majesté, qui avait exprimé le désir de l'entendre. Le Roi lui a offert en souvenir un étui à cigarettes en or ! N'est-ce pas ?

Impudente, elle s'adressa à Jancsi :

— A propos, Monsieur Rogi, l'avez-vous enfin retrouvé ?
dit-elle avec un coup d'œil par trop innocent.

Puis elle se tourna, souriante, vers le Prince :

— Le *Primas* a malheureusement perdu ce « trésor sans
prix » qui lui a peut-être été volé !

Jancsi en avait perdu l'usage de la parole.

Il n'arrivait pas à comprendre comment Paprika, qu'il avait
tenue dans ses bras quelques moments après sa naissance, qui
avait vécu dans la même roulotte que lui pendant quatorze
ans, pouvait maintenant l'appeler « Monsieur Rogi », lui dire
« vous », et de toute évidence se moquer ainsi de lui devant
cet arrogant dandy infatué de sa personne.

— La sœur de Votre Altesse, la princesse Ilonka, connaît très bien ce monsieur, je crois ? continua Paprika,
de plus en plus railleuse. N'est-ce pas ? demanda-t-elle à
Jancsi.

Il ne pouvait pas répondre.

Elle n'avait jamais eu l'intention de révéler ce qu'elle savait
de cette liaison, mais l'occasion de se montrer caustique était
trop bonne pour qu'elle s'en privât !

Jancsi était stupéfait.

Comment diable avait-elle découvert cela ? Peut-être était-
ce la raison de la froideur et de l'animosité avec lesquelles elle
l'avait accueilli à son retour ?

Paprika surveillait le visage de Jancsi. Les résultats étaient
nettement plus que satisfaisants.

— Étrange coïncidence que de tomber sur vous ici, articula le Prince d'un ton nasal en traînant sur les mots et reti-
rant nonchalamment de sa manche un mouchoir de soie avec
lequel il entreprit de polir son monocle.

De ses yeux d'acier, il regardait droit, avec arrogance, dans
ceux de Jancsi comme pour forcer le gitan à lui donner une
explication.

— Cette jeune fille va devenir ma femme, Votre Altesse !
répondit Jancsi en hésitant.

— Félicitations ! ricana le Prince avec affectation, vissant à nouveau son bout de carreau dans l'orbite. Vous faites preuve d'un grand goût... *Comme toujours !*

Il ajouta avec une pointe de sous-entendu :

— Et aussi d'un grand éclectisme... Vos types sont pour le moins... variés !

« *Ce que Jancsi vient de dire est vrai, Votre Altesse ! Jancsi et moi, nous nous aimons..., et nous allons nous marier !* » voulut dire Paprika, mais l'Esprit Maudit la poussa vers Jancsi et lui fit répliquer sur un ton de défi :

— Comment osez-vous mentir de la sorte ? Depuis quand sommes-nous fiancés ?

Sa voix s'éleva dans un registre plus aigu :

— Vous croyez peut-être que, parce que la Princesse en a assez de votre encombrante personne, vous pouvez venir me trouver comme si de rien n'était ? Je vous ai pourtant déjà dit que je ne voulais jamais revoir votre visage ! Cela ne vous suffit pas ? Dois-je demander au prince Estervary de vous jeter dehors ?

Jancsi fut atteint par ces paroles au plus profond de son être. Mais il se souvenait des conseils de Zsuzsa :

« Quoi qu'elle dise..., quoi qu'elle fasse..., sois patient ! »

— Vous n'avez pas compris ? ajouta le Prince, cynique, après un court silence. Nous désirons être seuls, Mademoiselle et moi !

Jancsi faillit succomber à l'impulsion qu'il eut alors de se jeter, tel un animal enragé, sur cet insolent et ricanant bellâtre.

Mais une pensée salutaire le retint juste à temps.

Aucun civil, à plus forte raison moins encore un vulgaire violoneux de gitan, ne pouvait impunément lever la main contre un officier du Roi. Si, maintenant, il était envoyé pour cette raison en prison, son dernier espoir de reconquérir Paprika s'évanouirait à tout jamais.

Il lui fallait donc souffrir les insultes du prince Estervary et, du fait des conventions sociales de rang et de titres, s'incliner dans une attitude de muette soumission.

Il était très conscient de son extrême impuissance, se trouvant dans l'incapacité de frapper en retour son ennemi ; un gouffre séparait, en effet, leurs conditions ; Jancsi, lentement, leva la tête, et son regard rencontra celui du Prince.

Les yeux d'Estervary reflétaient la satisfaction mesquine d'avoir si aisément triomphé.

Dans ceux de Jancsi couvait un désir inassouvi de vengeance.

A nouveau, Jancsi eut la mystérieuse impression, déjà ressentie lors de sa première rencontre avec Estervary, qu'il se retrouverait un jour avec lui à égalité.

Il s'inclina le plus sèchement qu'il put devant le Prince et, sans même un regard vers Paprika, quitta la roulotte.

Maintenant seulement, en traversant la foule à grands pas, il se rendait compte de son enfantillage : pourquoi avoir parlé de mariage ? quelle folle impulsion s'était emparée de lui ? Ne savait-il donc pas que Paprika refusait ?

Il avait agi aveuglément, suivant l'élan inconsidéré qui l'avait poussé à faire ou dire n'importe quoi pour arrêter la scène odieuse dont il avait été témoin. Mais il avait échoué. Le Prince était resté, et lui, il avait dû quitter les lieux.

Il se remémora tout ce qu'Ilonka lui avait confié de la vie de son frère. Ne lui avait-elle pas dit que le Prince avait été mêlé à des scandales d'alcôve sans nombre ? Qu'il avait dû se battre en duel pour des femmes plus qu'aucun autre homme dans toute la Hongrie ? Et qu'il venait de « tirer » six mois dans la forteresse de Komarom pour avoir tué un mari offensé, au cours d'une dernière rencontre sur le terrain ?

Paprika avait éclaté de rire quand Jancsi s'était éloigné. Mais son rire avait sonné faux. Elle était déçue. Elle n'avait pas réussi à faire pleurer Jancsi ! Elle se serait tant réjouie de voir les beaux yeux noirs du gitan se remplir de larmes, d'y voir briller l'éclair de la douleur torturante. Mais non ! Rien !!!

Alors, aussi, pourquoi ne s'était-il pas révolté ? Pourquoi avait-il essuyé ainsi, sans un geste, ses insultes à elle et celles

346

du Prince ? N'y avait-il donc pas un moyen de le faire sortir de ses gonds ?

Elle se demandait ce qu'il pouvait bien faire maintenant. Allait-il s'en aller pour de bon ?

Maintenant, c'était elle qui était en plein dilemme ! Peut-être aurait-elle dû se refréner quelque peu ? Elle avait peut-être poussé la cruauté trop loin. Surtout en présence d'un autre homme. Oui ! Elle avait sûrement dépassé les limites...

« Mon Dieu ! Mon Seigneur qui es au Paradis ! Pourquoi, par Ta faute, Jancsi doit-il partir à nouveau quand Tu me l'as à peine ramené, après avoir écouté mes prières ? Oh ! Tout-Puissant ! Fais que Jancsi me pardonne ! »

Sa prière fut interrompue par le Prince. Il enlaça le corps de la jeune fille et le pressa contre le sien. Il embrassa savamment ses belles lèvres humides.

Distraites un instant, les pensées de Paprika s'élancèrent à nouveau vers Jancsi.

Adroitement, la rusée se libéra et remplit à nouveau les gobelets de vin.

Le Prince, songeur, but le sien en réfléchissant.

Que signifiait tout ceci ?

Aucun homme au monde ne prétendrait être marié ou fiancé à une femme s'il n'y avait pas au moins une part de vérité dans ses assertions. Que le gitan fût amoureux de cette ravissante diablesse blonde, aucun doute. Ce qui était beaucoup moins certain, c'étaient les sentiments que pouvait éprouver cette fantasque créature envers son amoureux déclaré. Et si cette exotique bâtarde se servait de lui, le prince Estervary, pour rendre jaloux son gitan dans une de leurs querelles d'amants ? Elle lui rendait peut-être la pareille de l'aventure qu'il avait eue avec Ilonka.

Le Prince était perplexe.

Et, au fait, que s'était-il donc passé entre Ilonka et Rogi Jancsi ? Deux soirs auparavant, ils étaient encore ensemble, défiant toutes les conventions, étalant publiquement leur scandaleuse liaison à la face du monde.

PAPRIKA

Ilonka se serait-elle lassée si brusquement de son amant ?

Il est vrai qu'on pouvait s'attendre à tout de la part d'Ilonka. Elle était capable de tout !

Le prince Estervary avait horreur de réfléchir, de penser même ! De toute évidence, la juvénile allumeuse le trouvait à son goût. Voilà qui était d'importance primordiale !

Cette pensée capitale amena un sourire complaisant sur ses lèvres. Une seconde, il essaya de démêler quel genre de liens familiaux — illégitimes, bien sûr — l'unissait déjà et allait l'unir maintenant à nouveau avec le malencontreux violoneux gitan ; mais non, décidément, ce puzzle-là était vraiment trop compliqué pour son pauvre cerveau déjà tout embué des vapeurs du vin que la blonde « reine » des gitans offrait avec une munificence toute... royale !

— A qui Votre Altesse pense-t-elle donc ? demanda Paprika, interrompant ces élucubrations princières. A cette belle cantatrice de l'Opéra ?

— Certes non ! Mais comment êtes-vous au courant ? questionna à son tour Estervary, surpris.

— Oh ! Je suis au courant de bien des choses ! répondit Paprika dans un sourire énigmatique.

— Je pensais à vous ! A vous seule ! Je songeais combien plus adorable, plus captivante vous êtes que toutes les autres femmes qu'il m'a été donné de rencontrer ! mentit-il effrontément en la serrant à nouveau contre lui.

Paprika buvait ses paroles, les yeux mi-clos.

— *Piavta !*

Elle leva son verre avec un sourire de satisfaction.

Ils burent, et Paprika remplit encore les gobelets.

Elle voulait oublier ce qu'elle avait fait à Jancsi. Elle voulait se débarrasser de cette sourde douleur qui oppressait son cœur. Elle mourait de peur que Jancsi ne fût parti à jamais. S'il en était ainsi, tout lui deviendrait bien égal ! Oui, mais s'il en était autrement ? Si Jancsi était resté ?

— Altesse, allons jusqu'au feu de camp où sont les musiciens ! s'exclama-t-elle à brûle-pourpoint. Je danserai la *tanyana* pour vous !

Le Prince protesta :

— Mais non, ma chère ! Nous sommes si bien, ici. Fermons la porte au loquet afin de ne pas être dérangés à nouveau.

Il lui envoya un coup d'œil explicite et, cherchant un prétexte, murmura d'une voix câline :

— Je suis très las, vous savez ? J'aimerais me reposer là, tout près de vous ! Cela me ferait tant plaisir !

Cette suggestion ne concordait aucunement avec les plans de Paprika.

— Et puis j'ai déjà si souvent vu danser la *tanyana* ! ajouta le Prince en dernier ressort.

— Mais Votre Altesse ne l'a jamais vue danser comme je la danse ! argumenta-t-elle avec un sourire qui insinuait mille choses. Moi, je la danse *nue* ! s'exclama-t-elle pour le convaincre.

Le Prince se leva avec enthousiasme. Voilà bien quelque chose qui valait la peine d'être vu !

Paprika en profita pour l'attirer vivement vers le seuil de la roulotte.

Le Prince la serra contre lui et fit pleuvoir une série de baisers passionnés sur ses lèvres.

Elle sourit, avec une lueur prometteuse derrière ses paupières lourdes mi-closes, mais, doucement, le poussa tout de même vers la sortie.

— Attendez une seconde ici ! lui déclara-t-elle, une fois dehors, je vais dire aux musiciens de se préparer pour la *tanyana* !

La foule dense grouillait autour d'elle. Elle essaya d'apercevoir Jancsi, mais en vain.

Rézy, l'édentée, sortit soudain de l'ombre où elle avait été occupée à dire la bonne aventure.

— As-tu vu Jancsi ? lui demanda Paprika en *Calo* pour que le Prince, qui l'avait suivie et se tenait non loin d'elle, ne comprît pas.

— Oui, je l'ai vu ! répondit la gitane dans le même langage. Je l'ai vu se précipiter dans la carriole de Custor Ignac comme si tous les démons de l'enfer étaient à ses trousses.

— Va vite voir s'il y est encore ! lui ordonna rapidement Paprika sur un ton impératif. Mais ne souffle mot à personne que c'est moi qui t'envoie !

Rézy, obéissante, s'éloigna en courant tandis que Paprika attendait, bouillant d'impatience.

Au bout de quelques instants, l'édentée revint :

— Il est bien là ! En train de boire avec Ignac. Il ne boit pas, il entonne ! Je ne savais pas que Jancsi était un pareil soûlard !

Paprika, enfin délivrée de son angoisse, remercia d'un sourire l'obligeante gitane.

Dieu avait, une fois de plus, entendu ses prières. Jancsi était resté au camp ! Donc, il lui avait pardonné le mal qu'elle lui avait fait.

Et il pardonnerait encore !

Elle fit signe au Prince de la rejoindre.

Il s'approcha, l'œil vague, le pas incertain. Il tanguait quelque peu. Il eut un hoquet. Sa main fut un peu en retard à arriver au bord de ses lèvres.

— Oh ! Pardon ! marmotta-t-il d'une voix pâteuse.

Paprika ne l'entendit même pas.

Tout ce qui la préoccupait, maintenant, c'était de faire sortir Jancsi de la roulotte d'Ignac pour qu'il la vît danser.

Elle prit le Prince par la main et le conduisit prestement à travers la foule, vers le grand feu autour duquel les musiciens qui jouaient une *csardas* étaient rassemblés.

— *Meck* ! cria-t-elle en leur faisant un signe impératif de s'arrêter.

Les *bash-mengros* obéirent. Leurs instruments levés, ils regardèrent interrogativement leur reine. Les gitans se pressèrent pour l'écouter.

— Je vais danser la *tanyana* ! s'écria-t-elle, s'adressant tout particulièrement aux musiciens.

Tous les membres de la tribu se regardèrent, surpris.

Depuis un an, Paprika n'avait pas dansé. Quelle était donc la raison de ce changement subit ? Le retour de Jancsi ? Ou bien la présence de ce beau lieutenant de hussards ?

Elle ordonna à l'un des petits *purdes* d'apporter une chaise pour le Prince.

Celui-ci s'y laissa tomber, heureux de trouver un point d'appui pour ses jambes de plus en plus flageolantes.

Paprika fit reculer tout le monde, afin d'élargir le cercle autour d'elle.

A la stupéfaction de tous, elle ôta brusquement son châle et le jeta sur les genoux du lieutenant.

Elle n'avait pas dansé la poitrine découverte depuis son enfance. Et voilà maintenant que, devant la foule ébahie, elle laissait tomber son ample jupe à terre. Elle apparut complètement nue.

La blancheur du corps de cette blonde reine des gitans parut paradoxale à Estervary.

Mais quelle importance avait pour lui qu'elle fût blanche ou demi-blanche ? Tout ce qu'il voulait, c'était posséder cette nymphe perverse et voir son beau corps se tordre sous le sien.

C'était tout ce que son esprit embué pouvait concevoir.

En riant, Paprika jeta sa jupe aux pieds du Prince qui applaudit avec un sourire sensuel.

Quelques visiteurs accueillirent avec de gros rires le spectacle inattendu et alléchant qui s'offrait à leurs yeux.

Pour eux, la danse n'avait aucune signification, et toute leur attention se concentra uniquement sur le corps nu et admirable de la jeune fille, leurs petits yeux concupiscents leur sortant de la tête et de vilains sourires obscènes leur détendant les traits.

— *Kal o bash !* commanda-t-elle à voix très haute.

Les *bashadis* commencèrent doucement, et les *cymbaloms* suivirent le mouvement.

Paprika esquissa les premiers pas de la danse avec lenteur

d'abord, les yeux fixés anxieusement au-dessus des têtes des spectateurs vers la roulotte de Custor Ignac.

La musique s'accéléra.

— *Kil kooshi gillie !* demanda-t-elle.

Aussitôt, les gitans mêlèrent leurs voix mélodieuses à celles des cordes vibrantes.

Pensant que Jancsi l'observait peut-être derrière les rideaux baissés de la roulotte d'Ignac, Paprika dansa ce soir-là comme elle n'avait encore jamais dansé.

Elle s'agitait comme une sorcière blanche possédée d'un démon moqueur, et elle amenait chaque figure de la voluptueuse *tanyana* à son paroxysme de sensualité, s'arrangeant toujours pour exécuter les poses les plus suggestives devant Estervary.

Le Prince ne perdait pas une bribe du spectacle. Ses yeux dévoraient du regard le jeune corps aux belles proportions, et ses lèvres cruelles, entrouvertes, s'étaient figées en un sourire sensuel qui ne quittait pas son visage.

Ses camarades et leurs nouvelles conquêtes poussèrent et bousculèrent tout le monde pour se faire une place au premier rang.

D'abord, les jeunes gitanes, qui s'étaient déjà isolées avec les officiers dans la roulotte de Narilla, essayèrent de ridiculiser la danseuse. Narilla questionna sur un ton acide et plein de venin :

— Vous appelez ça danser, vous ?

— Tout ce qu'elle cherche, c'est à montrer son ventre blanc ! Cette blonde putain ! remarqua Suri avec jalousie.

Paprika entendait leurs remarques faites à haute voix. Mais, sans y prêter attention, elle continuait à danser.

Elle savait bien que l'envie seule les faisait jaser, et que tous leurs propos avaient le goût acidulé des raisins verts du renard de la fable.

Elle n'ignorait pas que toutes ces filles avaient fait beaucoup plus que de montrer leur corps aux officiers.

Les quolibets aigres s'arrêtèrent d'eux-mêmes.

352

Maintenant, toute la foule muette la regardait comme sous le joug d'un charme.

Tout en évoluant, Paprika n'avait cessé de surveiller la porte de Custor Ignac.

Soudain, son visage s'illumina d'un sourire de soulagement.

Jancsi avait entendu la musique sauvage accompagnée des chants.

Comme Paprika l'avait escompté, répondant à une impulsion soudaine, il avait ouvert la porte. Là, devant lui, une blanche silhouette nue, couronnée de cheveux blonds, dansait dans la lumière des flammes du grand feu, entourée d'une foule compacte.

D'abord, il resta stupéfait. Puis, il se tourna chancelant vers Custor Ignac qui vacillait près de lui :

— Tu m'avais dit qu'elle ne dansait plus ! balbutia-t-il presque inintelligiblement, et la voici maintenant qui danse *nue* devant tout ce monde !

Ignac secoua les épaules :

— Peut-être que le Prince lui a raconté tes amours avec sa sœur et qu'elle veut prendre sa revanche sur toi ?

Mais Jancsi repoussa cette supposition.

— Pourquoi chercherait-elle à se venger de moi ? demanda-t-il. Comme si je comptais pour elle ! Elle se moque bien de moi ! Non, c'est pour lui qu'elle fait cela ! C'est pour ce prince dégénéré !

Un sanglot d'amertume lui monta à la gorge. Il sentit en même temps sourdre en lui le désir insensé de se précipiter dans le cercle, d'arrêter Paprika de force, de l'emporter jusqu'à sa roulotte et de l'y enfermer à double tour. Enfin, de tuer le Prince ! Qu'importait ce qui adviendrait ensuite, puisque Paprika était décidément perdue pour lui !

Il descendait précipitamment les marches quand, brusquement, il eut l'impression que la main osseuse de Zsuzsa se posait sur son épaule pour le retenir.

« Sois patient ! Ce n'est pas elle qui agit vraiment... Les étoiles ont conspiré à sa naissance pour la faire ainsi... »

Il leva la tête et interrogea le firmament clouté d'or.

Les étoiles brillaient, tremblantes, silencieuses — comme si elles aussi contemplaient la danse orgiaque de Paprika.

Il ne pouvait comprendre comment ces petits points clignotants, pendus par myriades haut dans l'espace — en apparence si fragiles et si paisibles, si lointains dans l'infini —, pouvaient influencer la vie de la femme qu'il aimait et, de ce fait, également la sienne.

Il joignit les mains dans un geste de prière, et ses doigts entrecroisés se serrèrent si fort que les jointures blanchirent. Il se retint pour ne pas hurler dans la nuit.

— *Kal sieto !* cria la danseuse déchaînée aux musiciens.

Ils accélérèrent le rythme de la danse.

Paprika savait que ce spectacle mettrait Jancsi à la torture.

Elle se rappelait combien il souffrait autrefois, lorsque Zoltan la forçait à danser nue, alors qu'elle n'était pourtant encore qu'une enfant.

La danse devenait de plus en plus impétueuse.

La jeune bacchante tournait, tournoyait, se ployait, se tordait et s'élançait dans des arabesques et de grands écarts savants.

Elle bondissait haut dans l'air et redescendait en souplesse avec la grâce glissante d'un puma.

Et elle s'élançait à nouveau, tourbillonnant et bondissant encore et encore, de plus en plus frénétique.

Paprika espérait à tout moment voir Jancsi, renversant tout sur son passage, se précipiter sur elle pour l'empoigner par les cheveux et la traîner jusqu'à sa roulotte.

C'est ce qu'elle aurait fait à sa place. Pourquoi n'agissait-il pas ainsi ? Rien de ce qu'elle faisait ne pouvait donc enfin soulever sa colère ?

Et parce que Jancsi n'avait pas osé la maltraiter, déçue et épuisée, elle s'arrêta brusquement en se laissant tomber à terre.

PAPRIKA

Le prince Estervary applaudit avec enthousiasme. Ses camarades l'imitèrent, et toute la foule se joignit à eux pour l'acclamer.

— *Eljen Paprika ! Eljen !* criaient les hommes de toutes parts.

Paprika se releva et salua gracieusement dans toutes les directions, exactement comme elle avait vu Jancsi le faire après son concert au restaurant « Marcus ».

Mais les larmes brillaient au bord de ses yeux.

Pourquoi Jancsi n'était-il pas intervenu ? A quoi avait donc servi toute cette exhibition s'il devait rester aussi indifférent ?

La foule continuait à l'applaudir. Elle ravala ses larmes et salua encore, en envoyant des baisers au Prince et à ses camarades.

Il lui restait au moins la satisfaction de montrer à Jancsi qu'elle aussi était capable de faire quelque chose qui méritât des applaudissements.

Estervary se leva en titubant et la saisit dans ses bras pour l'embrasser en plein sur la bouche.

Paprika s'arrangea pour que Jancsi ne perdît rien de ce baiser. Dans son esprit, elle faisait un parallèle entre cette scène et celle dont elle avait été témoin, lorsque la Princesse avait embrassé Jancsi devant un auditoire enthousiaste. Et la foule, ici aussi, approuvait ce même geste.

— *Eljen Hadnagy ! Eljen Paprika !* criait-elle.

Cependant, bien plus que les baisers du Prince ou les applaudissements de la foule, les poings rageurs de Jancsi, meurtrissant son corps nu, auraient causé de la joie à Paprika. Elle aurait ressenti un plaisir physique à recevoir les coups violents assenés par Jancsi dans sa fureur jalouse. Mais pourquoi donc restait-il aussi impassible et ne lui administrait-il pas une punition pourtant bien méritée ?

Les acclamations persistaient.

Suri, Saski et Mika, vertes de jalousie, crachèrent de rage dans la direction de Paprika. Finalement, en désespoir de cause, elles décidèrent de distraire l'attention de l'auditoire.

PAPRIKA

En imitant leur ennemie et se débarrassant brusquement de leurs vêtements, elles bondirent, faisant une série de sauts périlleux et de rétablissements sur les mains devant le feu, criant aux musiciens épuisés de reprendre la danse.

Les spectateurs, à la vue de ces nouvelles nudités, resserrèrent le cercle et accueillirent les danseuses avec des rires émoustillés et des remarques obscènes.

Trois femmes nues valaient mieux qu'une, aux yeux vineux de tous ces hommes surexcités par l'alcool.

Encouragées par cet accueil enthousiaste, Narilla, Rona et Sargarepa jetèrent à leur tour châles et jupes et se joignirent à la bacchanale en poussant des cris de forcenées.

Enfin, quand la petite Viola, la fillette de dix ans encore en boutons, bondit dans la mêlée en écartant ses jambes d'une façon suggestive, la joie de l'auditoire ne connut plus de bornes.

Tout le monde avait complètement oublié Paprika.

Toujours nue, elle se tenait à l'écart, haletante, reprenant son souffle avec peine. Elle tremblait violemment. Ses yeux verts brillaient d'un éclair sauvage de vengeance inassouvie. Elle avait tout misé, tout risqué sur cette danse folle, sans résultat.

Tous ses efforts pour soulever la colère de Jancsi étaient demeurés vains. Et l'effet même qu'elle avait escompté de cette exhibition lui avait été soufflé par la compétition malicieuse de toutes ces filles jalouses.

Ses dents s'entrechoquaient nerveusement sous la violence de l'émotion.

Elle se tourna vers le Prince qui s'approchait, titubant légèrement. Il lui tendit un verre de vin qu'il était allé chercher pour elle. Elle le vida d'un seul trait...

Estervary enlaça Paprika par la taille et l'entraîna hors de la foule.

Personne ne prêta attention à leur disparition. Toute l'assistance était maintenant absorbée par le spectacle de la danse échevelée des sept bacchantes nues.

Le couple s'arrêta sous un chêne.

Le Prince attira Paprika contre lui et l'embrassa avidement. Le contact de cette chair nue enflammait son sang déjà échauffé et éveillait ses désirs.

Elle ferma les yeux. Enfin, pensa-t-il, en sentant Paprika tressaillir sous sa caresse, c'était bien là la femme chaude de ses rêves pervers. Il ne s'était pas trompé. Une femme à qui il donnait le frisson autant qu'elle le lui donnait !

En réalité, Paprika, qui avait fermé les yeux, avait à peine conscience de sa présence. Ses pensées étaient toutes à Jancsi et à la revanche qu'elle allait prendre sur lui.

— Vous m'avez ensorcelé, petit démon ! lui murmura Estervary à l'oreille. Je crois, vraiment, que je suis tombé follement amoureux de vous !

Il dit ces mots comme s'il les pensait réellement.

Paprika le crut.

Elle ne demandait qu'à le croire ; elle se souvenait de la prédiction de Zsuzsa. Ne devait-elle pas épouser un *gorgio* de rang élevé ? Ce ne pouvait être évidemment que le Prince. Ne venait-il pas d'ailleurs de lui déclarer son amour ?

Elle rouvrit les yeux et chercha du regard Jancsi.

Un sourire vindicatif erra sur ses lèvres en l'apercevant, toujours immobile à la même place, sur le seuil de la roulotte de Custor Ignac, les yeux fixés sur elle, l'observant de loin.

— Je vous aime aussi ! répondit-elle au Prince et, se soulevant sur la pointe des pieds, refermant ses lourdes paupières sur son regard langoureux, elle posa ses lèvres sur celles d'Estervary.

Dans son esprit naïf, ce geste consacrait un engagement formel.

N'était-ce pas là, pour elle, l'équivalent de fiançailles officielles ?

Que maintenant le Prince l'épousât, cela ne faisait plus l'ombre d'un doute dans l'esprit de Paprika.

Et puis, n'y avait-il pas l'exemple de sa mère ? Et elle se savait encore plus séduisante que ne l'avait été Lila dans sa jeunesse. De plus, il venait à l'instant de lui dire qu'il l'aimait. Et quand deux êtres s'aiment, ils se marient ! C'est logique !

Et Zsuzsa ne l'avait-elle pas prédit ?

Mais la sombre suite de cette prophétie lui traversa le cerveau.

Elle devait mourir..., ainsi que Jancsi..., et un autre homme !

Zsuzsa voulait-elle dire que Jancsi la tuerait, ainsi que le Prince, dans un accès de jalousie, et se suiciderait ensuite ? Voilà bien qui était impossible ! Jancsi l'aimait trop pour songer à lui faire du mal !

La *baba* avait sûrement mal compris cette partie du message que le Maître Tout-Puissant du ciel et de la terre lui avait murmuré de son royaume.

Les cris aigus et perçants des danseuses lubriques couvraient presque, maintenant, la musique des *bashadis* et des *cymbaloms*.

— Venez donc à mon hôtel à Szeged-Var ! proposa le Prince, très excité, mais dans un état d'ébriété avancé. Ch'est tout près d'ichi et ch'ai une voiture qui m'attend chur la route !

Là encore, il venait de se déclarer avec les mêmes mots qu'avait prononcés l'amant de sa mère.

Il désirait qu'elle devienne ce soir sa femme « devant Dieu ». Donc, demain, il l'épouserait « devant les hommes »...

Cependant, elle hésitait encore, et ses yeux se tournèrent de nouveau vers Jancsi qui s'était finalement rapproché et les épiait jalousement derrière un arbre.

Cela la décida tout à fait.

En souriant, elle acquiesça d'un hochement de tête.

Estervary l'embrassa à nouveau, passionnément.

— Mettez quelque chose chur vous, dit-il d'une voix pâteuse, en lui tendant ses vêtements, qu'il avait emportés sous son bras.

Vivement, elle enfila sa jupe et jeta son châle sur ses épaules.

Elle eut une seconde d'hésitation.

Mais, après tout, pourquoi ne le suivrait-elle pas ? Le Prince l'aimait.

Et puis, sa mère, sur qui, de l'avis de tous, elle pouvait prendre exemple — ne le lui avait-on pas répété assez souvent ? —, Lila elle-même n'avait-elle pas suivi l'homme qu'elle aimait ?

Jancsi n'avait-il pas suivi sa princesse ?

Elle n'allait tout de même pas abandonner cette chance inespérée qui se présentait à elle d'assouvir sa vengeance.

Et quelle belle victoire ce serait sur Narilla et sur les autres garces de la tribu !

Il leur faudrait bien, à toutes ces chipies, la saluer bas lorsqu'elle reviendrait en tant qu'authentique princesse hongroise.

La pensée qu'elle perdrait Jancsi à tout jamais, en épousant le Prince, ne vint même pas à son esprit primitif.

Ce qui lui importait par-dessus tout, au point de l'empêcher de réfléchir aux conséquences de son acte, était de soulever la colère de Jancsi par n'importe quel moyen, de lui causer du chagrin, de le torturer jusqu'aux larmes, et de pouvoir enfin jouir pleinement du spectacle.

Le Prince interrompit ses réflexions en l'entraînant.

Et, comme deux voleurs, ils s'éclipsèrent.

La musique venait de s'arrêter, et on n'entendait plus que le tonnerre des applaudissements frénétiques de la foule.

Les deux fuyards se mirent à courir à travers champs.

Le Prince s'embarrassa les jambes dans son sabre et tomba de tout son long.

Paprika l'aida à se relever.

— Che chuis un peu étourdi ! s'excusa-t-il en réprimant un hoquet.

Paprika ne l'entendit même pas. Elle se retournait à tout instant, dans l'espoir de voir Jancsi les suivre.

Elle crut un instant l'apercevoir, caché dans l'ombre d'un arbre, non loin d'eux.

Arrivé devant les voitures, le Prince réveilla un des cochers somnolents.

Que faisait donc Jancsi ? Pourquoi n'était-il pas venu la retenir ? Ne voyait-il pas qu'elle partait ? N'avait-il donc pas compris qu'elle avait accepté d'accompagner le Prince à son hôtel ? Ne devinait-il pas ce qui allait suivre ? Tout lui était donc devenu si indifférent ?

Demain, il serait trop tard pour agir, elle serait déjà princesse et, quelles que fussent les conséquences de sa vengeance, elle ne pouvait plus reculer maintenant !

Non ! Il fallait montrer à Jancsi qu'elle ne s'arrêterait devant rien ! Il fallait qu'elle le punisse de tant d'indifférence ou d'inconséquence !

Cette fois-ci, elle n'y pouvait vraiment rien ! C'était bien lui le seul responsable de tout ce qui allait advenir.

Dans la victoria où ils avaient pris place, le Prince jeta une couverture sur les genoux de Paprika.

Le cocher fouetta son attelage, et l'équipage démarra dans une secousse. Les chevaux prirent le petit trot.

Paprika se retourna encore, cherchant à découvrir, parmi les ombres qui se jouaient entre les arbres, la silhouette de Jancsi. Mais les cahots de la voiture et l'éloignement rapide brouillaient son regard, et elle ne pouvait plus rien distinguer.

La voiture tourna, suivant la courbe de la route, et le campement gitan disparut tout à fait de son champ de vision.

Alors, à ce moment, Jancsi sortit de sa cachette.

Si Paprika avait pu le voir, elle aurait savouré pleinement la vengeance qu'elle attendait tant. Il tremblait de tous ses membres, comme secoué par la fièvre.

Brusquement, il résolut d'en finir.

Sa décision était prise. Il réfléchit une seconde à la manière dont il allait s'y prendre. Il allait courir et rattraper la voiture. Il arracherait les rênes des mains du cocher et forcerait les chevaux à s'arrêter. Il plongerait son *churi* profondément dans le cœur de ce vil séducteur et ramènerait Paprika au camp de force, en la traînant s'il le fallait.

PAPRIKA

Ses doigts agrippaient déjà le manche de son couteau, mais la main décharnée de Zsuzsa lui retint le bras. Avec elle était aussi accouru Custor Ignac.

— Ne fais pas cela, le supplia la vieille, tu mourrais sur la potence !

Custor Ignac, assez ivre, se sentait plein de compassion et voulait le prouver. Il prit son jeune ami dans ses bras. La tête de Jancsi tomba sur la poitrine du vieux bonhomme, et les larmes que Paprika avait tant attendues coulèrent enfin librement.

Interrompant cet intermède de mélancoliques effusions, Custor Ignac eut un rot d'ivrogne.

L'église, à ce moment, sonna le quart avant minuit.

Par bandes, des soldats tapageurs et turbulents, bras dessus, bras dessous, ou enlaçant encore leurs conquêtes, regagnaient leurs quartiers en titubant.

La grand-rue de Szeged-Var, toute pavoisée, était presque déserte quand s'y engagea la calèche où avaient pris place le prince Estervary et Paprika.

Deux sentinelles, baïonnette au canon, se tenaient devant l'hôtel *Magyar Korona*, où l'État-Major général avait établi son quartier.

Quelques gendarmes somnolents circulaient pour écarter les ivrognes qui traînaient dans les environs ou pour arrêter ceux qui manifestaient trop ouvertement des velléités de troubler la paix publique.

Les rares boutiques étaient toutes fermées. Toutes, à l'exception du *Bazar Moskovitz* où des lumières brillaient encore. A l'intérieur de la vitrine, le père Moskovitz lui-même, aidé de ses deux fils aux cheveux crépus, apportait quelques dernières retouches à l'étalage.

Un grand chromo criard représentant le Roi, encadré de feuillages de chêne, formait le centre de leur pavoisement patriotique.

Autour étaient exposés toutes sortes d'objets flanqués d'écriteaux sur lesquels Moskovitz lui-même avait déployé tous ses talents calligraphiques :

PAPRIKA

En l'honneur de l'anniversaire de Sa Majesté. Grande baisse de prix ! Remise sur tous articles. 9,98 au lieu de 10 couronnes !

Au-dessus du tout flottait une large banderole où était inscrite la devise en hongrois et en allemand : « *Istennel, Kiralyert es Hazaert !* — Avec Dieu, pour le Roi et pour la Patrie ! »

Immédiatement au-dessous, dans un des côtés de la vitrine, se dressait un mannequin en cire dans une pose comique, affublé d'une robe de soie d'un vert poison et d'un immense chapeau de même teinte, orné d'une touffe de plumes d'autruche jaune canari.

De l'autre côté, faisant pendant, une mariée de cire souriait béatement sous son voile de tulle, la tête couronnée de myrte artificiel, le corps raide drapé dans une robe de satin blanc bon marché.

Paprika regarda cette figurine avec des yeux qui reflétaient un espoir audacieux, ne prêtant pas la moindre attention aux caresses insistantes et précises du Prince qui, maintenant, était complètement ivre.

La voiture tourna dans une ruelle étroite, sinistre et nauséabonde.

Un chat noir surgit subitement, traversant la chaussée devant l'équipage et, d'un bond, disparut dans les ténèbres.

Plus loin, un hussard et sa bonne amie, surpris dans leurs effusions, se dissimulèrent rapidement dans l'ombre d'un porche.

— Nous challons prendre l'echcalier qui che trouve derrière l'hôtel, articula Estervary d'une langue épaisse. Ainchi perchonne ne pourra nous voir.

La voiture s'arrêta. Le Prince en descendit, non sans difficulté, et non sans avoir de nouveaux démêlés avec son sabre.

Néanmoins, il tendit galamment les mains à Paprika pour l'aider à mettre le pied sur les pavés inégaux du trottoir.

Puis, après avoir jeté un coup d'œil furtif de chaque côté de l'allée ténébreuse, il entraîna rapidement Paprika par l'entrée étroite et mal éclairée des communs.

PAPRIKA

La cloche de l'église sonna lentement minuit. Dans son tourbillon, un coup de vent souleva la poussière de la rue, apportant, des bivouacs militaires tout proches, les notes longues et mélancoliques d'un clairon : le « couvre-feu ».

IX

Depuis le lever du soleil, les mortiers postés sur la colline, au pied des murailles du château féodal des comtes de Szegedny, tonnaient sans interruption pour rappeler au bon peuple que ce jour était l'anniversaire de la naissance du Roi de Hongrie.

La terre tremblait sous les répercussions de la canonnade, et toutes les portes et fenêtres vibraient.

Dès six heures, les cloches de la vieille église commencèrent à carillonner, appelant les fidèles à la première messe.

Dans les camps militaires aux alentours, les clairons sonnèrent le réveil.

Une messe solennelle en plein air devait être célébrée par l'évêque de l'armée, le plus haut prélat dans la hiérarchie ecclésiastique catholique romaine de l'armée austro-hongroise.

Les cinquante mille hommes sous les armes qui campaient dans les environs devaient en être l'imposante et martiale congrégation.

La petite ville de Szeged-Var devant, à l'occasion de cet anniversaire, être honorée de l'auguste présence de Sa Majesté

Ferenc-Jozsef en personne, toute une foule chamarrée, formant un tableau plein de vie et haut en couleur, se pressait déjà dans les rues, impatiente de participer aux réjouissances du grand événement.

La petite ville de Szeged-Var, tout ensoleillée, avait pavoisé pour la réception du Roi.

Des centaines de drapeaux aux couleurs nationales, rouge, blanc et vert, et à celles de la Maison des Habsbourg, noir et jaune, étaient accrochés à tous les toits et toutes les fenêtres. Les habitants des maisons en bordure de la route qu'allait emprunter le Roi avaient étalé sur l'appui des croisées des carpettes et des descentes de lit en guise de décorations, certes, mais aussi pour qu'on pût s'accouder plus confortablement.

Chacun n'aimait-il pas son roi de cette chaleureuse affection qui lui faisait appeler son souverain du nom familier et plein de tendresse : Jozsi Bacsi, Oncle Jozsef ?

Pour cette occasion, les citoyens de Szeged-Var avaient endossé leurs plus beaux atours.

Les paysans des villages voisins arrivaient, à pied ou dans leurs chars à bancs, parés du costume national porté par leurs ancêtres depuis dix siècles.

Les femmes aux appas opulents étaient engoncées dans d'innombrables jupons plissés, tuyautés, brodés, recouverts de jupes du plus beau rouge ; leurs belles blouses brodées, aux énormes manches ballons bien empesées, se tenaient toutes droites, encadrant leur visage.

Leurs coiffures, sortes de hautes tiares, étaient faites de fleurs d'or ou d'argent, de pampilles, de petites perles de verre, avec un flot de larges rubans rouges qui pendaient bas sur leurs robustes échines.

Des bottes de cuir rouge serraient leurs jambes vigoureuses et complétaient le pittoresque de l'ensemble.

Les hommes portaient les amples *gatyas*, ces pantalons blancs aux plis si multiples qu'on dirait des jupes, des vestes blanches très courtes et des gilets ornés de boutons d'argent ; ils étaient coiffés du *kalpak*, ce chapeau noir, ridiculement petit, sur lequel flottent les deux pans courts d'un large ruban.

Tous les élèves des écoles de Szeged-Var et des environs se tenaient déjà en rangs bien formés, drapeaux en tête, sous la surveillance vigilante des instituteurs et des maîtresses.

Les jeunes écolières, fraîches et pimpantes, avaient remis, pour l'occasion, leur robe blanche de communiante qui fleurait bon la lavande et la naphtaline.

Par-dessus leurs tresses, leur front était ceint de couronnes en fleurs artificielles qui maintenaient en place les longs voiles de mousseline blanche.

Les garçonnets arboraient — en miniature, bien entendu — le même costume que « papa ».

Dans le grouillement populaire se reconnaissaient encore, par groupes bien distincts sous leurs enseignes respectives, les membres des différentes corporations. Ils avaient revêtu, pour la circonstance, le costume traditionnel dont les origines remontaient au Moyen Age.

Sous leurs casques étincelants, rassemblés autour d'une bannière représentant l'image de leur patron, saint Florian, les pompiers volontaires, ainsi que les vétérans de l'armée dans leurs uniformes miteux et passés et les mineurs de sel dans leurs bizarres costumes des carrières royales de So Hegy, avaient été désignés pour former la haie, le long des rues, et tendre un cordon autour de la place du marché.

L'attente des réjouissances répandait une atmosphère joyeuse dans toute la petite ville de Szeged-Var.

Sans interruption, les cloches sonnaient, et les mortiers tonnaient.

Des acclamations montèrent de la foule quand l'infanterie, régiment après régiment, traversa la grand-rue pour se rendre vers le champ où devait se célébrer la messe.

Les cœurs des femmes battaient plus vite au passage des beaux militaires qui leur lançaient des œillades et des sourires hardis.

Tous les officiers et tous les soldats portaient, attaché à la cocarde du shako, un petit rameau de chêne à trois feuilles pour rappeler les victoires du passé et annoncer celles à venir (les batailles perdues n'entrant jamais, bien sûr, en considération).

De glorieux drapeaux, déchiquetés au cours de combats gagnés ou perdus, se gonflaient au vent.

Les tambours rythmaient la marche.

Les hommes de la cavalerie, jambes arquées, suivaient, à pied eux aussi, de leur pas alourdi par les grosses bottes ; les éperons tintaient.

A la hauteur de chaque officier que le défilé croisait, retentissaient les commandements des voix rauques traînant les syllabes d'avertissement qui précédaient l'ordre d'exécution :

— Bat...'llon... on... ten...tiooon !

— Tête... gauche !

— Bat...' llon. . .on...

— Tête... gauche !

Les têtes, d'un mouvement sec, tournaient à droite ou à gauche avec une telle brusquerie qu'on s'attendait à entendre les vertèbres de la nuque craquer. Les jambes robustes se tendaient machinalement, martelant si durement les pavés d'un impeccable pas de l'oie que l'on en sympathisait avec les pauvres troufions aux pieds meurtris pleins de cors et de durillons.

Les officiers en charge, pour donner le salut réglementaire, brandissaient leurs sabres, poignée appliquée contre le cœur, lame bien droite devant eux, pointe en l'air ; puis un gracieux moulinet du poignet amenait le sabre à bout de bras à droite, pointe en bas.

Et cette spectaculaire dépense d'énergie ne recevait, pour toute gratification de la part du galonné à qui s'adressaient ces bruyantes et vigoureuses démonstrations de respect, que le petit geste négligent d'un doigt ganté de blanc qui se levait vers la visière, sans parfois, même, en atteindre les bords dorés.

Et comme il y avait des allées et venues constantes d'officiers sur les deux trottoirs de toutes les rues, les cordes vocales, les cous, les bras, les jambes et les pieds étaient conti-

nuellement tendus par l'effort, ce qui ne devait pas particulièrement faire apprécier aux malheureux conscrits l'armée en
général et les parades en particulier.

Les vertes plumes d'autruche des généraux et de l'État-
Major général flottaient gaiement dans la brise tiède. Les
sabres cliquetaient.

Les tambours continuaient leurs rafla-fla-flas auxquels,
obéissant à une jonglerie savante de la canne du tambour-
major, vinrent se joindre les coups sourds de la grosse caisse,
tirée par un poney du Shetland.

La musique entama la marche martiale de « L'Aigle à deux
têtes ».

Les cloches sonnaient toujours.

Les salves d'artillerie poursuivaient leur grondement.

Il était environ neuf heures quand Estervary, dans un
baiser distrait, dit au revoir à Paprika dans le hall de l'entrée
de service de l'hôtel *Magyar Korona*.

Le lieutenant prince Estervary de Esteruyfalu, Sandor,
Jozsy, 422, Piczta, était, lui aussi, en grande tenue pour cette
occasion extraordinaire.

L'attila de hussard bleu foncé, décoré de brandebourgs
dorés, et les culottes de cheval écarlates, galonnées d'or, lui
collaient au corps.

Avec les hautes bottes de cuir verni, cet ensemble est si
éblouissant que tous les dompteurs du monde l'ont adopté,
d'un accord tacite, pour impressionner leurs fauves.

La *Mente*, le court manteau d'hiver, doublé d'astrakan,
qu'un règlement paradoxal oblige à porter même pendant
les chaleurs étouffantes de la mi-été, pendait à l'épaule
gauche, attachée autour du cou princier par de lourds cordons dorés.

Le shako blanc, légèrement posé de travers, était surmonté
de la cocarde impériale d'où surgissait une brosse de crins
blancs de cheval ornée des trois feuilles de chêne. Ses gants
glacés, ses bottes vernies et la position de son shako en avant

sur l'œil, l'air cascadeur, étaient pour le moins contraires au règlement, sinon purement fantaisistes.

La jugulaire au ras du menton prêtait à tout l'ensemble ce rien guerrier si cher aux femmes.

La cartouchière d'argent, suspendue à la large bandoulière dorée, était utilisée avec irrévérence par Estervary pour y garder, à la place des cartouches à revolver, du chocolat, des cigarettes, ou certains autres objets d'un usage plus personnel encore, mais d'ordre préservatif.

Orné d'une dragonne d'or, le lourd et large sabre de cavalerie terminait ce rutilant et martial attirail.

En dépit de cet aspect resplendissant, le Prince était de fort méchante humeur. Il se sentait irritable et nerveux, comme tout un chacun, un lendemain de fête.

Mais Paprika ne remarquait rien, tant son cœur jubilait à la pensée de son retour au camp.

Que dirait Jancsi ? Comment ses frères de la tribu la recevraient-ils après ce qui venait de se passer ?

— Promettez-moi encore, Sandor, pria-t-elle, que vous reviendrez me chercher à onze heures ?

— Mais je vous l'ai dit six fois déjà ! répondit-il sur un ton agacé. C'est entendu, j'irai vous chercher ! Mais maintenant, sauvez-vous vite ! Je suis vraiment très pressé !

— Alors ! Adieu jusqu'à tout à l'heure ! dit-elle avec un sourire naïf.

— C'est cela ! Adieu ! vint la réponse impatiente.

— Merci encore pour tout ! ajouta-t-elle.

Mais, cette fois, elle ne reçut même pas de réponse.

Elle sortit, portant sous le bras un grand carton. Sur le couvercle se lisait en grosses lettres noires : *Bazar Moskovitz* .

Au tournant de la rue attendait la voiture qui les avait amenés la veille jusqu'à l'hôtel. Le cocher esquissa une grimace ironique en regardant la jeune fille grimper dans la calèche.

Elle était affublée d'une robe de soie vert pomme, ornée de falbalas, de fronces par-ci, de volants par-là. De plus, la fabuleuse toilette était un peu trop large et flottait légèrement autour du corps trop menu.

Sur les belles boucles blondes était juché un chapeau non moins vert, dont les grosses plumes d'autruche, jaune canari, tombaient comiquement sur le côté gauche du beau visage.

Les bas, les souliers et les gants étaient assortis à la robe et, pour achever le ridicule de cet accoutrement, Paprika avait enroulé autour de son cou un boa de plumes d'autruche jaunes et portait à la main, outre une ombrelle à long manche, de soie jaune, bien entendu, un sac jaune lui aussi !

Le cocher n'avait eu aucun mal à reconnaître la toilette complète que, depuis un an, il voyait exposée dans la vitrine du *Bazar Moskovitz*.

Il ne put s'empêcher de sourire. Sur ce, il fouailla ses petits chevaux hongrois au poil dru et hirsute qui s'élancèrent.

Estervary, resté sous le porche, regarda partir Paprika tout en enfilant ses gants blancs de chevreau glacé. Un sourire de soulagement éclaira son visage lorsque la voiture eut tourné le coin de la rue.

Il rentra à nouveau dans l'hôtel, appela Moïsche, le jeune garçon juif, et lui ordonna d'apporter trois grands verres de fine de « Keglevitz, Trois étoiles ».

Moïsche apporta les trois consommations, cherchant du regard les deux invités pour lesquels l'officier avait commandé.

Mais, à sa grande surprise, il vit le Prince, rejetant la tête en arrière d'un petit geste sec, vider l'un après l'autre les trois verres.

Dans le campement, l'orgie s'était prolongée jusqu'à l'aube.

Après le départ des officiers, Narilla avait essuyé une violente scène de jalousie. Elle avait dû faire face à la rage déchaînée de Laszlo, son jeune mari. Elle était parvenue à le calmer en se servant, comme toujours, des arguments caressants. Mais, de ce fait, elle n'avait pas dormi et se sentait épuisée ; son corps courbatu réclamait ardemment un peu de repos.

Laszlo, encore mollement étendu dans le creux chaud de la

couche, fort de ce qu'elle avait à se faire pardonner, exigea d'elle qu'elle lui apportât, au lit, un bol de bouillon bien chaud.

A demi vêtue, Narilla se résigna à sortir pour allumer le feu et préparer la soupe réclamée.

Tout à coup, levant les yeux, elle aperçut une belle dame, dans une resplendissante toilette verte, qui s'avançait vers elle d'un pas fier et majestueux.

Ce fut seulement lorsqu'elle vit, à quelques pas d'elle, danser des boucles blondes qu'elle reconnut Paprika.

Celle-ci ne se tenait pas de joie devant l'admiration involontaire de la plus acharnée de ses ennemies parmi les femmes de la tribu.

Elle se dandina, se pavana, tourna dans tous les sens, afin qu'aucun des moindres détails de sa toilette n'échappât à Narilla.

Aussi silencieusement qu'elle s'était approchée, elle s'éloigna vers sa roulotte.

Sur le moment, Narilla avait été si stupéfaite qu'elle en avait oublié, flambant dans sa main, le fagot dont elle allait allumer le feu, et elle se brûla les doigts. Elle lâcha le tison avec un affreux juron, puis elle cria de toute la force de ses poumons :

— *Pralor ! Prenor !*

Portes et fenêtres s'ouvrirent sur des visages curieux.

— *Avata acoy !* ordonna-t-elle en gesticulant pour faire signe aux gitans de la rejoindre. Plus vite ! insista-t-elle en désignant Paprika qui disparaissait dans sa roulotte.

Bientôt, tout le monde fut debout dans le campement, et l'on se réunit autour de Narilla pour l'entendre raconter l'apparition saugrenue.

Paprika, après avoir déposé son carton sur le lit, réapparut sur le seuil de sa porte avec un air plein de dignité.

Les Tziganes, stupéfaits de voir leur reine dans cette robe de *gorgio*, s'approchèrent et firent cercle autour de sa roulotte.

Paprika recommença l'exhibition qu'elle avait faite pour

Narilla. Son ombrelle à la main, elle minaudait, cherchant à imiter les gestes précieux des belles dames qu'elle avait remarquées à Budapest.

Ses yeux, cependant, parcouraient anxieusement la foule.

Jancsi ne s'y trouvait pas. A quoi servait toute cette mascarade s'il n'était pas là pour l'admirer ? Enfin, il apparut sur les marches de la roulotte de Custor Ignac.

Qu'allait-il faire ? Allait-il venir à elle ? Et qu'allait-il dire quand il apprendrait la grande nouvelle ? Elle ne se tenait plus d'impatience de voir le chagrin dans ses yeux étonnés, d'y voir monter les larmes.

Les yeux fixés sur lui, elle priait le Tout-Puissant de toute son âme de l'amener près d'elle, afin qu'il pût tout voir et, surtout, tout entendre.

Narilla, les mains sur les hanches, s'approcha d'un air de défi.

— Eh bien ! dit-elle sur un ton insolent, où se trouve donc l'argent que tu as gagné cette nuit ? Moi, je verse toujours ce que l'on me donne dans la caisse commune, comme le font toutes les autres femmes de la tribu. Qu'attends-tu pour en faire autant ?

Et, se tournant vers la foule :

— Ai-je raison ?

Personne ne répondit.

Les Tziganes étaient équitables et, avant de juger Paprika, ils voulaient en savoir plus long sur son cas.

Narilla ne se tint pas pour battue.

— Aurais-tu, par hasard, passé la nuit avec ce lieutenant pour tout bonnement t'amuser à faire l'amour ? questionna-t-elle avec impertinence. Tu n'ignores pas ce que dit à ce sujet la *Leis Prala* ? Si une femme de notre clan se donne à un *gorgio* sans se faire payer, nous avons le droit de la tuer ! Qu'elle soit reine ou non !

Elle se tourna vers le vieux Biro, le patriarche de la tribu, qui était toujours appelé comme arbitre dans toutes les discussions.

— Est-ce vrai ou pas ? l'interrogea-t-elle.

372

Le vieux, avec répugnance, hocha la tête affirmativement.

Narilla fit à nouveau face à Paprika et la toisa d'un regard perçant :

— Bien ! Alors, nous avons le droit de savoir ! Dis-nous ! C'était pour l'argent ? Ou pour l'amour ?

C'était là le moment que Narilla attendait depuis des années, depuis son enfance ! Enfin, elle tenait Paprika à sa merci ! Finalement, elle avait réussi à acculer son ennemie mortelle dans un coin dont il lui serait bien difficile de s'esquiver. Ses menaces étaient valables, cette fois, et elle allait enfin triompher !

Mais celle-ci ne lui fit même pas la grâce d'un regard.

— Allons, réponds ! vociféra Narilla, que cette indifférence mettait au comble de la rage.

Mais Paprika surveillait Jancsi.

Lentement, il se rapprochait du cercle des curieux.

Lorsqu'elle fut bien sûre qu'il pourrait entendre, elle affronta Narilla avec le plus grand calme :

— Je me suis donnée à Son Altesse le prince Estervary de Esteruyfalu parce que nous nous aimons ! Alors ? Que pouvez-vous faire contre cela ?

Provocante, elle regardait Jancsi. Allait-il enfin parler ?

Mais non ! Il s'obstinait à rester muet et immobile. A peine si dans ses yeux brillait une lueur étrange qui trahissait ses sentiments intérieurs.

Narilla, assoiffée de vengeance, se tourna vivement vers la foule :

— Vous l'avez entendue ? glapit-elle. La putain a déshonoré notre tribu ! Vous voyez ? Jadis, vous n'avez pas puni sa mère pour le même crime contre la loi de notre Fraternité ! Mais, cette fois, j'espère que vous ne laisserez pas cette bâtarde à peau blanche échapper au châtiment qu'elle mérite.

Les *Roms* se regardaient, inquiets et perplexes. Le crime de Paprika était sérieux devant leur loi. L'ancien code, en effet, condamnait à mort la coupable d'une telle faute. Qu'allaient-ils faire ? On ne pouvait laisser la jeune fille sans punition ! Mais de là à la tuer... Les femmes voteraient peut-être l'ultime châtiment. Mais les hommes... Non ! Ils aimaient trop Paprika ! Comment pourraient-ils se résoudre à infliger la peine de mort à une séduisante jeune fille qu'ils désiraient tous ?

Narilla, voyant leur indécision, chercha à les entraîner par son exemple :

— *Chin lescro curlo !* hurla-t-elle et, tirant de sa ceinture un *churi* aiguisé, elle s'élança vers Paprika.

— Vas-y ! Tranche-lui la gorge ! crièrent en même temps Suri et Saski.

Jancsi, s'élançant comme une flèche, traversa les rangs, repoussant tout le monde, et bondit sur Narilla qu'il saisit par les épaules, juste à temps.

Ce geste mit Paprika au comble de la joie. Il avait enfin fait montre d'intérêt ! Il l'aimait donc encore ! Maintenant, elle pouvait lui annoncer la petite surprise qu'elle lui avait réservée !

— J'ai dit que, le Prince et moi, nous nous aimions, répéta-t-elle avec insistance. Mais je ne vous ai pas tout dit. Il est exact que je n'ai pas reçu d'argent, mais le Prince m'a acheté ces vêtements et m'a offert autre chose aussi...

Théâtrale, elle prit un temps.

— Attendez-moi tous, vous allez voir ! annonça-t-elle avec un sourire qui en disait long.

Elle disparut rapidement dans la roulotte et referma la porte sur elle.

Des discussions s'engagèrent entre les gitans, agités à l'extrême.

Jancsi avait lâché Narilla mais se tenait près d'elle afin de prévenir l'éventualité d'une nouvelle attaque sur Paprika. Ses gestes avaient été purement automatiques. Et il était surpris lui-même de son étrange attitude.

Comment pouvait-il, en effet, rester là, à regarder et écouter Paprika, après ce qui venait de se passer ? Après qu'elle avait admis avoir appartenu à un autre homme ?

Comment pouvait-il rester maître de lui comme il l'était, sachant qu'elle en aimait un autre — un *gorgio* — ce prince ?

Narilla recommença ses vitupérations :

— La chienne n'a pas le droit de se faire payer par des toilettes. Elle doit recevoir de l'argent, que chacun de nous peut employer, et non des robes ou des chapeaux, qui ne peuvent servir qu'à elle-même !

La porte de la roulotte s'ouvrit.

Un silence se fit sur toute la foule.

Narilla elle-même se tut.

Jancsi resta paralysé.

Chacun, bouche bée, regardait le seuil.

Ayant bien préparé son effet, Paprika apparut, majestueuse.

Elle était vêtue d'une robe de soie blanche dont la longue traîne s'étalait derrière elle. Un ample voile de mariée en tulle recouvrait ses cheveux dorés. Une couronne de myrte, symbole de la virginité, couronnait sa tête !

Dans cette toilette pourtant fort ordinaire et bon marché, Paprika faisait un tableau d'une beauté ensorcelante.

Ses sujets pouvaient à peine en croire leurs yeux. Que signifiait tout cela ?

Estervary n'avait pourtant pas l'intention d'épouser une des leurs, fût-elle leur reine ! Ils connaissaient trop bien le gouffre qui séparait les *Ciganys* et les blancs, pour ne pas parler des aristocrates ! Et non seulement Estervary était noble, mais qui plus est, officier dans l'armée impériale et royale !

Paprika, toute souriante, se réjouissait de leur étonnement. Lentement, elle descendit les marches afin de permettre à la traîne de la robe et au voile nuptial de s'allonger gracieusement derrière elle. Puis elle se tourna en tous sens pour montrer sa toilette de mariage et en faire valoir chaque détail.

Les femmes et les enfants, émerveillés, se pressaient pour mieux voir, et les plus proches tâtaient, avec des doigts sales et timides, la soie et le tulle.

Paprika vint se planter devant Jancsi.

Il était devenu livide. Ses lèvres tremblaient, et il ne pouvait détacher ses yeux de cette radieuse apparition. Était-ce vraiment là sa Paprika, sa *Pireni* ? Allait-elle réellement en épouser un autre ? Allait-il la perdre à tout jamais ?

— Nous allons nous marier à l'église de Szeged-Var, aujourd'hui, à midi ! annonça-t-elle enfin avec emphase comme en réponse aux pensées du jeune homme. Mon fiancé, le Prince, doit venir me chercher à onze heures !

Ces mots s'adressaient à la foule, mais ses yeux demeuraient rivés sur ceux de Jancsi, y cherchant des larmes ou une expression de douleur. Mais elle fut encore déçue.

Jancsi restait impénétrable, et son visage avait pris l'immobilité d'un masque. Non ! Il n'avait pas une larme, en apparence du moins, car à l'intérieur le malheureux était déchiré par un torrent d'émotions.

— Je vous invite tous à assister à mon mariage ! continuat-elle avec un geste gracieux du bras. Il faudra venir aussi, Jancsi ! lui dit-elle en souriant.

Allait-elle enfin voir ses paupières battre, s'humecter de larmes ?

Mais non ! Jancsi semblait devenu complètement insensible.

En désespoir de cause, elle se tourna vers Narilla avec un long sourire protecteur et lui lança avec affectation :

— Toi aussi, Narilla !

— Que le diable te fasse pourrir les tripes ! vitupéra celle-ci d'un ton venimeux.

Elle racla sa gorge et cracha vers Paprika. Sa salive tomba sur le tulle du voile. Paprika fit mine d'ignorer l'insulte.

Alors Narilla, hors d'elle, s'adressa de nouveau aux vieux de la tribu :

— N'avons-nous donc aucun droit, nous, les membres honnêtes et décents de cette tribu ? interrogea-t-elle, au comble de la fureur. Ne pouvons-nous donc rien faire pour empêcher cette bâtarde d'épouser son *gorgio* ? Devons-nous rester là, plantés comme des imbéciles, à contempler le déshonneur que cette chienne au sang noir et à la peau blanche apporte sur notre clan ?

Tous les yeux se tournèrent vers les sages patriarches.

Biro secoua sa tête chenue :

— S'il est exact que le *gorgio* désire épouser notre reine, dit-il avec dignité, alors elle a le droit d'agir comme il lui plaît !

Pupos, le vieux bossu, approuva de la tête.

— Elle est orpheline et, comme telle, peut choisir son mari, quel qu'il soit ! continua Biro. C'est ce qui est dit dans la *Leis Prala* ! acheva-t-il sagement.

— *Ava !* ajouta Pupos. Mais, naturellement, elle cesse d'être notre reine le jour de son mariage !

— Dieu merci ! s'écria Narilla qui s'éloigna rapidement en proférant d'affreux jurons à l'adresse de Paprika et demandant à Dieu et Diable d'envoyer les pires calamités sur la félicité conjugale de sa mortelle ennemie.

Paprika eut un sourire de triomphe en voyant Narilla battre en retraite et disparaître dans sa roulotte.

Puis, avec le plus grand calme, elle se tourna vers la foule :

— Il faut tous vous laver et mettre vos plus beaux habits ! leur conseilla-t-elle sur le ton indulgent d'une mère s'adressant à ses enfants. Je ne veux pas avoir honte de vous, le jour de mon mariage. Et maintenant, dépêchez-vous ! Mon fiancé va bientôt arriver !

Sur ces mots, elle remonta les marches d'un pas altier et disparut à l'intérieur de la roulotte. La porte se referma.

L'assemblée ne se dispersa pas immédiatement. Les gitans restèrent un moment à discuter avec animation de l'événement extraordinaire et sans précédent. Les hommes, comme toujours, donnaient raison à Paprika. La plupart des femmes étaient contre elle. Elles, de tout à la fois : Des toilettes, du prix qu'elles avaient dû coûter au Prince, du fiancé, de sa richesse.

Beaucoup d'entre elles doutaient de cette histoire trop merveilleuse et, persuadées que Paprika l'avait inventée de toutes pièces, attendaient patiemment que la suite des événements confirmât ou détruisît leur opinion.

— Comment la garce s'y est-elle prise ? murmura jalousement Suri à Saski.

— Oh ! ce n'est pas encore fait ! ricana Mika, sceptique. Moi, je veux la voir mariée devant moi avant d'y croire !

Tout en discutant, les *Roms* finirent par s'égailler.

Jancsi se trouva bientôt seul — toujours à la même place — au pied de la roulotte de la Reine.

De l'intérieur, Paprika, pour ne pas être vue, l'épiait par le trou de la serrure. Elle pensa un instant qu'enfin il allait pleurer. Mais non ! Il ne fit que passer sa main sur son front et ses yeux. Ce fut tout.

En réalité, Jancsi ne voyait plus rien. Sa main n'avait pas su arracher de devant ses yeux ce voile épais qui l'empêchait de voir briller le soleil, haut dans le ciel. Il n'y avait plus que des ténèbres pour Jancsi.

Les cloches continuaient à tinter joyeusement. Les canons à tonner, annonçant l'allégresse. Mais Jancsi n'entendait rien.

Derrière sa porte, Paprika ne se trouvait pas suffisamment vengée. Pourquoi ne l'avait-il pas invectivée devant tout le monde ? Pourquoi n'avait-il pas arraché ce voile nuptial de sa tête ? Pourquoi ne l'avait-il pas frappée quand elle lui avait ricané au nez en l'invitant à ses noces avec un autre ?

Lentement, Jancsi se retourna et s'éloigna.

Les cloches de l'église s'étaient enfin arrêtées.

Les canons s'étaient tus.

La messe solennelle en plein air venait de commencer.

Cinquante mille hommes étaient présents, en formation « au repos », le visage tourné vers l'immense autel dressé par les soldats du Génie.

Le bois de cette éphémère construction était recouvert de calicot aux couleurs pontificales — jaune et blanc. Les marches de l'autel et la Sainte Table étaient, de chaque côté du tabernacle, décorées de fleurs à profusion, de candélabres et de gros cierges.

L'autel était flanqué de deux canons de « calibre 6 ».

Les clairons sonnèrent l'appel à « l'Adoration ».

Un commandement retentit, répété par tous les officiers en charge :

— Bat... 'lon... on... 'ten... tion... on !

Et cinquante mille hommes se mirent au « garde-à-vous ».

Cent mille talons claquèrent.

Sa Grâce l'évêque, vicaire apostolique et aumônier en chef de l'Armée, le comte Belopototsky, lui-même ancien officier de hussards, parut, vêtu d'une somptueuse chasuble. La mitre fut posée sur sa tête. Les aumôniers subalternes remplissaient les fonctions de maître de cérémonie, diacre, sous-diacre et autres acolytes. Des soldats, en soutanes rouges et surplis blancs jetés sur leurs uniformes, tenaient lieu d'enfants de chœur.

Précédé des Évangiles, l'évêque gravit lentement les marches de l'autel.

Il salua le clergé assistant.

Ou lui retira sa mitre.

Il s'agenouilla devant le tabernacle.

Les clairons sonnèrent à nouveau.

Des commandements presque incompréhensibles firent écho :

— A... ge... nooooux !

Cinquante mille guerriers mirent le genou droit en terre.

— Shakoooos'... baaaas !

Cinquante mille têtes se découvrirent, montrant leurs crânes rasés de près.

La messe commença.

Au « Gloria », les clairons sonnèrent encore, trois fois la même note, très lentement.

— Comp... 'niiiie... 'ten...tioooon !

— Prêêêêt pour salve ?

— Feu !

La compagnie à l'honneur du jour tira une salve en l'air pour la glorification du Dieu de vérité, de justice, de miséricorde, du Dieu des armées.

Cinquante mille hommes ! En apparence recueillis et attentifs, mais pour la plupart préoccupés surtout du temps qu'il leur faudrait pour nettoyer leurs uniformes, tout leur accoutrement et leurs bottes, au retour de ce champ poussiéreux.

Cinquante mille soldats qui songeaient à la ripaille, au vin qui coule, au *palinka* et aux belles filles.

La célébration de la messe continuait.

Bien avant les coups de onze heures, Paprika arrivait au bord de la grand-route, non loin du campement.

La longue traîne de sa robe entravait ses pas, et elle avançait en glissant plutôt qu'en marchant.

Quelques-uns de ses frères gitans étaient déjà rassemblés et l'attendaient. D'autres se hâtaient derrière elle, suivis des chiens, des enfants qui jouaient à chat et se poursuivaient entre les jambes des grands.

Tous étaient curieux d'assister à l'arrivée du fiancé princier. Ils avaient suivi les ordres de la Reine et s'étaient bien lavés et soigneusement peignés. Ils avaient revêtu leurs habits de fête. Les femmes étaient surchargées de bagues, de bracelets, de boucles d'oreilles, de pendentifs, de pampilles en or, en argent, en cuivre, en verre, et leurs jupes, leurs châles réunissaient toutes les couleurs de l'arc-en-ciel, les plus vives prédominant.

Les *bash-mengros* étaient également présents, avec leurs *bashadis*, leurs *guzlas*, *cobzas*, *cymbalons*. Aucune cérémonie ne pouvait s'accomplir sans leur musique.

Ils se tenaient tous groupés et scrutaient la route conduisant à Szeged-Var que le fiancé devait emprunter. De temps à autre, ils jetaient un regard soupçonneux vers Paprika qui se tenait seule à l'écart, toute raide dans sa robe nuptiale.

Un sentiment d'éloignement s'établissait entre elle et ses frères gitans. Déjà, ils la regardaient non plus comme leur reine, mais comme une étrangère, une *gorgio*. D'ailleurs n'était-elle pas à demi blanche ? Et personne n'aurait soupçonné, en la voyant si blonde et si pâle, sous son voile de mariée, qu'elle était la fille d'une brune et vraie gitane.

De temps en temps, elle se retournait nerveusement dans la direction du camp, espérant voir venir Jancsi, qui s'obstinait à rester invisible. Puis son attention revenait sur la route ; mais le chemin faisait une courbe à peu de distance et ne lui permettrait donc d'apercevoir la voiture du Prince que lorsqu'elle serait toute proche.

Au bord du chemin, un grand peuplier se balançait, et Paprika ordonna aux enfants d'y grimper afin de signaler l'arrivée du fiancé dès qu'il serait en vue.

Des discussions bruyantes s'engagèrent entre les gosses qui s'élancèrent et se mirent à grimper de branche en branche, comme de véritables singes. C'était à qui arriverait le premier, et un garçon et une fille atteignirent avant tous les autres et en même temps le faîte de l'arbre. Ils examinèrent la route en contrebas, du côté de Szeged-Var et secouèrent la tête négativement.

— On ne voit rien encore ! crièrent-ils ensemble.

Paprika, impatientée, se mit à marcher de long en large, indifférente à toute la poussière que ramassaient sa robe et son voile.

Il avait pourtant bien dit : « Onze heures ! » Que faisait-il donc ? La grand-messe à laquelle il avait dû assister était achevée maintenant ! On venait d'entendre les dernières salves d'artillerie.

Et Jancsi ? Où se trouvait-il aussi, celui-là ? Sa présence était pourtant nécessaire ! Le triomphe ne serait pas complet s'il n'était là pour en souffrir !

Les gitans suivaient attentivement tous ses mouvements.

A leur tour, ils commençaient à se lasser.

— Vous rappelez-vous la naissance de Paprika ? demanda Vasgyuro en se grattant la tête du crochet qui lui servait de main, à Fozsto, aux yeux bigles, et Istvan, le goitreux.

Ils secouèrent la tête affirmativement.

— Il me semble que c'était hier ! continua Vasgyuro, et cependant, cela fait déjà quinze ans ! Il n'y a pas loin, d'ici à Mezo-Piros. Et on était également au mois d'août !

Les deux autres donnèrent à nouveau leur approbation muette.

— Vous rappelez-vous les prophéties de Zsuzsa quand elle a lu les lignes de la main du bébé ?

— Je me souviens de chaque mot ! s'exclama Tinka en venant se joindre au groupe.

— Tant que je vivrai, je ne pourrai oublier ce jour ! dit Dona qui avait tout entendu et tenait à ajouter son mot. Elle était toujours la première à cancaner et n'entendait pas laisser passer une si belle occasion.

— Pauvre Lila ! A-t-elle souffert...

— Et Zoltan ! Puisse le diable garder son âme !

— Vous souvenez-vous de la bataille ?

— Oh ! Quelle journée !

— Et l'orage donc ! Je me rappelle...

— Eh bien ! Puisque tu te souviens si bien de tout, qu'est-ce que Zsuzsa a prédit ce jour-là ? demanda Vasgyuro, contrarié par l'interruption de la prolixe femelle.

Mais, avant de lui laisser le temps de répondre, il enchaîna :

— ... Elle a dit que Paprika épouserait un *gorgio*, un homme de rang élevé, et que le Roi de Hongrie lui-même la conduirait à l'autel.

Les autres acquiescèrent de la tête.

— C'est exactement ce qu'elle a dit ! Ce sont ses propres paroles. Je n'en avais alors rien cru, admit Vasgyuro, mais aujourd'hui, quinze ans plus tard, Paprika va réellement épouser un *gorgio*, et un prince encore !

— Tout cela est bien étrange, évidemment ! remarqua Istvan.

— Moi, j'avais toujours pensé qu'elle épouserait Jancsi. Ils me paraissaient pourtant bien s'aimer, tous les deux ! dit Fozsto, sur un ton désappointé.

— Je me demande tout de même si tout ce que la *baba* a prédit va s'accomplir ? rumina Vasgyuro. Cela semble impossible, tout ce qu'elle a raconté ce jour-là. Toutes ces histoires de roi, de sang et de mort...

— Oui, je me souviens, la mort dans un champ de paprika, près de l'endroit où elle est née ! ajouta Dona sur un ton d'affliction, anticipant sur les événements.

— Oh ! J'espère bien que non ! dit Tinka en se signant.

Mais un frisson d'appréhension les parcourut tous. Ils avaient été trop souvent témoins de l'exactitude des prophéties de Zsuzsa.

La cloche de l'église sonna les trois quarts passé onze heures.

Paprika, de plus en plus nerveuse, continuait ses allées et venues, marchant de plus en plus vite. Du côté du camp, Jancsi ne se montrait toujours pas. Mais que faisait-il donc ? Elle leva les yeux vers l'arbre où se trouvaient perchés les petits *purdes* et mettant ses mains en cornet autour de sa bouche :

— Ne voyez-vous toujours rien ? cria-t-elle.

Ils firent un geste négatif du bras. Rien n'était en vue.

— Je me demande ce qui retient notre beau prince si longtemps ? remarqua Narilla, railleuse, assez haut pour être entendue de tous.

— Oui ! Je voudrais bien le savoir ! surenchérit Suri ; il est vraiment impardonnable de faire attendre ainsi sa fiancée le jour de son mariage ! ajouta-t-elle sur un ton précieux pour accentuer son sarcasme.

— Peut-être juge-t-il que la dernière nuit lui suffisait amplement ? jeta Saski, insolente, pour ne pas être en reste avec sa jumelle.

Paprika ne perdait pas un mot de toutes ces remarques mais affectait de ne rien entendre. Le Prince avait pourtant promis d'être là à onze heures ! Il était presque midi, maintenant ! Peut-être avait-il été retardé au bureau de la mairie, où il devait se procurer une licence ?

— Voyez-vous quelque chose ? s'enquit-elle à nouveau

auprès des juvéniles observateurs qui firent la même réponse négative.

Narilla, Suri et Saski éclatèrent de rire ouvertement.

— Êtes-vous bien sûrs que vous ne voyez rien ? lança Narilla en imitant la voix de Paprika.

Mais celle-ci, de plus en plus inquiète, ne prêta pas attention à ce nouvel affront.

Que s'était-il passé ? Le Prince aurait-il oublié ? Non ! Vraiment, personne au monde n'oublie l'heure de son mariage... Ou bien s'était-il moqué d'elle ? Mais non ! Impossible qu'il eût agi de la sorte ! D'abord, s'il n'avait pas eu l'intention de l'épouser, il ne lui aurait pas acheté une robe de mariée ! Évidemment, il est vrai que c'était elle qui l'en avait prié. Mais tout de même, un officier est toujours fidèle à ses promesses. Un prince, forcément, encore plus ! Alors ?

— Oh ! Seigneur Éternel, Père Céleste, Dieu Tout-Puissant, faites que Sandor arrive bientôt. Que faire s'il ne venait pas du tout ?

Mais elle se souvint : Zsuzsa ne lui avait-elle pas prédit qu'elle épouserait un *gorgio* de rang élevé ? De qui pouvait-il s'agir sinon du Prince ?

Si Sandor ne venait pas et que, de ce fait, la prophétie de Zsuzsa ne se réalisait pas, ce serait la faute de Dieu et non la sienne ! Et elle n'y pouvait rien !

N'était-elle pas toute prête à faire n'importe quoi pour donner raison à Zsuzsa ?

Puis, jusqu'à présent, Dieu l'avait toujours aidée.

N'avait-il pas ramené Jancsi ?

N'avait-il pas envoyé le Prince en temps voulu ?

N'était-ce pas Lui qui avait rendu Jancsi jaloux du Prince ?

Ne l'avait-Il pas forcée à épouser le Prince « devant Lui », la nuit passée ?

Alors ? Pourquoi ne voulait-Il pas, maintenant, que le Prince l'épousât « devant les hommes » ?

Non ! Elle en était sûre ! Le Bon Dieu n'allait pas l'oublier ! Il allait l'aider à briser tout à fait le cœur de Jancsi,

384

afin qu'elle pût voir les larmes de chagrin tant attendues briller dans les beaux yeux noirs.

Non ! Elle n'avait pas lieu de s'inquiéter. Sandor allait arriver d'un moment à l'autre.

Elle leva encore les yeux vers l'arbre. Les deux guetteurs s'amusaient à cracher sur leurs compagnons qui se trouvaient au-dessous d'eux.

— Voyez-vous quelque chose ? leur demanda-t-elle à nouveau en s'efforçant de maîtriser le tremblement de sa voix.

Les gosses répondirent par un « non » plein d'emphase.

Narilla et ses compagnes pouffèrent de rire.

Paprika, le feu aux joues, se retourna brusquement, affrontant enfin ses ennemies.

Narilla n'attendait que ce geste. Vivement, elle alla se planter au milieu de la route, en face de Paprika et, dénouant son tablier, le drapa sur sa tête comme un voile de mariée. Puis, avec humour, malice et une mimique révélant un sens aigu de l'observation, elle imita Paprika faisant l'annonce de ses fiançailles à la tribu :

— Nous allons nous marier à l'église de Szeged-Var, aujourd'hui, à midi ! Mon fiancé, le Prince, doit venir me chercher à onze heures !

Mot pour mot, elle répétait.

— Et maintenant, n'oubliez pas ! A onze heures sonnantes ! Pas une minute plus tard !

Paprika serrait les poings, prête à bondir sur son bourreau en jupons mais déjà, les railleries de Narilla s'adressaient à quelqu'un d'autre, à un nouvel arrivant, au-devant duquel elle se dirigeait en imitant la démarche de paon et les gestes prétentieux de Paprika.

Curieuse, celle-ci se retourna.

Le rouge de la honte lui enflamma les joues.

C'était Jancsi !

Après avoir désiré ardemment sa présence, afin qu'il assistât à son départ triomphal, elle aurait voulu, maintenant, le savoir très loin.

Elle remarqua la pâleur extrême de son visage et l'expression hagarde de ses yeux brillants de fièvre.

Narilla aborda Jancsi en minaudant exactement comme Paprika l'avait fait.

— Toi aussi, Jancsi, il faudra venir à mon mariage ! A onze heures précises !

A ce moment, comme pour parachever le petit numéro comique de Narilla, les cloches sonnèrent... midi !!!

Suri, Saski et Mika se remirent à rire.

Le rire est contagieux. Bientôt, tous les gitans se pâmèrent.

Mais leur hilarité était plutôt provoquée par les singeries comiques de Narilla et l'expression embarrassée et ahurie de Jancsi que par l'infortunée mésaventure de leur reine.

Paprika, intérieurement, priait le ciel de frapper Narilla de mille morts.

Mais malheureusement, aujourd'hui, pour des raisons mystérieuses, le Ciel ne voulait rien entendre de ses prières et refusait délibérément d'exaucer ses vœux.

Elle avait prié aussi pour que Sandor arrivât, et elle était encore là à l'attendre. Par contre, comme elle l'avait demandé, *On* lui avait envoyé Jancsi. Oui, mais seulement pour qu'il fût présent à sa défaite.

Décidément, le Seigneur lui en voulait !

Zsuzsa aussi, avec ses histoires à dormir debout, lui en voulait. Tout le monde lui en voulait ! Et elle en voulait à tout le monde !

Cependant, en voyant Jancsi, elle aurait voulu courir vers lui, se jeter dans ses bras et blottir sa tête contre sa poitrine.

Mais comment faire ce geste, alors qu'il venait vers elle seulement pour se réjouir de son humiliation, pour la railler comme elle l'avait fait elle-même si souvent ?

Jancsi s'arrêta devant elle. Il la regarda avec une sincère compassion.

— Paprika ! murmura-t-il à voix basse, je t'aime toujours ! Qu'importe ce qui s'est passé entre toi et ce... cet homme ! Je savais qu'il se moquerait de toi. Je savais qu'il ne reviendrait jamais ! Oublie-le ! Oublie tout ce qui s'est passé ! Marions-nous maintenant ! Je t'emmènerai à Budapest, à Paris, n'importe, où tu voudras aller ! Nous serons heureux ensemble.

Il la regardait avec des yeux suppliants.

Que n'aurait-elle pas donné pour qu'à ce moment il l'emportât dans ses bras, loin, très loin dans la forêt, la fît sienne enfin ! Pour qu'il la prît de force comme l'avaient prise les autres — ces hommes qu'elle n'avait pas voulus, dont elle n'avait toléré le contact que pour... se rapprocher de lui ! Ces hommes dont elle avait subi les étreintes en fermant les yeux et en pensant à lui, à lui qu'elle désirait avec tout le feu de son sang de gitane...

« *Aurais-tu donc déjà oublié sa Princesse et tout ce que tu as souffert à cause de lui ? Ce n'est pas à lui à te pardonner ! C'est toi qui es l'offensée !* » lui murmura la voix du Démon.

Pouvait-elle s'humilier de la sorte devant Jancsi ?

Non ! Non ! Non ! jamais !

Pour une fois, la voix intérieure avait raison !

D'ailleurs, le Prince ne pouvait tarder davantage, maintenant.

Il allait certainement venir ! Il fallait qu'il vienne, et il fallait que le Tout-Puissant entende sa prière ! Au moins cette fois encore. Vite, oh ! mon Dieu, vite !

Dans son angoisse, elle ne sut que répondre à la proposition de Jancsi.

Elle se détourna froidement, fit quelques pas. Ses yeux se levèrent encore vers l'arbre, mais les guetteurs, lassés de leur perchoir incommode, redescendaient. Cela faisait plus d'une heure qu'ils tenaient la faction, ils étaient fatigués.

Une vraie panique s'empara alors d'elle. Si vraiment le Prince ne devait pas venir, qu'allait-il se passer ? Comment pourrait-elle rester au milieu de sa tribu et entendre tout le reste de sa vie les allusions ironiques de ses frères, leurs railleries et leurs plaisanteries ? Qu'allait-elle devenir ? Combien elle avait été folle de s'imaginer que le Prince voulait l'épouser ? Quelle stupidité d'avoir cru aux prophéties de

PAPRIKA

Zsuzsa ! Un *gorgio* de rang élevé peut-il vraiment épouser une *Cigany* ? Et la présence du Roi à ce mariage n'était-elle pas assez invraisemblable ? Et ces deux routes, quelle fable ridicule ! « *Tu mourras et tu seras cause de la mort de Jancsi et de celle d'un autre !* » Comme tout cela, tout à coup, lui apparaissait sous son vrai jour : puéril et dépourvu de sens ! Zsuzsa était décidément trop vieille pour déchiffrer clairement l'avenir.

Elle releva les yeux pour voir Narilla plantée devant elle.

Encouragée par les rires que ses méchantes clowneries avaient provoqués, la garce cherchait à pousser Paprika à bout en la mortifiant à la limite de l'endurance. C'était une occasion inespérée pour la vipère de se venger de toutes les injures et de tous les torts réels ou imaginaires que la bâtarde blonde lui avait faits par le passé. Elle choisit pour l'attaquer les moyens qu'elle savait les plus blessants.

— Eh bien ! commença-t-elle en feignant de bâiller et en étirant ses bras langoureusement, tu ferais aussi bien d'aller te coucher et de dormir ! Tu n'as pas eu beaucoup de repos, la nuit dernière. Cette vie de débauches que tu mènes depuis quelque temps commence à laisser des traces sur ton visage. Tu as l'air aussi fatiguée, et tu es presque aussi ridée que Zsuzsa, maintenant ! Moi aussi, j'ai passé la nuit, et avec assez d'agrément d'ailleurs, mais on m'a payée, moi, avec de belles pièces d'argent sonnantes ! Pas comme toi, avec une robe de mariée, drôle de paiement, en vérité, et dont tu ne peux même pas faire usage !

Suri, Saski et Mika éclatèrent de rire devant cette saillie, et le reste des *Roms* se joignit à elles.

Paprika comprit : Narilla mettait tout en œuvre pour soulever sa colère et lui faire perdre le contrôle d'elle-même.

Mais, prudemment et sagement, elle feignit l'indifférence et, délibérément, tourna le dos à Narilla.

Ce fut au tour de celle-ci de s'exaspérer devant l'échec de ses attaques. Elle était bien déterminée à obliger Paprika à se battre.

— Puisque tu n'as pas apporté d'argent dans la caisse commune, eh bien ! moi, je prends ce voile pour ma part ! criat-elle rageusement.

Paprika se retourna et regarda son ennemie en face.

Tous les gitans, flairant une bataille, se rapprochèrent.

— Que peux-tu bien vouloir faire de cet attirail à présent ? continua Narilla. D'ailleurs, seulement les filles qui sont encore vierges ont le droit de le porter !

Et, en disant ces mots, elle arracha le voile et la couronne. Les fleurs de myrte en cire tombèrent dans la poussière.

Des larmes de rage jaillirent des yeux de Paprika. Tout était vraiment perdu, elle le constatait maintenant. Tout ! Jancsi, le Prince, et jusqu'à sa dignité de reine.

Avec la férocité d'un chat sauvage blessé, elle bondit sur Narilla, et toutes deux roulèrent sur le sol.

Jancsi, impassible jusque-là, s'élança brusquement vers elles pour essayer de les séparer, mais Suri, Saski et Mika s'accrochèrent vivement à lui pour le retenir.

Les *Roms*, passionnément intéressés, resserraient le cercle autour des lutteuses.

Celles-ci se relevèrent en se prenant au corps. Mais Paprika fit un croc-en-jambe à Narilla qui perdit à nouveau l'équilibre, entraînant l'adversaire dans sa chute. Elles firent un bruit sourd en retombant sur le bord caillouteux et brûlant de la route.

A ce moment, on entendit des chevaux qui s'approchaient au galop.

Ce qui détourna l'attention des spectateurs.

Tout le monde se retourna.

Paprika, échevelée, égratignée, se releva d'un bond, abandonnant Narilla, et poussa un cri de triomphe.

Le Prince ! C'était enfin le Prince ! Ah ! Ils allaient tous bien voir, maintenant !

Narilla se releva avec peine, haletante, la gorge toute marquée par les ongles de Paprika.

Mais la route venant de Szeged-Var restait toujours

déserte. Et comme la galopade se rapprochait, on s'aperçut que le bruit venait de la direction opposée, de Disznool !

Deux gendarmes montés arrivaient au petit galop. A la vue des *Ciganys* groupés au milieu du chemin, ils leur ordonnèrent, avec des gestes éloquents, de dégager vivement le passage.

Intrigués, les Tziganes obéirent et se hâtèrent de gagner le bas-côté.

Paprika et Narilla, dont la peur héréditaire des représentants de l'autorité avait soudain calmé l'humeur belliqueuse, s'empressèrent de suivre docilement les autres membres de la tribu.

— Sa Majesté le Roi va passer par ici ! crièrent les gendarmes en s'arrêtant pour scruter les gitans et s'assurer que leur attitude ne présentait rien d'agressif.

Mais les estimant inoffensifs pour le royal voyageur, ils éperonnèrent leurs montures et repartirent au galop.

Vasgyuro, Fozsto et les autres, qui venaient justement de parler du ridicule de la prophétie de Zsuzsa, se regardaient, ébahis.

Quelques instants plus tard, au tournant de la route, apparaissait toute une cavalcade.

En tête de la colonne trottait un demi-peloton de cavaliers de la Garde du Corps, commandé par un lieutenant.

La crinière noire de leurs casques flottait dans le vent. Leurs épaulettes, aiguillettes d'or et sabres au clair étincelaient au soleil.

Derrière eux avançait une victoria aux roues enluminées d'or, aux lanternes surmontées d'une couronne, et tirée par deux magnifiques étalons *lipitzans* du plus beau blanc, avec des harnais lourdement ornés d'or.

Le cocher portait l'attila et le kalpak noir et argent des écuries royales hongroises.

Assis à côté de lui, dans son uniforme vert et argent, les plumes blanches de coq de son bicorne claquant au vent, se trouvait le Chasseur du Roi, tout fier de sa magnifique paire de moustaches : il était en effet le seul fonctionnaire subalterne de la Maison du Roi à avoir le droit d'en porter.

La voiture était flanquée, d'un côté, du commandant et, de l'autre, du capitaine de l'escorte, sabre au clair.

Dans le fond de la voiture était assis le vieil Empereur et Roi. A sa gauche, se tenait son Général aide de camp.

Derrière le véhicule, un autre demi-peloton de cavaliers de la Garde du Corps fermait le cortège.

A la vue de leur roi bien-aimé Jozsi Bacsi, l'« Oncle Jozsef », les gitans poussèrent des acclamations enthousiastes en agitant, qui leurs chapeaux, qui leurs châles :

— *Eljen Jozsi acsi ; Eljen a Kiraly ! Eljen !*

Le Roi sourit. Dans ses yeux d'un bleu passé brillait une lueur de bonté. Il avait toujours aimé les Tziganes et compris leur cœur capricieux et sauvage.

En passant devant cette foule bigarrée, la voiture ralentit un peu, et le Roi répondit aux ovations chaleureuses des gitans par de petits saluts militaires et en inclinant légèrement sa tête ornée de favoris blancs.

Les yeux du vieillard, si perçants qu'ils lui permettaient encore de chasser et d'atteindre à chaque coup le chamois, aperçurent soudain une jeune fille vêtue d'une robe blanche déchirée, maculée et poussiéreuse. Un reste de voile de mariée pendait encore sur ses cheveux blonds. Son visage montrait des traces de larmes, et ses mains étaient écorchées et tachées de sang.

Le vieux Roi, dont la longue vie n'avait été qu'une série d'afflictions, devina immédiatement qu'un événement tragique venait de se dérouler là.

— Halte ! commanda-t-il.

Le cocher tira vivement sur les rênes, et la voiture stoppa brusquement.

Le Chasseur du Roi sauta de son siège et offrit son coude. Le Roi s'y appuya.

Il descendit très agilement, malgré son grand âge, les yeux toujours fixés sur Paprika.

PAPRIKA

Pour rendre les honneurs, le cocher baissa son fouet.

Les officiers de la Garde du Corps saluèrent de leur sabre, trois fois de suite.

Les Tziganes, stupéfaits, avaient cessé leurs acclamations et regardaient en silence leur Roi s'approcher.

Le monarque avait conservé une démarche souple et élastique, mais ses épaules étaient un peu voûtées. Il portait l'attila et la *Mente* galonnée d'or de la grande tenue de colonel du « Premier Hussard », son régiment personnel. L'étoile et le ruban de l'Ordre de Saint-Istvan étaient la seule décoration qu'il arborait à côté de la Toison d'Or. A la gauche de Sa Majesté, deux pas en arrière, suivait son aide de camp, le général comte Eduard Paar.

Les gitans, très émus, tombèrent à genoux au passage du souverain.

Le Roi vint s'arrêter juste en face de Paprika.

Elle aussi avait mis un genou en terre et baissait la tête.

Il posa sa main gantée de blanc sur les boucles en désordre.

La jeune fille releva la tête ; des larmes roulaient sur ses joues.

— *San tu rom ?* questionna-t-il en *Calo*.

Les *Roms* restèrent abasourdis. Le roi apostolique de Hongrie avait parlé dans leur propre langue, et leurs cœurs se mirent à battre plus fort.

Paprika était incapable de parler. Elle aurait voulu répondre aux questions du Roi, mais tout ce qu'elle put faire fut de secouer la tête affirmativement ; et de nouvelles larmes jaillirent sur son visage bouleversé.

— Levez-vous, mon enfant ! dit avec bonté le monarque.

La jeune fille leva vers lui ses grands yeux étranges, pleins de confusion. Galamment, il l'aida à se relever.

— Si vous êtes une gitane, comment se fait-il que vous soyez blanche et si blonde ? lui demanda-t-il avec intérêt.

Paprika, à cette question, retrouva enfin l'usage de la parole :

— Sire, dit-elle avec fierté d'une voix encore toute tremblante de sanglots, ma mère était la reine de notre tribu, comme je le suis à présent, mais mon père... était le comte Feyerhazy de Felsöerdek, Geza Arpad, capitaine des Kiraly Hussards, Chambellan de Votre Majesté, Chevalier de l'Ordre de Szent Istvan !

Elle s'arrêta un instant pour reprendre haleine.

Le Roi se tourna vers son aide de camp. Ils échangèrent un regard où se reflétait le plus grand étonnement.

Paprika continua :

— Mon père s'est battu pour défendre l'honneur de ma mère. Il est tombé en duel avant d'avoir pu l'épouser. Mais ma mère m'a toujours dit que j'étais, malgré tout, comtesse devant Dieu !

Le Roi regarda à nouveau le comte Paar. Tous deux se souvenaient parfaitement de la triste aventure de Feyerhazy. Les yeux cernés de mille rides de Ferenc-Jozsef, qui avaient été témoins de beaucoup de tragédies, brillèrent d'un éclat plus vif, comme s'ils s'humectaient de larmes.

— Et que s'est-il passé, à présent ? Pourquoi pleuriez-vous quand je suis arrivé ? demanda-t-il avec douceur.

Le trouble profond causé par la présence du Roi avait fait presque oublier à Paprika la raison de son chagrin. Tout lui revint en mémoire à la fois et, maintenant, l'humiliation se faisait sentir plus cuisante que jamais. De nouveaux sanglots convulsifs l'empêchèrent de répondre.

Le Roi jeta un regard sur les gitans qui se trouvaient auprès d'elle comme pour leur demander une explication. Ses yeux perçants tombèrent, étonnés, sur Jancsi agenouillé tout près de lui. Où avait-il vu ce jeune et beau Tzigane ?

— N'avez-vous pas joué pour moi ? s'informa-t-il au bout d'un instant de réflexion. Il me semble vous reconnaître. N'est-ce pas à Gödöllö que je vous ai rencontré ?

Jancsi se releva et s'avança en saluant très bas :

— *Ana*, Sire, j'ai eu ce grand honneur, en effet. Je me nomme Rogi Jancsi !

Le Roi tendit sa main, et comme Jancsi s'inclinait pour la

baiser respectueusement, le souverain l'arrêta en lui donnant une cordiale poignée de main.

Au travers de ses larmes, Paprika remarqua le geste. Le roi de Hongrie serrait la main de celui qu'elle avait tant de fois traité de sale violoneux de gitan !

— Pouvez-vous me dire ce qui vient d'arriver à cette jeune fille ? demanda le Roi au jeune virtuose.

Jancsi regarda Paprika. Il ne pouvait faire autrement que de répondre à la question du monarque.

Avec réticence, d'une voix mal assurée, il raconta les faits les plus essentiels :

— Le prince Estervary, des Kiraly Hussards, a emmené notre reine la nuit dernière à son hôtel à Szeged-Var. Ce matin, elle est revenue avec cette robe de mariée et nous a expliqué que le Prince lui avait offert cette toilette et promis le mariage !

De nouveau, le Roi, dont le visage s'était assombri, se retourna vers son aide de camp, lui décochant un regard significatif.

— Il devait venir prendre sa fiancée à onze heures ! continua Jancsi avec hésitation, pour la conduire à l'église. Nous avons attendu ici, mais Son Altesse n'est pas venue !

Le vieux souverain serra avec impatience la main sur la poignée de son sabre et, d'un geste brusque, enfonça la pointe du fourreau dans la poussière du sol.

— Encore Estervary ! murmura-t-il entre ses dents, et son regard se fit dur, glacial. Pourquoi sa robe est-elle déchirée, et que veulent dire ces écorchures ? demanda-t-il d'un ton sec.

Jancsi hésitait à répondre, tandis que Narilla et ses compagnes baissaient la tête en tremblant de tous leurs membres.

— Eh bien ? insista le Roi avec impatience.

— Quelques-unes des filles ont taquiné la Reine au sujet de..., bredouilla Jancsi qui ne trouvait pas les mots pour sortir de cette impasse. Je veux dire... euh... au sujet du Prince qui... euh... qui s'était sans doute moqué d'elle et... euh..., et cela a déclenché une bataille...

Le Roi hocha la tête et resta quelques instants pensif. Puis il se tourna vers Paprika :

— Tout cela est-il exact, *mi chi* ? demanda-t-il avec une infinie douceur.

Paprika ne put qu'incliner la tête affirmativement.

Elle serrait entre ses lèvres le reste de son voile, en s'efforçant d'arrêter les sanglots qui la secouaient.

— Je suis désolé, « Comtesse », dit le Roi sur un ton d'excuse, qu'on vous ait fait attendre si longtemps.

Paprika leva vers lui de grands yeux verts stupéfaits. Avait-elle bien entendu ? Le Roi l'avait appelée Comtesse !

Jancsi, lui aussi, réagit en écoutant le monarque prononcer ce titre. Tous les gitans firent de même. Personne n'en croyait ses oreilles.

Le comte Paar, lui, comprit que le souverain, par ce simple mot, avait anobli la fille bâtarde d'une gitane et du comte Feyerhazy.

— Quelque devoir, certainement, aura empêché le lieutenant Estervary de tenir son engagement, j'en suis persuadé ! poursuivit Sa Majesté. Et, si vous le permettez, Comtesse, je vais vous conduire dans ma voiture jusqu'à Szeged-Var. Je suis convaincu que le Prince se trouvera prêt pour la cérémonie du mariage, et je demande le privilège d'y assister !

Le Roi avait parlé assez haut pour être entendu de tous. Il se tourna vers le comte Paar. La main au casque, celui-ci se rapprocha de Sa Majesté et, à voix basse, tous deux délibérèrent quelques instants.

Paprika, stupéfaite, croyait rêver. Une foule de pensées désordonnées, où se mêlaient la joie et la surprise, se bousculaient dans sa tête. Le Roi l'avait appelée Comtesse ! Elle avait donc le droit de porter ce titre, non seulement « devant Dieu », mais aussi « devant les hommes ». Et, en fin de compte, elle allait épouser le Prince tout de même ! Et, de Comtesse, elle allait devenir Princesse !

Elle se tourna vers Jancsi et lui jeta un coup d'œil où brillait une lueur de triomphe. Mais il regardait droit devant lui, les yeux perdus dans l'espace.

Alors, l'attention de Paprika se tourna vers Narilla, à qui elle décocha un regard écrasant qui exprimait une suprême satisfaction.

Puis, tout à coup, elle songea à Zsuzsa. Décidément, la vieille *baba* avait eu raison. Le roi de Hongrie serait bel et bien présent à son mariage, comme l'avait prédit la voyante. Oui, mais le reste de la prophétie allait-il aussi s'accomplir ? Les mots terribles : « Je vois du sang..., beaucoup de sang..., et la mort ! » résonnaient fâcheusement dans son esprit, bien qu'elle s'efforçât de les en chasser.

Non ! Elle ne pouvait se résigner à croire cette partie de l'oracle... Non ! Dieu la protégerait sûrement. Tout s'arrangerait bientôt pour le mieux ! En fait, elle se voyait déjà avec Jancsi, la main dans la main, marchant paisiblement le long de la belle route ensoleillée vers l'arc-en-ciel à l'horizon.

Les gitans, eux aussi, se rappelaient les prédictions de Zsuzsa, et dans leurs yeux se lisait un étonnement apeuré devant leur réalisation jusque-là rigoureusement exacte.

Un silence oppressant régnait sur l'assemblée.

Un des chevaux gratta le sol d'un sabot impatient et se mit à hennir, puis, tout à coup, écartant ses jambes postérieures soulagea sa vessie.

Le Roi s'adressa aux gitans :

— Vous viendrez tous assister au mariage de la comtesse Feyerhazy à Szeged-Var à une heure !

Son invitation avait l'intonation d'un ordre, et c'en était un.

Jancsi comprit qu'il devrait se trouver présent, malgré le calvaire que cette cérémonie représenterait pour lui.

Sa Majesté salua tous les gitans, toujours agenouillés, et, galamment, tendit sa main droite à Paprika.

Avec une parfaite aisance, elle posa légèrement sa petite main tout écorchée et maculée sur le bord galonné de la manche du monarque et s'avança vers la calèche, rythmant son pas sur celui du souverain.

Cependant, elle sentait son cœur battre si fort qu'elle craignit un instant que le Roi ne l'entendît. Toutefois, elle ne put résister à la tentation de se retourner une fois encore pour regarder ce que faisait Jancsi. Allait-elle enfin voir briller des larmes dans son beau regard sombre ? Mais non ! Il se tenait tout droit et la regardait, les yeux parfaitement secs.

Le Malin, qui agitait toujours Paprika dès qu'il s'agissait de Jancsi, la força alors à lui décocher un sourire méprisant.

Le Roi, sans doute, avait donné une poignée de main au violoniste. Mais elle, de son côté, n'allait-elle pas monter auprès du souverain dans la voiture royale ? Et épouser un prince ? Non ! Décidément, elle n'avait rien à envier au gitan, et c'est elle qui remportait cette manche de leur combat singulier.

Elle détourna la tête ; son regard rencontra celui de Narilla. Elle ne put s'empêcher de tirer la langue à son ennemie sans souci de la présence du Roi.

Tous les gitans se levèrent.

Les sabres scintillèrent à nouveau dans le salut au souverain.

Le Roi aida Paprika à monter et la pria de s'asseoir à sa droite. Il prit place auprès d'elle. Le comte Paar s'assit en face de lui. Le Chasseur du Roi remonta sur son siège, et le commandant de l'escorte, se retournant sur sa selle, brandit son sabre en l'air pour donner le signal :

— En avant... Marche !

La voiture s'ébranla.

Les gitans agitèrent châles et chapeaux en s'égosillant :

— *Eljen Jozsi Bacsi !*

— *Eljen à Kiraly !*

— *Isten aldja meg !*

— *Eljen ! Ja Develehi !*

Le Roi répondit par de légers saluts, et Paprika sourit par-dessus son épaule.

Les *lipitzans* reprirent leur pas élégant, et tout le cortège adopta le petit trot.

PAPRIKA

Les gitans étaient complètement bouleversés. Cette fois, Sa Majesté apostolique, par la Grâce de Dieu roi de Hongrie et empereur d'Autriche, emmenait une des leurs dans sa propre voiture.

Il avait anobli une gitane ! fait d'elle une comtesse !

Custor Ignac et Biro le patriarche tombèrent dans les bras l'un de l'autre, et leurs larmes de joie se mêlèrent. Hentès-le-Boucher et Janos-le-Forgeron échangèrent de grandes tapes dans le dos.

Et tous les membres de la tribu donnèrent libre cours à leur émotion, mélangeant les pleurs et les rires.

Des bouteilles, emportées en prévision pour célébrer le mariage de Paprika, sortirent des poches et de sous les jupons multicolores.

Les bouchons sautèrent.

— *Piavta !*

— *Piavta !*

Et chacun de boire, de s'exclamer, de s'esclaffer et de trinquer à la santé de Jozsi Bacsi le bien-aimé.

Seules, Narilla, Suri, Saski et Mika ne participèrent pas à l'allégresse générale mais lancèrent les plus noires malédictions à l'intention de la triomphante Paprika.

Resté à l'écart, Jancsi, la mort dans l'âme, regarda s'éloigner la voiture jusqu'à ce qu'elle eût tourné le coin de la route et disparu à ses yeux.

Les cloches se remirent à sonner.

Les salves des mortiers éclatèrent encore une fois.

Des centaines et des centaines de citadins et de paysans attendaient patiemment sur les trottoirs de Szeged-Var depuis plusieurs heures sous le soleil brûlant de la mi-août.

A cette heure avancée, chacun commençait à se sentir affamé et altéré.

Les deux fils Moskovitz aux cheveux crépus avaient prévu cette éventualité et y avaient vu l'occasion de faire un bon profit.

En conséquence, dès potron-minet, ils avaient fait la rafle

398

en ville de tout ce qu'il y avait en fait de charcuterie, saucissons, saucisses et autres cochonnailles, pain, fromage et fruits. Puis ils avaient engagé, pour quelques sous, une armée de gamins qui circulaient maintenant dans la foule, chargés de victuailles qu'ils avaient ordre de vendre au prix fort. Les fils Moskovitz les suivaient avec deux brouettes remplies de pintes de *rozs* et de *silvapalinka*, de bière et de limonade. Ils vendaient le *palinka* comme des petits pains et les petits pains comme le *palinka*.

En dépit des remarques et des plaisanteries qui pleuvaient sur le maigre contenu de ces sandwiches au jambon « koscher », la famille Moskovitz se faisait un bénéfice intéressant.

Hommes et femmes buvaient sec et mordaient à belles dents dans des saucisses, des sandwiches et des oignons crus qui fleuraient bon.

Leurs rejetons se gavaient de prunes et s'amusaient, en pinçant les noyaux entre leurs doigts, à bombarder les gens autour d'eux et de l'autre côté de la rue.

D'autres gosses, accoudés aux fenêtres, crachaient, histoire de rire, sur la tête des curieux massés en dessous.

Les adultes, eux aussi, avaient recours à des passe-temps plus ou moins saugrenus. Des hommes émoustillés par le *palinka* et la chaleur ambiante pinçaient de-ci de-là des croupes ou des tétons à portée de main, recevant en échange de véhémentes invectives ou des gloussements, étouffés d'un petit rire prude.

Une impatience générale commençait à se faire sentir, et déjà quelques badauds découragés commençaient à douter de la venue du Roi.

Tout à coup, en avant-garde, les deux gendarmes montés qui avaient fait dégager la route pour le passage du souverain arrivèrent, précédant le cortège royal.

Quelques exclamations volèrent dans l'air :
— *Eljen Jozsi Bacsi !*
— *Eljen à Kiraly !*

PAPRIKA

Comme les vagues qui grossissent à mesure qu'elles approchent du rivage, les acclamations crurent en enthousiasme, en nombre :

— *Eljen Jozsi Bacsi !*
— *Eljen à Kiraly !*
— *Eljen Ferenc-Jozsef !*
— *Eljen !*
— *Eljen !*
— *Eljen !*

Et les vivats qui jaillissaient de toutes parts devinrent un tonnerre assourdissant.

Ruisselants de sueur, les vétérans, les pompiers et les mineurs qui formaient la haie tout le long de la route se mirent au garde-à-vous et portèrent leurs mains gantées de coton, à présent d'un blanc douteux, aux visières de leurs casques et de leurs shakos dans un salut rigide, et leurs têtes se tournèrent d'un mouvement brusque, réglementaire, dans la direction d'où arrivait le Roi.

Presque tous, du temps de leur jeunesse, avaient servi dans l'armée et en étaient très fiers. Maintenant, ils étaient tout contents de pouvoir jouer au soldat une fois encore.

La fanfare des pompiers entama alors l'hymne national. Celle des vétérans s'y joignit bientôt. Puis l'orphéon des mineurs attaqua à son tour, et il s'ensuivit une assourdissante cacophonie dans laquelle il était bien difficile de reconnaître la musique imposante de Jozsef Haydn.

— *Eljen Ferenc-Jozsef !*
— *Eljen Jozsi Bacsi !*
— *Eljen à Kiraly !*

Les chapeaux, les kalpaks, les mouchoirs et les foulards s'agitèrent.

Des jeunes filles, de leur fenêtre, jetèrent des fleurs qui jonchèrent la chaussée devant la voiture du souverain.

La cavalcade royale fit une entrée vraiment majestueuse.

Le fracas des sabots des chevaux sur les pavés, le bruit métallique des fourreaux contre les étriers, le hennissement nerveux des montures, le scintillement des sabres et des ornements dorés, et Jozsi Bacsi lui-même, c'était trop d'émotions pour cette population rurale.

L'exubérance de la foule ne connaissait plus de bornes.

Le peuple, voyant son roi pour la première fois, délirait de joie, et les hommes qui formaient le cordon avaient bien du mal à en contenir les élans.

Infatigable, le Roi saluait de droite et de gauche.

Mais dans l'enthousiasme général passa un courant de curiosité. Qui était donc la blonde jeune fille, dans sa robe de soie blanche toute chiffonnée, assise auprès du Roi ? Des rumeurs contradictoires couraient de bouche en bouche :

— C'est la Princesse héritière.

— Mais non, gros malin ! Il n'y a pas de Princesse héritière !

— C'est sa petite-fille alors, la Princesse Erzebet !

— Penses-tu ! Moi, je sais, c'est la fille illégitime qu'il a eue de cette actrice. Voilà qui c'est !

— C'est possible ! Elle ressemble à son père, d'ailleurs, à part les favoris !

Paprika pleurait doucement.

Cette suite d'événements précipités était un poids trop accablant pour son âme primitive, facilement impressionnable.

Le Roi lui tapotait la main, paternellement.

Il devinait tout le désarroi de ce jeune cœur. Il comprenait.

Maintenant, le cortège s'approchait du square Szent Istvan. Au centre, se dressait une ancienne fontaine surmontée de la statue du saint patron.

La place, plutôt étroite, pouvait seulement contenir une compagnie d'infanterie hongroise, avec la fanfare du régiment et un escadron des Kiraly Hussards, pour recevoir le souverain.

Le maréchal baron Von Hötzendorf se tenait devant son État-Major général, et les commandants de brigades, de divisions et de corps d'armée, alignés en parade, s'échelonnaient selon leurs grades devant l'hôtel *Magyar Korona*.

Les clairons groupés sonnèrent le signal d'avertissement.

Des commandements inintelligibles jaillirent, hurlés à pleine voix.

Les soldats se mirent dans un impeccable garde-à-vous, tête à gauche.

Le drapeau fut baissé.

Les tambours de l'infanterie firent entendre leur roulement.

Les trompettes de la cavalerie sonnèrent « la générale ».

Les officiers inclinèrent leurs sabres, la pointe touchant presque le sol.

Le bâton du tambour-major donna le signal.

La grosse caisse se mit en branle.

La musique entonna les premières mesures de l'hymne national.

Exacte à la seconde, la voiture royale tourna le coin de la rue, traversa la place et s'arrêta devant l'hôtel.

A nouveau, le Chasseur du Roi sauta à bas de son siège, et se précipita, en contournant l'arrière de la victoria, pour tendre au souverain son coude en appui. Mais il arriva trop tard à la portière.

Le Roi l'avait devancé. Sans son aide, il était déjà descendu et, maintenant, s'avançait de quelques pas vers le centre de la place pour recevoir les rapports.

Le capitaine de la compagnie d'infanterie et celui de l'escadron des hussards s'approchèrent au petit galop.

A huit pas devant Sa Majesté, ils arrêtèrent sèchement leurs chevaux et donnèrent le triple salut réglementaire.

En paroles saccadées, chacun fit le rapport des effectifs de ses unités.

Le Roi salua négligemment, les sourcils froncés.

— *Koszonom !* répondit-il en hongrois.

Ce fut tout.

Les officiers retournèrent au petit galop vers leurs formations, légèrement étonnés de l'attitude royale.

Ils avaient compris que quelque chose contrariait le monarque.

PAPRIKA

Paprika et le comte Paar étaient descendus de voiture derrière le Roi et avaient disparu presque aussitôt à l'intérieur du *Bazar Moskovitz*.

Ce fut au tour du chef d'État-Major général de venir faire son rapport à Sa Majesté.

Mais le Roi était décidément froid et distrait. Son esprit, à ce moment, ne semblait pas aux affaires militaires. D'ailleurs, il n'avait jamais aimé Hötzendorf. Les théories du maréchal et de son maître, l'archiduc François-Ferdinand, neveu du Roi, étaient beaucoup trop modernes pour les idées conservatrices du vieux monarque.

— *Koszonom !*

Ce fut, à nouveau, toute la réponse de Ferenc-Jozsef.

Hötzendorf était inquiet. Il n'avait que trop souvent vu les sourcils broussailleux de son souverain se froncer de la sorte, et les doux yeux bleus se figer en un regard d'acier. Il savait ce que cela signifiait. Le Roi était mécontent. Hötzendorf entreprit de passer en revue dans sa mémoire toutes les phases des manœuvres et de la réception, y cherchant, mais en vain, la trace d'une bévue.

— Envoyez-moi le lieutenant Estervary ! s'écria le Roi, omettant délibérément le titre et s'adressant au capitaine de la Garde du Corps d'une voix impérieuse.

Sa Majesté venait de s'exprimer en allemand, qui est la langue de commandement dans l'armée de la double monarchie. Il se sentait plus à l'aise dans cette langue dont les dures intonations se prêtaient mieux d'ailleurs à exprimer sa mauvaise humeur.

Le capitaine s'élança au galop vers l'escadron des Kiraly Hussards pour transmettre l'ordre royal à l'officier en charge. Le lieutenant Estervary fut appelé et prié de sortir des rangs.

Rengainant son sabre, le Prince s'élança au galop vers son Roi. Ses genoux tremblaient contre sa selle, et son visage était blême. Il avait aperçu Paprika dans la calèche royale.

Il tira brutalement sur les rênes de sa monture qui s'arrêta net. D'une volte, il mit pied à terre et salua avec rigidité.

Le Roi l'examinait sans bienveillance, d'un œil critique. Il n'approuvait pas du tout le port de ces bottes d'un cuir verni trop éblouissant. Pas plus que ce col trop haut, la taille réglementaire étant exactement de deux centimètres et demi. Et il n'appréciait pas non plus ces gants de chevreau glacé. Le chamois seul était prescrit. Lui-même, le Roi, ne portait pas autre chose.

Le silence était devenu menaçant.

Les officiers de la suite s'interrogeaient du regard. Dieu sait ce qu'avait encore fait ce fou d'Estervary ! Mais, cette fois, il avait dû dépasser les bornes, son compte était bon ! La disgrâce totale semblait à peu près certaine.

Le Roi toisait le lieutenant d'un regard implacable.

— Je présume, Lieutenant, commença Sa Majesté, que seul le devoir ne vous a pas permis de tenir vos engagements envers votre fiancée !

Chaque mot cinglait comme un coup de fouet.

— J'ai trouvé la comtesse Feyerhazy vous attendant sur la route et pris la liberté de vous l'amener. Avez-vous quelque chose à dire ?

Estervary reçut un choc terrible en entendant le Roi nommer Paprika « Comtesse ». Que s'était-il donc passé ? Avait-il vraiment anobli cette bâtarde ?

Les lèvres d'Estervary remuaient nerveusement, cherchant une réponse, mais ne trouvant pas les mots.

— Allez-vous parler ? Oui ou non ? demanda le monarque d'une voix encore plus dure.

— En toute obéissance, Sire, murmura enfin Estervary en bredouillant, tout cela n'était qu'une plaisanterie.

Dans les yeux royaux passa un éclair d'indignation.

— Une plaisanterie ? On ne plaisante pas avec des choses sacrées ! gronda le Roi. Vous avez promis le mariage, n'est-ce pas ?

Aucun des officiers présents ne perdait une parole.

— Aux ordres de Votre Majesté, mais...

— Vous avez même acheté la robe de mariée ! interrompit

404

le Roi dont la voix se faisait de plus en plus sèche, saccadée et irritée.

— Oui, Sire, en toute obéissance, mais... c'était pour rire ! Tout cela est tellement absurde !

Le Roi referma rageusement son poing sur le manche de son sabre et, du bout du fourreau, heurta violemment les pavés de pierre. Une étincelle jaillit.

— Lieutenant ! Une promesse est une promesse ! Les officiers qui portent mes initiales sur la dragonne de leur sabre tiennent leurs promesses ou quittent l'uniforme !

Le visage du commandant suprême s'empourprait. Ses artères temporales ressortaient, tendues comme des cordes. Sa colère était réelle, mais il profitait aussi de l'occasion qui s'offrait de donner un exemple et de rappeler aux officiers présents les responsabilités auxquelles ils s'étaient engagés en choisissant la carrière militaire.

Estervary, anéanti, ne trouvait rien à dire.

Ses camarades échangeaient entre eux des regards significatifs. Tous écoutaient, haletants.

— Vous paierez vous-même le cautionnement qu'il est d'usage que la fiancée fournisse ! La licence civile obligatoire vous sera délivrée ! Vous avez ma permission pour ce mariage qui va être célébré immédiatement. Je conduirai moi-même la comtesse Feyerhazy à l'autel. Félicitations !

Le dernier mot tomba avec une emphase ironique dans les oreilles d'Estervary. Il savait qu'il n'y avait plus aucun recours possible. Il connaissait son Empereur.

Serrant les mâchoires, rigide, il salua.

Sa Majesté ne daigna pas retourner le salut.

Estervary remonta en selle avec difficulté, parce que ses jambes flageolaient sous lui et que son cheval, interrompu au moment où il soulageait des besoins bien naturels, se mit à ruer. Il s'éloigna au galop vers son escadron. Qu'il ne tombât pas fut un miracle car, après ce choc, Estervary n'était plus en possession de ses moyens.

Le Roi se retourna vers l'un de ses officiers d'ordonnance :

PAPRIKA

— Envoyez-moi Sa Grâce l'évêque-aumônier immédiatement !

— A vos ordres, Majesté !

Le lieutenant salua et s'éloigna rapidement.

Sa Grâce le comte Belopototsky, qui se tenait parmi les officiers de l'État-Major, se rendit instantanément devant le Roi.

Le prélat, vêtu d'une soutane noire, ceint à la taille d'une large écharpe frangée d'or, coiffé d'un bicorne à galons dorés, portait paradoxalement des bottes éperonnées. Sur sa poitrine, au bout d'une chaîne, brillait la croix pectorale.

Le vicaire pontife salua avec une rigidité toute militaire.

Le Roi lui rendit son salut.

Otant alors son gant, l'évêque tendit sa main blanche bien manucurée.

Sa Majesté se découvrit et, faisant une génuflexion, baisa pieusement l'anneau d'améthyste au doigt de l'ecclésiastique.

— Votre Grâce consentirait-elle à dispenser de l'obligation canonique de la publication des bans un couple que je désire voir uni incessamment ? demanda le Roi, affable. Je serais très reconnaissant à Votre Grâce de bien vouloir célébrer ce mariage à l'église immédiatement !

Que pouvait répondre le prélat ?

Quand, par le passé, Sa Majesté, par la grâce de Dieu empereur d'Autriche, roi apostolique de Hongrie, roi de Jérusalem, etc., etc., avait formulé le désir de faire une exception, Rome avait toujours consenti.

— La requête de Votre Majesté est accordée, répondit l'évêque obligeamment.

— Merci, Votre Grâce !

Le Roi et son plus haut officier ecclésiastique échangèrent à nouveau des saluts.

Pendant ce temps, sortait du *Bazar Moskovitz* le comte Paar, accompagné de Paprika, tandis que, derrière eux, « papa » Moskovitz se confondait en salutations.

Paprika avançait, vêtue d'une nouvelle robe blanche à traîne et d'un nouveau voile. Les traces de sa bataille avec

406

Narilla avaient complètement disparu. Lavée, recoiffée, une nouvelle couronne de myrte de cire posée sur l'or pâle de ses cheveux, un gros bouquet de roses rouges dans les bras, elle apparut, éblouissante, dans l'encadrement sombre de la porte du magasin.

Le Roi l'accueillit avec un sourire bienveillant, la salua et, galamment, l'aida à monter dans sa voiture.

— A l'église ! ordonna-t-il à son Chasseur.

Des gants blancs se levèrent aux visières.

De nouveaux commandements se firent entendre.

Les clairons sonnèrent, accompagnés du roulement des tambours.

Le drapeau s'inclina, encore une fois, jusqu'à terre.

Les sabres étincelèrent. Les cloches s'ébranlèrent joyeusement. Les mortiers se remirent à tonner, et les acclamations du peuple reprirent avec entrain.

Aux abords de la petite église, une foule compacte attendait.

On venait d'apprendre la nouvelle, et tous ces paysans et villageois se trouvaient transportés de leur vie terre à terre et monotone dans un conte de fées qui, bientôt, allait réellement se dérouler sous leurs yeux.

Ils étaient tous impatients d'apercevoir la fortunée petite gitane qui allait épouser un prince de Hongrie, et que le Roi lui-même devait conduire à l'autel.

A l'intérieur de l'église, tous les prie-Dieu, les stalles, les bancs se trouvaient déjà remplis et, dans les ailes de chaque côté, la foule se pressait, compacte.

Des gardes du corps étaient postés à l'entrée et s'échelonnaient le long de l'allée centrale.

Et comme Sa Majesté le Roi en personne devait assister au service, il fallait montrer patte blanche avant d'être admis à l'intérieur du lieu saint.

Les bancs de gauche étaient occupés par les militaires. On y retrouvait le colonel et ses officiers d'état-major des Kiraly Hussards, les officiers de l'escadron d'Estervary, ses camarades qui avaient été détachés au Quartier Général, les seuls effectifs du régiment à Szeged-Var.

Von Hötzendorf était également présent avec son État-Major général, et tous les commandants des autres troupes cantonnées dans les environs complétaient l'aréopage.

Toutes les couleurs de l'arc-en-ciel étaient représentées dans ces uniformes de gala.

Les bancs de droite étaient occupés par les membres de la tribu des Ulemans. Les teintes vives et crues de leurs costumes produisaient un effet plus éblouissant encore que le groupe d'uniformes militaires leur faisant face et que toutes les bannières rouges, vertes et pourpres des associations et fraternités catholiques qui pendaient, bien alignées tout le long de la nef.

Jancsi se trouvait assis dans une stalle au premier rang, entre Custor Ignac et la vieille Zsuzsa. Ignac, sentimental comme toujours, se mouchait dans une guenille et essuyait ses yeux à tout instant.

Zsuzsa se tenait tassée sur son siège, toute courbée. Les yeux clos, les mains jointes sur ses genoux, elle priait pour Paprika et demandait à Dieu de bien vouloir étendre sa miséricorde et son pardon sur cette âme égarée. Puis elle invoquait l'esprit malin, le priant de renoncer à ses diaboliques intentions.

Narilla, entourée de Suri, Saski et Mika, se trouvait juste derrière Jancsi. Pour la première fois de leur vie, elles aussi priaient avec ferveur... que Paprika trouvât bientôt une mort lente et abominable.

Jancsi, immobile comme une statue, semblait à peine respirer. Ses yeux brillants de fièvre étaient rivés sur le fin profil classique de la jeune fille, agenouillée auprès du prince Estervary au pied de l'autel. Les doigts souples et sensibles du violoniste, crispés les uns sur les autres, tressaillaient nerveusement.

Derrière la mariée, un peu sur la droite, se trouvait Sa Majesté Ferenc-Jozsef. Le vieux souverain semblait extrêmement las et s'appuyait lourdement sur son sabre. Il atteignait ses quatre-vingt-deux ans ce jour-là.

Comme il était plus d'une heure après midi, la cérémonie nuptiale devait se réduire à une simple bénédiction.

L'évêque-aumônier avait jeté un surplis de dentelle blanche sur sa soutane. Ses épaules étaient recouvertes d'une étole de satin blanc brodé d'or. Mais ses bottes éperonnées restaient visibles.

Quatre aumôniers, des vêtements sacerdotaux passés sur leurs uniformes, l'assistaient.

Des soldats, en soutane rouge et aube, servaient d'acolytes.

Le chœur des enfants des écoles s'arrêta de chanter.

L'orgue asthmatique expira l'accord final et se tut.

Alors, dans le silence pesant qui suivit, s'éleva la voix sonore et grave de l'évêque :

— Sandor, Jozsef, Miklos, Piszta, Istvan, acceptez-vous Paprika, ici présente, pour épouse, selon le rite de notre Sainte Mère l'Église ?

Le prince Estervary avait les yeux fixés sur les cierges qui fondaient sur l'autel.

Une des bougies s'était inclinée, et la flamme brûlait, d'un côté, toute la cire qui allait s'écraser, larme après larme, sur le bord de l'autel d'où elle découlait sur le tapis du sanctuaire, formant une large mare blanchâtre et visqueuse.

Comme dans un rêve, il s'entendit donner la réponse affirmative qu'on lui demandait.

Le prélat se tourna vers Paprika :

— Paprika, acceptez-vous Sandor, Jozsef, Miklos, Piszta, Istvan, ici présent, pour époux, selon le rite de notre Sainte Mère l'Église ?

Un silence impressionnant suivit la question solennelle.

« *Non ! Non ! Jamais je n'accepterai cet homme pour époux ! Voilà celui que j'aime !* » En s'élançant vers Jancsi, en lui jetant ses bras autour du cou, voilà ce que Paprika aurait voulu crier et proclamer devant tous.

Mais son insurmontable orgueil la retint encore. Elle sentait les yeux de Jancsi fixés sur elle, et ceux de Narilla, et ceux de toute la tribu. Il fallait les braver tous, maintenant ! Elle ne pouvait plus revenir en arrière.

— Oui ! répondit-elle d'une voix claire et ferme.

Jancsi poussa un soupir et leva la tête vers l'image primitive et grossièrement peinte du Sauveur cloué sur la croix suspendue derrière l'autel. A ses yeux enfiévrés, le sang coagulé autour de la flèche qui perçait le côté droit du Crucifié parut se liquéfier à nouveau et tomber goutte à goutte sur les fleurs de l'autel.

— Agenouillez-vous ! ordonna l'évêque.

Lentement, Paprika s'agenouilla. La longue traîne de sa robe l'embarrassait et ralentissait tous ses mouvements.

Le sabre du Prince tinta contre ses éperons.

— Joignez vos mains droites ! dit l'officiant.

Estervary ôta nerveusement son gant.

Sans se regarder, les deux fiancés, à genoux, unirent leurs mains.

A ce moment, un rayon de soleil traversa l'un des vieux vitraux gothiques du transept et vint jeter une clarté écarlate dans l'ombre mystérieuse qui enveloppait le couple. La robe blanche et le voile de la jeune femme agenouillée semblèrent trempés dans le sang.

Alors vint le solennel engagement au cours duquel les mariés durent répéter chaque mot du prêtre. Tous deux répondaient dans un murmure à peine perceptible.

Jancsi ne put entendre que quelques fragments du serment.

« Je te prends..., te garde..., pour le meilleur et pour le pire..., jusqu'à ce que la mort nous sépare ! »

Un silence. Puis le prélat commença, en recto tono :

— *Ego conjungo vos in matrimonium, in nomine Paris...* Il fit un signe de croix sur leurs têtes.

— *...et Filii et Spiritus Sancti, Amen !*

Un aumônier tendit le vase d'eau bénite ; l'évêque aspergea les nouveaux mariés.

Devant l'église, attendaient la voiture du roi ainsi que l'escorte de la Garde.

De l'intérieur s'élancèrent les sons criards de l'orgue qui entonna la marche nuptiale de *Lohengrin*.

La foule s'avança curieusement près de la porte.

Sous le vieux portail ouvragé apparut le Roi, accompagné de son aide de camp.

Puis les nouveaux époux. Paprika avançait comme dans un rêve. Le visage du Prince était sombre et soucieux.

Avant de descendre les marches, le Roi, ignorant ostensiblement Estervary, se tourna vers la jeune mariée et lui baisa la main en lui adressant ses vœux de bonheur et ses adieux.

Le peuple, ému par ce geste, éclata en acclamations.

Ça, c'était un roi ! Un roi qui savait régner ! Un monarque qui embrassait la main d'une petite gitane.

On se pressait de tous côtés pour mieux voir, et la bousculade devint telle que le commandant de l'escorte ordonna à la Garde du Corps de faire dégager les abords de la voiture royale.

Avec un sourire las, le vieux monarque salua dans toutes les directions et, suivi de son aide de camp, monta dans sa calèche.

Au milieu du bruit des cloches et du tonnerre des salves, la voiture et ses escortes s'ébranlèrent, suivies des ovations d'un peuple en délire.

Quelques instants plus tard, les mariés montaient dans l'automobile que le chef d'État-Major général avait mise à leur disposition et prenaient la direction de l'hôtel.

La populace, excitée, leur laissait à peine la place de passer, et la voiture avançait lentement.

Des femmes sautaient sur le marchepied, grimpaient sur le pare-chocs, cherchant à voir de près la princesse Paprika. Elles lui demandaient un pétale ou une feuille de son bouquet comme porte-bonheur.

Non loin de là, Paprika aperçut dans la foule Jancsi, auprès d'Ignac et de la vieille Zsuzsa. En souriant, elle le salua de la main comme s'il avait été un vieil ami platonique.

Elle décocha un autre sourire encore plus triomphant dans

la direction de Narilla et de ses compagnes. Celle-ci lui répondit en plaçant les mains de chaque côté de ses oreilles, puis cracha de mépris en lui lançant, en *Calo*, l'abominable injure du hibou.

Tout le long du chemin vers l'hôtel, le Prince regarda droit devant lui et, glacial, ne desserra pas les dents. Il tortillait nerveusement les pointes de sa moustache.

Le congé qu'il avait demandé à son colonel lui avait été brutalement refusé. Il savait que sa carrière était brisée. A partir de ce jour, il allait être la risée de tous. Sa vie serait intenable dans le régiment dont le Roi était le commandant. Lui, prince Estervary de Esteruyfalu, descendant d'une des plus vieilles familles de la noblesse de Hongrie, se trouvait marié à une *Cigany* illettrée et bâtarde ! Bien que le Roi l'eût anoblie, cela n'empêchait pas que sa femme ne sût ni lire ni écrire. Après une aventure aussi grotesque, il lui faudrait quitter le service et, peut-être, fuir son pays natal.

La pression de la foule devenait si forte que le comte Pogany, capitaine d'Estervary, se trouva dans l'obligation de dépêcher une douzaine de cavaliers pour dégager le passage.

Quand la voiture s'arrêta enfin devant l'hôtel, le bouquet de Paprika s'était réduit à une rose solitaire.

En détournant le regard, le Prince aida sa femme à descendre.

Dans le vestibule de l'hôtel, tous ses camarades, rassemblés, l'attendaient. Joignant les talons, ils s'inclinèrent et baisèrent la main de la jeune mariée, exactement comme le Roi l'avait fait, et l'appelèrent « Altesse ». Mais, au milieu de toutes ces courbettes pleines de respect, ils ne pouvaient s'empêcher de se regarder du coin de l'œil, de se pousser discrètement du coude et de ricaner furtivement.

Ils n'ignoraient pas l'escapade de la nuit précédente, où « Son Altesse » avait dansé toute nue dans un camp de gitans, devant une foule ivre composée en grande majorité d'hommes de troupe en goguette.

Parmi les officiers présents, quelques-uns avaient même

été témoins du spectacle, et leur façon de serrer la main de leur camarade ressemblait à des condoléances plutôt qu'à des félicitations.

Tous ces jeunes gaillards fringants auraient été certainement enchantés de passer la nuit en compagnie d'une aussi belle fille, fût-elle une sang-mêlé, mais de là à l'épouser...

Beaucoup trouvaient que le Roi était allé vraiment un peu trop loin en imposant cette mésalliance à Estervary. Si nobles que fussent les origines de son père... naturel, cette fille n'en restait pas moins une bâtarde et une gitane.

Comment les femmes des officiers du régiment pourraient-elles la recevoir ? La question ne se posait même pas ! Ces dames l'excluraient impitoyablement de leur société, pas le moindre doute là-dessus !

Le Prince sentait dans toutes ces poignées de main que ses camarades cherchaient à lui témoigner leur sympathie.

Le fait qu'on le prenait en pitié acheva de pousser au paroxysme la colère qui le rongeait. Une haine amère, féroce, désespérée contre cette femme qui, par son seul caprice, avait brisé sa carrière et gâché toute sa vie, faisait sourdre en lui un immense désir de revanche physique. Il se sentait capable de fouetter jusqu'au sang cette garce blonde, de déchirer sa peau laiteuse en lambeaux et de jeter ensuite son corps déchiqueté à la rue, par la porte de service qu'elle avait accepté de franchir hier soir, la putain ! Il aurait voulu la frapper à coups de bottes en plein dans ce ventre blanc que ses éperons lacéreraient... Ah ! Si seulement il l'avait à sa merci, à cette minute même !

Paprika tourna la tête vers son mari et lut dans ses yeux une menace terrifiante. Si seulement Jancsi pouvait venir la délivrer et l'emporter bien loin. Sa vengeance était consommée. Elle était princesse, maintenant, elle pouvait condescendre, sans déchoir, à lui pardonner sa « princesse » à lui... Elle était prête à s'engager avec lui sur la belle route ensoleillée.

A cet instant, interrompant les pensées de Paprika, le propriétaire de l'hôtel, un nommé Schlesinger, s'avança en frottant ses grosses mains sales et, saluant très bas avec un sourire obséquieux et une mine embarrassée, s'adressa au Prince :

— Wottre Altesse-Leben woutra bien, j'espère, me pardonner ? demanda-t-il avec un fort accent yiddish, mais la schambre nuptiale ne sera pas prête avant huit heures et temie ! Alors, qu'est-ce que che dois faire ? Che ne peux pas wottre Général Leben cheter tehors ! Dieu est schuste ! Un couple de scheunes mariés, il weut être, après la zérémonie, toutte seul bientôt ! Dieu est schuste !

Tout le monde se mit à rire du discours du bonhomme et de son accent chantant. Tout le monde, excepté le Prince et Paprika.

— Peu importe ! répondit Estervary. Nous montons dans ma chambre pour nous reposer.

Et, disant ces mots, il glissa son bras sous le coude de Paprika et, prenant un peu de peau entre ses ongles, la pinça de toutes ses forces.

Elle faillit hurler de douleur mais, terrorisée par le regard foudroyant de son mari, ravala son cri. Pour la récompenser, un rictus féroce distendant ses lèvres cruelles sur ses dents éblouissantes de carnivore illumina le visage du Prince.

— Vous devez vous sentir un peu lasse, dit-il, après toutes ces émotions, et je pense que vous feriez bien d'aller vous allonger jusqu'à l'heure du dîner.

— Allons donc, Sandor, opposa le comte Batnany, un lieutenant dont le visage émacié rappelait assez celui d'un jockey, Son Altesse aura bien le temps de se reposer toute la nuit. On ne se repose pas en plein jour ! Cela ne s'est jamais vu !

Tous se mirent à rire.

— Débouchons quelques bouteilles d'abord ! suggéra le premier lieutenant baron Pongracs, j'ai une soif de tous les diables ! Et vous aussi sûrement, Sandor, après toute... la poussière qu'il vous a fallu avaler !

Un ricanement passa dans le groupe, mais Estervary ne

parut pas comprendre tout ce que cette remarque renfermait d'équivoque.

— Non, merci ! répondit-il. Je veux d'abord me débarrasser de tout ce harnachement encombrant et me mettre à l'aise. Ouvrez une bouteille, je redescends dans un instant !

— C'est bon ! accorda Pongracs, mais hâtez-vous. On ne vous attendra pas longtemps ! J'ai la langue de plus en plus pendante !

— *Servus !* dit Estervary en faisant un court salut à ses frères d'armes et reprenant Paprika par le bras.

Elle salua également avec une grâce simple et naturelle, et les hussards s'inclinèrent en joignant les talons, mais aussi avec un éclair dans leurs yeux qui démentait le respect de leur attitude.

Le Prince la guida vers les escaliers.

— Le dîner est à six heures ! rappela le lieutenant Hajos.

— J'espère que Votre Altesse se reposera bien ! lança, sur un ton chargé de sous-entendus, Batnany, s'adressant à Paprika, qui ne répondit rien.

Estervary, dont les doigts étaient glissés sous son bras, près de sa poitrine, venait encore de la pincer, au sein cette fois. L'acuité de la douleur la fit blêmir.

Le couple s'engagea dans l'escalier.

Au premier étage, dans le couloir, Têtū, l'ordonnance du Prince, un croquant à l'air borné, bavardait avec Vilma, la souillon qui remplissait les fonctions de femme de chambre. Son visage d'âne bâté frôlait la face toute grêlée de petite vérole de la servante.

En apercevant le Prince et Paprika, ils se séparèrent vivement. Têtū s'empressa d'ouvrir la porte et, sur le seuil, s'effaça, au garde-à-vous, la bouche grande ouverte.

— Fous-moi le camp ! hurla le lieutenant à son cire-bottes en entrant avec sa femme dans la chambre étroite et d'une propreté douteuse.

— A vos ordres, mon lieutenant ! répondit l'ordonnance, refermant précipitamment la bouche et la porte.

Estervary tourna la clef dans la serrure.

Ses yeux ne quittaient pas Paprika qui s'était arrêtée devant le petit miroir criblé de crottes de mouches pendu au-dessus de la table de toilette.

Elle observait dans la glace tous les gestes de l'homme qui, lui aussi, ne la quittait pas du regard. Elle le vit ôter son shako et sa *Mente,* les jeter sur le lit, puis son sabre.

Paprika eut envie de courir à la fenêtre, de l'ouvrir et d'appeler au secours, mais ses pieds refusaient d'avancer.

Les yeux perçants du Prince la paralysaient de terreur. Elle devina ce qui allait suivre.

Délibérément, prenant son temps pour angoisser Paprika davantage, il retira nonchalamment ses gants puis, lentement, la tête baissée, la mâchoire inférieure protubérante, les poings serrés, il s'avança vers elle.

Atterrée, elle se retourna et lui fit face, en le regardant pitoyablement.

— Ce n'est pas ma faute si vous avez dû m'épouser, Sandor ! cria-t-elle, prise de panique. Ce n'est pas moi qui l'ai dit au Roi ! Ce n'est pas moi ! Je le jure ! C'est Jancsi ! Le Roi lui a demandé ce qui s'était passé, et il est allé tout raconter !

Pour toute réponse, il la frappa violemment au visage.

Sous la force du coup, elle se recula en trébuchant et se cogna contre la table de toilette.

Un gobelet contenant la brosse à dents du Prince alla se briser en mille éclats sur le plancher.

Elle porta la main là où elle avait reçu le coup. Elle sentit une douleur aiguë, perçante, à l'intérieur de son oreille.

Au même instant, Estervary frappa l'autre côté, de toute la force de sa main ouverte. Elle chancela et alla s'écrouler au pied du lit de cuivre, auquel elle se cramponna, en levant vers l'homme des yeux terrifiés. Elle jeta un coup d'œil furtif autour d'elle. Il ne lui restait aucune issue pour s'échapper.

Elle se trouvait maintenant cernée. Elle ferma les yeux. Oh ! si seulement Jancsi pouvait venir la délivrer !

Estervary se pencha sur elle :

— Sale garce, sale putain, sale gitane ! lui cracha-t-il au visage en écumant de rage. Un mot de toi, un souffle, et je te tue ! Déshabille-toi !

Elle rouvrit les yeux.

Il avait saisi sa cravache.

Elle le regarda avec des yeux implorants.

— Déshabille-toi, ai-je dit ! ordonna-t-il d'une voix rauque et menaçante, ou veux-tu que je t'arrache ce que tu as sur la peau ?

— Non, je vous en supplie ! murmura-t-elle, pathétique. C'est tout ce que je possède !

Elle se redressa. Avec des doigts tremblants et hésitants, elle commença à dégrafer sa robe.

Il la frappa sur le dos, d'un coup cinglant de sa cravache.

— Plus vite ! siffla-t-il entre ses dents serrées.

La robe nuptiale glissa à terre.

Paprika, son corps frêle et charmant se contractant de frayeur, apparut dans son éblouissante nudité. D'un de ses bras, elle se couvrit instinctivement la poitrine et, de l'autre, se protégea le bas-ventre.

Les coups de cravache la cinglaient maintenant de toutes parts, laissant sur la peau délicate des traînées rouges et y soulevant d'horribles boursouflures.

L'homme frappait sans merci, en prenant soin, cependant, d'épargner le visage et le cou, où les marques pourraient se voir.

Où était, maintenant, la fière arrogance qui avait si long-temps servi Paprika ? Où était sa résistance ?

Elle était devenue faible, tout à coup, et d'une docilité aussi étrangère à sa nature que l'huile à l'eau.

Les coups se succédaient rapidement et brutalement sur ses bras et ses jambes. Les yeux fermés, elle serrait les dents, ne voulant pas crier. Chaque coup écorchait sa chair et la brûlait aux cuisses.

Et cependant, à travers la douleur et l'humiliation de cette épreuve, elle éprouvait une sensation étrange, sauvage, très proche de l'extase. Un sourire erra sur ses lèvres, et elle s'imagina que c'était *Jancsi* qui la châtiait.

Elle se souvenait nettement combien elle avait joui à chacun des coups qui pleuvaient sur le corps nu du pauvre garçon, ce soir lointain, déjà, où elle l'avait fait punir si injustement devant toute la tribu assemblée.

Se réjouirait-il à son tour, à la vue du châtiment brutal qui lui était infligé à elle, maintenant ?

Pourquoi ? Oh ! Pourquoi ne s'était-il jamais montré cruel envers elle comme l'était cet homme, à présent ? Elle aurait donné sa vie avec joie pour que Jancsi la flagellât ainsi et la prît ensuite dans ses bras.

Dans les yeux d'Estervary brillait une lueur de démence, et de l'écume maculait les commissures de ses lèvres.

Sous chaque coup, la jeune fille sursautait avec une plainte étouffée, et un long frisson parcourait son corps nu.

Des larmes roulaient sur ses joues.

Une des boursouflures éclata sous la lanière, et le sang suinta de la peau déchirée. Deux gouttes écarlates commencèrent à dégouliner lentement au creux de l'échine satinée.

A la vue de ce beau corps tressaillant qui se tordait de douleur, Estervary s'excitait de plus en plus.

Avec une cruauté sadique, il s'acharnait à frapper encore et encore, de plus en plus fort.

Soudain, Paprika sentit ses jambes fléchir sous elle. Avec un long gémissement, elle s'écroula sur le lit.

Estervary jeta sa cravache et, fiévreusement, se dévêtit.

Derrière la porte, Têtū, son bras enlaçant la taille de Vilma, la femme de chambre, qui restait l'œil collé au trou de la serrure, se redressa.

Il en avait assez vu.

Sans mot dire, il attira la fille grêlée de petite vérole à lui.

Tous deux, d'un accord tacite, se précipitèrent vers le fond du couloir.

X

Le dîner de noce sans prétention que les officiers de l'escadron d'Estervary avaient réussi à organiser et qu'ils offraient à leur camarade battait son plein.

Le garde-manger de l'hôtel, déjà en grande partie dégarni, voire pillé par les précédents repas des officiers d'État-Major, n'était guère à même de fournir un festin impromptu.

Mais Schlesinger, sa fille Rozsika, et sa femme qui supervisait personnellement la cuisine, avaient fait de leur mieux.

Le menu se composait donc, pour débuter, d'un *Potage à la Habsbourg* qui, analysé, se révélait être un simple bouillon de queue de bœuf. Venaient ensuite du poisson à la *Roi de Hongrie*, vulgaire poisson blanc du lac Balaton ; des pommes à la *Ferenc-Jozsef*, c'est-à-dire de vieilles patates découpées en petites boules pour imiter les pommes de terre nouvelles ; une sauce à la *Magyar*, très épicée, à l'odeur forte pour combattre celle du poisson, et qui pouvait servir d'honnête désinfectant ; comme « entrée », de la *Chair de cochon à la Estervary* avec du chou frisé *à la Hussard* et une compote de pommes poétiquement dénommée *Mousseline de mariée*.

Tous ces plats aux titres ronflants, pour lesquels la fille

Schlesinger s'était donné le mal de chercher les mots dans un dictionnaire français, se réduisaient à un banal rôti de porc, à du chou rouge et à une marmelade de pommes.

Moïsche et Abe, les deux serveurs juifs, avaient arboré leurs queues-de-pie tachées de graisse d'où surgissaient des plastrons de propreté douteuse qui, se gondolant, bâillaient de temps à autre, révélant des maillots de corps en flanelle crasseuse. Ils portaient des gants de coton qui, autrefois, avaient dû être blancs et d'où dépassait, de-ci, de-là, un gros doigt à l'ongle en deuil.

Ils débarrassaient et empilaient les assiettes dans un bruit infernal, comparable aux détonations d'une mitrailleuse. Trois ordonnances de hussards, censées les aider, passaient le plus clair de leur temps à remplir de nouveau les verres des dîneurs.

Dans un coin de la pièce gisait une légion de « soldats morts », un amoncellement imposant de bouteilles vides, aux formes et aux dimensions des plus variées. Le nombre incalculable de verres de vin et de cognac absorbés dans le cours de l'après-midi et de la soirée commençait à montrer son effet sur les visages cramoisis des douze officiers présents et dans le timbre éclatant de leurs voix qui s'élevaient de plus en plus haut.

Le coucou de la pendule, au mur, essaya huit fois de suite de prendre son essor.

La « princesse » Paprika était la treizième à table.

Elle se tenait assise auprès de son mari, au centre des convives. De l'autre côté, lui faisant face, se trouvait le capitaine comte Pogany, commandant de l'escadron d'Estervary.

Elle avait remis son voile et sa couronne et à son corsage s'épanouissaient six roses écarlates que le capitaine lui avait offertes.

Ses yeux étaient rougis d'avoir pleuré, mais elle avait mis sur son visage, pour effacer la trace des larmes, un peu de poudre empruntée à la femme de chambre. Plus pâle qu'à l'ordinaire, elle apparaissait d'une beauté plus poignante encore.

PAPRIKA

Elle demeura silencieuse tout le long du repas. Tout son corps lui faisait mal ; son dos la cuisait cruellement.

Distraitement, de ses doigts effilés, elle jouait sans cesse avec les miettes de pain éparpillées près de son assiette et buvait chaque verre de vin dès qu'il se trouvait rempli devant elle.

Elle avait appris que Sa Majesté, par l'intermédiaire de son aide de camp, avait convié tous ses frères de la tribu à être ses hôtes, et qu'un dîner devait leur être offert dans le même hôtel, dans la salle réservée aux paysans.

Jancsi se trouvait-il parmi eux ?

Elle était prête à lui pardonner maintenant et prête à recevoir son pardon. Quand et comment pourrait-elle le faire ? Elle n'en avait aucune idée.

Elle avait la satisfaction d'avoir atteint le but qu'elle s'était proposé. Sa vengeance était assouvie, à présent. Elle était prête à prendre, aux côtés de celui qu'elle aimait, la belle route plane et ensoleillée qui conduisait vers une longue vie de bonheur, sous un ciel bleu sans nuages et sans limites...

Les ordonnances venaient d'emplir les coupes de champagne « Rœderer carte blanche ».

Comme ce jour était l'anniversaire de Sa Majesté, le comte Pogany se leva et proposa le toast traditionnel.

Tous les autres officiers se dressèrent immédiatement et, se tenant aussi droits que le leur permettait leur degré d'ébriété, brandirent leurs verres d'une main mal assurée.

Seul Estervary ne fut pas très prompt à se lever de sa chaise. Peut-être avait-il trop bu.

Paprika, ne sachant que faire, jeta un coup d'œil interrogateur vers le capitaine qui lui fit signe de se mettre aussi debout.

— A Sa Majesté impériale, royale et apostolique — notre suprême commandant le roi Ferenc-Jozsef Premier ! — Vive le Roi !

— *Eljen à Kiraly !*

— *Eljen !*

— *Eljen !*
— *Eljen !*

Leurs voix résonnèrent si fort que le petit lustre pendu au-dessus de la table vacilla légèrement.

Ils burent.

Puis chaque officier jeta son verre contre le bas du mur où était accroché, dans un cadre enrubanné et orné de feuillage, un chromo représentant le souverain.

Les verres allèrent se briser dans un fracas cristallin.

Estervary, décidément peu en forme, visa fort mal, car sa coupe, lancée avec une violence toute particulière, éclata en mille morceaux juste au bord du portrait du Roi.

Un instant, il sembla que le comte Pogany allait prendre au sérieux le geste d'Estervary.

Mais la catastrophe fut adroitement évitée par le médecin-major juif, le corpulent docteur Siebenstern, chirurgien de l'escadron, qui se précipita sur le piano droit aussi rapidement que le lui permettait son encombrante personne, et entonna la rengaine :

« Vive notre Roi !

Vive no-tre Roi !

Trois fois vivat !

Vivat ! Vivat ! Vivat ! »

Il enfla la voix, et, comme il l'espérait, tout le monde se joignit à lui, à l'exception d'Estervary.

Le danger d'une scène qui aurait pu avoir de tragiques conséquences était passé, grâce à cette habile intervention. Quand le docteur regagna sa place, le capitaine Pogany ne put s'empêcher de lui donner dans le dos une tape de gratitude amicale :

— Ma foi, faiseur d'emplâtres, dit-il en riant, je ne sais pas quel est le pire ? De se faire rebouter une jambe par toi, ou d'écouter ta musique.

Les autres officiers se mirent à rire de la boutade moqueuse, mais ils appréciaient la présence d'esprit du petit Israélite et lui restaient reconnaissants de son heureux geste.

D'ailleurs, Pogany avait suffisamment de bon sens pour se rendre compte que l'humeur fâcheuse dans laquelle se trouvait Estervary n'était causée que par ce mariage absurde. Il savait aussi combien le Prince avait bu, et il était prêt maintenant à oublier le geste de son subalterne, décidé à n'y voir qu'un pur et simple incident.

Les serveurs venaient d'apporter la pièce de résistance, pour le nom de laquelle Rozsika avait encore déployé toutes ses connaissances en langue française : *Dindon à la Tzigane, avec laitue à la Paprika.*

Estervary contempla amèrement le menu. En dépit des noms prétentieux, il trouva la dinde coriace, desséchée et la laitue mal lavée.

Mais ses camarades accueillirent le plat avec des vivats de soudards. Tous étaient d'une humeur joyeuse et avaient l'intelligence de ne pas chercher à faire de comparaisons entre l'unique hôtel de Szeged-Var et le restaurant « Marcus » de Budapest ou le « Sacher » de Vienne.

Le baron Hajos Gyula, un des lieutenants, se leva en chancelant et, pour réclamer l'attention générale, fit tinter son couteau contre sa coupe, pleine de champagne.

Les conversations, graduellement, s'arrêtèrent.

Personne n'ignorait qu'Hajos s'octroyait toujours le droit de faire des discours et de porter des toasts, lorsqu'il était dans les vignes du Seigneur, et que rien ne pouvait l'arrêter. Tout le monde se résigna donc à l'écouter.

— Grand événement..., le mariage ! commença-t-il avec un débit saccadé et d'une voix qu'il aurait voulue rauque et nasale — ce qui est considéré comme « chic » parmi les officiers, spécialement dans la cavalerie — mais qui sortait plutôt pâteuse. Ce jour-là, la plupart des hommes disent : Adieu jeunesse ! Adieu les femmes ! Adieu le vin ! Adieu chansons ! Adieu tout ! Mais on ne peut dire cela aujourd'hui ! Dans ce mariage, il y a l'amour de *Cigany* avec beaucoup de « paprika »... ah ! ah !!! et l'amour de hussard hongrois ! Le tout mélangé ! *Ja Istenem* ! Quelles amours brûlantes cela va faire... ! Buvons à leurs amours... Vive l'Amour !

Il leva son verre, et tout l'auditoire dut le suivre dans ce toast maladroit. Pour couvrir cet évident manque de tact, ce faux pas gaffeur d'un des leurs, ils se mirent tous à rire bruyamment, à plaisanter et à boire.

Estervary lança un coup d'œil vers Hajos, en vidant son verre d'un coup, puis s'exclama d'un ton extrêmement agressif :

— Je ne trouve pas ce toast particulièrement intelligent !

Hajos, indifférent, se mit à rire :

— Les hussards ne sont pas supposés être intelligents ! répondit-il d'une voix éraillée. L'intelligence ? Il faut laisser cela à l'État-Major ! Les hussards servent Sa Majesté avec leurs fesses, pas avec leur tête !

Tout le monde rit de nouveau à cette réplique, et chacun vida sa coupe encore une fois.

Estervary lui-même sembla se calmer, pour le moment du moins.

Encouragé par le succès d'Hajos, le baron Bastya de Batorsag, un premier lieutenant qui, bien que lavé et manucuré, avait l'air d'un tueur de bestiaux, se leva à son tour et fit tinter son verre.

— Sang magyar, sang riche, plein de feu ! déclama-t-il avec emphase en regardant le vin dans sa coupe. Sang de prince, vieux sang noble ! Sang de hussard, sang rouge belliqueux. Sang de *Cigany*, sang bouillonnant, passionné et jaloux ! Mêlés ensemble, ils donneront le sang le plus écarlate, le sang le plus turbulent, le sang le plus bouillonnant ! Vive le sang !

L'auditoire pensa, encore une fois, que la meilleure chose était de rire et de boire.

Estervary lançait autour de lui des regards chargés de meurtre, et ses doigts jouaient nerveusement avec le couteau à dessert placé devant lui. Il comprenait qu'il allait être dorénavant la risée de tous, qu'il serait à chaque instant à la merci de n'importe quel imbécile voulant faire de l'esprit facile, et qu'il se trouverait continuellement entraîné dans des duels, à moins qu'il ne quittât l'armée. Son divorce, d'ailleurs, ne serait possible qu'à cette condition. Il savait que le Roi ne donnerait jamais son consentement tant qu'il resterait dans le service. Damné fût-il ! Lui et son code de l'honneur et tout son fatras de principes idiots au sujet d'une promesse donnée ! Si cette garce avait été assez bête pour s'imaginer que lui, un prince, désirait réellement l'épouser de sa propre volonté, c'était elle qui était à blâmer, et non lui ! Mais il saurait bien lui faire subir les conséquences du ridicule dont elle le couvrait.

Ses yeux brillants de colère se tournèrent vers sa femme.

Elle regardait, songeuse, la simple alliance que le comte Paar s'était procurée pour elle au *Bazar Moskovitz*.

Les allusions au sang dans le toast de Batorsag lui avaient remis en mémoire les paroles sinistres de Zsuzsa : « Du sang..., beaucoup de sang..., et la mort ! »

Elle se mit à penser à Zsuzsa et sa prophétie. Comment avait-elle pu prévoir, quinze ans auparavant, ce qui se passerait aujourd'hui ? Comment avait-elle pu savoir qu'elle, Paprika, épouserait un prince ?

Comment la *baba* avait-elle pu prédire avec certitude que le Roi lui-même la conduirait à l'autel ?

Paprika n'avait-elle pas appris, en écoutant les conversations des officiers, qu'au dernier moment le théâtre des manœuvres avait été brusquement transféré de Bohême en Hongrie ? Ainsi, le Roi ne serait peut-être jamais venu à Szeged-Var si les manœuvres avaient eu lieu plus au nord, comme initialement prévu !

N'était-ce pas étrange ? Fantastique ? Effrayant ?

Et qu'adviendrait-il du reste de la prophétie ?

La *baba* voyait-elle vraiment ces deux routes ?

Était-ce la belle route unie, ensoleillée, parsemée de fleurs, conduisant vers l'arc-en-ciel qu'elle avait choisie aujourd'hui ?

Paprika jeta un coup d'œil vers l'homme assis à ses côtés, l'homme qui avait lacéré son corps si cruellement.

Non ! Elle ne pouvait être sur le bon chemin ! Pas avec cet homme-là !

Pourquoi avait-elle donc voulu en arriver là ?

« Du sang..., beaucoup de sang..., et la mort ! »

Un frisson glacé parcourut son dos endolori.

Où était donc Jancsi ? A quoi pensait-il ? Pourquoi ne l'avait-il pas forcée à rester auprès de lui ? Pourquoi l'avait-il laissée s'égarer si loin dans cette route en impasse qu'elle avait choisie ? Ce qui allait advenir maintenant, Jancsi en serait responsable..., et Dieu aussi !

Soudain, au milieu de cette rêverie angoissée, surgirent les accents des *bashadis* et des *cymbaloms* des Tziganes. Ils venaient de la salle d'auberge.

Paprika leva la tête, subitement intéressée.

La musique des *Roms* ! Les *bash-mengros* ! Elle pourrait peut-être les faire jouer devant elle ? Il n'y avait jamais de véritable mariage hongrois sans musique tzigane !

Et Jancsi se trouvait sans doute parmi les violoneux. Elle pourrait peut-être lui demander de jouer pour elle — une dernière fois ? Et s'il refusait ? Eh bien ! N'était-elle pas princesse ? Elle lui commanderait de jouer. Et il devrait bien exécuter les ordres d'une princesse !

Elle lui ordonnerait de jouer « Paprika ». Et quand ce chant réveillerait en lui tous les souvenirs du passé et qu'il la verrait, sa petite *pireni*, comme il l'avait toujours appelée, princesse maintenant, à côté de son mari, alors, sûrement, elle pourrait se réjouir de voir le chagrin et les larmes noyer ses yeux sombres.

A nouveau, la musique la tira de ses réflexions.

Les violons jouaient maintenant la triste ballade *Csak egy kis lany van a vilagon*.

Pour une raison mystérieuse, la mélodie mélancolique que Paprika avait entendue plus de mille fois l'envahissait en cette minute d'une nostalgie indéfinissable. Jamais auparavant cet air ne l'avait affectée de la sorte !

Soudain, les accents évocateurs de la mélodie éveillèrent en elle un désir lancinant de se retrouver devant un grand feu crépitant au centre du camp de la tribu, sous le grand ciel ouvert épinglé d'étoiles scintillantes.

Paprika promena son regard autour d'elle. Une déchirante impression de solitude l'étreignit. Elle se sentait perdue parmi tous ces étrangers. Si seulement elle pouvait revoir Jancsi.

Avec une soudaine décision, elle se pencha vers son vis-à-vis, le capitaine Pogany :

— *Tessek, kapitany ur*, voudriez-vous m'accorder une grande faveur ? Je vous en prie, demandez aux musiciens de ma tribu de venir ici jouer pour moi. Je n'aurai peut-être plus jamais l'occasion de les entendre, murmura-t-elle d'une voix presque suppliante...

Pogany, heureux de faire quelque chose pour la pauvre fille qui, visiblement, se sentait si peu à sa place, s'empressa :

— Szabo ! cria-t-il à l'un des deux cadets-officiers présents.

Un beau jeune homme blond accourut et se mit au garde-à-vous.

Le capitaine lui transmit l'ordre.

Après s'être assurée que son époux ne la regardait pas, Paprika fit un petit signe à l'aspirant qui s'approcha.

Il se pencha vers elle le plus qu'il put.

Alors, elle lui glissa à l'oreille :

— S'il vous plaît, demandez à Rogi Jancsi, s'il est là, de venir aussi ! Dites que c'est moi qui le réclame !

Pliant la taille, le cadet salua en souriant :

— *Szolgalatara Hercegno !* A vos ordres, Altesse !

S'éloignant rapidement, il sortit de la pièce.

— Que désiriez-vous donc, ma chère ?

La voix doucereuse du Prince, décelant une fausse bienveillance, fit sursauter Paprika.

Elle se retourna vers Estervary et le regarda, effrayée.

Mais celui-ci, qui sentait le regard du capitaine fixé sur lui, lui sourit aimablement pour la rassurer.

— Je... Je demandais au capitaine Pogany de faire venir les musiciens de ma tribu. J'aimerais les entendre jouer pour moi — encore une fois !

— Oh ! dit-il, je suis impardonnable de n'y avoir pas songé plus tôt moi-même ! Qui a jamais entendu parler d'un mariage hongrois sans la musique des *Ciganys* ?

Il vida son verre et, nonchalamment, suggéra :

— Pourquoi n'envoyez-vous pas chercher, également, ce violoniste de Budapest ? Quel est son nom ? Vous savez bien, ce garçon plein d'arrogance qui est entré dans votre roulotte, prétendant être votre fiancé ?

Il parlait assez haut pour être entendu du capitaine. Insinuer que cette fille avait eu d'autres amants, c'était prouver d'une façon flagrante l'injustice du Roi, en le forçant à l'épouser. Mais il avait compté sans la réplique tout à fait inattendue de Paprika :

— Vous voulez parler de Rogi Jancsi ? dit-elle clairement d'un ton détaché ; vous devriez cependant vous souvenir de son nom, il a été assez longtemps l'amant de votre sœur !

Les officiers se regardèrent entre eux en se poussant du coude.

Voyant qu'amusés ils prêtaient tous l'oreille, Paprika, encouragée, poursuivit délibérément :

— Il vivait chez elle, voyons ! Elle lui apportait même son déjeuner au lit, et moi-même je l'ai vue l'embrasser devant un millier de personnes au restaurant « Marcus » ! Dans votre famille, Sandor, on semble décidément avoir un penchant très net pour les gitans ! N'est-il pas vrai ?

Estervary pâlit, mais son sourire ne quitta pas ses lèvres. Ses yeux seuls trahissaient sa fureur et ses projets de vengeance.

Paprika devina tout ce que ce regard contenait de menaces et comprit ce qui l'attendait quand elle se retrouverait seule à nouveau avec le Prince.

Mais elle ne se souciait plus des conséquences. Son esprit indomptable et combatif reprenait de nouveau tous ses droits. Dans leur combat singulier, elle avait l'impression pour l'instant d'avoir le dessus. Elle retrouvait toute son audace. Et puis elle se sentait forte de la sympathie visible du capitaine Pogany...

Les officiers riaient sous cape. Pour ce qui était de l'esprit de repartie, cette petite gitane était très nettement à la hauteur d'Estervary, et même elle lui rendait des points !

— Cependant, Jancsi a quitté la princesse Ilonka pour revenir à moi ! continua-t-elle, railleuse, en fixant ses yeux pétillants de malice, hardiment, sur Estervary. Vous ignorez peut-être que lui et moi, nous avons grandi ensemble. Nous avons vécu dans la même roulotte pendant quinze ans !

Elle le vit tiquer sous l'allusion à peine déguisée qu'elle venait de faire à une ancienne liaison avec Rogi Jancsi. Maintenant qu'elle était bel et bien mariée, elle pouvait se permettre elle-même ce genre d'allusion sur sa propre réputation, sachant parfaitement que ce n'était pas sur elle que le ridicule tomberait.

Après un court silence, il rassembla ses esprits et remarqua, en la regardant en dessous, ses yeux plissés de méfiance :

— Alors, pourquoi avez-vous agi de la sorte avec lui, hier soir ? Vous m'avez presque forcé à le mettre à la porte !

— Oh ! Nous venions juste d'avoir une de nos querelles avant votre arrivée ! expliqua-t-elle avec une lueur provocante dans ses yeux verts.

Avant qu'Estervary ait eu le temps de répondre, Szabo, le cadet, apparut, suivi de Jancsi.

Le jeune violoniste avançait humblement dans cette pièce remplie d'officiers à qui, d'après les conventions sociales, il devait le respect.

Il s'arrêta près de la porte et jeta un coup d'œil circulaire sur l'assemblée, et son regard calme passa sur Paprika sans s'y arrêter.

L'aspirant lui fit signe d'approcher et le présenta au capitaine. Pogany s'inclina et, cordialement, serra la main de l'artiste avec un sourire bienveillant :

— Nous avons beaucoup entendu parler de vous ! commença-t-il sur un ton aimable, puis, s'apercevant de son involontaire bévue, il se reprit. De votre grand talent de violoniste, je veux dire !

Jancsi s'inclina à son tour. Son visage était grave.

— Messieurs, dit le capitaine en se tournant vers ses subalternes, voici le célèbre virtuose Rogi Jancsi !

Le jeune gitan salua les officiers avec l'aisance gracieuse qui lui était particulière. Il évita de regarder Estervary.

Mais Pogany reprit, sur un ton légèrement ironique :

— Le prince Estervary, l'heureux époux !

Jancsi se trouva bien forcé de lever les yeux et d'affronter le regard du Prince, qui reflétait non seulement son arrogance habituelle mais encore une hostilité d'ordre strictement personnel.

Jancsi fit un salut à peine perceptible.

Son attitude tout entière manifestait son dédain et trahissait des pensées peu flatteuses.

Les deux rivaux se regardèrent comme, depuis le commencement des temps, se dévisagent deux hommes quand les sépare une femme — chacun se demandant intérieurement, avec angoisse, lequel d'entre eux, et par quelles recettes impondérables, donne le plus de plaisir.

En l'occurrence, si le doute subsistait pour Estervary, pour Jancsi il n'y avait qu'une désolante réponse : Paprika avait choisi le Prince et l'avait épousé. Toutes ces réflexions n'avaient pris que l'espace de quelques secondes.

Après l'avoir volontairement provoquée, le capitaine s'empressa de dissiper la gêne :

— Son Altesse la princesse désire vous entendre ! dit-il sur un ton enjoué.

Jancsi regarda Paprika comme pour la première fois. Son visage avait revêtu l'impassibilité d'un masque parfait. Pas un muscle n'en tressaillit.

430

— Oui, je t'en prie, Jancsi ! s'écria la jeune femme avec une gaieté forcée. Veux-tu me jouer « Paprika » ? J'ai beaucoup entendu parler de cette rhapsodie ! C'est bien en souvenir de *moi* que tu lui as donné ce nom, n'est-ce pas ? J'ai même entendu dire que tu l'as jouée devant Sa Majesté.

Sur le moment, Jancsi sentit son cœur tressaillir en entendant Paprika se servir à nouveau du tutoiement familier. Mais, l'instant d'après, il réalisa qu'au contraire ce n'était là qu'une autre façon de l'humilier. N'était-elle pas princesse, maintenant ? Et, de ce fait, n'avait-elle pas le droit de tutoyer un « sale violoneux de gitan » ?

Impassible, il inclina légèrement la tête :

— *Igen*, c'est exact !

— Sa Majesté ne t'a-t-elle pas offert, en souvenir, un étui à cigarettes en or, orné de sa couronne et de sa signature en fac-similé ? poursuivit-elle.

Jancsi, muet, acquiesça de la tête.

— N'as-tu pas, par hasard, cet objet sans prix sur toi ? Je suis sûre que ces messieurs seraient curieux de le voir.

Sans sourciller, Jancsi soutint le regard moqueur de Paprika :

— Je l'ai perdu hier, ou il m'a été volé ! répondit-il simplement.

Puis il enchaîna immédiatement pour couper court aux railleries de Paprika :

— Je serais très honoré de jouer pour Votre Altesse ! Puis-je faire entrer les musiciens ?

— Bien sûr ! Mais prends d'abord un verre de vin ! lui proposa-t-elle, souriante, en lui tendant sa propre coupe pleine de champagne.

Jancsi la prit et, avec aisance, la leva :

— Au bonheur de Votre Altesse... *Isten éltessen !*

Il but d'un long trait..., s'inclina à nouveau et reposa le verre sur la table. Puis il se dirigea vers la porte et l'ouvrit.

Silencieusement, il fit signe d'entrer aux *bash-mengros* qui attendaient dans le hall derrière le battant.

Les musiciens basanés s'avancèrent en saluant profondément Paprika et les officiers.

Ignac, le dernier entré, referma la porte derrière lui.

Paprika observait Jancsi. Elle posa négligemment son bras sur celui de son mari :

— *Tessek*, Sandor, voudriez-vous offrir du vin à mes frères de la tribu ? pria-t-elle avec un sourire plein d'une coquetterie bien simulée.

Estervary appela les garçons :

— Du vin pour les *Ciganys* !

Moïsche et Abe venaient de servir le dessert, une tarte aux pommes arrosée d'une crème fouettée répondant au doux nom d'*Amour*, et de remplir les verres d'un savoureux Tokay d'origine. Ils s'empressèrent de déboucher six bouteilles supplémentaires et de verser le vin, qui fut passé aux musiciens occupés à accorder leurs instruments.

Les Tziganes levèrent leurs verres avec une simplicité empreinte d'une grande dignité :

— *Piavta !* dirent-ils. Que le Bon Dieu prête longue vie aux jeunes mariés !

La plupart d'entre eux avaient bu tout l'après-midi. Ils se sentaient en pleine forme pour faire de la musique.

Jancsi, n'ayant pas apporté son *bashadi*, emprunta le violon de Varos.

Le jeune virtuose fronça les sourcils en jetant un coup d'œil vers les manchons des becs Auer de la suspension centrale dont la lumière vive semblait gêner ses yeux.

— Puis-je éteindre le lustre, demanda-t-il au capitaine Pogany, et n'avoir à la place qu'une seule bougie ?

Pogany fit un léger signe d'acquiescement et craqua une allumette au bout de son cigare de Virginie.

Une ordonnance alluma l'unique bougie d'un chandelier posé sur la cheminée, derrière Paprika.

Jancsi éteignit lui-même la suspension.

La trop brillante clarté de la pièce s'estompa dans une reposante pénombre.

PAPRIKA

Les officiers s'appuyèrent confortablement sur le dos de leurs chaises et, tirant avec volupté sur leurs aromatiques « Trabuccos » ou leurs cigarettes égyptiennes, envoyèrent des volutes bleuâtres vers le plafond.

Jancsi se plaça au centre de la pièce et posa son instrument sous son menton.

Les yeux d'Estervary ne perdaient pas un geste du violoniste. Tout au fond, dans l'espace demeuré vide, étaient groupés les Tziganes, leurs violons contre la poitrine, leurs archets levés.

Leurs silhouettes, avec les couleurs éteintes de leurs vêtements, étaient englouties par la pénombre d'où ne surgissaient, en taches lumineuses, que leurs mains maigres et leurs visages blêmes.

Dans cette lumière diffuse, où toutes les ombres se trouvaient intensifiées, leurs traits se dessinaient avec un relief saisissant et prenaient une expression torturée.

Dans le coin le plus obscur, un peu à l'écart, se tenait Karoly, debout contre sa basse. Son masque squelettique de Mongol accrochait un rayon de lumière.

Le gros Mihaly, au crâne rond et rasé, s'appuyait avec tendresse sur son violoncelle.

Les profils classiques de Stanko et de Bela se penchaient sur les *cymbaloms*.

Tous ces fantastiques visages étaient tournés vers Jancsi, leur chef, et leurs regards admiratifs se cramponnaient à ses gestes.

Jancsi, immobile, attendait que le silence se fût établi tout autour.

Il leva alors lentement le bras et effleura les cordes délicatement, légèrement.

Paprika ferma les yeux, oubliant tout, excluant tout de son esprit, pour ne plus écouter que le chant plaintif du *bashadi*. L'avenir n'avait plus d'importance.

Le présent s'éloignait dans l'espace et s'évanouissait peu à peu, comme un mauvais rêve au réveil.

Le passé, seul, redevenait réel, l'envahissait toute, tandis qu'elle revivait sa jeunesse avec Jancsi, dont le *bashadi* égrenait des notes d'une mélancolique douceur.

Paprika l'avait entendu jouer toute sa vie.

Elle l'avait entendu à Budapest, devant un auditoire qui avait accueilli sa rhapsodie comme seuls de vrais amateurs de musique pouvaient accueillir une grande composition ; mais ce qu'elle écoutait, ce soir, semblait n'avoir aucun rapport avec ce qu'elle l'avait entendu jouer précédemment ; c'était impressionnant.

Ces sons exprimaient des sensations qu'il lui semblait avoir toujours connues. Et, cependant, ils éveillaient en elle des émotions neuves, insoupçonnées, qu'elle n'avait jamais ressenties et dont elle ne se savait pas capable.

De ce prélude très doux, Jancsi passa à un mouvement plus vif, au rythme plus marqué, aux accents plus passionnés. Il parlait de son amour ardent pour Paprika alors qu'il n'était encore qu'un enfant.

Paprika sortit une seconde de sa transe et, les yeux à demi clos, remplit elle-même à nouveau le verre dans lequel Jancsi avait bu et le porta à ses lèvres.

La douceur du breuvage doré et mousseux s'alliait à la sensation que produisait sur elle la musique de Jancsi. Elle se renversa en arrière sur sa chaise et s'abandonna à sa rêverie.

Toute l'assistance avait également succombé au sortilège étrange, et la tablée de rudes cavaliers qui, quelques instants auparavant, retentissait de clameurs bachiques, écoutait maintenant dans un silence attentif, presque religieux.

Jancsi se tourna vers les *bash-mengros* et s'accroupit bas, lentement, pour les prévenir de se tenir prêts.

Puis, se redressant de toute sa hauteur, il leur fit signe d'attaquer avec lui. Les musiciens gitans se mirent à jouer, suivant leur chef, par pur instinct, car aucun d'eux n'était familiarisé avec les fantaisies que Jancsi avait rêvées et que ses doigts faisaient naître sur les cordes.

Leur accompagnement était loin de posséder la perfection

de l'orchestre entraîné que dirigeait Jancsi au restaurant « Marcus » ; mais ce qui manquait à leur jeu technique était compensé par la sincérité de leur interprétation et par l'adoration qu'ils éprouvaient pour leur *primas*.

Tous ces visages, âpres et durs dans la lueur irréelle, étaient intensément bouleversés par le même rêve extatique. Leurs yeux, comme ceux du virtuose, étaient clos. Tous les exécutants sentaient et comprenaient le sens de chaque note. Ne connaissaient-ils pas Jancsi depuis son enfance ?

Celui-ci ouvrit les yeux et regarda Paprika.

Elle était renversée sur le dossier de sa chaise, écoutant de toute son âme, le visage nimbé par le long voile de tulle qui flottait sur l'or pâle de ses cheveux.

Elle levait les yeux vers le plafond, comme si celui-ci représentait pour elle un écran sur lequel se dérouleraient toutes les scènes de sa vie passée.

Sentant le regard de Jancsi s'arrêter sur elle, elle tourna vers lui des yeux tristes où se lisait un monde de souvenirs.

Lentement, imperceptiblement, comme dans une transe, le violoniste avait dirigé ses pas vers l'extrémité de la table, l'avait contournée. Il glissait plutôt qu'il ne marchait pour se rapprocher de la jeune femme. Il était maintenant tout près d'elle, la tenant sous son regard brûlant.

Estervary ne perdait aucun geste de l'artiste. Il observait aussi, du coin de ses yeux injectés de sang, les réactions de Paprika.

En passant derrière lui, Jancsi buta contre son sabre, dont le bout dépassait de manière insolite, sous sa chaise.

Au lieu de s'excuser pour cette inadvertance, le Prince ricana avec malice :

— Eh ! Youdi ! interpella-t-il rudement Moïsche, le serveur qui, lui aussi, rêvait à demi, le dos appuyé contre le mur, verse-moi à boire !

Le charme qui planait sur l'auditoire fut momentanément rompu.

Les camarades d'Estervary le foudroyèrent du regard.

Moïsche, sur la pointe des pieds, s'approcha avec une bouteille en évitant de faire le moindre bruit et remplit le verre du Prince.

Jancsi avait continué, comme si rien ne s'était passé.

Peut-être même était-il resté inconscient de cette interruption ; il se trouvait tout près, derrière la mariée.

Paprika était assez heureuse que son visage fût plongé dans l'ombre. Le peu de lumière sourdait derrière elle.

Jancsi se pencha vers elle jusqu'à ce que le manche de son *bashadi* où ses doigts glissaient le long des cordes lui effleurât la joue.

Ses doigts frôlèrent le velours de la peau blanche.

Très consciente du geste, Paprika leva ses grands yeux vers lui.

Elle vit l'ombre agrandie de ses propres traits et de son voile se profiler sur le visage et la poitrine de Jancsi.

La mélodie qu'il jouait maintenant, personne ne l'avait encore entendue.

Sous l'inspiration du moment, l'artiste improvisait le dernier chapitre de son amour tragique.

Cette musique ne cherchait même plus à se faire l'interprète des émotions humaines ; elle remontait plus loin et semblait se faire l'écho de l'orage qui secoua la terre avant la venue de l'homme et la bouleversa encore après la disparition de l'homme.

Puis, doucement, le chant devint méditatif. Il murmura, en phrases hésitantes, la naissance du premier printemps.

Par une série d'étranges dissonances heurtées, il décrivit l'armure des glaciers se fendant sous les premiers rayons du soleil, la chute des eaux turbulentes s'échappant en torrents tumultueux le long des montagnes, formant rivières et océans.

Alors, du milieu de ce chaos, un thème se dégagea, limpide et grave.

Il semblait célébrer les premières radiations intenses du soleil — la maturité du premier grain dans le sein de la terre

— l'éclosion des premières fleurs — les palpitations mêmes de la vie.

Puis, graduellement, il fondit dans un chuchotement comme celui des ramures frissonnantes où l'on devina bientôt, molle et légère, mais désolante et funèbre, la chute monotone des feuilles annonçant l'approche de l'hiver, blanc de givre et de neige, fier de sa force anéantissante, dévastatrice et brutale.

Jancsi, pâle et transfiguré, jouait comme dans un rêve, les yeux perdus dans le vague. Sa propre personnalité semblait l'avoir abandonné pour livrer passage à cette inspiration musicale venue de l'éther qui s'exprimait à travers lui comme un esprit revenant au travers d'un médium.

L'auditoire écoutait, hypnotisé.

Le temps avait perdu toute signification. La musique, seule, était devenue la mesure de toute chose.

Insensiblement, le thème retomba dans un élément personnel, une sorte de récitatif sur Jancsi et Paprika. Succès, renommée, avenir, il avait tout abandonné. En échange, une réception glaciale lui avait été faite, l'insulte qu'il espérait voir rétracter proférée à nouveau... L'intervention de Zsuzsa venue s'interposer à sa décision de repartir pour toujours. Puis l'arrivée du Prince...

On pouvait reconnaître le cliquetis du sabre contre les éperons de l'insolent officier, son ricanement arrogant et brutal quand Jancsi l'avait surpris en train d'embrasser Paprika...

L'humiliation de Jancsi quand Paprika avait menacé de le faire jeter dehors par le Prince...

Puis la *tanyana* dansée par Paprika nue devant une foule ivre et vulgaire. L'exultation des flammes qui montaient haut dans la nuit...

A travers le rythme, on sentait la pulsation accélérée du cœur de l'amoureux torturé.

Puis la mélodieuse description reprenait son fil...

L'escapade de la bien-aimée avec le prince...

La rage — la douleur impuissante de Jancsi durant toute cette nuit-là...

Enfin, l'aube — le retour de Paprika au camp — la robe de mariée. L'annonce de son mariage et l'invitation railleuse qu'elle lui avait faite d'y assister.

L'attente vaine sur la route. Une dernière lueur d'espoir... Le nouveau refus entêté de Paprika. Sa bataille avec Narilla...

Le passage du Roi et de son escorte... On pouvait distinguer le bruit des sabots des chevaux et des bribes de l'hymne national de Haydn entremêlées aux battements du cœur angoissé.

Enfin le mariage... En accords pesants — la splendeur martiale de l'assistance militaire — la cérémonie mystique et son accompagnement rituel, le motif répété des chants grégoriens, le jeu massif des orgues...

Le déchirement d'un cœur devant l'échange des alliances. Quelques mesures de la « Marche nuptiale » de Wagner...

Tout espoir anéanti...

Paprika à jamais perdue...

Les musiciens avaient cessé graduellement leur accompagnement.

Avec une infinie douceur, Jancsi, en solo, grave, approchait du *finale*.

D'une tristesse indéfinissable était ce chant solitaire d'un cœur au désespoir.

Simple, comme le sont toutes les grandes compositions, si simple et si clair que l'oreille la moins musicale l'aurait retenu sans peine et en aurait deviné instinctivement chaque note, tant celle-ci s'enchaînait à celle qu'on venait d'entendre !

Jancsi se pencha plus près. Le bois vibrant toucha l'oreille de Paprika, qui pouvait sentir dans sa nuque l'haleine brûlante du virtuose.

Elle était bouleversée, mais se raidissait, retenant son souffle et se mordant les lèvres pour ne pas éclater en sanglots. L'émotion violente que le jeu de Jancsi avait suscitée en elle l'irritait.

Elle leva le regard avec l'espoir de découvrir enfin, dans les yeux de Jancsi, les larmes qu'elle désirait si ardemment y voir.

Mais, en fait de larmes, elle ne vit que des yeux secs, accusateurs. Des yeux qui la suivraient dans la tombe, des yeux qui l'obséderaient même dans l'au-delà — s'il y en avait un ! — des yeux qui continueraient à l'accuser, au Ciel ou en Enfer.

Malgré toute sa volonté de résister à l'émotion, elle sentit ses larmes jaillir.

Elle aurait voulu jeter ses bras autour de lui, implorer son pardon, à genoux ; mais quelque chose la retint encore — cette même chose étrange — mystérieuse — qui l'avait entraînée aveuglément dans toutes ces folies... !

Estervary s'aperçut du trouble de sa femme. Non qu'il fût jaloux ! Un prince ne peut être jaloux d'un sale gitan. D'ailleurs, pour être jaloux, il faut aimer ! Et il n'aimait certainement pas cette putain gitane abâtardie. Mais, dans son esprit pervers, il ne pouvait y avoir qu'une seule interprétation de ce qu'il voyait — l'intimité de ces regards — les larmes de Paprika — cette damnée musique... Paprika n'avait-elle pas donné à entendre, elle-même, devant tous ses camarades, qu'une liaison amoureuse avait existé entre elle et ce Jancsi ? A ses idées obscurcies par l'alcool vint s'ajouter une autre pensée : et ce gitan crasseux avait osé s'afficher comme l'amant de sa sœur !

Que la princesse Ilonka, de sa propre volonté, se fût compromise dans cette aventure, n'entrait pas en ligne de compte, mais que ce mangeur de charogne l'eût doublement insulté, lui, le prince Estervary de Esteruyfalu... !

Toute son humiliation, sa fureur rentrée de ce mariage forcé sur l'ordre du Roi, de sa situation ridicule devant ses camarades, éclatèrent soudain.

Cette tache faite à son nom ne pouvait être lavée qu'avec du sang !

Il vida son verre d'un seul trait et se dressa brusquement. Sa chaise alla s'écrouler derrière lui.

Dans un éclair, son sabre jaillit de son fourreau et, brutalement, s'abattit sur la tête et le visage de Jancsi.

PAPRIKA

La lame, en retombant, frappa le violon qui se brisa en mille morceaux.

Paprika étouffa un cri en voyant le sang jaillir, couler sur le visage de Jancsi et se répandre sur le *bashadi* éventré.

Les officiers s'étaient tous levés, comme mus par un ressort.

Les gitans se précipitèrent vers leur frère blessé.

Jancsi tenta de se jeter sur son assaillant qui levait son sabre à nouveau pour frapper encore, mais le capitaine et Batorsag, usant de toutes leurs forces, arrêtèrent son geste. En même temps, Pongracs et Hajos, plus proches d'Estervary, se saisirent des bras du Prince et les lui ramenèrent dans le dos pour tenter de l'immobiliser.

Ivre d'alcool et de rage, Estervary luttait furieusement pour se dégager. De sa bouche crispée sortait une salive écumante.

Ses camarades parvinrent à lui arracher son sabre des mains et à le forcer à s'asseoir.

Moïsche, vivement, ralluma quelques becs au lustre, et les Tziganes, voyant leur intervention inutile, reculèrent vers la porte, silencieusement.

Aucun mot n'avait été prononcé durant ce bref et tragique intermède.

Alors, le chirurgien Siebenstern s'approcha de Jancsi et examina sa blessure.

— Je dois poser au moins une demi-douzaine d'agrafes sur cette entaille ! remarqua-t-il d'un ton plein de bienveillance.

Et, trempant dans l'eau d'une carafe une des serviettes qui se trouvaient sur la table, il fit un pansement temporaire autour de la tête du blessé.

— *Nesze igyal !* ajouta-t-il en lui offrant un grand verre d'eau-de-vie.

Jancsi repoussa le verre de la main. Il se redressa.

— *Közsönöm ! doktor ur !* Je n'ai besoin de rien, assura-t-il, d'aucune aide !

Il se dirigea vers la porte où ses frères l'attendaient, tremblants de rage impuissante, leurs doigts crispés sur leurs instruments.

Le chirurgien israélite, qui avait maintes fois lui-même essuyé les insultes de ces privilégiés de la naissance qui se croient tout permis à l'encontre de ceux qu'ils estiment leur être inférieurs, suivit le blessé avec sollicitude.

— Vous devriez vous soumettre à quelques soins nécessaires afin d'éviter l'infection ! insista-t-il avec sympathie. Ma trousse se trouve dans ma chambre, cela ne prendra que quelques minutes.

Jancsi secoua sa tête ensanglantée :

— *Közsönöm !* répéta-t-il en le remerciant.

Le comte se rapprocha de Jancsi et, discrètement, tenta de lui glisser un billet de mille couronnes dans la main.

L'artiste refusa avec un sourire poli :

— Merci, *kapitany ur*, mais je n'ai joué que pour répondre au désir de la Princesse, pas pour vous ! J'ai été amplement récompensé par Son Altesse. Je me trouve suffisamment payé ainsi ! ajouta-t-il amèrement. Mais je vous remercie de votre hospitalité.

Il ouvrit la porte, et les *Ciganys* saluèrent silencieusement avec insistance, comme s'ils voulaient bien faire remarquer qu'eux, gitans, avaient de meilleurs usages que leurs hôtes soi-disant civilisés qui avaient enfreint, de façon si flagrante, la plus ancienne des lois, celle de l'hospitalité.

Seule une lueur de haine, brillant dans leurs regards de braise, trahissait leurs sentiments intérieurs, alors qu'ils s'éloignaient en file silencieuse dans le hall.

Jancsi fut le dernier à sortir. Avant de tirer la porte sur lui, il se retourna pour jeter un dernier regard vers Paprika. Il la regarda comme on contemple une ultime fois un visage aimé afin d'en graver pour toujours les traits dans sa mémoire, avant qu'il ne disparaisse à jamais sous le couvercle du cercueil.

Encore une fois, Paprika aurait voulu, à cette minute, se précipiter vers lui, couvrir de baisers les blessures d'où coulait le sang. Mais, une fois encore, l'esprit mauvais la retint de sa poigne diabolique :

« Rappelle-toi ! Il n'a pas versé une seule larme ! Il t'a défiée ! »

Elle ne bougea pas et le laissa partir.

Il fit un grave salut et sortit. La porte se referma sur lui.

Hajos et Pongracs lâchèrent le Prince qui s'était quelque peu calmé.

Pogany s'approcha de Paprika, dont les yeux restaient fixés sur la porte par laquelle Jancsi avait disparu.

— Je déplore ce qui vient d'arriver, Altesse ! murmura-t-il en lui prenant la main qu'il baisa respectueusement, comme pour s'excuser de l'événement.

A ce moment, on frappa, et le maréchal des logis de service entra, apportant les ordres du jour.

Pogany lut les instructions pour le lendemain à voix haute et, après avoir signé, rendit le livre au sous-officier qui salua, très raide, et se retira.

Le capitaine consulta alors sa montre, dont il contrôla l'heure avec celle du « coucou » accroché au mur.

Il était neuf heures moins dix.

— Messieurs ! commença-t-il en s'adressant à ses subalternes, je vous rappelle qu'il nous faut être en selle demain matin à cinq heures un quart ! Nous devons nous lever à quatre ! Je vous propose donc de conduire les mariés jusqu'à leur chambre et de nous retirer ensuite. La journée de demain s'annonce fatigante pour chacun d'entre nous !

Les visages des jeunes lieutenants exprimèrent le désappointement. Ils n'ignoraient pas la présence de Narilla, Suri, Saski, Mika et de toutes les autres jeunes gitanes au tempérament de feu dans la salle voisine, et ils s'étaient bien promis de les retrouver pour terminer comme il se doit une nuit de réjouissances.

Le capitaine ordonna qu'on remplisse les verres une fois de plus :

— Je déteste les discours ! assura-t-il en se levant c'est pourquoi, en quatre mots seulement, j'exprimerai mes vœux aux jeunes mariés : santé — bonheur — longue vie !

Heureux de voir ce toast se résumer aussi rapidement, les officiers levèrent leurs verres dans la direction du couple.

Le docteur Siebenstern se précipita vers le piano et entonna le vieux refrain qu'il avait déjà fait entendre plus tôt, mais en changeant légèrement les paroles, afin de les harmoniser avec le toast du capitaine :

« Longue vie aux ma--riés !
Longue vie aux ma--riés !
Longue vie aux ma--riés !
Longue vie ! — Longue vie ! — Longue vie ! »

Les officiers se joignirent à lui en chœur, avec un entrain forcé, et burent à la longévité d'Estervary et de sa jeune épouse, longévité dont ils se moquaient éperdument.

A ce moment, la porte s'ouvrit et, dans son encadrement, apparut Schlesinger, qui s'inclina très bas, en frottant ses mains, selon son habitude, d'un air papelard plein de fausse humilité :

— A cette seconde, le nettoyage, il vient dans la chambre d'être achevé ! expliqua-t-il dans son lourd jargon en s'avançant, et si le *lieutenant Prinz-Leben* veut bien me le permettre, je viens très humblement lui annoncer, en toute obéissance, que la chambre nuptiale prête elle est pour la grande nuit !

Des rires impétueux accueillirent cette annonce.

Le comte Pogany lui-même ne put s'empêcher de sourire.

Le souvenir de la scène dramatique de l'instant précédent avait déjà disparu de leur esprit. Selon leur mentalité, l'attaque sauvage d'Estervary sur le violoniste tzigane n'avait guère plus de gravité qu'un coup de pied à un chien. Non qu'ils eussent approuvé leur camarade, mais, d'après leur code moral, ce n'était là qu'un petit événement sans importance et sur lequel il était inutile de s'attarder.

Le capitaine Pogany s'inclina vers Paprika en lui renouvelant ses vœux de bonheur, serra la main d'Estervary avec une certaine réserve et, saluant brièvement ses subalternes qui se tenaient au garde-à-vous, sortit de la pièce.

Quand la porte se fut refermée sur lui, les jeunes officiers respirèrent plus librement.

Dédaignant le sage conseil de leur chef de se retirer immédiatement, ils ordonnèrent une autre tournée en l'honneur de la mariée.

Le lieutenant Farkas força Paprika à avaler un verre de cognac, sous prétexte qu'elle en aurait besoin. Szabo, un des cadets, commença à chanter d'une voix éraillée et sur un ton affreusement faux :

« *A... csizmanon nincsen Kéreg...,*
A... csizmanon nincsen Kéreg ! »,
et comme il ne pouvait plus se rappeler la suite des paroles de la chanson, il s'obstinait à répéter sempiternellement le même passage.

A la fin, Pongracs, agacé, lui ordonna d'un ton péremptoire de se taire.

Le garçon prit un air vexé et, s'étant emparé d'une nappe souillée, alla s'asseoir pour bouder dans un coin, se voilant comiquement la face. Et il se tint, dès lors, silencieux, au piquet, drapé dans sa nappe sous laquelle il avait eu soin d'emporter, comme compagnie, une bouteille à moitié pleine de brandy de « *Keglevitz, Trois étoiles* ».

— Hé ! Où chui-je donc, alors, che ne compte plus ! s'exclama brusquement Estervary d'une voix pâteuse en jetant autour de lui des regards belliqueux et en s'appuyant contre la table pour ne pas tomber. Me prend-on pour un enfant de chœur ? Où che trouve mon verre ? heu ?

Pongracs remplit à ras bord un grand gobelet d'eau-de-vie et le lui tendit. Autant l'achever complètement ! pensait-il.

Estervary avala le breuvage de feu d'un seul trait et exhala un rot sonore :

— Oh ! Le vilain mal élevé Sandor ! s'exclama Hajos d'une voix de fausset, en lui montrant le doigt comme le fait une indulgente nourrice. Où sont tes manières ?

— Au diable tout cela ! bredouilla le Prince, complètement

ivre. A partir d'aujourd'hui, chuis un *Cigany*. Et les *Ciganys* n'ont pas de manières !

Paprika lança vers son mari un regard aigu.

Il était dans un tel état d'ivresse qu'il pouvait à peine se tenir debout.

Paprika redoutait de se trouver à nouveau seule avec lui. Dans l'état où il était, s'il se souvenait encore des différents affronts qu'elle lui avait faits au cours du repas, elle était sûre de ne pas échapper à la cravache vengeresse.

Dans sa détresse, elle pensa tout naturellement à Jancsi. Où pouvait-il bien être, maintenant ? Que pouvait-il bien faire ?

Zsuzsa ou Tinka sauraient-elles le soigner et le panser ? Connaîtraient-elles un baume pour guérir sa plaie ? Il avait perdu beaucoup de sang. Le plancher, près de la table et de la porte, là où il s'était tenu, était encore marqué de taches rouges.

Sur un signal dont ils étaient convenus après s'être longuement concertés, Farkas et Feher enlevèrent brusquement Estervary de sa chaise et l'assirent sur leurs épaules, malgré les efforts du Prince pour se libérer.

Au même moment, Paprika fut saisie par Batorsag et Hajos et amenée également à cette position élevée, sinon enviable.

Au milieu de l'hilarité générale, le docteur Siebenstern commença à plaquer sur le piano des accords imposants et, d'une voix tonitruante, entonna les vers mal rimés de la « Marche nuptiale » :

« Voici la mariée — toute de blanc habillée ! »

Les officiers, en riant, joignirent leurs organes puissants à celui du toubib, et la procession se dirigea vers la porte.

Les deux ordonnances s'empressèrent de l'ouvrir toute grande.

Comme les derniers officiers étaient sur le point de sortir, Schlesinger, avec un rire graveleux, leur fit signe d'attendre.

— Quoi que vous vouliez dire, choyez bref ! bredouilla Szabo, que l'impatience n'empêchait pas d'avoir des troubles d'élocution.

Sans un mot, l'aubergiste leur montra du doigt le plafond.

Les officiers suivirent son geste du regard et, pour la première fois, remarquèrent une sonnette suspendue juste au-dessus de la table.

Jetant un coup d'œil inquiet vers les ordonnances et mettant sa main en paravent sur sa bouche, afin de n'être entendu que des officiers, l'hôtelier murmura dans son jargon :

— Cette clochette, elle est avec un fil avec le sommier du lit attachée ! Quand l'amusement il commence en haut, la cloche, ici, il sonne ! Dieu est chuste ! L'amusement commence en bas aussi !

Il s'arrêta un instant, tout secoué qu'il était par un petit rire égrillard, puis se reprit :

— Ch'ai pensé que les messiers officiers-*leben*, très humblement, ils aimeraient peut-être aussi la farce ! Très humblement, je ris beaucoup, souvent des fois, quand un couple nouveau il couche là-haut. Dieu est chuste !

Les officiers et les cadets eurent un rire bref.

Ils avaient déjà vu bien souvent ce genre de singulières installations dans des auberges paysannes fréquentées par les nouveaux mariés en voyage de noces. Mais, ce soir, même cette facétie d'un goût douteux trouvait grâce à leurs yeux. Ah ! bah ! La vie est si dure et si courte ; alors, pourquoi ne pas s'amuser quand l'occasion s'en présente ?

— Très obligé, Schlesinger... vieux porc, va ! s'esclaffa Utazo, l'officier du ravitaillement, en appliquant une énorme tape dans le dos de l'aubergiste.

— Sacré nom d'un chien ! C'est une fameuse idée ! accorda Patanky, le lieutenant-vétérinaire, mais je ne crois pas qu'on entende la sonnette tinter cette nuit ! Si ce qu'on m'a appris à l'école à propos des effets de l'alcool sur la libido est exact...

— Eh ! Vous n'êtes pas shi spirituel que vous le penshez ! s'écria avec importance Szabo d'une voix pâteuse. Par exemple, quand je shuis shobre, she n'est pas aushi bon... que quand she shuis shaoul... parshe que... quelquefois she...

— Va te faire sevrer ! Blanc-bec ! Et puis, d'abord, va te coucher ! interrompit Utazo, impatienté. Le capitaine te l'a bien dit !

— Shi cha s'h'trouve..., on va peut-être bien rigouler un coup... quand même ! remarqua le second cadet, d'un air pensif. On ne shait jamais !

Du hall, quelqu'un appela Schlesinger. Celui-ci se précipita en s'excusant :

— Dieu est chuste ! Quelle journée ! Très humblement, excusez-moi, messieurs !

Et il sortit en courant, suivi par les officiers retardataires.

La procession s'était arrêtée dans le couloir, attendant que l'hôtelier voulût bien lui indiquer la direction de la chambre nuptiale.

L'entrée de la salle paysanne se trouvait bloquée par une foule de curieux qui essayaient d'apercevoir la petite reine gitane qui était devenue princesse.

Parmi eux, Paprika reconnut les visages envieux et renfrognés de Narilla, Saski, Suri et Mika.

Les cuisinières, les marmitons et les souillons de la cuisine, en groupe devant la porte de leur cuisine, regardaient, fascinés, la princesse Cendrillon que l'on allait conduire en triomphe jusqu'à sa couche nuptiale pour commencer sa « lune de miel ».

Un conte de fées s'accomplissait devant leurs yeux.

Margit, la robuste serveuse, repoussa d'un geste dégoûté la main d'Imre, le portier, qui lui tâtait les fesses. Depuis trois mois déjà, elle se glissait chaque nuit dans la mansarde d'Imre pour jouir un peu de la vie après le travail. Mais, maintenant, c'était bien fini ! N'était-il pas qu'un vulgaire portier ? Peut-être ce soir se glisserait-elle dans la chambre d'un de ces fringants jeunes officiers ? Peut-être... l'un d'entre eux l'épouserait-il... ?

En saluant, un sourire grivois fendant sa face d'une oreille à l'autre, Schlesinger conduisit le cortège dans les escaliers.

Selon une vieille coutume, les cuisinières et leurs aides jetèrent quelques poignées de riz dans la direction de Paprika, qui s'abrita le visage en riant.

— Yoi ! Yoi ! Yoi ! Et du riz, la livre à deux couronnes ! s'écria le Juif.

L'avalanche cessa.

Les officiers reprirent en chœur joyeusement :

« Voici — venir la mariée — toute de blanc — habillée ! »

La chambre nuptiale se trouvait exactement au-dessus de la salle à manger où le repas de noce avait eu lieu.

Vilma, la femme de chambre au teint grêlé, et Têtū, l'ordonnance d'Estervary, attendaient auprès de la porte, un sourire railleur sur leurs faces ingrates.

Farkas et Feher, qui marchaient en tête avec Estervary, entrèrent les premiers dans la chambre et, en s'esclaffant, laissèrent choir leur fardeau au beau milieu du plancher.

Batorsag et Hajos, qui maintenaient Paprika sur leurs épaules, la déposèrent dans un fauteuil, auprès du large lit à baldaquin qui prédominait dans la pièce.

Avec de grands rires, les officiers aidèrent Estervary à se remettre sur pied et à se maintenir en équilibre sur ses jambes vacillantes.

Schlesinger passa une dernière inspection de la chambre, comme le ferait un général du terrain avant la bataille.

Tout était prêt.

Le lit était bien fait, bien tendu et bien net, sauf que le drap du dessus n'était pas frais, mais les nouveaux mariés ne s'en apercevraient sûrement pas !

Auprès de la table de toilette se trouvaient un grand broc d'eau chaude et des serviettes en abondance près du bidet.

Une bouteille de champagne dans un seau à glace, du caviar, du foie gras, des truffes et des fruits.

On ne pouvait dire de Schlesinger qu'il ignorât quoi que ce fût du confort et du service qu'on était en droit d'exiger d'un hôtel de « premier ordre ».

Hajos remonta le réveil sur la table de nuit et fixa l'alarme sur quatre heures.

PAPRIKA

Accourant de sa chambre où il avait disparu un instant, le docteur Siebenstern jeta dans un verre un peu de poudre sur laquelle il versa un peu d'eau.

Le liquide se mit à bouillonner comme de l'eau gazeuse.

Sur un signe du *medicus*, les officiers les plus proches d'Estervary s'en saisirent et le forcèrent à ouvrir la bouche.

Le Prince se débattit comme un forcené pour se dégager, mais il dut quand même avaler le pétillant breuvage qu'on lui versait dans le gosier.

Ses camarades le lâchèrent. Au bout de quelques instants, il fut secoué par quelques violents hoquets salutaires et, tout dépité, soudain, se sentit mieux.

Les officiers souhaitèrent une dernière fois bonne nuit et bonne chance au jeune couple, avec des sourires pleins d'insinuations.

Tout à coup, Estervary redevint exagérément poli. Il tanguait comme une barque à la dérive un jour de gros temps et insista pour accompagner ses amis jusqu'à la porte.

Sur le seuil, il s'arrêta pour les saluer et les remercier avec toutes les formes de la plus grande politesse, perdant l'équilibre à chaque fois qu'il claquait des talons.

— Bonne chance !

— Santé !

— Bonheur !

— Beaucoup d'amour !

— Longue vie !

Des poignées de main par-ci, des poignées de main par-là, des saluts, des cliquetis d'éperons.

Enfin, ils étaient tous partis !

— Rompez, valetaille ! grommela Estervary en donnant ainsi congé à son ordonnance pour la nuit.

Le troupier joignit les talons et, après un « garde-à-vous », il fit un parfait demi-tour à « gauche... gauche », et courut rejoindre Vilma au fond du couloir.

N'était-ce pas l'anniversaire du Roi ? Le pauvre peuple avait bien le droit aussi de le célébrer et de s'amuser un peu.

PAPRIKA

Estervary ferma la porte et poussa le verrou.

Quand il voulut se retourner, il perdit tout à coup l'équilibre et tomba, les épaules contre la porte. Ses jambes avaient glissé si loin devant lui qu'il était dans l'incapacité de se remettre sur pied. Toute coordination entre sa volonté et ses muscles avait cessé. Sa tête se balançait, inerte, et de sa bouche entrouverte coulait un filet de bave.

Il resta là, le dos appuyé contre la porte, ne se soutenant que grâce à un miracle d'équilibre.

Paprika, en soupirant, se leva de son fauteuil, s'approcha de la table de nuit et souffla une à une les bougies du candélabre d'argent à quatre branches.

Un moment, elle suivit des yeux les légères volutes qui s'en dégageaient.

La chambre s'estompa dans la pénombre qu'un faible clair de lune rendait bleuâtre.

Il faisait une chaleur suffocante dans cette chambre qui sentait le moisi, étant généralement condamnée et calfeutrée d'un mariage à l'autre.

Paprika se dirigea vers une des fenêtres donnant sur le petit jardin, l'ouvrit et s'y accouda.

Dans le ciel, les étoiles clignotaient. La lune des moissons, pareille à un masque grotesque, semblait ricaner plus que jamais aux choses d'ici-bas.

L'air, imprégné d'un parfum très doux d'acacias, montait vers Paprika. Les fleurs des marronniers tardifs prenaient, dans l'ombre, l'apparence de bougies posées sur un gigantesque candélabre de cathédrale. Les grosses boules de verre dorées et argentées qui décoraient l'extrémité des tuteurs soutenant les rosiers reflétaient, en les déformant, la lune et les nuages à la dérive du firmament.

Au-delà du mur recouvert de lierre clôturant le jardin se trouvait une allée étroite et sombre.

Tous les bruits s'étaient tus dans le calme de cette belle nuit tiède.

Rompant la paix environnante, Paprika n'entendait que les

rires filtrés des hussards ivres qui, à nouveau, s'étaient réunis dans la salle à manger pour boire de nouvelles tournées.

Ils avaient sans doute invité Narilla et ses compagnes, car Paprika reconnaissait leurs voix aiguës.

Une des gitanes pinçait les cordes d'un *cobza*, tandis que les autres chantonnaient une chanson suggestive aux innombrables couplets. Chaque refrain était suivi de gros rires.

Dans le ciel, siffla une fusée qui explosa avec une détonation sèche, crachant une pluie d'étincelles multicolores.

Une deuxième, une troisième survinrent rapidement.

Les yeux fatigués de Paprika suivaient distraitement la chute de ces myriades d'étoiles filantes qui poudroyaient et s'évanouissaient dans la nuit en laissant derrière elles une traînée blanchâtre de fumée légère.

Des soleils rouges et verts tournoyaient follement.

La populace continuait à célébrer l'anniversaire de son Roi. La brise apportait l'écho de quelques mesures de l'hymne national joué par les fanfares des vétérans et des mineurs, menant la retraite aux flambeaux qui parcourait la ville.

— « Boum ! »

Une autre détonation fit vibrer les vitres de la fenêtre. Tout le ciel se trouva teinté d'un rouge fulgurant. Comme Paprika contemplait cette nuit embrasée des mille feux qui jaillissaient du firmament, ce spectacle lui rappela l'histoire de sa mère. Le casino de Poszony, où se trouvaient les officiers du même régiment de hussards... La terrasse ornée de lauriers-roses, où Lila et son amant avaient contemplé, main dans la main, les feux d'artifice... C'était également l'anniversaire du Roi, cette fameuse nuit-là, il y avait longtemps...

Elle se souvenait comment sa mère lui avait raconté son premier baiser. Elle se rappelait tout ! Jusqu'à la moindre modulation, la moindre inflexion tremblante dans la douce voix grave de Lila faisant le récit de son bel et unique amour...

A cette minute, Paprika aurait aimé sentir la chère disparue auprès d'elle et écouter une fois de plus l'histoire de ce grand amour dont le trop fréquent récit l'avait tant agacée du vivant de sa mère.

Un affreux sentiment de solitude et d'abandon l'envahissait toute. Elle comprenait maintenant qu'il ne lui restait plus personne à qui se confier, personne sur qui s'appuyer, aucune épaule amie où poser sa tête pour pleurer. Le seul être au monde qu'elle désirât et qu'elle aimât, elle l'avait cruellement traité. Elle ne lui avait même pas adressé un seul mot de consolation lorsqu'il avait été si brutalement meurtri par le sabre du Prince.

« Hhhhhuuit ! Ppppsssss ! » Une fusée décrivit dans l'air une courte parabole... mais n'éclata pas. Ce coup était manqué.

Paprika se détourna de la fenêtre.

Son mari, toujours accoté contre la porte, la tête branlant de droite et de gauche, la fixait avec stupeur, la bave à la bouche.

Après plusieurs vains essais, rassemblant toutes ses forces, le Prince réussit enfin à se remettre sur pied.

En vacillant, il s'élança vers sa femme.

Elle ne bougea pas. Peu lui importait, à présent, ce qu'il voulait faire d'elle : la fouetter encore, ou la forcer à se soumettre à sa brutale concupiscence. Tout lui était devenu indifférent.

Bien que son corps, marqué des boursouflures que la cravache y avait laissées, la fît souffrir cruellement sous sa robe de mariée, une curieuse léthargie s'était emparée d'elle, annihilant tout effort de réaction.

En titubant, Estervary avançait sur elle. Soudain, son sabre se prit entre ses jambes molles et, la tête la première, il tomba tout de son long en travers du lit.

Sous le choc de son poids mort, tout le lit se mit à branler.

Faiblement, il se débattit, essaya de se relever mais n'y parvint pas.

Au-dessous, dans la salle à manger, la sonnette accrochée au plafond tinta.

452

PAPRIKA

Patanky, le vétérinaire, l'entendit le premier et pointa son doigt vers le plafond.

La bruyante tablée, mise en éveil, resta silencieuse quelques instants, un amusement certain se lisant sur tous les visages.

Les gitanes n'étant pas au courant de la plaisanterie, le lieutenant Utazo leur donna une explication détaillée de l'installation, accompagnée d'une pantomime précise qui les mit en joie. Narilla et ses compagnes rirent à en avoir les larmes aux yeux. Même Viola, vêtue pour la première fois de sa vie d'un châle et d'une jupe en l'honneur de l'anniversaire du Roi, trouva cela fort drôle.

Mais la sonnette ne tinta que l'espace de quelques secondes et s'arrêta.

— C'est maigre, pour la nuit de noces ! fit observer sèchement Suri.

— Elle a eu son compte la nuit dernière ! ricana Narilla.

Batorsag, qui l'avait choisie pour partenaire de ses fredaines, l'attira sur ses genoux :

— C'est heureux qu'il n'y ait pas de sonnette attachée à mon lit, remarqua-t-il, car nous deux, on tiendrait la maison éveillée toute la nuit !

Une cascade de rires accueillit cette saillie pleine d'humour.

— Espèce de vantard ! lui murmura Narilla en se tortillant contre lui.

Les yeux levés au plafond, ils prêtèrent encore l'oreille ; mais la sonnette restait toujours immobile et muette.

— Je vous l'avais bien dit ! Il est trop saoul ! remarqua Patanky.

— Eh ! Vous n'êtes pas shi spirituel que vous le penshez.

C'était la voix pâteuse de l'incorrigible jeune Szabo.

— Par exemple..., quand je shui shobre..., sha n'est pas shi bon que quand je shui shaoul..., parshe que..., quand je shui shaoul...

— Je t'ai déjà dit de fermer ton bec, morveux ! aboya Utazo. Qu'est-ce qui m'a flanqué un bizut pareil ? Les cadets, c'est comme les enfants. On ne doit pas les voir, et encore moins les entendre, à table !

Quelqu'un appela les serveurs somnolents pour remplir à nouveau les verres.

— *Gewalt !* murmura Moïsche à Abe, en levant au ciel des bras impuissants. *Gott der Gerschte...*, si seulement ils pouvaient, avant d'oublier tout, nous donner les pourboires ! Ils vont tout casser, bientôt...

— *Krepiern soll'n se, de schikker goyims !* dit Abe en crachant dans la boîte de sciure de bois qui se trouvait dans un coin de la pièce.

— Oui ! Dieu est juste ! Qu'ils crèvent, ces sacs-à-vin mangeurs de cochon ! répondit Moïsche avec ferveur.

— Doktor-Leben ! appela Batorsag, en imitant l'accent juif, jouez-nous donc quelque chose. C'est d'ailleurs tout ce que vous êtes bon à faire, rouleur de pilules !

— Oh ! Oui, un air de *La Veuve joyeuse* ! surenchérit Hajos.

Avec bonne grâce, le brave Siebenstern se dirigea vers le piano et, après avoir haussé en le vissant le siège du tabouret, il entonna l'air de *Maxim*, la célèbre opérette de Lehar.

Batorsag, dont la musique alanguissait les mœurs, prit une gorgée de vin qu'il fit couler de sa bouche dans celle de Narilla, écrasant sous les siennes les lèvres de la gitane, qui avala le breuvage et lui rendit un baiser passionné.

*
* *

Paprika, toujours à la même place, le dos tourné à la fenêtre ouverte, contemplait Estervary écroulé sur le lit.

Pour la première fois, elle réfléchissait sérieusement — chose qu'elle n'avait pris ni le temps ni la peine de faire, dans sa folle précipitation vers ce mariage.

Elle avait finalement atteint le but qu'elle s'était elle-même proposé. Elle avait enfin assouvi son désir de prendre sa revanche sur Jancsi. Mais sur quelle pente sa vengeance irraisonnée l'avait-elle entraînée ? Maintenant seulement, elle se rendait compte des inconvénients du piège dans lequel elle s'était jetée à la légère.

Dans son raisonnement naïf, aveuglée par l'orgueil, ce plan lui avait d'abord semblé très simple. Épouser le Prince en premier lieu... De ce fait, pouvoir pardonner à Jancsi sa princesse... Ensuite, lui revenir pour ne plus jamais le quitter.

Mais, à présent, elle comprenait que les liens du mariage ne se dénouaient pas si aisément. Il ne lui restait qu'une solution : s'enfuir !

Le Prince la détestait et ne dresserait certainement aucun obstacle à son départ. Mais que dirait Jancsi en la voyant réapparaître ainsi en fugitive... ? Ne serait-il pas surpris de voir la lune de miel si tôt achevée ? Narilla se gausserait et la raillerait plus que jamais, la garce ! Et toute la tribu la croirait répudiée par le Prince !

Amèrement, elle était bien forcée de se rendre compte qu'en croyant trop bien réussir, elle avait complètement échoué. Elle dut reconnaître que ses calculs avaient été faux, et que le résultat de toutes ces folies se retournait contre elle.

C'était elle qui se trouvait bien punie, et non Jancsi ! Qu'allait-elle faire, à présent ?

Elle se demanda si la vieille Zsuzsa pouvait, une fois encore, l'éclairer de ses sages conseils.

Peut-être n'était-il pas trop tard ?

Peut-être était-il encore temps de gagner la belle route ensoleillée et unie où elle retrouverait Jancsi pour ne plus jamais le quitter ?

La sinistre prophétie de la *baba* lui revint à l'esprit : « Un sabre..., un couteau..., un fusil... Du sang — beaucoup de sang — et la mort ! » Cette fois encore, la voyante avait vu juste. Il y avait eu le sabre d'Estervary et le sang de Jancsi...

Au-dehors, du fond de la nuit, elle entendit les longues notes mélancoliques d'un clairon sonnant la retraite.

« L'extinction des feux ! »

Ce signal déchirant, qui annonçait la fin du jour, de ce jour de fête et de réjouissances, étreignit Paprika d'une émotion indéfinissable.

Un frisson glacé la parcourut toute. Une terreur imprécise s'empara d'elle, comme si, invisible et rampant, un être monstrueux allait surgir de l'ombre pour la saisir.

Le souffle court, tremblant de peur, elle commença le *Pater Noster* :

— *Miro gudlo Devel... savo hal ote ando Cheros...*

Mais, comme d'habitude, elle n'alla pas plus avant, n'ayant jamais pu retrouver le reste de la prière au Seigneur.

— Seigneur, mon Dieu, ne laissez pas mourir Jancsi ! Ne me faites pas mourir ! Je suis si jeune encore, je veux vivre ! Je veux aimer ! Je veux connaître l'amour de Jancsi. Faites que les paroles de Zsuzsa ne s'accomplissent pas jusqu'au bout ! supplia-t-elle encore.

Cette prière l'apaisa.

Le Ciel l'aurait-il écoutée ? Elle décida de s'enfuir jusqu'au campement qu'elle savait n'être pas très loin, et d'y consulter Zsuzsa. Cette fois, elle suivrait à la lettre les conseils de la *baba*. Et si elle pouvait retrouver Jancsi, elle se jetterait à ses pieds, lui confesserait enfin son amour, humblement et sans honte. S'il pouvait seulement lui pardonner ! Que lui importaient après tout les railleries de Narilla et des autres ? Si Jancsi voulait bien croire en elle, voulait bien la comprendre, s'il l'aimait encore, cela seul comptait au monde !

Vivement, elle ôta ses souliers de satin blanc et ses bas qui la gênaient. Ses pieds nus se sentaient plus à l'aise pour courir. Sans bruit, elle gagna la porte à pas feutrés.

Estervary, sur le lit, ne bougeait pas.

Elle tourna le verrou, entrouvrit la porte et jeta un coup d'œil dans le corridor.

Au fond, une autre porte s'entrebâilla, d'où surgit le bras nu d'une femme qui déposa sur le seuil une haute paire de bottes éperonnées. Le bras disparut. L'huis se referma.

PAPRIKA

Avec précaution, Paprika se glissa dans le couloir et, par pur instinct, au bout de la galerie transversale, découvrit un escalier de service conduisant au jardin.

Arrivée au bas des marches, elle s'arrêta un instant pour repérer les environs. Elle calcula qu'il lui faudrait traverser le jardin en faisant bien attention de n'être pas aperçue, atteindre, dans le mur du fond, le petit portillon qui donnait sur un chemin en apparence désert. Cette sortie dérobée allait lui permettre de gagner facilement la grand-route sans avoir à traverser le cœur de la ville.

En suivant cet itinéraire, elle avait une chance d'arriver au camp sans rencontrer âme qui vive.

Avant de s'aventurer, elle prêta l'oreille. Par la fenêtre ouverte de la salle à manger lui parvenait la chanson de « Vilja », jouée par le docteur Siebenstern avec une sentimentalité exagérée et trop de pédale, coupée de temps à autre par le rire aigu de Narilla. Ce qui la rassura. Rien à craindre de ce côté-là. Ils étaient tous bien trop occupés à jouir du moment pour s'inquiéter de ce qui se passait au-dehors.

Paprika s'engagea dans le jardin baigné de lune et fit quelques pas inquiets et prudents.

A ce moment, une silhouette mince et sombre surgit de derrière la haie de cyprès.

Paprika se mit à courir ; mais la longue traîne de sa robe entravait ses pas, et elle s'accroupit un instant pour saisir le bas de sa jupe et la ramener au-dessus de ses genoux, afin de libérer sa course.

Mais, brusquement, elle se sentit poussée en avant et projetée contre terre. Son voile fut enroulé prestement et serré autour de son cou, et comme un cri d'étranglement lui échappait, le reste du tulle, étouffant le son de sa voix, fut enfoncé dans sa bouche grande ouverte, la bâillonnant complètement.

Son assaillant lui banda les yeux d'un châle et, après s'être toutefois d'abord assuré que le bandeau était solidement fixé, desserra légèrement la bride du cou pour lui permettre de respirer. Puis il s'agenouilla sur son dos et, la pressant contre terre

457

de tout son poids pour l'empêcher de se débattre, lui attacha chevilles et poignets récalcitrants à l'aide de ses bretelles.

Cette agression s'était produite avec une telle rapidité que Paprika n'avait pas eu le temps de reconnaître l'homme. Elle s'imagina seulement être encore la proie d'un des camarades saouls d'Estervary ou de quelque paysan devenu fou d'alcool.

Avec une force surprenante pour son apparence svelte, l'inconnu souleva le corps flexible de la jeune fille, le jeta sur ses épaules, gagna la porte et s'enfuit en courant dans l'allée sombre.

Là, dans l'ombre du mur, attendait Custor Ignac, tenant la bride de Mikosz, l'étalon de Zoltan. Le cheval, vieilli, avait perdu beaucoup de la fougue de sa jeunesse, mais il était encore l'animal le plus rapide que possédât la tribu des Ulemans.

Sans un mot, Ignac aida Jancsi à déposer son fardeau, ligoté et sans défense, en travers du dos de la bête, devant la selle. Ils l'y attachèrent solidement et le recouvrirent complètement d'une vieille couverture.

Dans la sombre chambre nuptiale plongée dans l'obscurité, Estervary s'agita, après le bénéfice d'une demi-heure de lourd sommeil et les effets de la poudre administrée par le docteur Siebenstern. Ses sens engourdis se ranimaient.

Péniblement, le Prince, encore tout abruti, se souleva sur les coudes et frotta ses paupières rougies en essuyant la granulation qui s'était accumulée au coin des yeux.

Avec ahurissement, il explora la chambre d'un regard circulaire : sa femme ne se trouvait plus auprès de la fenêtre où, pourtant, il était sûr de l'avoir vue avant de s'endormir.

Pour atteindre la boîte d'allumettes posée sur la table de nuit, il s'assit sur le lit et se tourna, en rebondissant lourdement de tout son poids.

La sonnette de la salle à manger se remit à tinter.

Cette fois, ce fut Szabo, le jeune cadet ivre, qui l'entendit le premier :

— Psht ! s'écria-t-il en pointant son doigt vers le plafond.

Tous les auditeurs de cette indirecte représentation, à laquelle ils n'étaient pas conviés, étaient à l'affût ; tous les mouvements restèrent suspendus. Cette sonnerie stimulait les imaginations déjà enflammées par l'alcool. Des mains se saisirent, dans une sensuelle anxiété.

Mais, au bout de quelques secondes, la sonnette s'arrêta.

— *Nem !* Fausse alerte ! lâcha Batorsag.

— Il vient seulement de se retourner dans son sommeil ! commenta Utazo sur un ton dégoûté.

— Moïsche *leben* ! appela Hajos, on crève de soif, ici !

Après s'être débarrassé de son sabre par trop encombrant et de ses bottes de cuir verni, Estervary se dirigea en vacillant vers la porte. Le verrou était ôté. Il se rappelait pourtant l'avoir poussé. Puisque cette putain *cigany* ne se trouvait plus dans la chambre, il en arriva à la brillante et correcte déduction que le verrou n'avait pu être ouvert que par elle. Quand une porte est fermée au verrou, il faut tirer le verrou pour sortir, et si la garce était sortie, où pouvait-elle être ? Peut-être au fond du couloir, dans les toilettes ?

Il se dirigea de ce côté et s'arrêta devant une porte où se trouvait inscrit le mot : *Nöknek*. Il essaya le bouton. L'endroit était occupé. De l'intérieur, la chasse d'eau se fit entendre.

Estervary sourit. Son raisonnement, décidément, avait été juste. C'était même un chef-d'œuvre de logique. Eh bien ! Elle pouvait rester là toute la nuit, si cela lui plaisait ! Quant à lui, il retournait dormir. Dieu sait s'il avait besoin de repos pour faire mine honorable, dès l'aube, dans cette satanée formation !

Rentré dans la chambre, il referma la porte à clef. Se traînant jusqu'au fauteuil, près du lit, il commença à se déshabiller. Ses doigts tâtonnaient maladroitement. Des boutons résistaient, il les arrachait. Au diable les boutons ! Têtü était là pour les recoudre... Après tout, damnés soient les uniformes ! Et les femmes ! Et le Roi... Et tout !

Il se dépouillait de ses vêtements tant bien que mal et les lançait à toute volée, au hasard, n'importe où.

Tout nu, il se mit en quête de son pyjama. Il promena autour de lui un regard hébété, mais le vêtement demeura introuvable.

Comme il penchait la tête pour regarder sous le lit, dans l'encadrement de la fenêtre apparut une autre tête. Elle était enveloppée d'une serviette de table toute maculée de sang. Entre les dents serrées brillait un *churi*.

Le dos tourné à la fenêtre, Estervary se redressa, abandonnant, dans un juron, son inutile recherche. Il exhala un violent hoquet.

Jancsi, se cramponnant à l'appui de la croisée, s'était hissé sans bruit et, maintenant, se tenait immobile, debout sur le bord de la fenêtre. Son *churi* menaçant qu'il avait repris en main scintillait dans l'ombre. Son visage crispé n'était plus qu'un masque méconnaissable.

Par les fenêtres ouvertes, en bas, parvenaient de la salle à manger les rires turbulents des hussards et la valse de « la Sirène » jouée par le docteur Siebenstern :

> « Heure exquise
> Qui nous grise
> Len-te-ment... »

Malgré son ivresse, Estervary poussa un grognement d'irritation en remarquant combien le piano désaccordé sonnait faux.

Jancsi aurait pu facilement le frapper par-derrière. Mais telle n'était pas son intention.

Il siffla doucement.

Le Prince se retourna et aperçut la silhouette de Jancsi, dressée sur le rebord de la fenêtre, qui se découpait sur la nuit bleue.

Avant qu'il n'ait eu le temps de faire un geste ou de formuler un son, Jancsi s'élança.

Il bondit dans l'air et vint s'abattre sur son ennemi, le faisant s'écrouler avec lui sur le lit.

Dans la salle à manger, la sonnette tinta violemment.

— Eh ! Vous voyez ! remarqua Szabo, exultant. She vous l'avais bien dit, vous voyez que vous n'êtes pas shi malins.

La sonnette continua son ding ding sur un rythme régulier, enflammant les imaginations des auditeurs.

Les mains des hussards se glissaient fébrilement sous les châles des gitanes et caressaient leur poitrine.

Les mains des filles s'égaraient dans les poches des culottes de cheval.

La clochette continuait à tinter.

On entendait distinctement le bruit mat et sourd que font deux corps s'ébattant sur un lit.

Les drilles se regardèrent entre eux, leurs silhouettes semblant être en ébullition devant leurs yeux embués d'alcool.

— Eh ! n'avais-she pas raison ? chuchota Szabo sans quitter de vue la sonnette. She vous disais bien que moi aussi, quelquefois, quand she shuis shaoul...

Il s'arrêta, comme hypnotisé.

La sonnette accélérait son rythme. Des lèvres pressèrent des lèvres ; des mains moites s'étreignirent.

La sonnerie devint spasmodique et, finalement, se tut.

La petite Viola, à demi étendue entre les bras de Farkas, étouffa un soupir de plaisir dans son châle chiffonné.

Narilla, juchée sur les cuisses de Batorsag, tremblante déjà sous les caresses précises de son partenaire, lui mordit les lèvres avec passion.

— Hein ? Sh'avais raison ! répéta Szabo, aussi triomphant que s'il avait découvert le secret du mouvement perpétuel ou de la quadrature du cercle. Moi, she trouve que nous devrions toush boire à la shanté de notre camarade ! Qu'en dites-vous ? Hé ?

— Bien sûr ! Buvons à sa santé ! Il doit en avoir besoin, après un pareil exploit..., rugit Hajos.

Tous éclatèrent de rire. Ils se trouvaient dans un tel état d'ivresse qu'ils riaient à propos de tout et de rien avec une gaieté exubérante. Ils levèrent leurs coupes vers le plafond.

— *Isten eltessen !* — Santé ! Longue vie ! s'écrièrent-ils joyeusement en vidant leurs verres.

461

Seules, Narilla et ses compagnes marmonnèrent un juron ordurier à l'adresse de Paprika.

S'étant laissé glisser le long du treillage par lequel il avait grimpé jusqu'à la fenêtre, Jancsi venait de sauter à terre. Il courut furtivement vers la porte du jardin, dans l'allée obscure.

Ignac, qu'il rejoignit, l'interrogea du regard. Jancsi, silencieusement, fit de la tête un signe affirmatif.

Ils s'étreignirent et se serrèrent la main en se regardant comme s'ils savaient se voir pour la dernière fois de leur vie.

Puis Ignac tendit à Jancsi le *bashadi* qu'il avait rapporté du camp dans sa vieille housse de toile cirée. Jancsi rejeta l'instrument sur son dos. Il sauta en selle et donna des talons dans les flancs de Mikosz.

Ignac, la gorge serrée, regarda s'éloigner le cheval et ses deux fardeaux qui disparurent bientôt au tournant du chemin.

Jancsi prit la route en direction de Mezo-Piros où s'étendent à perte de vue les immenses champs de paprika.

Le lieutenant Batorsag sauta brusquement de sa chaise, comme s'il venait d'être piqué par une tarentule :

— J'ai une excellente idée ! cria-t-il d'une voix grasse en regardant ses camarades.

— Impossible ! rétorqua Pongracs, le moins ivre de tous, imitant l'élocution pénible de Batorsag. Tu n'as jamais eu une seule idée de ta vie !

— Sincèrement ! insista Batorsag.

— Il veut encore à boire ! Je parie que c'est cela, son idée ! remarqua Batnany.

— *Igen !* Je veux bien encore à boire ! Mais ce n'est pas cela. Sincèrement, j'ai une idée ! Et une bonne, bredouilla-t-il.

Farkas, s'interrompant de sucer l'oreille de Suri, demanda :

— Eh bien ? Dis-la ! Maintenant que tu nous as mis l'eau à la bouche, nous serions bien curieux de la connaître, cette fameuse idée !

Batorsag clignota ses yeux injectés de sang et fronça ses sourcils, comme pour s'efforcer de concentrer ses pensées.

— Oh ! Maintenant, vous me l'avez fait perdre, c'était pourtant une idée épatante ! dit-il, désappointé, d'un ton plein de mélancolie.

Tout le monde s'esclaffa.

— Déplorable ! Déplorable ! Pour une fois, en vingt et un ans, qu'il a une idée... Au moment de la dire... pfft !... envolée ! s'écria Pongracs en pouffant de rire, pour taquiner son camarade.

— Il finira à l'État-Major général, s'il continue comme ça ! ajouta Patanky.

Feher tendit un grand verre d'eau-de-vie à Batorsag :

— Peut-être que cela te rafraîchira la mémoire ?

Batorsag remercia son sauveur et avala d'un trait le contenu du verre.

Une grimace de possédé contractait son gros visage rouge de boucher.

— Eh ! La fine a fait son effet ! Je me souviens, maintenant, je me souviens de mon idée ! s'exclama-t-il, triomphant.

— Alors, sors-la vite avant de l'oublier à nouveau ! cria Feher en exhalant un violent hoquet.

— Eh bien ! voilà ! L'idée est la suivante : Nous allons monter jusqu'à la chambre des mariés et leur rendre visite ! dit-il en pointant son doigt vers la clochette du plafond. Et nous féliciterons Sandor de son exploit !

Il regarda autour de lui, avec un sourire hébété.

— Eh bien ! dites quelque chose ? N'est-ce pas une merveilleuse idée ?

Les officiers se regardèrent entre eux et éclatèrent de rire. Dans leur état d'ébriété avancée, cette idée saugrenue leur plut.

— Il pourrait être assez drôle, remarqua Hajos, de monter surprendre les tourtereaux ! Estervary doit nous laisser entrer, c'est une vieille coutume ! Cette plaisanterie-là, il l'a faite bien des fois lui-même à de jeunes mariés ! A notre tour de la lui faire ! Alors, on essaie ?

— Eh bien ! Allons-y ! Montons tous ! Et les filles aussi ! cria Batorsag. La Princesse sera contente de voir ses sœurs gitanes !

Narilla et ses compagnes échangèrent un regard éloquent. Elles savaient le genre de sentiment qu'éprouverait Paprika à la vue de ses mortelles ennemies.

Batorsag, pour montrer combien, malgré ses nombreuses libations, il était toujours en possession de ses moyens, voulut sauter d'une volte par-dessus la table et, ratant son coup, alla dans son bel élan s'étaler dans un fracas épouvantable au beau milieu des assiettes, des verres et des bouteilles, entraînant le tout avec lui, sur le plancher, dans un immense patatras.

Avec de grands rires, les filles se précipitèrent sur lui, armées de serviettes, pour essuyer le vin de son pantalon, tout en le taquinant et le chatouillant.

Enfin, toute la bande se mit en marche, Batorsag en tête, chargé d'une bouteille de « Clicquot », dans un seau à glace.

Avec des précautions exagérées, beaucoup de chuchotements et de petits gloussements étouffés, ils s'engagèrent, titubants, sur la pointe des pieds, dans le couloir du premier.

En passant devant une des portes, Szabo buta contre une paire de bottes éperonnées. Il en ramassa une et la tendit à bout de bras pour la faire admirer. La botte était large ; sa semelle se redressait au bout, à la place des orteils. Son propriétaire souffrait indubitablement de ce qu'en langage militaire on appelle « pattes plates ».

— Messieurs, au cas où cela vous intéresserait, remarqua Szabo, voici des bottes « *koscher* », et elles appartiennent à notre cher toubib « Permanganate ».

Étouffant leurs rires, tous essayèrent d'entraîner le cadet, mais celui-ci tenait à achever sa petite plaisanterie. Il fit d'abord, avec son canif, une incision en croix sur une bosse imprimée par un cor à l'endroit du petit orteil. Puis il se saisit de la deuxième botte et, retournant au bout du couloir, alla déposer la paire devant la porte du capitaine Pogany, prenant en échange les bottes élégantes, d'une impeccable coupe anglaise, qui s'y trouvaient.

Ses camarades trouvèrent cela fort drôle. En imagination, ils entendaient déjà « le Vieux » tonitruer et jurer comme un... — comme un hussard — en découvrant, le lendemain, les bottes de Siebenstern au lieu des siennes. Et ils se représentaient la rage impuissante du petit docteur quand il retrouverait ses chères péniches si proprement agrémentées de bouches d'aération !

Cet exploit accompli, au milieu de rires dont ils avaient beaucoup de mal à empêcher les éclats de fuser, ils s'attroupèrent précautionneusement autour de la porte de la chambre nuptiale.

Ils prêtèrent l'oreille un instant, espérant entendre des soupirs ou des bruits révélant l'intimité.

Tout était silencieux de l'autre côté de la cloison.

Batorsag frappa à la porte, d'abord timidement.

Il n'y eut pas de réponse. A nouveau, ils écoutèrent, l'oreille collée au bois de la porte.

Aucun bruit.

Szabo essaya de regarder par le trou de la serrure, mais la clef y était restée.

S'enhardissant, ils frappèrent plus fort.

— Sandor ! Ouvre, c'est moi ! appela Batorsag. C'est pour quelque chose d'important ! De très important !

Aucune réponse, aucun bruit. Ils se regardèrent, perplexes.

Hajos s'avança :

— Écoute, Sandor ! Nous venons te rendre visite ! Nous en avons le droit ! Tu sais que c'est une vieille coutume, et nous insistons sur notre droit ! Tu ferais mieux de nous ouvrir, autrement, nous allons enfoncer la porte.

Ils attendirent un moment.

Le premier lieutenant Pongracs, le plus âgé et le moins ivre de la bande, suggéra de renoncer.

— Laissez-le donc tranquille ! conseilla-t-il. Il a eu une

sale journée. Il est fatigué, et nous devons tous nous lever tôt ! Allons nous coucher !

— A vos ordres, mon général ! railla Hajos. Vieux gâteux fatigué ! Pour l'amour du Ciel, va au dodo te reposer. Mais n'essaie pas de nous obliger à en faire autant. Va rabâcher tes sornettes ailleurs ! Nous ne sommes pas de service, en ce moment.

— Très bien, mes enfants, faites comme vous voudrez. Moi, je vais me coucher !

Et, en bâillant, Pongracs se dirigea vers sa chambre, poursuivi par les moqueries et les quolibets de ses camarades :

— Bonne nuit, grand-maman ! Fais de beaux rêves ! N'oublie pas ta chaufferette et tes pilules laxatives.

Szabo martela à nouveau la porte de ses poings avec insistance.

— C'est un dernier avertissement, Sandor ! cria-t-il. Ouvre, ou nous entrons ! Nous parlons sérieusement.

— Bougrement sérieusement ! ajouta Feher.

Les filles ricanaient.

Un silence absolu à l'intérieur fut la réponse.

— Attention ! Nous arrivons ! annonça Szabo en repoussant les gitanes hors de sa portée.

— *Viribus unitis !* déclama Batnany, citant avec emphase la devise des Habsbourg.

Szabo, Hajos, Batnany et Batorsag s'alignèrent de façon à pouvoir jeter tout leur poids, allié de toute leur force, contre la porte.

Patanky, Utazo et Horgasz, les réserves, comptèrent en chœur derrière eux :

— *Ot !*

Ils exécutèrent la première offensive.

En dépit de leur ivresse, ils portèrent avec un ensemble parfait et une précision admirable leurs quatre épaules, frappant le bois à la même seconde.

Ils reculèrent.

— *Kettö !*

Ils se ruèrent à nouveau de toutes leurs forces contre la porte.

Les charnières et la serrure grincèrent et gémirent sous le choc. Mais la porte résista.

Ils se retirèrent encore une fois pour l'attaque décisive.

— *Harom !*

Tous quatre s'élancèrent à la fois, cognant le bois de leur épaule droite.

Cette fois, leur assaut fut couronné de succès. La porte, arrachée de ses gonds et de la serrure, s'écroula, s'aplatissant sur le plancher avec un fracas épouvantable, entraînant les quatre officiers dans une chute spectaculaire.

Derrière eux, les autres officiers et les filles les enjambèrent et se précipitèrent vers le lit.

Batnany gratta une allumette.

Un silence solennel régna un instant.

Puis, tout à coup, jaillirent des cris perçants et terrifiés.

Dans la lumière clignotante de l'allumette, ils regardèrent vers le lit, les yeux pleins d'horreur.

Tout nu, étendu sur le dos, les bras en croix, ses yeux grands ouverts fixés dans une expression de terreur, gisait Son Altesse le prince Estervary de Esteruyfalu, Sandor, Jozsef, Miklos, Piszta, Istvan, la gorge fendue d'une oreille à l'autre.

La balafre béait affreusement, et quelques gouttes de sang seulement coulaient encore.

Les draps, les oreillers étaient cramoisis.

Hajos, de ses doigts tremblants, alluma une bougie.

A ce moment, le chef d'escadron Pogany apparut à la porte, une robe de chambre jetée sur ses épaules.

Le premier lieutenant Pongracs, en bras de chemise, arriva derrière lui.

L'ivresse joyeuse des officiers s'était dissipée comme par enchantement. Ils étaient au garde-à-vous quand Pogany entra.

— Qu'est-il arrivé ? demanda-t-il à Batnany, le plus proche de lui.

Joignant les talons, et aussi raide que s'il n'avait pas absorbé une seule goutte d'alcool, le jeune officier renseigna le capitaine en termes brefs.

— Réveillez le médecin-major, ordonna Pogany.

— C'est inutile ! lança Siebenstern, débouchant du couloir. Comment aurais-je pu dormir avec tout ce tintamarre ?

Tout le monde s'écarta pour laisser passer le chirurgien, qui examina la blessure.

Le larynx, la trachée-artère et l'aorte étaient tranchés.

Prenant une des serviettes de toilette empilées sur un tabouret pour un autre usage, il en couvrit la tête et les épaules d'Estervary et se tourna vers Pogany.

— Je ne puis plus rien faire, mon capitaine ! déclara-t-il brièvement.

Pogany hocha la tête.

Le docteur sortit de la pièce, la semelle de ses pantoufles élimées claquant à chaque pas.

— Quelqu'un a-t-il vu la Princesse ? s'informa Pogany.

Pongracs s'avança.

— Personne depuis que nous l'avons accompagnée ici avec Sandor. Il était neuf heures moins cinq, mon capitaine !

— Un d'entre vous a-t-il aperçu le violoniste gitan, après sa sortie de la salle à manger ? demanda Pogany, continuant son enquête.

Schlesinger, l'hôtelier, qui se tenait depuis quelques instants au seuil de la chambre, s'avança en faisant des courbettes.

— J'ai dit au portier de le jeter dehors, mon capitaine, en lui ordonnant de ne jamais revenir, jamais !

Pogany s'approcha alors de la fenêtre et regarda à l'extérieur.

Il examina le rebord de la croisée. Des traces de terre molle s'y trouvaient.

— Nous avons bien entendu remuer sur le lit, expliqua Pongracs. Et la sonnette de la lune de miel tintait dans la salle à manger. Mais nous avons pensé, naturellement, que...

PAPRIKA

Un bruit de pas, près de la porte, interrompit l'explication de Pongracs.

C'était Vilma, la femme de chambre, en jupon, pieds nus, qui poussait devant elle Têtū, l'ordonnance à tête d'âne d'Estervary.

— Eh bien ! Têtū, pouvez-vous nous dire quelque chose ? s'enquit Pogany d'un ton encourageant.

Têtū, embarrassé, envoya un coup d'œil désespéré vers Vilma, qui essayait de lui faire comprendre, par une pantomime compliquée, qu'il n'avait qu'à dire ce qu'il savait, sans s'affoler.

Il ouvrit la bouche deux ou trois fois comme un poisson sorti de l'eau.

— *Kapitany urnak, alasson jelentem !...* au rapport ! Très obéissant ! Je... je... j'ai vu Son Altesse... donner une rossée à sa femme... cet après-midi. Une terrible raclée à la cravache !

Les officiers se regardèrent avec une soudaine compréhension.

— C'est Paprika qui l'a tué ! siffla Narilla, vindicative, je suis sûre que c'est elle !

— Silence ! ordonna sèchement Pogany. Comment avez-vous pu voir cela ? demanda-t-il à Têtū.

L'ordonnance se mit à trembler et se tourna, apeuré, vers Vilma.

— Allons, plus vite ! dit Pogany d'un ton impatienté.

— Je... je... je m'étais penché..., par hasard..., et j'ai vu par le trou de la serrure..., répondit Têtū en bredouillant et en se signant.

En dépit de la gravité de la situation, Pogany ne put s'empêcher de sourire devant l'attitude comique de l'ordonnance.

Les autres officiers durent se mordre les lèvres pour ne pas éclater d'un rire hystérique, tant Têtū faisait piètre mine.

— Premier lieutenant ! ordonna le capitaine à Pongracs, veillez à ce qu'on ne touche à rien ! Placez une sentinelle devant cette porte ! Personne n'entre ici jusqu'à ce que les autorités compétentes soient arrivées ! Informez les postes de gendarmerie de toutes les villes voisines et donnez-leur le signalement des deux suspects ! Appelez immédiatement le premier peloton de l'escadron... Divisez-le en cinq patrouilles ! Un lieutenant en charge de chaque unité ! Distribuez des cartouches à balles vives. Fouillez les cinq routes qui partent de Szeged-Var et leurs abords immédiats. Ils ont une avance d'environ une demi-heure. Il n'y a pas de temps à perdre ! Venez au rapport pour me tenir au courant des développements ultérieurs.

— A vos ordres, mon capitaine ! répondit Pongracs en répétant les ordres, selon le règlement, d'une voix brève et saccadée.

Pogany retourna dans sa chambre.

Pongracs instruisit à son tour Batnany, le second lieutenant au visage de jockey, qui, lui aussi, répéta l'ordre et se retira rapidement, suivi des autres officiers.

Szabo, qui pouvait à peine se tenir debout quelques instants auparavant, donnait, avec une efficacité étonnante, l'ordre à tous les autres curieux d'évacuer la chambre. Avant de disparaître d'un pied ferme, il plaça Têtū en faction devant la porte.

— Si jamais tu as le malheur de laisser entrer qui que ce soit, enfant de cochon, je t'écorche tout vif ! lui dit-il sur un ton farouche.

— A vos ordres, mon lieutenant-cadet !

Schlesinger ordonna à Abe, Moïsche, ainsi qu'aux autres domestiques de descendre.

— *Gott der Gerechte !* Quelle nuit ! On devient *meschugge* ! répétait-il.

Narilla et ses compagnes descendirent aussi, maudissant Paprika de leurs plus vils jurons en *Calo*.

N'était-elle pas cause de leur désappointement ? Tous ces militaires avec lesquels elles comptaient passer la nuit les auraient bien payées !

Quelques instants plus tard, les officiers ressortirent de leurs chambres, ajustant leur accoutrement, qu'ils avaient enfilé en toute hâte par-dessus leur uniforme de gala, et se rassemblèrent en bas.

A la sortie de l'hôtel, ils rencontrèrent le clairon, le maréchal des logis de service et le caporal du jour que quelqu'un avait déjà prévenus.

Batnany leur donna quelques commandements brefs et précis.

Le maréchal des logis et le caporal s'éloignèrent en courant vers les cantonnements de la troupe et les écuries du camp volant.

Dehors, l'appel pour les « Premier Hussard » claironna dans le silence de la nuit.

Suivit un signal bref : l'alarme du premier peloton de l'escadron.

Puis retentirent les sonneries de « boute-selle » et « doublez le pas ».

Les hussards, réveillés en sursaut ou arrachés des bras de leurs bonnes amies, grommelant et jurant comme... des hussards, bouclant leur tenue, sortirent des différentes maisons que leur avait assignées leur billet de logement.

Alertés et curieux, les habitants du voisinage ne tardèrent pas à venir aux nouvelles, et un attroupement se forma bientôt devant la porte de l'hôtel.

Narilla et ses compagnes devinrent aussitôt le centre d'attraction.

N'avaient-elles pas pénétré dans la chambre du crime ?

N'avaient-elles pas vu de leurs propres yeux le cadavre ?

Tout le monde écoutait avec avidité la description de Narilla :

— C'est cette blonde bâtarde de Paprika qui a tué le Prince ! vociférait-elle d'une voix perçante. Moi, je le sais bien, elle ne l'avait épousé que pour son titre et pour son argent, et aussi pour venir nous faire bisquer ! Mais, en réalité, elle est amoureuse de Rogi Jancsi, le violoneux ! J'en suis sacrément sûre ! Elle ne peut pas me la faire, à moi. Je vois à travers ses manigances. Je parie qu'elle s'est enfuie avec son amant ! Je la connais à fond, cette garce-là ! Je sais de quoi elle est capable ! Ce n'est pas pour rien que je me bats avec cette chienne depuis mon enfance ! Ah ! Si vous aviez pu voir le pauvre Prince... La gorge complètement tranchée... La tête détachée du tronc... reposant là... à côté de son corps... ! Un si bel homme ! Et si gentil garçon, avec ça. C'était *moi* qu'il voulait enlever, la nuit dernière. Mais cette putain est venue tout gâter ! Il ne voulait pas la suivre, mais elle s'est collée à lui comme une sangsue ! Je prie le Ciel pour qu'on la rattrape le plus vite possible, et je veux être là quand on la pendra, cette ordure !

Venant du poste du village, arrivèrent enfin les gendarmes. Six montés, quatre à pied. Le brigadier et ses trois hommes s'engouffrèrent dans l'hôtel. Les cavaliers restèrent devant.

Têtū, auprès de la porte, fut relevé de sa faction par un des gendarmes, tandis que les autres inspectaient la chambre du crime et le jardin en bas.

A l'aide d'une lanterne, ils découvrirent les empreintes des pieds de Jancsi sur les plates-bandes et des traces le long du treillage auquel il s'était cramponné.

Puis ils retrouvèrent la marque des sabots d'un cheval, indiquant la direction qu'avaient prise les fugitifs au départ.

Le brigadier ordonna à quatre de ses cavaliers de suivre cette piste.

Les hussards, ronchonnant constamment, tiraient maintenant leurs montures respectives des étables des paysans, transformées pour la circonstance en écuries provisoires, sellaient en accablant d'affreux jurons les malheureuses bêtes qui n'en pouvaient plus.

— Peloton... à moi ! hurla le maréchal des logis.

Cinquante cavaliers à pied, leurs chevaux à la main, s'alignèrent en formation derrière lui.

— Comptez par quatre ! commanda le sous-officier.

Chaque homme cria son numéro.

— Un !

— Deux !

— Trois !

— Quatre !

— Un !

Etc..., sur tous les tons de la gamme, allant de la voix de fausset à la basse profonde.

Trois hussards, portant de petits caissons de munitions, distribuèrent à chaque soldat deux cartouches de cinq balles vives.

— Chargez la carabine !

Les hussards chargèrent le magasin de leur « Mannlicher » avec une des cartouches et placèrent l'autre dans une des cartouchières accrochées à leur ceinture.

— A cheval !

Les cavaliers aux numéros impairs avancèrent d'une longueur de cheval ; les pairs restèrent sur place.

— Montez !

Ils enfourchèrent leurs montures.

Les nombres pairs avancèrent près des impairs, devant eux, pour reformer le rang complet.

Le maréchal des logis divisa le peloton en cinq patrouilles.

Alors, les lieutenants Batnany, Hajos, Farkas et Feher sautèrent en selle pour prendre le commandement de leurs sections respectives.

Batorsag eut quelque difficulté à monter. Ses étriers étaient trop hauts, et sa jument caracolait nerveusement. Finalement, aidé de son ordonnance, il réussit à se hisser sur le dos de sa monture qui, littéralement, pétait le feu, et rejoignit la tête de sa patrouille.

Alors, chaque commandant tira son sabre et expliqua, en quelques mots brefs, la mission à remplir.

Les patrouilles s'élancèrent ensemble, chacune enfilant l'une des cinq routes qui, du square Szent Istvan, menaient dans cinq directions différentes.

Les sabots des chevaux claquèrent sur les pavés de pierre.

Des étincelles jaillirent sous les fers martelant le silex. Un cliquetis d'acier battant l'acier s'ajouta au tintamarre.

Bientôt, les cavaliers dépassèrent les dernières maisons de la ville, s'engageant sur les routes cantonales.

Un long commandement, hurlé d'une voix rauque, déchira la nuit :

— Au galo---op !

Les étoiles avaient disparu.

D'énormes nuages spongieux, qui s'amoncelaient, avaient déjà enseveli la lune. Le ciel noir, menaçant de pluie et d'orage, abaissait de minute en minute son plafond bas.

Le cheval de Jancsi était couvert d'écume. Une bave blanchâtre lui jaillissait de la bouche et inondait ses naseaux dilatés.

La route où le fugitif s'était engagé traversait un bois récemment ravagé par un incendie. De toutes parts, des troncs d'arbres calcinés, couchés au sol, obstruaient le passage. Ils dégageaient une odeur fade de cendres mortes. Ici et là, quelques arbres, déchiquetés et noircis par les flammes, se dressaient comme des pleureurs dans un cimetière.

Jancsi tira sur les rênes.

Il se sentait relativement en sécurité pour le moment, dans ce lieu désert où l'on n'apercevait aucune habitation. Tout se trouvait noyé dans un silence noir. Seul, Mikosz transpirait abondamment, haletait à travers ses naseaux avec un bruit sifflant. Jancsi mit pied à terre et ôta la couverture qui recouvrait Paprika. Vivement, il détacha les cordes qui l'attachaient à la selle et, avec précaution, la fit glisser à terre.

Les jambes engourdies de la jeune fille fléchirent sous elle, et Jancsi n'eut que le temps de la retenir dans ses bras.

A l'aide de son *churi*, il coupa les liens qui lui serraient et meurtrissaient les poignets et les chevilles et frictionna ceux-ci pour y rétablir la circulation.

Puis il déroula le voile nuptial qui la bâillonnait et détacha le châle qui lui bandait les yeux.

Paprika, immobile, le regarda, ébahie de surprise, incapable de prononcer une parole.

Elle tremblait.

Quand, la première stupeur passée, elle vit Jancsi lui sourire gravement, avec une douceur rassurante, elle sentit monter en elle un élan de reconnaissance.

Dieu avait donc écouté sa prière ? Elle était partie dans l'espoir de retrouver Jancsi, et il était venu vers elle, contre toute espérance et malgré tout le mal qu'elle lui avait fait ! Il l'avait amenée ici, à l'ombre de cette forêt, pour la faire sienne !

L'ardent désir de toute sa vie allait se réaliser. Elle se trouvait enfin seule avec lui, dans l'obscurité complice de la nuit. Elle pouvait maintenant se jeter dans ses bras, se serrer contre lui, couvrir son visage ensanglanté de baisers, lui murmurer de tendres mots d'amour. Elle désirait avec ardeur sentir ses lèvres sur les siennes. Chaque fibre de son être tout entier attendait passionnément l'étreinte de l'être aimé.

Mais ses bras refusèrent encore de lui obéir. Elle ne parvint même pas à les soulever. De nouveau, la poigne griffue du Malin la retenait.

« Quoi ? Céder déjà ? lui murmurait la voix infernale dans l'oreille. Lui laisser voir que tu es malheureuse ? Lui laisser connaître ton humiliation entre les mains de ton époux princier ? Découvrir ce corps qui porte les marques du châtiment que ton mari d'un jour t'a infligé ? Lui avouer maintenant que tu n'as jamais cessé de penser à lui, jamais cessé de le désirer ? Admettre que tu le désires encore ? Mais il ne pourrait que rire et se moquer de toi ! »

Paprika comprit que le Malin une fois encore avait raison. Elle ne devait jamais laisser savoir à Jancsi combien elle était heureuse de cet enlèvement.

Elle se raidit dans sa position.

— Comment oses-tu ? grinça-t-elle entre ses dents, comment oses-tu m'enlever à mon mari, la nuit de mes noces ? Tu as déjà, il me semble, éprouvé sa colère sur toi, simplement pour m'avoir dévisagée... Attends un peu, tu vas voir ce qu'il va t'infliger comme châtiment pour ceci ! Il va te faire attacher à la roue et lacérer de coups jusqu'à ce que ta peau éclate en lambeaux. Et moi..., je serai là pour le voir faire..., avec plaisir !

— Ton mari ne s'attaquera plus jamais à moi ! dit Jancsi très calme. Il est mort.

— Que dis-tu ?

Il y eut dans sa voix une intonation basse et étouffée qui trahissait l'appréhension.

— Je l'ai tué avec ce *churi* ! reprit Jancsi en sortant son couteau de sa ceinture et en le tendant à Paprika pour qu'elle le vît.

Paprika resta muette de terreur.

Les paroles de la prophétie de Zsuzsa lui martelaient les oreilles : « *Je vois un sabre..., un couteau..., un fusil..., du sang, beaucoup de sang..., et la mort !* »

Le sabre et le couteau s'étaient déjà matérialisés.

Du sang avait été versé et la mort, déjà, en avait frappé un.

« Seigneur du Ciel, mon Dieu ! Épargne-nous enfin ! Ne laisse pas mourir mon Jancsi ! Ni moi ! Je suis encore si jeune ! Je veux vivre ! Je veux aimer. Aimer Jancsi, enfin ! » pria-t-elle avec ferveur.

Un frisson glacé parcourut son dos. Le sentiment d'une menace imminente l'envahit soudain en regardant, terrifiée, le lieu macabre qui les environnait.

A nouveau, elle éprouva la sensation qu'un monstre gluant se glissait dans la nuit — s'approchant d'elle dans les ténèbres — peu à peu — toujours plus près...

« *Miro Gudlo devel...* », commença-t-elle.

Mais, paralysée par la frayeur, elle ne se rappelait même plus les premiers mots de la prière...

« Oh ! Mon Dieu Tout-Puissant... Pourquoi ne m'as-tu pas aidée à gagner la belle route ensoleillée ? Pourquoi m'as-tu laissé égarer par l'être infernal qui est en moi et qui ne me veut que du mal ? Tout ceci est Ta faute ! O mon Dieu ! »...

Au-dessus d'eux, des nuages d'orage s'amoncelaient. L'air

476

devenait étouffant. Le trait pourpre d'un éclair fulgurant zig-zagua entre deux nuages. Une violente détonation suivit aussitôt le sillage livide.

— Il nous faut partir ! murmura Jancsi à voix basse en consolidant la couverture pliée en quatre sur le devant de la selle.

L'esprit de Paprika n'était plus qu'un remous où surnageaient quelques idées capitales.

Elle était veuve.

Jancsi avait tué son mari.

De ce fait, elle était libre.

Libre de partir, libre d'aimer qui elle voulait...

— Pourquoi as-tu fait cela ? demanda-t-elle, tremblante.

— Parce que je t'aime ! répondit-il simplement.

Il essaya de prendre sa main, mais elle la retira lentement.

— Sais-tu qu'on peut te pendre pour cela ?

Il haussa les épaules :

— Je sais, mais dût-on me déchirer vif, morceau par morceau, je n'aurais pas pu faire autrement !

Paprika sentit monter en elle une lueur d'espoir. Elle pouvait maintenant lui avouer son amour, puisqu'il venait de lui prouver le sien.

Peut-être pouvaient-ils tous deux, en se hâtant, gagner la belle route unie — toute fleurie — où le soleil brillait — et qui s'élançait vers l'arc-en-ciel... ?

Peut-être n'était-il pas trop tard ?

A ce moment, une nappe de feu aveuglante cingla le ciel ténébreux. Le tonnerre éclata, bouleversant le ciel et la terre de sa rage impétueuse.

Et dans la lumière rapide de la décharge, Paprika, convulsée de terreur, crut se voir sur le bord des gorges de la route rocailleuse et aride. Avec effroi, elle crut voir bouillonner du sang dans le gouffre béant qui s'abîmait dans le noir infini du néant.

Il était trop tard. L'énorme rocher incandescent lui fermait toute retraite... Des vapeurs sulfuriques emplissaient l'air, brûlant ses poumons qui étouffaient...

477

Oui ! cette fois, il était trop tard.

Jancsi avait tué pour elle. Le sang d'un être humain tachait ses mains. Et le fantôme du Prince réclamerait son péage.

Elle ferma les yeux pour chasser l'horrible vision.

Mais une autre, brusquement, s'éleva dans son esprit.

C'était une réplique de la pendaison dont elle avait été témoin un jour à Pecs.

Les bourreaux en habits noirs et gantés de blanc enlevaient l'échelle. Les jambes de la victime, celles de Jancsi, s'agitaient mollement, cherchant en vain un appui. Le corps se tordait, s'agitait de secousses saccadées et tournait sur lui-même. Puis la tête retombait d'un côté. Un dernier spasme parcourait les jambes ballantes. Jancsi se balançait lentement au bout de sa corde..., ses yeux mourants... fixés sur elle... !

La vision avait été si nette qu'elle étouffa un cri. En rouvrant les yeux, elle vit Jancsi agenouillé, l'oreille collée au sol. Il se releva vivement.

— Ils arrivent ! dit-il avec calme. Il faut repartir.

— Où allons-nous ? demanda-t-elle timidement.

— Je connais une grotte souterraine, sous les collines, au-delà de Mezo-Piros, là où s'arrêtent les champs de paprika. Si nous l'atteignons à temps, nous pourrons y rester cachés longtemps.

Il la souleva dans ses bras, la déposa sur la couverture pliée devant la selle et, d'une volte, sauta derrière elle.

— Agrippe-toi bien ! Nous partons à fond de train !

Sans répondre, elle se cramponna à lui.

Il laboura des talons les flancs de Mikosz.

L'étalon partit nerveusement, en faisant grincer ses dents contre le mors.

Ils laissèrent bientôt l'abri lugubre du bois dévasté.

Une plaine morne, désolée, s'étendait devant eux.

Un éclair jaillit, sillonnant le ciel d'un zigzag plus élancé.

Immédiatement, le tonnerre roula. Un vent violent s'éleva.

Le voile de Paprika se déploya, se gonfla comme l'aile blanche d'un navire qui prend la brise.

PAPRIKA

Les premières gouttes tombèrent.

De très loin s'entendait la tambourinade assourdie d'un galop de chevaux.

— Si nous atteignons la rivière avant qu'ils nous rattrapent, nous nagerons dans le courant, et ensuite nous tâcherons de gagner l'autre rive, expliqua Jancsi. Peut-être arriverons-nous à leur brouiller la piste.

Paprika acquiesça de la tête.

Le vent lui cinglait le visage et l'empêchait de parler.

Les larges gouttes vinrent s'écraser sur sa robe de mariée.

La route qu'ils suivaient les conduisit droit à la rivière.

Au lieu de prendre le pont de bois, Jancsi poussa son cheval vers la berge.

La pluie tombait maintenant à torrents.

Paprika était trempée jusqu'aux os. Sa robe blanche, toute maculée de la boue qui jaillissait sous les sabots de Mikosz, lui collait au corps.

Les gendarmes s'étaient tant rapprochés qu'entre chaque détonation du tonnerre, ils pouvaient entendre le galop du cheval qui emportait les fugitifs dans leur course éperdue.

A la lueur des éclairs de l'orage, ils aperçurent soudain le voile de Paprika flottant dans le vent.

— Il se dirige vers la rivière ! s'écria le brigadier.

Les gendarmes hochèrent la tête, déterminés.

Bondissant au travers de hautes broussailles, Jancsi avait déjà gagné la berge. Mais à la vue des eaux noires et bouillonnantes, Mikosz recula, pris de panique.

Jancsi serra les genoux dans les flancs de l'animal et le frappa des talons.

Mikosz, effrayé, refusant d'avancer, se mit à se cabrer, ruer, tourner sur lui-même, faisant des écarts et cherchant à regagner la route en surplomb.

D'une poigne de fer, Jancsi réussit à maîtriser le cheval et, une fois de plus, le conduisit vers l'eau, fouettant de chaque côté les flancs de l'animal réfractaire du bout de ses rênes.

Un dernier cinglement plus cruel le décida, et les naseaux

ronflant d'épouvante, il s'élança dans l'eau noire avec un « flac » retentissant, faisant gicler haut des gerbes d'éclaboussures.

Jancsi vida les étriers et agrippa la crinière du cheval. De l'autre bras, il enlaça Paprika autour de la taille d'une étreinte ferme. Mikosz, haletant de terreur, perdant pied, essaya de se cabrer, battant l'eau furieusement de ses quatre fers.

Jancsi se laissa glisser du dos de Mikosz et, se cramponnant toujours à la crinière, partit à la nage.

Dégagé de son double fardeau, le cheval s'élança en fendant du poitrail le courant fougueux.

Seules émergeaient leurs trois têtes.

Le pont de bois rendit un son creux sous les sabots des montures des gendarmes, qui martelaient les planches.

Il faisait nuit noire.

Et le clapotis persistant de la pluie qui tombait dru empêcha les poursuivants d'entendre les fugitifs nager dans les ondes bouillonnantes.

Le courant impétueux et puissant de la rivière favorisa les efforts des fugitifs. En quelques minutes, ils avaient été entraînés à une bonne distance.

Alors Jancsi, s'agrippant plus fort que jamais à la crinière, guida l'étalon vers la rive opposée. De son autre bras, il maintenait toujours Paprika et n'avait que ses jambes pour nager.

Ce fut une lutte implacable contre le courant.

Finalement, épuisés, transis jusqu'à la moelle par l'eau glaciale, les fugitifs atteignirent la berge.

L'étalon sentit à nouveau le sol sous ses sabots anxieux.

Jancsi se remit en selle, réinstalla Paprika devant lui.

Mikosz lutta péniblement, s'embourba jusqu'au ventre dans la vase du bord, glissa, dérapa, mais finit par atteindre la terre ferme.

Les gendarmes, déroutés dans leur poursuite, s'arrêtèrent un moment sur le pont.

Tout à coup, un trait de feu fendit le ciel.

Dans l'éclair fugitif, un membre de la patrouille aperçut

une seconde la robe blanche de Paprika qui, bien que souillée et maculée, n'en continuait pas moins à être un point de mire.

La patrouille repartit et, passé le pont, s'engagea le long de la rive, à travers les roseaux.

Les jarrets de leurs chevaux s'enfonçaient dans le marécage. Les hommes juraient furieusement contre les fugitifs, l'orage et la nécessité qui les avait amenés dans ces parages par une nuit semblable.

Après s'être empêtrés dans des broussailles, des ronces et des chardons, ils parvinrent enfin, près de la berge, à retrouver des traces qui indiquaient la direction prise par ceux qu'ils poursuivaient.

Le vent balayait avec furie les marais et les champs de paprika qui s'étendaient jusqu'au pied des collines que les fuyards, dans leur course éperdue, essayaient d'atteindre.

La force des rafales rageuses de l'ouragan handicapait les efforts de Mikosz.

Paprika grelottait dans sa robe trempée. Dans sa terreur croissante, elle se blottissait de plus en plus dans les bras de Jancsi. Lui, sans arrêt, stimulait le cheval dans son élan, l'abreuvant de mots tendres ou le harcelant de coups.

D'instinct, Mikosz sentait l'extrême danger qui menaçait son maître et, chaque muscle tendu à éclater, tête baissée, fendant la bourrasque, il foulait le terrain avec une telle vitesse qu'il semblait voler au-dessus du sol.

Jancsi et Paprika pouvaient maintenant entendre distinctement le martèlement des chevaux, derrière, qui se rapprochait sans cesse.

Il était trop tard pour tourner brusquement et essayer de les envoyer sur une fausse piste. Les arbustes de paprika, trop bas, n'offraient pas d'abri.

Un seul espoir subsistait encore : la grotte souterraine, s'ils avaient le temps de l'atteindre en distançant leurs poursuivants.

Le battement des sabots des chevaux à leurs trousses résonnait dans leurs oreilles de plus en plus nettement.

— Que vas-tu faire quand ils ordonneront d'arrêter ? demanda Paprika en claquant des dents.

— Continuer ! répondit Jancsi, hors d'haleine.

— Mais ils tireront !

— Je sais, mais si je me rends, je mourrai de toute façon. On me pendra !

— Laisse-moi me placer derrière toi, Jancsi ! pria-t-elle. Ils peuvent voir ma robe blanche, ils n'oseront tirer, de peur de m'atteindre. Ne l'oublie pas, je suis toujours la princesse Estervary !...

Pour toute réponse, Jancsi secoua la tête négativement et, les mâchoires serrées, encouragea sa bête en la cinglant des rênes et en la frappant des talons.

Les gendarmes étaient maintenant assez près pour se faire entendre.

— Arrêtez ! Au nom de la loi !

— Je t'en prie ! Laisse-moi me mettre derrière toi ! supplia-t-elle frénétiquement.

— Non ! dit-il en resserrant davantage l'étreinte de son bras autour de la taille de Paprika.

— Arrêtez ! entendirent-ils les gendarmes crier une seconde fois.

De plus belle, Jancsi donna de nouveaux coups de pied dans les flancs haletants de l'étalon et, sans merci, lui fouetta le cou avec les rênes.

Paprika, soudainement, se libéra de l'étreinte de Jancsi. Rassemblant tout ce qui lui restait de forces, s'agrippant à lui, elle se projeta d'une volte en arrière, réussissant après quelques secondes à reprendre son équilibre et à s'asseoir derrière lui.

Ses deux mains s'agrippèrent aux épaules de Jancsi.

Ce dernier, pris au dépourvu, n'avait pu l'empêcher. Il ne pouvait s'arrêter maintenant, ni discuter. Chaque seconde était trop précieuse.

Ils volaient, poursuivant leur chevauchée fantastique.

— Arrêtez ! Ou nous tirons !

Juste devant eux, la route faisait un brusque tournant. Un épais bosquet cachait la piste après le coude.

Le gendarme qui s'était le plus rapproché, tout à coup, arrêta net sa monture. Saisissant sa carabine, en une seconde, il en ajusta le viseur à la distance évaluée, épaula.

Juste à cet instant, comme si Dieu l'avait ordonné, un éclair vif éclaira la scène.

Paprika, dans cette lueur fugitive, aperçut le geste du gendarme qui tira... Elle se jeta contre Jancsi, pour le protéger de son corps.

La détonation de la carabine se perdit dans le grondement assourdissant du tonnerre.

Les fugitifs disparurent à l'angle du chemin.

Les ténèbres s'étaient à nouveau refermées sur eux.

Tout à coup, Jancsi sentit l'étreinte des mains de Paprika se relâcher doucement, sur ses épaules.

Avec un cri étouffé, elle glissa de cheval, tombant la tête la première.

Jancsi tira si brutalement sur les rênes que l'étalon stoppa brusquement, touchant terre des jarrets.

D'un bond, il sauta à terre et se précipita vers le petit corps blanc écroulé dans la fange du chemin.

— Paprika ! *Pireni !* murmura-t-il, soulevant la tête blonde.

Pas de réponse... Les yeux étaient clos...

— *Pireni !!!*

D'une grande tape à toute volée sur la croupe, Jancsi renvoya le cheval.

Comme s'il comprenait son rôle, il s'éloigna dans un galop furieux.

Alors, soulevant la jeune fille évanouie dans ses bras, Jancsi courut au-delà du rideau d'arbres se mettre à l'abri parmi les buissons touffus des paprikas, qui s'étendaient à perte de vue.

Assez loin de la route, pour être invisible, il déposa son fardeau sur la terre boueuse, près d'un calvaire.

Complètement délabrée par les intempéries, la croix se dressait de travers comme sur une tombe abandonnée.

Il se mit à plat ventre, se dissimulant, immobile, sous les arbrisseaux, laissant les gendarmes passer comme des flèches.

Quand ils prirent le tournant de la route, il les entendit jurer. Il perçut même le déclic d'une carabine qu'on rechargeait.

— *Pireni ! ! !*

Il se pencha pour embrasser le pâle visage aimé.

Paprika ouvrit les yeux.

— *Pireni ! ! !* Où es-tu blessée ?

— Mon dos ! murmura-t-elle.

Jancsi la souleva légèrement de côté.

Elle gémit, elle suffoquait.

Il vit un petit trou qui perçait la robe de mariée en plein milieu du dos.

Le satin, trempé et maculé de boue, lentement, comme un buvard, s'imprégnait d'écarlate.

Avec des doigts tremblants, il déchira la soie à cet endroit à l'aide de son couteau.

Pliant le voile trempé pour en faire un pansement de fortune, il le posa délicatement sur la blessure.

Puis il ôta sa veste et la glissa sous la tête de la blessée.

Elle sembla un peu soulagée et sourit tristement.

— Jancsi... murmura-t-elle dans un souffle. Je sais que je suis en train de mourir... Mais toi, tu peux peut-être encore atteindre le souterrain ? Laisse-moi ici et sauve-toi !

Il secoua la tête en se mordant les lèvres.

Tout s'écroulait autour de lui maintenant ! Leurs vies à tous deux approchaient de leur fin. Elle s'était sacrifiée pour lui, en cherchant à le protéger de son corps frêle. Pourquoi l'avait-elle fait ? L'aimait-elle, malgré tout ? Et si cela était... Trop tard ! Tout était trop tard !

De nouveau, il secoua la tête.

— Je ne voudrais jamais vivre sans toi ! soupira-t-il, un sanglot étranglant sa voix. Pour moi, dans la vie, il n'y a que toi ! Ma petite *Pireni* ! Je t'aime tant !

Elle sourit faiblement.

— Je t'aime... aussi..., mon Jancsi ! dit-elle d'une voix tremblante. Doucement, elle encercla de ses bras le cou de Jancsi. Je t'ai — toujours — aimé ! Et je n'ai jamais aimé personne d'autre que toi !

Son visage pâle semblait transfiguré. Une sérénité pensive illuminait ses traits.

Jancsi avait espéré toute sa vie entendre un jour cette confession. Toutefois, il n'avait jamais osé la croire possible. Il écoutait, bouleversé.

— Pourquoi ? Pourquoi ne m'as-tu pas dit cela plus tôt ? Mon amour !

— Je ne sais pas..., murmura-t-elle... Je ne pouvais pas ! Quelque chose... me retenait toujours... Je crois que c'était le Diable qui me possédait !

Elle s'arrêta, étouffée, luttant pour reprendre haleine.

— Mais maintenant..., je peux le dire... Enfin ! Je t'aime ! Je t'aime de toute mon âme..., de toutes mes forces ! Rien à présent ne peut plus m'empêcher de te le dire ! Rien... Mais...

Elle s'arrêta brusquement.

Les mots de Zsuzsa venaient soudain de lui revenir à la mémoire : « *Un fusil..., du sang..., beaucoup de sang..., et la mort !* »

La prophétie de Zsuzsa s'accomplissait inexorablement, une fois encore.

Elle avait choisi le chemin rocailleux, escarpé, obscur, et elle arrivait au bout..., au bout qui s'abîmait dans le gouffre du néant... Seules les ténèbres impénétrables s'étendaient devant elle.

La tempête qui y faisait rage soulevait le sang au fond des gorges profondes, en vagues impétueuses, écumantes.

Elle eut l'impression que tout son corps était trempé du gluant liquide écarlate.

Elle sentit soudain suinter entre ses lèvres le fluide tiède — visqueux — au goût fade — douceâtre — écœurant...

Des éclairs de feu sillonnaient les nuages bas, chargés de

soufre... Des vapeurs irritantes et nauséabondes lui brûlaient les yeux, lui faisant verser des pleurs.

Le fracas du tonnerre lui martelait le tympan.

— Jancsi... Tiens-moi ! murmura-t-elle...

Terrorisée, elle s'agrippait à son cou...

— Tiens-moi ! J'ai peur ! Ne me laisse pas tomber dans cette mer de sang. ! Serre-moi bien fort !

Jancsi la pressa contre lui et lui baisa les lèvres.

— Ne crains rien, *Pireni*... ! Je suis là, je te tiens !

— Jancsi, me pardonneras-tu jamais tout le mal que je t'ai fait ?

Il ne put que baisser la tête affirmativement.

Sa voix s'étranglait dans sa gorge serrée.

Il l'embrassa à nouveau.

Elle lui rendit ardemment son baiser.

Un léger frisson parcourut le corps frêle et brisé.

Soudain, elle parut se souvenir de quelque chose...

Une de ses mains fines se glissa, tremblante, dans son corsage et en retira un objet scintillant...

C'était le porte-cigarettes en or offert par le Roi.

— Je n'aurais pas pu supporter que tu me montres ce souvenir après... après t'avoir appelé d'une façon si... vilaine... Alors, alors, je te l'ai volé ! C'est toi qui m'avais appris, tu te souviens ?

Elle souriait faiblement. Il prit l'étui, les yeux élargis de stupéfaction. La respiration de Paprika se faisait maintenant plus courte.

La bouche ouverte, elle essayait convulsivement de reprendre son souffle.

Puis, timidement, elle tendit à Jancsi la bourse qu'elle avait volée au paysan, pendant son voyage.

— Dedans, il y a soixante couronnes... J'en ai volé cinquante, mais la pièce d'or est à toi.. Je... je l'ai ramassée... quand tu jetais de l'argent au peuple..., devant la porte du « Marcus », à Budapest...

Les yeux de Jancsi s'agrandirent encore.

— Tu... tu es allée à Budapest ?

Elle sourit et hocha la tête.

— J'étais si jalouse... quand j'ai entendu parler de la Princesse... ! Je t'aimais tant !

Le regard de Jancsi se noya de larmes.

— Je n'ai jamais aimé cette femme ! Je te le jure — devant Dieu — qui est là, présent sur cette croix.

Solennellement, il indiquait de la main le crucifix dressé au-dessus d'eux.

— Je n'ai jamais aimé que toi !

Paprika se tourna vers l'image du Christ, dont la tête douloureuse, dans les lueurs intermittentes des éclairs, lui parut osciller pour confirmer le serment du jeune homme.

— Jancsi... ! Chéri ! soupira-t-elle, sa voix s'affaiblissant de plus en plus, je... te crois.

Elle l'embrassa longuement...

Puis elle reprit, lentement, par saccades, de plus en plus péniblement :

— Jancsi... Crois-tu réellement... à ce que l'on dit..., tu sais..., à une autre vie..., après celle-ci ?

Ses yeux, qui commençaient déjà à se voiler, l'interrogeaient avec une franchise désespérée.

Jancsi sentait son cœur se déchirer. Il hocha la tête affirmativement. Des sanglots s'étranglaient dans sa gorge...

Il rassembla toutes ses forces pour maîtriser son émotion...

D'une voix claire et ferme, il répondit doucement :

— Oui... *Pireni*... Il y a une autre vie dans l'au-delà... J'en suis sûr !

Paprika eut un pauvre petit sourire.

— Alors..., je te reverrai... de l'autre côté... et... je ne te quitterai plus jamais... là-bas !

Jancsi la regardait, bouleversé, impuissant, désespéré, refoulant ses larmes.

— Il y a... tant de choses... que je voudrais te dire..., soupira-t-elle. Mais... il ne me reste plus... beaucoup de temps !

Veux-tu... dire, pour moi..., la prière du Seigneur ? Je ne me souviens plus...

Hésitant, il commença :

— *Miro gudlo Devel — savo hal ote ando Cheros...*

D'une voix de plus en plus éteinte, elle répétait après lui, lentement, laborieusement, respirant de plus en plus difficilement.

— *... te aval swuntunos tiro nav — te avel catari tiro tem !*

Sa prière achevée, elle luttait désespérément, cherchant à respirer.

Elle le regarda avec des yeux implorants :

— Je t'en prie..., joue-moi encore... ta mélodie..., la mienne..., pour moi... Cela m'aidera...

Sa poitrine se soulevait, oppressée, ses traits s'altéraient...

Jancsi comprit que les instants de sa bien-aimée étaient comptés.

Il détacha de son épaule son vieux *bashadi* gondolé et détrempé, et le sortit de sa housse ruisselante.

Le vieil instrument ne possédait plus que la corde de « sol ». Les trois autres s'étaient rompues...

Se penchant tout près, pour que le violon chante dans l'oreille, il posa doucement l'archet effrangé sur l'unique corde.

Il commença le leitmotiv de « Paprika », cette simple *suttergillie*, aux accents pleins de douceur et de poignante mélancolie, qu'il avait jouée pour elle alors qu'elle n'était encore qu'un petit être vagissant.

Les notes fines, aériennes comme un zéphyr, s'envolèrent en tremblant sous ses doigts.

Une douce berceuse, qu'une mère murmure à travers ses lèvres closes, à son enfant, pour l'endormir.

A peine avait-il joué quelques mesures qu'il entendit un râle révélateur dans la gorge de Paprika.

Son archet s'arrêta...

— Jancsi ! murmura-t-elle d'une voix lointaine..., étrange

déjà... Je t'attendrai... sur la belle route... ensoleillée... où les fleurs...

La voix se tut.

Jancsi se pencha sur elle. A la lueur d'un éclair fulgurant, il vit que les beaux yeux verts étaient fixes.

Dans un geste de dément, il lança dans la boue son violon, dont la dernière corde se brisa, et se jeta sur Paprika, la serra contre lui, cherchant ses lèvres pour un dernier baiser.

Elles étaient déjà froides...

— *Camo Pireni !* Ne me quitte pas !

Elle ne répondit pas.

— Mon Dieu ! Notre Père ! cria-t-il désespérément... Ne me l'enlevez pas !

La tête de la jeune fille retomba, inerte, sur son bras.

Des larmes de désespoir, se mêlant à la pluie, ruisselèrent sur le visage transfiguré de Paprika.

— *Camo Pireni ! Camo Pireni !*

Il s'acharnait à l'appeler. Balbutiant entre ses sanglots, il couvrait de baisers le visage mort...

— *Pireni ! Pireni !*

Après un long moment, il leva les yeux vers le ciel comme pour l'interroger.

Pourquoi lui avait-il arraché le seul être qu'il aimait en ce monde ? Aucune réponse ne vint...

Les raisons de Dieu restaient mystérieuses comme toujours.

Le ciel s'éclaircissait.

L'orage avait cessé aussi théâtralement qu'il avait commencé.

Derrière les nuages fuyants, la lune apparut, éclairant la plaine d'une lueur froide, verdâtre, sinistre...

Comme Jancsi baissait son regard à nouveau vers son amour mort, à une vitesse vertigineuse défilèrent devant ses yeux les souvenirs des jours passés.

La naissance d'une petite fille aux cheveux dorés, dans un champ de paprika... Ce même jour, il composait sur son *bas-*

hadi cet impromptu qui devait bercer le premier sommeil de l'enfant sur terre... Quinze ans plus tard..., il jouait cette même *sutter-gillie* pour l'endormir la dernière fois ici-bas !

« *De la passion..., de la jalousie rempliront sa destinée...,* avait prédit Zsuzsa... *Elle n'aimera qu'un seul homme... Mais elle en épousera un autre..., un gorgio..., de rang élevé... Le Roi lui-même assistera à son mariage ! Un sabre, un couteau..., un fusil..., du sang..., beaucoup de sang... et la mort ! Dans un champ de paprika... elle est née..., dans un champ de paprika... elle mourra. Et comme son âme est venue apportée par l'éclair d'un orage..., elle s'échappera..., purifiée, dans l'au-delà, tandis que les éclairs sillonneront le ciel et que la foudre éclatera...* »

A cet instant seulement, en regardant autour de lui les arbustes de paprika ployant sous le poids des gousses écarlates et brillantes, Jancsi reconnut les lieux où il se trouvait. Il n'était pas à cent pas de l'endroit où Paprika était née...

Un frisson glacé le parcourut. Chacune des prophéties de Zsuzsa s'accomplissait mystérieusement. Une autre prédiction, cependant, avait été omise : la potence !

Jancsi entendit des sabots de chevaux qui s'approchaient lentement.

Les gendarmes avaient capturé l'étalon et retournaient sur leurs pas. Il enveloppa d'un dernier et long regard celle qu'il avait adorée. Pourquoi ne pas la rejoindre cette nuit ? Pourquoi attendre qu'une potence libère son âme ? Il posa un dernier baiser sur les lèvres froides.

Alors, il se redressa soudain, face à la route, et se mit à hurler.

Les gendarmes, surpris, s'arrêtèrent...

Jancsi leva son *churi*, fit jouer la lame dans l'ombre pour être sûr qu'on la vît bien puis, un sourire sublime sur son visage illuminé, se mit à courir droit sur eux.

Il tomba à la première décharge...

490

Au-dessus des vastes champs de paprika détrempés par les pluies, les étoiles scintillantes, une à une, apparurent.

Étaient-ce les reflets de leurs lumières tremblotantes qui se jouaient dans la verdure frissonnante des paprikas ? Ou bien deux formes incertaines et légères qui s'élevaient, transparentes, au-dessus de l'ombre ondulante des buissons et prenaient leur essor vers l'infini ?

Était-ce la lune, voyageant, à demi cachée, parmi les nuages fuyants, ou bien deux silhouettes indécises qui chevauchaient au firmament ?

L'une dessinait les formes, éblouissantes de blancheur, d'une jeune fille dont les longs cheveux blonds flottaient dans la brise.

L'autre, plus sombre, masculine, enlaçait la taille fine d'un geste d'une infinie tendresse et se penchait avec un sourire extatique sur la tête blonde.

Ils chevauchaient, elle sur un étalon noir, lui sur une jument à la robe de neige.

Ils s'élançaient plus haut, de plus en plus haut, vers les régions inaccessibles de l'Inconnu, au-delà de toute vision terrestre.

Leurs visages, rapprochés, s'unirent dans un long baiser.

Alors, les deux ombres atteignirent les étoiles...

Achevé d'imprimer en décembre 1990
sur presse CAMERON,
dans les ateliers de la S.E.P.C.
à Saint-Amand-Montrond (Cher)

— N° d'édit. 367. — N° d'imp. 2834. —
Dépôt légal : décembre 1990.

Imprimé en France